중등수학 전과정

절대개념
234

다음의 학생들에게 꼭 필요한 책입니다.

KB121563

1 중등 수학의 개념을 단기간에 정리하

중등 수학의 개념이 고등 수학의 기초가 ⬚⬚⬚⬚⬚ 개념을 확실하게 이해하지 못하면 고등 수학이 어려워집니다. 〈중등수학 선과정 절대개념 234〉는 고등학교 입학 전 중등 수학의 전체 개념을 단기간에 정리할 수 있는 최적의 학습서입니다.

2 고등 시험에 활용되는 중등 개념을 학습하고자 하는 **고1 또는 고2 학생**

최근 고교 내신 및 수능 시험에는 중등 과정에서 학습한 개념을 이용하여 해결하는 문제가 출제되고 있습니다. 〈중등수학 전과정 절대개념 234〉는 고등 시험에 활용되는 중등 수학의 핵심 개념과 필수 유형을 집중 학습할 수 있는 효과적인 학습서입니다.

3 특목고 및 자사고를 준비하는 **예비 중1 또는 중2 학생**

〈중등수학 전과정 절대개념 234〉는 특목고 및 자사고를 준비하는 예비 중1 또는 중2 학생들이 단기간에 중등 수학 전과정의 개념과 유형을 익히고, 곧바로 상위권 교재를 학습할 수 있도록 도와주는 친절한 개념서입니다.

부모님이 **자녀**에게, **선생님**이 **제자**에게,
선배가 **후배**에게 이 교재를 **선물**해 주세요.

_____가 _____에게

_____

_____

_____

4주 완성 학습 계획표

* 학습 계획과 학습일을 정하고, 매일 개념을 학습해 보세요.

* 피치 못할 사정으로 학습을 못한 경우, 보충일을 지정하여 반드시 학습하세요.

1주차		Day_01	Day_02	Day_03	Day_04	Day_05	Day_06	Day_07
	개념	001~008	009~018	019~028	029~038	039~046	047~054	055~063
	학습일	월 일	월 일	월 일	월 일	월 일	월 일	월 일
	보충일	월 일	월 일	월 일	월 일	월 일	월 일	월 일
		수와 연산				문자와 식		

2주차		Day_08	Day_09	Day_10	Day_11	Day_12	Day_13	Day_14
	개념	064~073	074~083	084~092	093~102	103~114	115~126	127~135
	학습일	월 일	월 일	월 일	월 일	월 일	월 일	월 일
	보충일	월 일	월 일	월 일	월 일	월 일	월 일	월 일
		문자와 식			함수			확률과 통계

3주차		Day_15	Day_16	Day_17	Day_18	Day_19	Day_20	Day_21
	개념	136~144	145~154	155~162	163~170	171~178	179~185	186~192
	학습일	월 일	월 일	월 일	월 일	월 일	월 일	월 일
	보충일	월 일	월 일	월 일	월 일	월 일	월 일	월 일
		확률과 통계	기하					

4주차		Day_22	Day_23	Day_24	Day_25	Day_26	Day_27
	개념	193~197	198~204	205~211	212~218	219~226	227~234
	학습일	월 일	월 일	월 일	월 일	월 일	월 일
	보충일	월 일	월 일	월 일	월 일	월 일	월 일
		기하					

중등수학 전과정

절대개념

234

영역별 개념 총정리

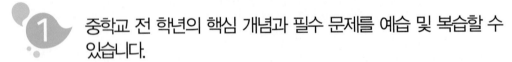

구성과 특징

이 책의 활용법

1 중학교 전 학년의 핵심 개념과 필수 문제를 예습 및 복습할 수 있습니다.

중학교 1학년 개념부터 3학년 개념까지 교과서에서 다루는 핵심 개념과 필수 문제를 엄선하여 정리하였습니다. 예비 중학생 또는 중학교 저학년 학생의 경우는 예습용 교재로, 예비 고등학생 또는 중학교 고학년 학생의 경우는 복습용 교재로 활용할 수 있습니다.

2 중등 수학 전체를 학년 구분없이 영역별로 연계하여 학습할 수 있습니다.

중등 교육과정에서 제시된 5개의 영역(수와 연산, 문자와 식, 함수, 확률과 통계, 기하)을 각각 학년 구분 없이 연계하여 학습할 수 있습니다. 예를 들어 중학교 1학년 과정에서 배우는 좌표와 그래프, 2학년 과정에서 배우는 일차함수, 3학년 과정에서 배우는 이차함수를 연계하여 학습할 수 있습니다.

3 고등 수학의 기본이 되는 중등 수학 필수 개념을 집중 학습할 수 있습니다.

중학교 고학년의 경우는 이전 학년에서 배웠던 개념 중 필요한 개념만을 찾아서 학습할 수 있고, 고등학생의 경우는 고등 문제에 활용되는 중등 개념 또는 중학 도형 부분만을 선별하여 집중 학습할 수 있습니다.

1 | 개념정리

▶ 교과서 필수 개념

교과서 필수 개념을 일목요연하게 정리하였고, 중요한 문장 또는 공식은 형광색으로 강조하였습니다. 또 한자로 된 용어는 한자를 풀어 설명하였고, 혼동하기 쉬운 개념과 공식은 '주의'로, 개념에 대한 부연 설명은 '참고'로 구분하여 제시하였습니다.

▶ 개념 Plus

개념을 이해하는데 도움이 되는 내용 또는 문제 풀이에 도움이 되는 팁을 선별하여 제시하였습니다.

2 | 확인 문제와 절대개념 Focus

▶ 확인 문제

개념을 충분히 이해했는지 확인할 수 있는 문제들로만 엄선하여 구성하였습니다. 'self-check'란에 스스로 체크하여 부족한 개념이 있으면 다시 한 번 학습해 보세요.

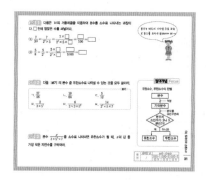

▶ 절대개념 Focus

개념정리에 제시된 개념 또는 개념을 이해하는데 도움이 되는 수학적 원리를 한눈에 이해할 수 있도록 도식화하여 정리하였습니다.

3 | 탄탄한 중단원 문제

중단원에서 학습한 내용을 학교 시험에 출제되는 형태로 복습할 수 있습니다. 'self-check'란에 스스로 체크하여 틀린 문제 또는 이해가 안되는 문제는 해당 개념을 다시 한 번 학습한 후 풀어 보세요.

4 | 정답 및 풀이

풀이가 필요하지 않은 문항은 정답만, 틀리기 쉬운 문제 또는 어려운 문제는 풀이를 상세히 제공하였습니다. 또 빠르게 정답만을 확인할 수 있도록 '빠른 정답'을 별도로 제공하였습니다.

차례

Ⅲ 함수

Ⅳ 확률과 통계

Ⅴ 기하

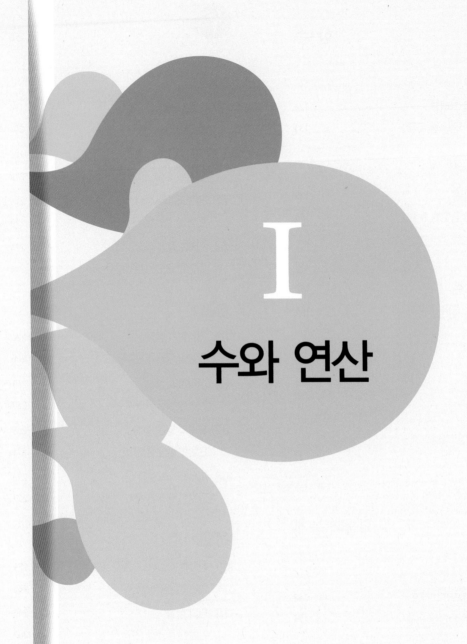

I

수와 연산

개념 001 소수와 합성수

1 소수와 합성수

(1) **소수** : 1보다 큰 자연수 중에서 1과 자기 자신만을 약수로 가지는 수

  ① 모든 소수의 약수의 개수는 1과 자기 자신 2개뿐이다.

  ② 소수 중 짝수는 2뿐이고 나머지는 모두 홀수이다.

(2) **합성수** : 1보다 큰 자연수 중에서 소수가 아닌 수

  주의 1은 소수도 아니고, 합성수도 아니다.

001 1 다음 중 소수인 것에는 ○표, 합성수인 것에는 ×표를 하여라.

(1) 5   (   )   (2) 9   (   )

(3) 16   (   )   (4) 23   (   )

(5) 37   (   )   (6) 48   (   )

001 2 다음 설명 중 옳은 것에는 ○표, 옳지 않은 것에는 ×표를 하여라.

(1) 자연수는 소수와 합성수로만 나누어진다.   (   )

(2) 가장 작은 합성수는 1이다.   (   )

(3) 소수는 모두 홀수이다.   (   )

(4) 소수의 약수의 개수는 2개이다.   (   )

(5) 25는 소수이다.   (   )

(6) 2는 소수 중에서 가장 작은 수이다.   (   )

(7) 약수가 3개 이상인 수는 반드시 합성수이다.   (   )

(8) 1과 소수를 제외한 수는 모두 합성수이다.   (   )

절대개념 Focus

약수의 개수에 따른 분류

약수의 개수 1개	⇨ 1
약수의 개수 2개	⇨ 소수
약수의 개수 3개 이상	⇨ 합성수

001 3 1부터 40까지의 자연수 중 합성수의 개수를 구하여라.

확인	공부한 날	self-check		
	/	001-1	001-2	001-3
		O X	O X	O X

개념 002 소인수분해

한자 용어 풀이
• 인수(원인, 유래 因, 수 數)
⇨ 유래가 되는 수

수
와
연
산

1 학년
2 학년
3 학년

2 소인수분해

(1) **인수** : 자연수 a, b, c에 대하여 $a=b \times c$일 때, b, c를 a의 인수라 한다.

(2) **소인수** : 인수들 중에서 소수인 인수

(3) **소인수분해** : 자연수를 소수들만의 곱으로 나타내는 것

① 나누어 떨어지는 작은 소인수부터 차례로 나눈다.

② 몫이 소수가 될 때까지 나눈다.

③ 나눈 소수들과 마지막 몫을 곱셈 기호 ×로 연결한다. 이때 같은 소인수의 곱은 거듭제곱을 사용하여 나타낸다.

예 72를 소인수분해하는 방법

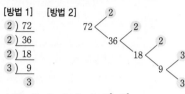

[방법 1]
$$\begin{array}{r} 2)\overline{72} \\ 2)\overline{36} \\ 2)\overline{18} \\ 3)\overline{9} \\ 3 \end{array}$$

⇨ $72 = 2 \times 2 \times 2 \times 3 \times 3 = 2^3 \times 3^2$

72의 소인수 2, 3

개념 Plus⁺ 자연수의 제곱이 되는 수가 되려면 소인수분해했을 때, 소인수의 지수가 모두 짝수가 되어야 한다.

---

002 1 다음은 수를 소인수분해하는 과정이다. □ 안에 알맞은 수를 써넣어라.

(1) $\square\,)\,54$ ⇨ $54 = \square \times \square$
　$3\,)\,27$
　$3\,)\,\square$
　　　$\square$

(2) $\square\,)\,90$ ⇨ $90 = \square \times \square \times \square$
　$3\,)\,45$
　$3\,)\,\square$
　　　$\square$

(3) 81 ⇨ $81 = \square$

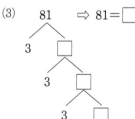

(4) 100 ⇨ $100 = \square \times \square$

002 2 다음 수를 소인수분해하고, 소인수를 모두 구하여라.

(1) 36

(2) 64

(3) 84

(4) 120

절대개념 **Focus**

소인수분해하는 방법

나누어 떨어 $2\,)\,20$
지는 소수　$2\,)\,10$
　　　　　　5 ← 몫이 소수

소인수분해한 결과

$$20 = 2 \times 10 \, (\times)$$
(10은 소수가 아니다.)
$$20 = 2 \times 2 \times 5$$
$$= 2^2 \times 5 \, (\bigcirc)$$

01. 소인수분해

3 소인수분해를 이용하여 약수 구하기

자연수 A가 $A = a^m \times b^n$ (a, b는 서로 다른 소수)로 소인수분해될 때

(1) A의 약수 : $\underline{a^m$의 약수}와 $\underline{b^n$의 약수}를 각각 곱하여 구한다.
　　　　　　　$\downarrow$1, a, a^2, a^3, …, a^m　$\downarrow$1, b, b^2, b^3, …, b^n

(2) A의 약수의 개수 : ($\textcircled{m}+1$)×($\textcircled{n}+1$)개　⇨　각 지수에 1을 더하여 곱한다.

例　$12 = 2^2 \times 3$

① 12의 약수 : 1, 2, 3, 4, 6, 12

② 12의 약수의 개수 : (2+1)×(1+1)=6(개)

×	1	2	2^2	← 2^2의 약수
1	1	2	4	
3	3	6	12	

3의 약수

참고　$a^l \times b^m \times c^n$ (a, b, c는 서로 다른 소수)의 약수의 개수는 $(l+1) \times (m+1) \times (n+1)$개이다.

---

003 1 다음 표를 완성하고, 주어진 수의 약수를 모두 구하여라.

(1) 3×5^2

×	1	3
1		
5		
5^2		

(2) $3^2 \times 7$

×	1	3	3^2
1			
7			

가로의 수와 세로의 수를 곱하면 주어진 수의 약수를 구할 수 있어~

003 2 다음 〈보기〉 중 60의 약수를 모두 골라라.

〈보기〉
ㄱ. 2×3　　　ㄴ. 2×5　　　ㄷ. 2×3^2
ㄹ. 2×5^2　　　ㅁ. $2^2 \times 5$　　　ㅂ. $2^2 \times 3^2 \times 5$

003 3 다음 수의 약수의 개수를 구하여라.

(1) $2^2 \times 5^2$

(2) $2^4 \times 3 \times 5$

(3) 48

(4) 120

확인	공부한 날	self-check		
	/	003-1	003-2	003-3
		O X	O X	O X

개념 004 공약수와 최대공약수

수 와 연 산

1학년
2학년
3학년

4 공약수와 최대공약수

(1) **공약수** : 두 개 이상의 자연수의 공통인 약수

(2) **최대공약수** : 공약수 중에서 가장 큰 수

(3) **최대공약수의 성질** : 두 개 이상의 자연수의 공약수는 최대공약수의 약수이다.

　　예 12와 18의 공약수 1, 2, 3, 6은 두 수의 최대공약수인 6의 약수이다.

(4) **서로소** : <u>최대공약수가 1인 두 자연수</u>　　예 2와 5, 7과 12, 9와 22, …

　　└▶공약수가 1뿐인 두 자연수

5 최대공약수 구하기

(1) **나눗셈을 이용한 방법**

① 1 이외의 공약수로 나눈다.

② 몫이 서로소가 될 때까지 공약수로 계속 나눈다.

③ 나누어 준 공약수를 모두 곱한다.

$$
\begin{array}{r}
2\ )\underline{\ 18\quad 24\ } \\
3\ )\underline{\ \ 9\quad 12\ } \\
3\qquad 4 \leftarrow 서로소
\end{array}
$$

$2 \times 3 = 6 \leftarrow$ 최대공약수

(2) **소인수분해를 이용한 방법**

① 각 수를 소인수분해한다.

② 공통인 소인수를 택하여 모두 곱해 준다. 이때 공통인 소인수는 지수가 같거나 작은 것을 택한다.

$$18 = 2 \times 3^2$$
$$24 = 2^3 \times 3$$
$$\overline{}$$
$$2 \times 3 = 6 \leftarrow 최대공약수$$

공통인 소인수

---

004 1 두 수 24와 36에 대하여 다음을 구하여라.

(1) 24와 36 각각의 약수　　　　(2) 24와 36의 공약수

(3) 24와 36의 최대공약수

004 2 다음 두 수가 서로소이면 ○표, 서로소가 아니면 ×표를 하여라.

(1) 25, 48　　(　　　)　　　(2) 26, 65　　(　　　)

004 3 다음 수들의 최대공약수를 구하여라.

(1) 24, 60　　　　　　　　(2) 60, 90, 126

(3) 5×7^2, $3^3 \times 5 \times 7$　　　　(4) $2 \times 3^2 \times 5$, $2^2 \times 3^3 \times 5^2$, $2 \times 3^2 \times 7^2$

절대개념 Focus

최대공약수 구하기

$$24 = 2 \times 2 \times 2 \times 3$$
$$18 = 2 \qquad\quad \times 3 \times 3$$
$$\Downarrow \qquad\qquad \Downarrow$$
최대공약수 : $2 \qquad\quad \times 3$

최대공약수는 공통인 소인수를 모두 곱한 것과 같다.

확인	공부한 날	self-check		
	/	004-1	004-2	004-3
		O X	O X	O X

6 최대공약수의 활용 : 다음과 같은 경우 대부분 최대공약수를 이용하여 문제를 푼다.

    (1) 문제 유형

        ① 가장 큰 도형을 만드는 도형 문제

        ② 가능한 한 많은 사람들에게 똑같이 나누어 주는 분배 문제

        ③ 두 수를 동시에 나누는 가장 큰 수를 구하는 숫자 문제

    (2) 문제 속에 자주 나오는 표현 : '가능한 한 많은', '가장 큰', '가장 긴', '최대한' 등

---

005 1   꿈틀협동조합에서는 가로의 길이가 90 m, 세로의 길이가 126 m인 직사각형 모양의 땅을 남는 부분이 없이 되도록 큰 정사각형 모양으로 똑같이 나누어 1개를 한 가구에게 임대하는 주말농장을 운영하기로 하였다. 다음 ☐ 안에 알맞은 것을 써넣어라.

'되도록 큰', '가능한 많은'의 표현이 있으면 최대공약수를 이용해~

(1) 나눌 정사각형 모양의 땅의 한 변의 길이는 90과 126의 ☐☐☐이므로 ☐ m이다.

(2) 가로로는 ☐개, 세로로는 ☐개의 정사각형 모양의 땅으로 나누어진다.

(3) 주말농장을 임대받을 수 있는 가구 수는 ☐가구이다.

---

005 2   지상이는 연필 36자루, 공책 48권, 지우개 60개로 선물꾸러미를 만들려고 한다. 각 선물꾸러미마다 같은 개수의 연필, 공책, 지우개를 남김없이 넣어 가능한 한 많은 선물꾸러미를 만들려고 할 때, 만들 수 있는 선물꾸러미의 개수를 구하여라.

---

005 3   어떤 자연수로 89를 나누면 1이 남고 125를 나누면 5가 남는 가장 큰 자연수를 구하려고 한다. 다음 ☐ 안에 알맞은 수를 써넣어라.

> 어떤 자연수로 89를 나누면 1이 남으므로 어떤 자연수로 ☐을 나누면 나누어 떨어진다. 또한 어떤 자연수로 125를 나누면 5가 남으므로 어떤 자연수로 ☐을 나누면 나누어 떨어진다.
> 따라서 이러한 수 중 가장 큰 수는 ☐과 ☐의 최대공약수인 ☐이다.

확인	공부한 날	self-check		
	/	005-1	005-2	005-3
		O X	O X	O X

개념 006 공배수와 최소공배수

7 공배수와 최소공배수

(1) 공배수 : 두 개 이상의 자연수의 공통인 배수

(2) 최소공배수 : 공배수 중에서 가장 작은 수

(3) 최소공배수의 성질

① 두 개 이상의 자연수의 공배수는 최소공배수의 배수이다.

② 서로소인 두 자연수의 최소공배수는 두 수의 곱과 같다.

예 3과 4의 공배수 12, 24, 36, …은 두 수의 최소공배수인 12의 배수이다.

8 최소공배수 구하기

(1) 나눗셈을 이용한 방법

① 두 개 이상의 수의 몫이 서로소가 될 때까지 1이 아닌 공약수로 나눈다.

② 나눈 수와 마지막 몫을 모두 곱한다.

(2) 소인수분해를 이용한 방법

① 각 수를 소인수분해한다.

② 공통인 소인수는 지수가 같거나 큰 것을 택하여 곱한다.

③ 공통이 아닌 소인수도 모두 택하여 곱한다.

→ 세 수의 최소공배수를 구할 때 두 수의 공약수로도 나누는 것에 유의한다. 이때 공약수가 없는 수는 그대로 아래에 써준다.

$$\begin{array}{r|rrr} 2 & 12 & 18 & 30 \\ 3 & 6 & 9 & 15 \\ \hline & 2 & 3 & 5 \end{array}$$ 최소공배수

$2 \times 3 \times 2 \times 3 \times 5 = 180$

$12 = 2^2 \times 3$
$18 = 2 \times 3^2$
$30 = 2 \times 3 \times 5$

$2^2 \times 3^2 \times 5 = 180$ ← 최소공배수

006 1 두 수 6과 9에 대하여 다음을 구하여라.

(1) 6과 9 각각의 배수

(2) 6과 9의 공배수

(3) 6과 9의 최소공배수

006 2 다음 수들의 최소공배수를 구하여라.

(1) 63, 147

(2) 12, 40, 60

(3) $2^2 \times 3 \times 5$, $2 \times 3 \times 5^2$

(4) $2^2 \times 7$, $3^2 \times 7$, $2^3 \times 3^2$

절대개념 Focus

최소공배수 구하기

$24 = 2 \times 2 \times 2 \times 3$
$18 = 2 \qquad\qquad 3 \times 3$

최소공배수 : $2 \times 2 \times 2 \times 3 \times 3$

최소공배수는 공통인 소인수와 공통이 아닌 소인수를 모두 곱한 것과 같다.

006 3 두 자연수 a, b의 최소공배수가 24일 때, a, b의 공배수 중 두 자리의 자연수의 개수를 구하여라.

확인	공부한 날	self-check		
	/	006-1	006-2	006-3
		O X	O X	O X

9 최소공배수의 활용 : 다음과 같은 경우 대부분 최소공배수를 이용하여 문제를 푼다.

   (1) 문제 유형

      ① 가장 작은 도형을 만드는 도형 문제

      ② 동시에 출발하여 다시 만나는 시각을 구하는 시간 문제

      ③ 두 수로 동시에 나누어지는 가장 작은 수를 구하는 숫자 문제

   (2) 문제 속에 자주 나오는 표현 : '가능한 한 적은', '가장 작은', '동시에', '최소한' 등

---

007 1 오른쪽 그림과 같이 가로의 길이가 8 cm, 세로의 길이가 6 cm인 직사각형 모양의 종이가 있다. 이 종이를 겹치지 않게 빈틈없이 붙여서 가장 작은 정사각형을 만들려고 할 때, 다음 물음에 답하여라.

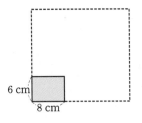

'가장 작은', '동시에'의 표현이 있으면 최소공배수를 이용해~

(1) 정사각형의 한 변의 길이를 구하여라.

(2) 필요한 직사각형 모양의 종이의 개수를 구하여라.

007 2 운동장을 한 바퀴 도는 데 형은 36초, 동생은 54초가 걸린다. 두 사람이 출발선에서 동시에 출발하여 같은 방향으로 돌았을 때, 두 사람이 출발한 후 다시 처음으로 출발선을 동시에 통과할 때까지 걸리는 시간을 구하여라.

007 3 세 자연수 8, 18, 20 중 어느 것으로 나누어도 나머지가 모두 1인 가장 작은 수를 구하려고 한다. 다음 □ 안에 알맞은 수를 써넣어라.

(1) 8로 나눈 나머지가 1이 되려면 구하는 수는 (□의 배수)＋□이어야 한다.

(2) 18로 나눈 나머지가 1이 되려면 구하는 수는 (□의 배수)＋□이어야 한다.

(3) 20으로 나눈 나머지가 1이 되려면 구하는 수는 (□의 배수)＋□이어야 한다.

(4) 8, 18, 20 중 어느 것으로 나누어도 나머지가 모두 1인 수 중 가장 작은 수는 □이다.

절대개념 Focus

최소공배수의 활용
**   – 어떤 자연수를 나누기**

① 어떤 수를 a로 나누면 1이 남는다.
  ⇨ (어떤 수)－1은 a의 배수이다.
  즉, (어떤 수)＝(a의 배수)＋1
  ⇨ (어떤 수)－1은 a로 나누면 나누어 떨어진다.
② 어떤 수를 a로 나누면 1이 부족하다.
  ⇨ (어떤 수)＋1은 a의 배수이다.
  즉, (어떤 수)＝(a의 배수)－1
  ⇨ (어떤 수)＋1은 a로 나누면 나누어 떨어진다.

어떤 자연수를 나눌 때 일정한 나머지가 생기는 경우

$$2\,)\underline{}^{\cdots\,1} \quad 5\,)\underline{}^{\cdots\,1} \quad 3\,)\underline{}^{\cdots\,1}$$
  ⇨ □＝(2, 3, 5의 공배수)＋1

확인	공부한 날	self-check		
		007-1	007-2	007-3
	/	O X	O X	O X

개념 008 최대공약수와 최소공배수의 관계

10 최대공약수와 최소공배수의 관계

두 자연수 A, B의 최대공약수를 G, 최소공배수를 L이라 하면

(1) $A = a \times G$, $B = b \times G$ (단, a, b는 서로소)

(2) $L = a \times b \times G$

(3) $A \times B = (a \times G) \times (b \times G) = (a \times b \times G) \times G = L \times G$

⇨ (두 수의 곱) = (최소공배수) × (최대공약수)

$$G \underline{)\ A \quad B}$$
$$a \quad b$$
서로소

⇨ $L = a \times b \times G$

11 최대공약수와 최소공배수의 활용

두 분수 $\dfrac{A}{B}$, $\dfrac{C}{D}$ 중 어느 것에 곱해도 자연수가 되는 가장 작은 분수는

$$\dfrac{(B,\ D의\ 최소공배수)}{(A,\ C의\ 최대공약수)}$$

---

008 1 두 자연수 A와 24의 최대공약수는 12이고 최소공배수는 120일 때, 다음 □ 안에 알맞은 수를 써넣어라.

최대공약수가 12이므로

$$12 \underline{)\ A \quad 24}$$
$$a \quad 2$$

최소공배수가 120이므로 $\boxed{} \times a \times 2 = 120$ ∴ $a = \boxed{}$

∴ $A = 12 \times \boxed{} = \boxed{}$

---

008 2 두 분수 $\dfrac{12}{5}$, $\dfrac{6}{7}$의 어느 것에 곱하여도 그 결과가 자연수가 되게 하는 분수 중에서 가장 작은 수 $\dfrac{B}{A}$를 구하려고 한다. 다음 □ 안에 알맞은 것을 써넣어라.

$\dfrac{12}{5} \times \dfrac{B}{A} =$ (자연수), $\dfrac{6}{7} \times \dfrac{B}{A} =$ (자연수)이려면

A는 $\boxed{}$와 $\boxed{}$의 공약수, B는 $\boxed{}$와 $\boxed{}$의 공배수이어야 한다.

이때 $\dfrac{B}{A}$는 가장 작은 수이므로

$$\dfrac{B}{A} = \dfrac{(\boxed{}와\ \boxed{}의\ \boxed{})}{(\boxed{}와\ \boxed{}의\ \boxed{})} = \dfrac{\boxed{}}{\boxed{}}$$

절대개념 Focus

최대공약수와 최소공배수의 관계

$A = 2 \times 3 = 6$
$B = 5 \times 3 = 15$

$$3 \underline{)\ 6 \quad 15}$$
$$2 \quad 5$$

① $G = 3$, $L = 2 \times 5 \times 3$

② $A \times B = 6 \times 15$
$= (2 \times 3) \times (5 \times 3)$
$= 2 \times 5 \times 3 \times 3 = L \times G$

두 분수를 자연수로 만들기

두 분수 중 어느 것에 곱해도 자연수가 되는 가장 작은 분수는

$\dfrac{b}{a}$, $\dfrac{d}{c}$ ⟶ $\dfrac{(a,\ c의\ 최소공배수)}{(b,\ d의\ 최대공약수)}$

확인	공부한 날	self-check
	/	008-1 | 008-2
		O X | O X

01 다음 중 소수가 <u>아닌</u> 것은?

① 5   ② 13   ③ 19   ④ 27   ⑤ 37

개념 001

02 84에 적당한 자연수를 곱하여 어떤 자연수의 제곱이 되게 하려고 할 때, 곱해야 할 가장 작은 자연수를 구하여라.

개념 002

자연수의 제곱이 되는 수가 되려면 소인수분해했을 때, 소인수의 지수가 모두 짝수가 되어야 한다.

03 다음 중 $2^2 \times 3 \times 5^2$의 약수가 <u>아닌</u> 것은?

① 2×3 ② 2×5 ③ $2^2 \times 3$

④ $3^2 \times 5^2$ ⑤ $2^2 \times 5^2$

개념 003

소인수분해한 결과보다 소인수의 지수가 크면 약수가 아니다.

04 다음 중 두 수가 서로소가 <u>아닌</u> 것은?

① 2, 7   ② 5, 24   ③ 10, 27   ④ 22, 39   ⑤ 39, 65

개념 004

05 두 자연수 72, 108의 공약수의 개수는?

① 2개   ② 4개   ③ 6개   ④ 9개   ⑤ 10개

개념 003+004

두 개 이상의 자연수의 공약수는 그 수들의 최대공약수의 약수임을 이용한다.

확인	공부한 날	self-check				
		01	02	03	04	05
	/	O X	O X	O X	O X	O X

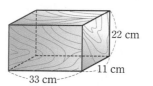

수와 연산

1학년
2학년
3학년

06 오른쪽 그림과 같이 가로의 길이, 세로의 길이, 높이가 각각 33 cm, 11 cm, 22 cm인 직육면체 모양의 나무토막을 남는 부분이 없이 크기가 같은 정육면체로 자르려고 한다. 가장 큰 정육면체로 자르려고 할 때, 만들 수 있는 정육면체의 개수를 구하여라.

22 cm
11 cm
33 cm

개념 005
'가장 큰', '가능한 한 큰'은 최대공약수를 이용하여 푼다.

07 두 분수 $\frac{18}{n}$, $\frac{24}{n}$ 가 모두 자연수가 되도록 하는 자연수 n의 값들의 합은?

① 7 ② 9 ③ 12 ④ 15 ⑤ 18

개념 005

08 두 수 $2^2 \times 3^a$, $2^b \times 3^2 \times 7$의 최대공약수가 $2^c \times 3^2$이고 최소공배수가 $2^3 \times 3^4 \times 7$일 때, $a+b+c$의 값은?

① 9 ② 10 ③ 11 ④ 12 ⑤ 13

개념 004+006
최대공약수는 공통인 소인수에서 지수가 같거나 작은 쪽을 택하고, 최소공배수는 공통인 소인수에서 지수가 같거나 큰 쪽을 택한다.

09 톱니의 수가 각각 18개, 20개인 두 톱니바퀴 A, B가 서로 맞물려 돌아가고 있다. 두 톱니바퀴가 회전하기 시작하여 처음으로 다시 같은 톱니에서 맞물리는 것은 A 톱니바퀴가 몇 번 회전한 후인가?

① 6번 ② 7번 ③ 8번 ④ 9번 ⑤ 10번

개념 007
'동시에 출발한다', '다시 만난다', '다시 맞물린다' 등의 순환하는 의미의 내용이 들어 있는 경우 최소공배수를 이용한다.

10 두 자리의 자연수 A, B의 최대공약수는 5, 최소공배수는 50이다. 이때 $A+B$의 값은?

① 27 ② 30 ③ 35 ④ 47 ⑤ 55

개념 008

확인	공부한 날	self-check				
	/	06	07	08	09	10
		O X	O X	O X	O X	O X

정수

1 정수

(1) **부호를 가진 수** : 서로 반대되는 성질을 가진 두 수량을 나타낼 때 어떤 기준을 중심으로 한 쪽에는 +를, 다른 쪽에는 −를 붙여 나타낸다.

+	영상	증가	이익	수입	해발
−	영하	감소	손해	지출	해저

(2) **정수** : 양의 정수, 0, 음의 정수를 통틀어 정수라 한다.

정수 $\begin{cases} \text{양의 정수 : 자연수에 양의 부호 +를 붙인 수} \quad \text{예} \ +1, \ +2, \ +3, \cdots \\ 0 \rightarrow \text{양의 정수도 음의 정수도 아니다.} \\ \text{음의 정수 : 자연수에 음의 부호 −를 붙인 수} \quad \text{예} \ -1, \ -2, \ -3, \cdots \end{cases}$

(3) **수직선** : 직선 위에 기준점 O를 정하여 그 점에 수 0을 대응시키고, 점 O의 오른쪽에 양의 정수 +1, +2, +3, …을 왼쪽에 음의 정수 −1, −2, −3, …을 차례로 대응시킨 직선

음의 정수　　원점　　양의 정수

$-4 \ -3 \ -2 \ -1 \quad 0 \ +1 \ +2 \ +3 \ +4$

개념 Plus⁺
분수 꼴로 나타내어진 수는 분수를 반드시 기약분수로 나타내어 정수인지 아닌지 판단해야 한다.

예 $\dfrac{8}{4} = 2$, $-\dfrac{6}{2} = -3$

---

009 1 다음을 부호 +, −를 사용하여 나타내어라.

(1) 입금 7000원, 출금 3000원 　　(2) 득점 8점, 실점 9점

(3) 해발 800 m, 해저 150 m 　　(4) 출발 2분 전, 출발 5분 후

009 2 〈보기〉의 수에 대하여 다음을 구하여라.

〈보기〉
$$+8 \qquad +0.3 \qquad 0 \qquad -7 \qquad +\frac{2}{3} \qquad -5.6 \qquad -\frac{12}{2}$$

(1) 양의 정수 　　(2) 음의 정수 　　(3) 정수

009 3 다음 수직선 위의 네 점 A, B, C, D에 대응하는 수를 각각 말하여라.

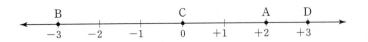

B　　　　　　C　　　A　D
$-3 \quad -2 \quad -1 \quad 0 \quad +1 \quad +2 \quad +3$

절대개념 Focus

부호를 가진 수

+	영상 9 ℃ ⇨ +9 ℃
−	영하 5 ℃ ⇨ −5 ℃

정수의 분류

정수 $\begin{cases} \text{양의 정수} \\ +1, \ +2, \ +3, \cdots \\ 0 \\ \text{음의 정수} \\ -1, \ -2, \ -3, \cdots \end{cases}$

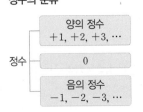

확인	공부한 날	self-check		
	/	009-1	009-2	009-3
		O X	O X	O X

개념 010 유리수

2 유리수

(1) **유리수** : 양의 유리수, 0, 음의 유리수를 통틀어 유리수라 한다.

① 양의 유리수(양수) : 분자, 분모가 자연수인 분수에 양의 부호 ＋를 붙인 수

② 음의 유리수(음수) : 분자, 분모가 자연수인 분수에 음의 부호 －를 붙인 수

(2) **유리수의 분류**

$$
\text{유리수}
\begin{cases}
\text{정수}
\begin{cases}
\text{양의 정수(자연수)} : +1,\ +2,\ +3,\ \cdots \\
0 \\
\text{음의 정수} : -1,\ -2,\ -3,\ \cdots
\end{cases} \\
\text{정수가 아닌 유리수} : -\dfrac{2}{3},\ -0.3,\ +\dfrac{1}{4},\ \cdots
\end{cases}
$$

(3) **수직선**

① 정수와 마찬가지로 모든 유리수도 수직선 위의 점으로 나타낼 수 있다.

② 수직선 위에서 양의 유리수는 원점의 오른쪽에, 음의 유리수는 원점의 왼쪽에 나타낸다.

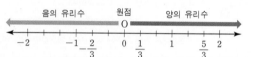

개념 Plus⁺

• 모든 정수는 분수의 꼴로 나타낼 수 있으므로 모두 유리수이다. **예** $0=\dfrac{0}{1}$, $3=\dfrac{3}{1}$, $2=\dfrac{6}{3}$, $-4=-\dfrac{8}{2}$

• 수직선 위에서 $\dfrac{2}{3}$에 대응하는 점은 0과 1 사이의 간격을 3등분하였을 때, 0에서 오른쪽으로 2번째인 점이다.

---

010 1 〈보기〉의 수에 대하여 다음을 구하여라.

〈보기〉
$$+\frac{14}{3} \qquad -3.5 \qquad -4 \qquad 0 \qquad +\frac{16}{4} \qquad +1.2 \qquad -1\frac{3}{7}$$

(1) 음의 정수   (2) 정수

(3) 정수가 아닌 유리수   (4) 유리수

010 2 다음 각 점에 대응하는 수를 수직선 위에 나타내어라.

$$A : -1.5 \qquad B : -\frac{2}{3} \qquad C : +\frac{3}{4} \qquad D : \frac{7}{3}$$

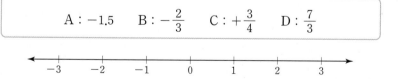

절대개념 **Focus**

유리수

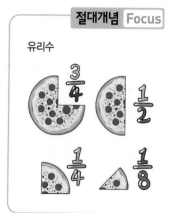

확인	공부한 날	self-check	
	/	010-1	010-2
		O X	O X

3 절댓값

(1) **절댓값** : 수직선 위에서 원점과 어떤 수를 나타내는 점 사이의 거리

   기호 $|a|$ ⇐ a의 절댓값

$$\overset{\text{거리 3}}{\overbrace{\qquad}}\ \overset{\text{거리 3}}{\overbrace{\qquad}}$$
$$-3\ \ -2\ \ -1\ \ \ 0\ \ +1\ \ +2\ \ +3$$

⇨ +3의 절댓값 : $|+3|=3$,
　 −3의 절댓값 : $|-3|=3$

(2) **절댓값의 성질**

① 절댓값은 항상 0 또는 양수 이다.

② 0의 절댓값은 0이다.

③ 절댓값이 $a\,(a>0)$인 수는 $+a$, $-a$의 2개이다. ← $+a$와 $-a$는 원점에서 같은 거리에 있다.

④ 원점에서 멀어질수록 절댓값이 크다. ← (절댓값이 가장 큰 수)=(원점에서 가장 먼 수)

개념
Plus⁺
• 절댓값이 가장 작은 수는 0이다.
• 절댓값이 가장 작은 음의 정수는 −1이다.
• 원점에서 가장 가까이 있는 수는 절댓값이 가장 작은 수이다.

---

011 1 다음을 구하여라.

(1) −1.5의 절댓값

(2) 절댓값이 9인 음수

(3) 절댓값이 $\dfrac{5}{3}$인 수

> 절댓값은 양의 유리수, 음의 유리수에서 부호를 떼어낸 수와 같아 ~

011 2 다음 〈보기〉 중 절댓값이 가장 큰 수를 a, 원점에서 가장 가까운 수를 b라 할 때, a, b를 각각 구하여라.

〈보기〉

$$-5 \qquad -9 \qquad \dfrac{1}{3} \qquad -0.7 \qquad +4 \qquad \dfrac{7}{4}$$

011 3 다음 수를 절댓값이 큰 수부터 차례로 나열하여라.

$$+\dfrac{11}{2} \qquad -4 \qquad +5.2 \qquad 1.3 \qquad -8\dfrac{1}{3}$$

절대개념 Focus

절댓값

|(양수)| = (양수)
⇨ +5의 절댓값 : $|+5|=5$

|0| = 0
⇨ 0의 절댓값 : $|0|=0$

|(음수)| = (양수)
⇨ −5의 절댓값 : $|-5|=5$

Ⅰ. 수와 연산

확인	공부한 날	self-check		
		011-1	011-2	011-3
	/	O X	O X	O X

개념 012 수의 대소 관계 / 부등호의 사용

수와 연산

1학년
2학년
3학년

4 수의 대소 관계

(1) 양수는 0보다 크고, 음수는 0보다 작다. $\boxed{(음수) < 0 < (양수)}$

(2) 양수끼리는 절댓값이 클수록 크다. (예) $+\dfrac{3}{2} < +\dfrac{5}{2}$

(3) 음수끼리는 절댓값이 클수록 작다. (예) $-\dfrac{3}{2} > -\dfrac{5}{2}$

참고 수직선 위에서 오른쪽에 있는 수가 왼쪽에 있는 수보다 크다.

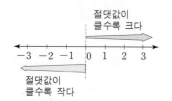
절댓값이 클수록 크다
절댓값이 클수록 작다

5 부등호의 사용

$x > a$	$x < a$	$x \geq a$	$x \leq a$
x는 a보다 크다. x는 a 초과이다.	x는 a보다 작다. x는 a 미만이다.	x는 a보다 크거나 같다. x는 a 이상이다. x는 a보다 작지 않다.	x는 a보다 작거나 같다. x는 a 이하이다. x는 a보다 크지 않다.

개념 Plus⁺
• 두 음수를 수직선 위에 나타내었을 때, 절댓값이 클수록 원점에서 왼쪽으로 더 멀리 떨어져 있으므로 절댓값이 큰 수가 작다.
• 분모가 다른 두 유리수의 대소 관계는 분모를 통분하여 크기를 비교한다.

$$-\frac{1}{2}, \ -\frac{2}{5} \xrightarrow{\text{통분}} -\frac{5}{10}, \ -\frac{4}{10} \xrightarrow{\text{절댓값 비교}} -\frac{1}{2} < -\frac{2}{5}$$

---

012 1 〈보기〉의 수에 대하여 다음을 구하여라.

〈보기〉
$$3 \qquad -2 \qquad 4.3 \qquad -\frac{9}{4} \qquad \frac{7}{5}$$

(1) 절댓값이 가장 작은 수   (2) 가장 작은 수

(3) 가장 큰 수   (4) 음수 중에서 가장 큰 수

012 2 다음 □ 안에 알맞은 부등호를 써넣어라.

(1) a는 7보다 크거나 같다. ⇨ $a \ \boxed{} \ 7$

(2) b는 -2보다 작지 않다. ⇨ $b \ \boxed{} \ -2$

(3) c는 0보다 크고 5보다 작거나 같다. ⇨ $0 \ \boxed{} \ c \ \boxed{} \ 5$

(4) d는 -3 초과 6 미만이다. ⇨ $-3 \ \boxed{} \ d \ \boxed{} \ 6$

절대개념 Focus

수의 대소 관계

양수와 음수
⇨ (양수) > (음수)

양수와 양수
⇨ 절댓값이 큰 수가 크다.

음수와 음수
⇨ 절댓값이 큰 수가 작다.

6 유리수의 덧셈

(1) 부호가 같을 때 : 두 수의 절댓값의 합에 공통인 부호를 붙인다.

> 예 $(+4)+(+2)=+(4+2)=+6$, $(-4)+(-2)=-(4+2)=-6$

(2) 부호가 다를 때 : 두 수의 절댓값의 차에 절댓값이 큰 수의 부호를 붙인다.

> 예 $(+4)+(-2)=+(4-2)=+2$, $(-4)+(+2)=-(4-2)=-2$

> 참고 ① 절댓값이 같고 부호가 반대인 두 수의 합은 0이다. 예 $(+5)+(-5)=0$
>
> ② 어떤 수와 0과의 합은 그 수 자신이다. 예 $(+5)+0=+5$

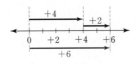

$$(+4)+(+2)=+6 \qquad (-4)+(+2)=-2$$

7 유리수의 뺄셈

유리수의 뺄셈은 빼는 수의 부호를 바꾸어 덧셈으로 고쳐서 계산한다.

> 예 $(+5)-(+3)=(+5)+(-3)=+2$,
>
> $(+5)-(-3)=(+5)+(+3)=+8$

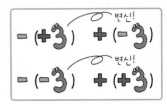

뺄셈은 빼는 수의 부호를 바꾸어 덧셈으로 고쳐봐 ~

013 1 다음을 계산하여라.

(1) $(+3)+(-7)$

(2) $(-6)+(-5)$

(3) $\left(-\dfrac{4}{5}\right)+\left(-\dfrac{3}{2}\right)$

(4) $\left(+\dfrac{3}{4}\right)+\left(-\dfrac{1}{3}\right)$

(5) $(+3.3)+(+0.2)$

(6) $(+0.5)+(-2.7)$

013 2 다음을 계산하여라.

(1) $(+7)-(+5)$

(2) $(+9)-(-4)$

(3) $\left(+\dfrac{3}{4}\right)-\left(-\dfrac{1}{6}\right)$

(4) $\left(-\dfrac{2}{3}\right)-\left(+\dfrac{5}{6}\right)$

(5) $(+4.8)-(-1.1)$

(6) $\left(-\dfrac{2}{5}\right)-(-0.5)$

절대개념 Focus

유리수의 덧셈

(양수) + (양수)
⇨ ➕ (절댓값의 합)

(음수) + (음수)
⇨ ➖ (절댓값의 합)

(양수) + (음수)
(음수) + (양수)
⇨ ⚫ (절댓값의 차)
↑
절댓값이
큰 수의 부호

확인	공부한 날	self-check	
	/	013-1	013-2
		O X	O X

개념
014 유리수의 덧셈과 뺄셈의 혼합 계산

8 덧셈의 계산 법칙 : 세 유리수 a, b, c에 대하여

(1) 덧셈의 교환법칙 : $a+b=b+a$

(2) 덧셈의 결합법칙 : $(a+b)+c=a+(b+c)=a+b+c$

참고 유리수의 덧셈에서는 교환법칙과 결합법칙이 성립하므로 순서를 적당히 바꾸거나 수를 모아서 계산하면 편리하다.

9 유리수의 덧셈과 뺄셈의 혼합 계산

(1) 덧셈과 뺄셈의 혼합 계산

① 뺄셈은 부호를 바꾸어 덧셈으로 고쳐서 계산한다.

② 덧셈의 계산 법칙을 사용하여 양수는 양수끼리, 음수는 음수끼리 모아서 계산한다.

주의 뺄셈에서는 교환법칙과 결합법칙이 성립하지 않는다.

(2) 부호가 생략된 식의 계산 : 생략된 '$+$' 부호를 살려서 괄호가 있는 식으로 계산한다.

예 $-2-3+4=(-2)\ominus(+3)\oplus(+4)=\{(-2)+(-3)\}+(+4)=(-5)+(+4)=-1$

---

014 **1**   다음 ☐ 안에 부호를 포함한 알맞은 수를 써넣고, 계산 과정의 ㈎, ㈏
에서 사용된 덧셈의 계산 법칙을 써라.

(1) $(+2)+(-1)-(-8)$
$=(+2)+(-1)+(\boxed{})$ ㈎
$=(+2)+(\boxed{})+(-1)$ ㈏
$=\{(+2)+(\boxed{})\}+(-1)$
$=(\boxed{})+(-1)=\boxed{}$

(2) $(+5.7)+(-4)+(+3.3)$
$=(-4)+(\boxed{})+(+3.3)$ ㈎
$=(-4)+\{(\boxed{})+(+3.3)\}$ ㈏
$=(-4)+(\boxed{})$
$=\boxed{}$

---

014 **2**   다음을 계산하여라.

(1) $(-6)-(+14)-(-9)$

(2) $\left(-\dfrac{3}{4}\right)-\left(-\dfrac{1}{2}\right)+\left(+\dfrac{3}{8}\right)$

(3) $(-4.3)+(+5.7)-(-1.2)$

(4) $\dfrac{3}{4}-\dfrac{2}{3}+\dfrac{5}{2}-\dfrac{7}{6}$

(5) $-0.2+2.5-0.8+0.5$

(6) $-0.3-\dfrac{12}{5}+0.5-\dfrac{2}{5}$

절대개념 Focus

유리수의 덧셈과 뺄셈의 혼합 계산

$(+4)-\left(+\dfrac{2}{3}\right)-(-3)$

$=(+4)+\left(-\dfrac{2}{3}\right)+(+3)$ ← 뺄셈을 덧셈으로

$=(+4)+(+3)+\left(-\dfrac{2}{3}\right)$ ← 덧셈의 교환법칙

$=\{(+4)+(+3)\}+\left(-\dfrac{2}{3}\right)$ ← 덧셈의 결합법칙

$=\left(+\dfrac{21}{3}\right)+\left(-\dfrac{2}{3}\right)=\dfrac{19}{3}$

02. 정수와 유리수

10 유리수의 곱셈

(1) 부호가 같은 두 수의 곱셈 : 두 수의 절댓값의 곱에 양의 부호 $+$를 붙인다.

예 $(+2) \times (+3) = +(2 \times 3) = +6$, $(-2) \times (-3) = +(2 \times 3) = +6$

(2) 부호가 다른 두 수의 곱셈 : 두 수의 절댓값의 곱에 음의 부호 $-$를 붙인다.

예 $(+2) \times (-3) = -(2 \times 3) = -6$, $(-2) \times (+3) = -(2 \times 3) = -6$

11 곱셈의 계산 법칙 : 세 유리수 a, b, c에 대하여

(1) 곱셈의 교환법칙 : $a \times b = b \times a$

(2) 곱셈의 결합법칙 : $(a \times b) \times c = a \times (b \times c) = a \times b \times c$

12 세 개 이상의 유리수의 곱셈

(1) 부호를 결정한다. : 음수가 짝수 개이면 ⇨ $+$,

　　　　　　　　　　음수가 홀수 개이면 ⇨ $-$

(2) 각 수의 절댓값의 곱을 계산한 다음, (1)의 부호를 붙인다.

예 $(-2) \times (+3) \times (-4) = +(2 \times 3 \times 4) = +24$, $(-2) \times (-3) \times (-4) = -(2 \times 3 \times 4) = -24$

---

015 1 다음을 계산하여라.

(1) $(-4) \times (-7)$

(2) $(-5) \times 0$

(3) $\left(+\dfrac{3}{14}\right) \times \left(-\dfrac{7}{9}\right)$

(4) $\left(-\dfrac{2}{3}\right) \times \left(-\dfrac{9}{8}\right)$

(5) $(-1.2) \times \left(+\dfrac{5}{6}\right)$

(6) $(+1.5) \times (+0.6)$

015 2 다음을 계산하여라.

(1) $(+3) \times (+5) \times (-4)$

(2) $(-4) \times (-15) \times (-2)$

(3) $(+0.5) \times (-1.2) \times (-3)$

(4) $\left(+\dfrac{5}{2}\right) \times (-4) \times \left(-\dfrac{8}{5}\right)$

(5) $\left(-\dfrac{14}{3}\right) \times (+0.5) \times \left(-\dfrac{3}{7}\right)$

(6) $\left(-\dfrac{7}{4}\right) \times \left(-\dfrac{2}{7}\right) \times \left(-\dfrac{2}{5}\right)$

절대개념 Focus

유리수의 곱셈

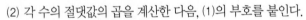

부호가
같으면
$(+) \times (+) \Rightarrow (+)$
$(-) \times (-) \Rightarrow (+)$

부호가
다르면
$(+) \times (-) \Rightarrow (-)$
$(-) \times (+) \Rightarrow (-)$

확인	공부한 날	self-check
		015-1 | 015-2
	/	O X | O X

개념 016 거듭제곱의 계산

13 거듭제곱의 계산

(1) 양수의 거듭제곱 : 지수에 관계없이 부호는 항상 $+$ 이다.

   예) $(+2)^2 = (+2) \times (+2) = +(2 \times 2) = +4$

       $(+2)^3 = (+2) \times (+2) \times (+2) = +(2 \times 2 \times 2) = +8$

(2) 음수의 거듭제곱 : 지수가 짝수이면 ⇨ $+$, 지수가 홀수이면 ⇨ $-$

   예) $(-2)^2 = (-2) \times (-2) = +(2 \times 2) = +4$

       $(-2)^3 = (-2) \times (-2) \times (-2) = -(2 \times 2 \times 2) = -8$

개념 Plus⁺

$(-2)^2$과 -2^2의 비교

① $(-2)^2 = (-2) \times (-2) = 4$　　　② $-2^2 = -(2 \times 2) = -4$

---

016 1 다음을 계산하여라.

(1) $(-3)^4$ 　　　　(2) -3^4 　　　　(3) $-(-3)^4$

(4) $\left(-\dfrac{1}{4}\right)^2$ 　　　(5) $-\dfrac{1}{4^2}$ 　　　(6) $-\left(-\dfrac{1}{4}\right)^2$

(7) $\left(-\dfrac{1}{3}\right)^3$ 　　　(8) $-\dfrac{1}{3^3}$ 　　　(9) $-\left(-\dfrac{1}{3}\right)^3$

음수의 거듭제곱은 반드시
지수가 짝수인지, 홀수인지
확인하고 계산하자~

016 2 다음을 계산하여라.

(1) $(-4)^2 \times (-1)^3$ 　　　　(2) $2^3 \times (-3^2)$

(3) $(+9) \times \left(-\dfrac{1}{3}\right)^3 \times (-2)^2$ 　　　(4) $\left(-\dfrac{2}{7}\right)^2 \times \left(-\dfrac{7}{4}\right) \times 15$

(5) $(-2)^3 \times \dfrac{5}{4} \times \left(-\dfrac{1}{25}\right)$ 　　　(6) $\left(-\dfrac{3}{4}\right)^2 \times (-2)^4 \times \left(-\dfrac{1}{2^3}\right)$

절대개념 Focus

거듭제곱의 계산

(양수)^{짝수} ⇨ (양수)

(양수)^{홀수} ⇨ (양수)

(음수)^{짝수} ⇨ (양수)

(음수)^{홀수} ⇨ (음수)

확인	공부한 날	self-check	
	/	016-1	016-2
		O X	O X

14 유리수의 나눗셈

(1) 부호가 같은 두 수의 나눗셈 : 두 수의 절댓값의 나눗셈의 몫에 양의 부호 ＋를 붙인다.

예 $(+6) \div (+3) = +(6 \div 3) = +2$, $(-6) \div (-3) = +(6 \div 3) = +2$

(2) 부호가 다른 두 수의 나눗셈 : 두 수의 절댓값의 나눗셈의 몫에 음의 부호 ー를 붙인다.

예 $(+6) \div (-3) = -(6 \div 3) = -2$, $(-6) \div (+3) = -(6 \div 3) = -2$

참고 ① 0을 0이 아닌 수로 나눈 몫은 항상 0이다. 예 $0 \div (+3) = 0$, $0 \div (-3) = 0$

② $3 \div 0$과 같이 어떤 수를 0으로 나누는 경우는 생각하지 않는다.

15 역수를 이용한 나눗셈

(1) 역수 : 두 수의 곱이 1이 될 때, 한 수를 다른 수의 역수라 한다.

(2) 유리수의 나눗셈 : 유리수의 나눗셈은 역수를 이용하여 곱셈으로 바
꾸어 계산한다.

예 $(-4) \div \left(+\dfrac{8}{3}\right) = (-4) \times \left(+\dfrac{3}{8}\right) = -\left(4 \times \dfrac{3}{8}\right) = -\dfrac{3}{2}$

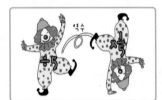

개념
Plus+

역수를 구하는 방법

① 분수꼴에서 역수를 구할 때에는 분자와 분모를 서로 바꾼다.　② 역수를 구할 때, 부호는 바뀌지 않는다.

③ 정수는 분모를 1로 놓고, 역수를 구한다.　④ 소수는 분수로 고쳐서 역수를 구한다.

⑤ 대분수는 가분수로 고쳐서 역수를 구한다.

---

017 **1** 다음을 계산하여라.

(1) $(+51) \div (-3)$

(2) $(-76) \div (-2)$

(3) $(-7.2) \div (-4)$

(4) $(+2.8) \div (-4)$

(5) $(-5.4) \div (+3)$

(6) $(+4.2) \div (+7)$

017 **2** 다음을 계산하여라.

(1) $\left(+\dfrac{9}{4}\right) \div \left(+\dfrac{3}{2}\right)$

(2) $\left(-\dfrac{5}{9}\right) \div \left(-\dfrac{2}{3}\right)$

(3) $(+6) \div \left(-\dfrac{9}{2}\right)$

(4) $\left(-\dfrac{1}{2}\right)^3 \div \left(+\dfrac{5}{8}\right)$

절대개념 **Focus**

유리수의 나눗셈

부호가 $(+) \div (+) \Rightarrow (+)$
같으면 $(-) \div (-) \Rightarrow (+)$

부호가 $(+) \div (-) \Rightarrow (-)$
다르면 $(-) \div (+) \Rightarrow (-)$

확인	공부한 날	self-check
	/	017-1　017-2
		O X　O X

개념 018 덧셈, 뺄셈, 곱셈, 나눗셈의 혼합 계산

16 유리수의 곱셈과 나눗셈의 혼합 계산

(1) 거듭제곱이 있으면 거듭제곱을 먼저 계산한다.

(2) 나눗셈은 모두 역수를 이용하여 곱셈으로 바꾸어 계산한다.

(3) 곱의 부호를 결정하고, 각 수의 절댓값의 곱에 부호를 붙인다.

17 덧셈, 뺄셈, 곱셈, 나눗셈의 혼합 계산

(1) 덧셈, 뺄셈, 곱셈, 나눗셈의 혼합 계산

① 거듭제곱이 있으면 거듭제곱을 먼저 계산한다.

② 괄호가 있으면 괄호 안을 먼저 계산한다.

이때 (소괄호) → {중괄호} → [대괄호] 순서로 괄호를 푼다.

③ 곱셈과 나눗셈을 먼저 계산하고, 덧셈과 뺄셈은 나중에 계산한다.

(2) 분배법칙 : 세 유리수 a, b, c에 대하여

① $a \times (b+c) = \underset{①}{a \times b} + \underset{②}{a \times c}$

② $(a+b) \times c = \underset{①}{a \times c} + \underset{②}{b \times c}$

---

018 1 다음을 계산하여라.

(1) $(-2)^2 \div \dfrac{4}{3} \times \left(-\dfrac{8}{9}\right)$

(2) $\dfrac{1}{3} - (-5) \div \left(-\dfrac{15}{4}\right) \times (-6)$

(3) $\dfrac{2}{5} - \left\{\left(-\dfrac{1}{3}\right) \div \dfrac{5}{6} + \left(-\dfrac{1}{15}\right) \times 3\right\}$

(4) $12 \times \dfrac{1}{4} - \left\{(-2)^3 \times \left(\dfrac{1}{3} - \dfrac{1}{2}\right)\right\}$

018 2 분배법칙을 이용하여 다음을 계산하여라.

(1) $(-15) \times \dfrac{115}{49} - (-15) \times \dfrac{17}{49}$

(2) $\left\{\left(-\dfrac{1}{6}\right) + \dfrac{7}{12}\right\} \times 48$

절대개념 Focus

유리수의 혼합 계산

거듭제곱

↓

괄호 (소괄호) → {중괄호} → [대괄호]

↓

곱셈, 나눗셈 계산

↓

덧셈, 뺄셈 계산

02. 정수와 유리수

확인	공부한 날	self-check
	/	018-1 | 018-2
		O X | O X

탄탄한 중단원 문제

01 수직선 위에서 $\frac{8}{3}$에 가장 가까운 정수를 a, $\frac{16}{5}$에 가장 가까운 정수를 b라 할 때, $a+b$의 값을 구하여라.

 개념 010

02 다음 〈보기〉의 수에 대한 설명으로 옳지 <u>않은</u> 것은?

개념 010

분수를 반드시 기약분수로 나타내고 정수인지 정수가 아닌지 구분한다.

〈보기〉

$$-3.6 \qquad +\frac{1}{2} \qquad 0 \qquad -\frac{8}{4} \qquad -\frac{3}{5} \qquad +7$$

① 자연수의 개수는 1개이다.
② 음의 정수의 개수는 1개이다.
③ 정수의 개수는 3개이다.
④ 정수가 아닌 유리수의 개수는 2개이다.
⑤ 양수의 개수는 2개이다.

03 두 정수 a, b는 절댓값이 같고 부호가 반대인 수이다. a가 b보다 10만큼 크다고 할 때, a의 값은?

개념 011

절댓값이 같고 부호가 반대인 두 수를 나타내는 점은 원점으로부터 서로 반대 방향으로 같은 거리에 있다.

① -10 ② -5 ③ 0 ④ 5 ⑤ 10

04 다음 중 대소 관계가 옳지 <u>않은</u> 것은?

개념 012

① $-7<3$
② $\frac{1}{2}>\frac{1}{5}$
③ $-\frac{5}{2}<-\frac{7}{4}$
④ $\frac{3}{5}<0.5$
⑤ $\left|-\frac{1}{3}\right|>\left|+\frac{1}{4}\right|$

05 다음 조건을 만족하는 서로 다른 세 정수 a, b, c의 대소 관계를 옳게 나타낸 것은?

개념 012

주어진 조건을 수직선 위에 나타내어 본다.

(가) a는 양의 정수이고 a의 절댓값은 -4의 절댓값과 같다.
(나) b, c는 절댓값이 4보다 큰 음의 정수이다.
(다) c는 b보다 -4에 더 가깝다.

① $c<b<a$
② $b<a<c$
③ $b<c<a$
④ $a<c<b$
⑤ $a<b<c$

확인	공부한 날	self-check				
		01	02	03	04	05
	/	O X	O X	O X	O X	O X

수와 연산

1학년
2학년
3학년

06 다음 중 계산 결과가 옳은 것은?

 개념 013

① $(+8)-(-3)=+5$　　　② $(-4)-(-3)=-7$

③ $\left(-\dfrac{2}{5}\right)-(+0.2)=-\dfrac{1}{5}$　　　④ $\left(+\dfrac{4}{3}\right)+(-5)=-\dfrac{19}{3}$

⑤ $(-1.75)-(-0.75)=-1$

07 어떤 유리수에서 $-\dfrac{2}{3}$ 를 빼야 할 것을 잘못하여 더했더니 그 결과가 $\dfrac{4}{3}$ 가 되었다. 이때 바르게 계산한 답을 구하여라.

개념 014

$\square+A=B \Rightarrow \square=B-A$
$\square-A=B \Rightarrow \square=B+A$

08 $-\dfrac{4}{3}$ 의 역수를 a, 0.8의 역수를 b라 할 때, $a+b$의 값은?

개념 017

① $-\dfrac{7}{2}$　　② $-\dfrac{7}{4}$　　③ $-\dfrac{1}{2}$　　④ $\dfrac{1}{2}$　　⑤ $\dfrac{7}{4}$

09 $\dfrac{1}{2}\div\left[\left\{\left(-\dfrac{1}{2}\right)^{2}\div\left(\dfrac{5}{6}-\dfrac{4}{3}\right)\right\}-2\right]$ 를 계산하면?

개념 018

① $-\dfrac{27}{10}$　　② $-\dfrac{1}{5}$　　③ $-\dfrac{1}{8}$　　④ $\dfrac{1}{8}$　　⑤ $\dfrac{1}{5}$

10 다음 식을 만족시키는 두 수 a, b에 대하여 $a-b$의 값은?

개념 018

분배법칙
$a\times b+a\times c=a\times(b+c)$
$b\times a+c\times a=(b+c)\times a$

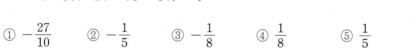
$$(-45.2)\times0.08+(-54.8)\times0.08=a\times0.08=b$$

① -108　　② -92　　③ 8　　④ 92　　⑤ 108

확인	공부한 날	self-check				
		06	07	08	09	10
	/	O X	O X	O X	O X	O X

개념 019 유리수와 소수

1 유리수와 소수

(1) 유리수 : 분수 $\dfrac{b}{a}$(a, b가 정수, $a \neq 0$) 꼴로 나타낼 수 있는 수

(2) 유리수의 분류

$$\text{유리수} \begin{cases} \text{정수} \begin{cases} \text{양의 정수(자연수)} : 1, 2, 3, \cdots \\ 0 \\ \text{음의 정수} : -1, -2, -3, \cdots \end{cases} \\ \text{정수가 아닌 유리수} : 0.2, -1.35, \dfrac{3}{7}, \cdots \end{cases}$$

(3) 소수의 분류 : 분수에서 분자를 분모로 나누어 소수로 표현했을 때

① 유한소수 : 소수점 아래 0이 아닌 숫자가 유한 개인 소수　예 $\dfrac{1}{5}=0.2$, $\dfrac{3}{2}=1.5$

② 무한소수 : 소수점 아래 0이 아닌 숫자가 무한히 많은 소수　예 $\dfrac{1}{3}=0.333\cdots$

참고　모든 유리수는 (분자)÷(분모)를 계산하면 정수, 유한소수, 무한소수 중에서 하나가 된다.

019　1 다음 〈보기〉의 수 중 정수가 아닌 유리수를 모두 골라라.

〈보기〉

$$3 \qquad \frac{7}{2} \qquad -5.1 \qquad 0 \qquad 4.3 \qquad \frac{16}{8} \qquad -13$$

019　2 다음 중에서 유한소수를 모두 찾아라.

ㄱ. 0.9112　　　　ㄴ. 0.3333…　　　　ㄷ. 3.141592

ㄹ. 3.5555　　　　ㅁ. 1.100100100…　　ㅂ. -4.2222…

절대개념 Focus

분수를 정수 또는 소수로 나타내기

$\dfrac{4}{2} \Rightarrow 4 \div 2 = 2$ (정수)

$\dfrac{2}{5} \Rightarrow 2 \div 5 = 0.4$ (유한소수)

$\dfrac{2}{3} \Rightarrow 2 \div 3 = 0.666\cdots$

(무한소수)

019　3 다음 분수를 소수로 나타내고, 유한소수와 무한소수로 구분하여라.

(1) $\dfrac{6}{5}$ 　　　(2) $\dfrac{4}{15}$ 　　　(3) $-\dfrac{4}{9}$ 　　　(4) $\dfrac{9}{8}$

확인	공부한 날	self-check		
	/	019-1	019-2	019-3
		O X	O X	O X

개념 020 유한소수로 나타낼 수 있는 분수

2 유한소수의 성질

(1) 유한소수는 분모가 10의 거듭제곱인 분수로 나타낼 수 있다.

(2) 유한소수를 기약분수로 나타내면 분모의 소인수는 2나 5뿐이다.

예 $0.25 = \dfrac{25}{100} = \dfrac{1}{4} = \dfrac{1}{2^2}$, $0.015 = \dfrac{15}{1000} = \dfrac{3}{200} = \dfrac{3}{2^3 \times 5^2}$

3 유한소수로 나타낼 수 있는 분수

분수를 기약분수로 고치고 그 분모를 소인수분해했을 때

(1) 분모의 소인수가 2나 5뿐이면 유한소수로 나타낼 수 있다.

예 $\dfrac{9}{15} = \dfrac{3}{5} = \dfrac{3 \times 2}{5 \times 2} = \dfrac{6}{10} = 0.6$ ──→ 분모를 10의 거듭제곱으로 나타낼 수 있다.

(2) 분모의 소인수 중에 2나 5 이외의 소인수가 있으면 유한소수로 나타낼 수 없다.

예 $\dfrac{8}{60} = \dfrac{2}{15} = \dfrac{2}{3 \times 5} = 0.1333 \cdots$ ──→ 분모에 3이 있으므로 분모를 10의 거듭제곱으로 나타낼 수 없다.

---

020 1 다음은 10의 거듭제곱을 이용하여 분수를 소수로 나타내는 과정이다. □ 안에 알맞은 수를 써넣어라.

분수는 반드시 기약분수로 고친 후 분모를 소인수분해해야 해 〜

(1) $\dfrac{7}{20} = \dfrac{7}{2^2 \times 5} = \dfrac{7 \times \boxed{}}{2^2 \times 5 \times \boxed{}} = \dfrac{\boxed{}}{100} = \boxed{}$

(2) $\dfrac{5}{8} = \dfrac{5}{2^3} = \dfrac{5 \times \boxed{}}{2^3 \times \boxed{}} = \dfrac{\boxed{}}{1000} = \boxed{}$

---

020 2 다음 〈보기〉의 분수 중 유한소수로 나타낼 수 있는 것을 모두 골라라.

〈보기〉

ㄱ. $\dfrac{27}{56}$ ㄴ. $\dfrac{18}{60}$ ㄷ. $\dfrac{5}{12}$

ㄹ. $\dfrac{2}{3 \times 5^2}$ ㅁ. $\dfrac{6}{2 \times 3 \times 5^3}$ ㅂ. $\dfrac{14}{2^2 \times 5 \times 7}$

020 3 분수 $\dfrac{x}{2 \times 5^2 \times 7}$ 를 소수로 나타내면 유한소수가 될 때, x의 값 중 가장 작은 자연수를 구하여라.

절대개념 Focus

유한소수, 무한소수의 판별

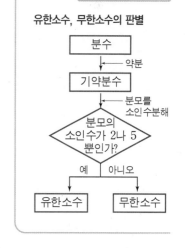

분수
↓ 약분
기약분수
↓ 분모를 소인수분해
분모의 소인수가 2나 5 뿐인가?
예 / 아니오
유한소수 / 무한소수

확인	공부한 날	self-check		
	/	020-1	020-2	020-3
		O X	O X	O X

4 유리수와 순환소수

(1) **순환소수** : 소수점 아래의 어떤 자리에서부터 일정한 숫자의 배열이 한없이 되풀이되는 무한소수

(2) **순환마디** : 순환소수의 소수점 아래에서 숫자의 배열이 반복되는 부분

(3) **순환소수의 표현 방법**

　① 순환마디의 숫자가 1개인 경우 : 그 숫자 위에 점을 찍어 나타낸다.

　② 순환마디의 숫자가 2개 이상인 경우 : 순환마디 양 끝의 숫자 위에 점을 찍어 나타낸다.

　참고 소수의 분류

$$
\text{소수} \begin{cases} \text{유한소수 } \boxed{\text{예}} \ 0.3, \ 1.12 \\ \text{무한소수} \begin{cases} \text{순환소수 } \boxed{\text{예}} \ 0.555\cdots, \ 3.757575\cdots \\ \text{순환하지 않는 무한소수 } \boxed{\text{예}} \ \pi = 3.141592\cdots \end{cases} \end{cases}
$$
　유리수 / 유리수가 아니다.

개념
Plus⁺

　유리수와 소수의 관계

　① 유한소수와 순환소수는 모두 유리수이다. (○)

　② 정수가 아닌 유리수는 유한소수 또는 순환소수로 나타낼 수 있다. (○)

　③ 모든 소수는 유리수이다. (×) ⇨ 순환하지 않는 무한소수는 유리수가 아니다.

[021 **1**] 다음 순환소수의 순환마디를 구하고, 이를 이용하여 순환소수를 간단히 나타내어라.

(1) $0.7777\cdots$ 　　　　　(2) $0.363636\cdots$

(3) $0.8333\cdots$ 　　　　　(4) $5.0232323\cdots$

(5) $0.1494949\cdots$ 　　　　(6) $1.375375375\cdots$

[021 **2**] 다음 분수를 순환소수로 나타내어라.

(1) $\dfrac{2}{9}$ 　　　(2) $\dfrac{13}{3}$ 　　　(3) $\dfrac{17}{45}$

(4) $\dfrac{14}{9}$ 　　　(5) $\dfrac{11}{6}$ 　　　(6) $\dfrac{8}{33}$

> **절대개념 Focus**
>
> **순환소수의 표현**
>
> $0.\underline{2}22\cdots = 0.\dot{2}$
> 　└─ 순환마디
>
> $0.\underline{34}3434\cdots = 0.\dot{3}\dot{4}$
> 　└─ 순환마디
>
> $1.3\underline{57}5757\cdots = 1.3\dot{5}\dot{7}$
> 　└─ 순환마디

확인	공부한 날	self-check	
	/	021-1	021-2
		O X	O X

개념
022 순환소수를 분수로 나타내기

5 순환소수를 분수로 나타내기

① 주어진 순환소수를 x로 놓는다.

② 소수점 아래 첫째 자리부터 순환마디가 똑같이 시작되도록 10의 거듭제곱을 곱하여 두 개의 식을 만든다.

③ 두 식을 변끼리 빼어 순환마디(소수 부분)를 없앤 후 x의 값을 구한다.

예 순환소수 $0.1\dot{2}\dot{6}$을 x라 하면　　$x=0.1262626\cdots$

$$\begin{array}{r} 1000x=126.262626\cdots \\ -)\quad\ 10x=\ \ \ 1.262626\cdots \\ \hline 990x=125 \end{array}$$ → 첫 순환마디 뒤에 소수점이 오도록 양변에 1000을 곱한다.
　→ 첫 순환마디 앞에 소수점이 오도록 양변에 10을 곱한다.

$$\therefore\ x=\frac{125}{990}=\frac{25}{198}$$ → 약분하여 기약분수로 표현한다.

---

022 **1** 다음은 순환소수를 분수로 고치는 과정이다. ☐ 안에 알맞은 수를 써넣어라.

(1) $0.4\dot{1}$

$x=0.4\dot{1}=0.414141\cdots$이라 하면

$$\begin{array}{r} \boxed{}x=41.414141\cdots \\ -)\qquad\ x=\ \ 0.414141\cdots \\ \hline \boxed{}x=41 \end{array}$$

$$\therefore\ x=\boxed{}$$

(2) $0.1\dot{6}$

$x=0.1\dot{6}=0.1666\cdots$이라 하면

$$\begin{array}{r} \boxed{}x=16.666\cdots \\ -)\ \boxed{}x=\ \ 1.666\cdots \\ \hline \boxed{}x=15 \end{array}$$

$$\therefore\ x=\boxed{}$$

---

022 **2** 다음 순환소수를 분수로 나타낼 때, 가장 편리한 식을 알맞게 짝지어라.

(1) $x=5.6\dot{7}$ ・

(2) $x=2.5\dot{4}$ ・

(3) $x=0.2\dot{1}\dot{4}$ ・

(4) $x=1.3\dot{8}\dot{6}$ ・

・㉠ $100x-10x$

・㉡ $1000x-10x$

・㉢ $100x-x$

・㉣ $1000x-x$

절대개념 **Focus**

순환소수를 분수로 나타낼 때, 가장 편리한 식

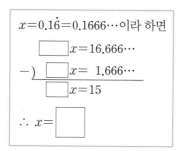

$x=0.\dot{2}\dot{3}$의 경우

$$x=0.232323\cdots$$

x　$100x$

⇨ $100x-x$를 이용

$x=2.7\dot{4}\dot{5}$의 경우

$$x=2.7454545\cdots$$

$10x$　$1000x$

⇨ $1000x-10x$를 이용

---

022 **3** 다음 순환소수를 분수로 나타내어라.

(1) $0.\dot{2}$　　(2) $3.\dot{4}\dot{5}$　　(3) $1.6\dot{2}$　　(4) $0.04\dot{3}$

확인	공부한 날	self-check		
	/	022-1	022-2	022-3
		O X	O X	O X

6 순환소수를 분수로 나타내는 공식

(1) **분모** : 순환마디의 숫자의 개수만큼 9를 쓰고, 그 뒤에 소수점 아래 순환마디에 포함되지 않는 숫자의 개수만큼 0을 쓴다. → 분모는 소수점 아래의 수를 확인

(2) **분자** : (소수점을 없앤 전체의 수) − (순환하지 않는 부분의 수) → 분자는 수 전체를 확인

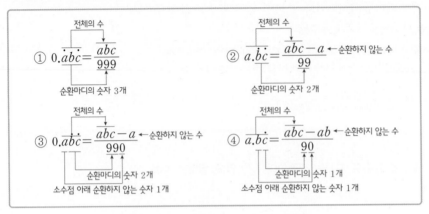

① $0.\dot{a}b\dot{c} = \dfrac{abc}{999}$ 순환마디의 숫자 3개

② $a.\dot{b}\dot{c} = \dfrac{abc - a}{99}$ 순환하지 않는 수 순환마디의 숫자 2개

③ $0.a\dot{b}\dot{c} = \dfrac{abc - a}{990}$ 순환하지 않는 수 순환마디의 숫자 2개 소수점 아래 순환하지 않는 숫자 1개

④ $a.b\dot{c} = \dfrac{abc - ab}{90}$ 순환하지 않는 수 순환마디의 숫자 1개 소수점 아래 순환하지 않는 숫자 1개

예 $0.\dot{3}6\dot{1} = \dfrac{361}{999}$, $0.2\dot{1}\dot{7} = \dfrac{217 - 2}{990}$, $1.\dot{5}6\dot{2} = \dfrac{1562 - 1}{999}$, $1.2\dot{1}\dot{7} = \dfrac{1217 - 12}{990}$

---

023 1 다음은 순환소수를 분수로 나타내기 위한 식을 세우는 과정이다. □ 안에 알맞은 수를 써넣어라.

(1) $0.\dot{2}0\dot{5} = \dfrac{\boxed{}}{999}$

(2) $0.1\dot{8} = \dfrac{\boxed{} - \boxed{}}{90} = \dfrac{\boxed{}}{90}$

(3) $3.\dot{1}\dot{8} = \dfrac{\boxed{} - \boxed{}}{99} = \dfrac{\boxed{}}{11}$

(4) $0.5\dot{6}\dot{7} = \dfrac{\boxed{} - \boxed{}}{990} = \dfrac{\boxed{}}{495}$

(5) $2.4\dot{5} = \dfrac{\boxed{} - \boxed{}}{90} = \dfrac{\boxed{}}{90}$

(6) $1.\dot{2}3\dot{5} = \dfrac{\boxed{} - \boxed{}}{999} = \dfrac{\boxed{}}{999}$

023 2 다음 순환소수를 기약분수로 나타내어라.

(1) $0.\dot{7}$

(2) $0.\dot{8}0\dot{8}$

(3) $1.\dot{5}\dot{3}$

(4) $1.3\dot{2}$

(5) $0.1\dot{2}\dot{3}$

(6) $0.4\dot{3}2\dot{6}$

확인	공부한 날	self-check	
	/	023-1	023-2
		O X	O X

순환소수의 대소 관계 / 순환소수의 계산

수
와
연
산

1학년
2학년
3학년

7 순환소수의 대소 관계

[방법 1] 순환소수를 풀어 써서 각 자리의 숫자를 차례로 비교한다.

→ 높은 자리의 숫자부터 비교한다.

예) $0.\dot{4}=0.444\cdots$
$0.\dot{4}\dot{3}=0.4343\cdots$ $\Rightarrow 0.\dot{4}>0.\dot{4}\dot{3}$

[방법 2] 순환소수를 분수로 고쳐서 비교한다.

예) $0.\dot{4}=\dfrac{4}{9}=\dfrac{44}{99}$
$0.\dot{4}\dot{3}=\dfrac{43}{99}$ $\Rightarrow 0.\dot{4}>0.\dot{4}\dot{3}$

8 순환소수의 계산

순환소수를 분수로 고쳐서 계산한다.

예) $x+0.\dot{3}=\dfrac{7}{11}$ 에서 $x+\dfrac{3}{9}=\dfrac{7}{11}$ $\therefore x=\dfrac{7}{11}-\dfrac{1}{3}=\dfrac{21-11}{33}=\dfrac{10}{33}$

---

024 1 다음 두 수의 크기를 비교하여 □ 안에 알맞은 부등호를 써넣어라.

(1) 1.3 □ $1.\dot{3}$

(2) $0.\dot{3}$ □ $0.3\dot{1}$

(3) $0.5\dot{6}$ □ $0.\dot{5}\dot{6}$

(4) $0.71\dot{2}$ □ $0.7\dot{1}\dot{2}$

024 2 다음 〈보기〉의 수들을 크기가 작은 것부터 차례로 나열하여라.

〈보기〉

0.65 $0.\dot{6}$ $0.6\dot{5}$ $0.\dot{6}\dot{5}$

절대개념 Focus

$0.\dot{3}$과 $0.\dot{3}\dot{2}$의 대소 관계

[방법 1] $0.\dot{3}=0.3333\cdots$
$0.\dot{3}\dot{2}=0.323232\cdots$
$\Rightarrow 0.\dot{3}>0.\dot{3}\dot{2}$

[방법 2] $0.\dot{3}=\dfrac{3}{9}=\dfrac{33}{99}$
$0.\dot{3}\dot{2}=\dfrac{32}{99}$
$\Rightarrow 0.\dot{3}>0.\dot{3}\dot{2}$

024 3 $0.0\dot{3}\dot{4}=A\times34$일 때, 다음 물음에 답하여라.

(1) $0.0\dot{3}\dot{4}$를 기약분수로 나타내어라.

(2) A의 값을 구하여라.

(3) A의 값을 순환소수로 나타내어라.

03. 유리수와 순환소수

확인	공부한 날	self-check		
	/	024-1	024-2	024-3
		O X	O X	O X

01 다음은 분수 $\dfrac{2}{25}$를 소수로 나타내는 과정이다. 이때 $a-b+c$의 값을 구하여라.

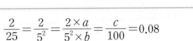

$$\frac{2}{25}=\frac{2}{5^2}=\frac{2\times a}{5^2\times b}=\frac{c}{100}=0.08$$

개념 020

02 다음 분수 중 유한소수로 나타낼 수 있는 것은?

① $\dfrac{2}{9}$ ② $\dfrac{7}{120}$ ③ $\dfrac{11}{440}$

④ $\dfrac{7}{2\times 3^2\times 14}$ ⑤ $\dfrac{8}{2\times 5^2\times 7}$

개념 020

분수를 기약분수로 고치고 그 분모를 소인수분해한다.

03 두 분수 $\dfrac{4}{55}$, $\dfrac{13}{78}$에 어떤 자연수 A를 각각 곱하면 모두 유한소수로 나타낼 수 있다고 한다. 이때 A의 값이 될 수 있는 가장 작은 자연수는?

① 21   ② 33   ③ 45   ④ 66   ⑤ 99

개념 020

기약분수로 나타냈을 때 분모의 소인수가 2나 5만 남도록 곱할 수 있는 수를 찾는다.

04 분수 $\dfrac{6}{5\times x}$을 소수로 나타내면 유한소수로 나타낼 수 없을 때, 다음 중 x의 값이 될 수 있는 것은?

① 3   ② 4   ③ 5   ④ 6   ⑤ 7

개념 020

05 다음 설명 중 옳은 것을 모두 고르면? (정답 2개)

① 기약분수는 소수로 고치면 유한소수나 순환소수가 된다.
② 무한소수는 모두 순환소수이다.
③ 유리수는 모두 유한소수로 나타낼 수 있다.
④ 모든 순환소수는 분수로 나타낼 수 있다.
⑤ 순환소수 중에는 유리수가 아닌 것도 있다.

개념 021

유한소수와 순환소수는 모두 유리수이다.

확인	공부한 날	self-check				
		01	02	03	04	05
	/	O X	O X	O X	O X	O X

06 $\dfrac{7}{22}$ 을 순환소수로 나타낼 때, 소수점 아래 10번째 자리의 숫자를 a, 소수점 아래 35번째 자리의 숫자를 b라 하자. 이때 $a+b$의 값을 구하여라.

🔹 개념 021

07 다음은 순환소수 $5.3\dot{1}\dot{2}$를 분수로 나타내는 과정이다. ①~⑤에 들어갈 수로 알맞지 않은 것은?

🔹 개념 022

> $5.3\dot{1}\dot{2}$를 x로 놓으면 $x=5.3121212\cdots$ ⋯⋯ ㉠
>
> ㉠의 양변에 ① 을 곱하면
>
>   ① $x=53.121212\cdots$ ⋯⋯ ㉡
>
> ㉠의 양변에 ② 을 곱하면
>
>   ② $x=5312.121212\cdots$ ⋯⋯ ㉢
>
> ㉢에서 ㉡을 빼면
>
>   ③ $x=$ ④   ∴ $x=$ ⑤

① 10   ② 100   ③ 990   ④ 5259   ⑤ $\dfrac{1753}{330}$

08 다음 중 순환소수를 분수로 나타낸 것으로 옳은 것은?

🔹 개념 023

순환마디의 숫자의 개수만큼 분모에 9를 쓴다.

① $0.5\dot{1}\dot{2}=\dfrac{512}{900}$ ② $2.4\dot{5}=\dfrac{245-2}{90}$ ③ $0.\dot{2}\dot{6}=\dfrac{26-2}{99}$

④ $0.7\dot{2}=\dfrac{72}{90}$ ⑤ $1.\dot{3}\dot{7}=\dfrac{137-1}{99}$

09 다음 중 두 수의 대소 관계가 옳은 것은?

🔹 개념 024

순환소수는 순환마디를 풀어 써서 각 자리의 숫자를 차례로 비교하는 것이 편리하다.

① $0.\dot{1}\dot{2}<0.12$ ② $0.2\dot{3}<0.\dot{2}\dot{3}$ ③ $0.5\dot{2}>0.\dot{5}$

④ $0.4\dot{9}<0.\dot{5}$ ⑤ $2.\dot{3}5\dot{2}>2.3\dot{5}\dot{2}$

10 부등식 $\dfrac{1}{3}<0.\dot{a}<\dfrac{3}{5}$ 을 만족하는 한 자리의 자연수 a의 값을 모두 구하여라.

🔹 개념 024

순환소수를 분수로 고친 후 분모를 통분한다.

확인	공부한 날	self-check				
		06	07	08	09	10
	/	O X	O X	O X	O X	O X

개념 025 제곱근의 뜻과 표현

1 제곱근의 뜻

음이 아닌 수 a에 대하여 제곱해서 a가 되는 수를 a의 제곱근이라 한다. 즉,
$x^2=a$ $(a \geq 0)$일 때 x를 a의 제곱근이라 한다.

(1) 양수의 제곱근은 양수, 음수의 2개이고 두 수의 절댓값은 서로 같다.

(2) 0의 제곱근은 0 하나뿐이다.

(3) 제곱하여 음수가 되는 수는 없으므로 음수의 제곱근은 없다.

2 제곱근의 표현

(1) 제곱근은 $\sqrt{}$ (근호)를 사용하여 나타내고 '제곱근' 또는 '루트' 라 읽는다.

(2) 양수 a의 제곱근 중 양수인 것을 양의 제곱근($\sqrt{a}$), 음수인 것을 음의 제곱근($-\sqrt{a}$)이라 한다.

참고 a의 제곱근과 제곱근 a (단, $a>0$)

	뜻	표현	개수(개)
a의 제곱근	제곱하여 a가 되는 수	$\sqrt{a}$, $-\sqrt{a}$	2
제곱근 a	a의 양의 제곱근	$\sqrt{a}$	1

---

025 1 다음 □ 안에 알맞은 수를 써넣어라.

(1) 64의 제곱근은 □, □이다.

(2) 제곱하여 0.49가 되는 수는 □, □이다.

(3) $(-5)^2=$□이므로 $(-5)^2$의 제곱근은 □, □이다.

025 2 다음을 근호를 사용하여 나타내어라.

(1) 5의 양의 제곱근

(2) 5의 음의 제곱근

(3) 5의 제곱근

(4) 제곱근 5

025 3 다음을 근호를 사용하지 않고 나타내어라.

(1) $\sqrt{9}$

(2) $-\sqrt{36}$

(3) $\pm\sqrt{\dfrac{16}{25}}$

(4) $\sqrt{0.81}$

절대개념 Focus

a의 제곱근과 제곱근 a

$a>0$일 때

a의 양의 제곱근 : $\sqrt{a}$

a의 음의 제곱근 : $-\sqrt{a}$

a의 제곱근 : $\pm\sqrt{a}$

제곱근 a : $\sqrt{a}$

	공부한 날	self-check		
확인	/	025-1	025-2	025-3
		O X	O X	O X

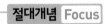

수와 연산

1학년
2학년
3학년

개념 026 제곱근의 성질

3 제곱근의 성질 (1)

$a>0$일 때

(1) a의 제곱근을 제곱하면 a가 된다.

$(\sqrt{a})^2=a$, $(-\sqrt{a})^2=a$　예 $(\sqrt{2})^2=2$, $(-\sqrt{2})^2=(-\sqrt{2})\times(-\sqrt{2})=(\sqrt{2})^2=2$

(2) 근호 안의 수가 어떤 수의 제곱이면 근호를 없앨 수 있다.

$\sqrt{a^2}=a$, $\sqrt{(-a)^2}=a$　예 $\sqrt{2^2}=\sqrt{4}=2$, $\sqrt{(-2)^2}=\sqrt{4}=2$

4 제곱근의 성질 (2)

(1) $a\geq0$일 때, $\sqrt{a^2}=a$　예 $\sqrt{2^2}=|2|=2$

(2) $a<0$일 때, $\sqrt{a^2}=-a$　예 $\sqrt{(-2)^2}=|-2|=-(-2)=2$

참고 $\sqrt{a^2}$은 a^2의 양의 제곱근이므로 a의 부호에 관계없이 항상 음이 아닌 값을 갖는다.

$$\sqrt{a^2}=|a|=\begin{cases} a\ (a\geq0\text{일 때}) \\ -a\ (a<0\text{일 때}) \end{cases}$$

개념 Plus+　$\sqrt{(a-b)^2}$ 꼴에서 $\sqrt{\ }$ 없애기

① $a\geq b$일 때, $\sqrt{(a-b)^2}=a-b$　② $a<b$일 때, $\sqrt{(a-b)^2}=-(a-b)=-a+b$

---

026 1 다음을 계산하여라.

(1) $\sqrt{9^2}+\sqrt{3^2}$

(2) $(\sqrt{4})^2\times(-\sqrt{9})^2$

(3) $\sqrt{(-5)^2}-\sqrt{5^2}$

(4) $-\sqrt{\dfrac{25}{16}}-\sqrt{\left(\dfrac{7}{12}\right)^2}\times\left(-\sqrt{\dfrac{9}{49}}\right)$

026 2 다음을 간단히 하여라.

(1) $a>0$일 때, $\sqrt{(2a)^2}$

(2) $a<0$일 때, $\sqrt{(2a)^2}$

(3) $a>0$일 때, $\sqrt{(-2a)^2}$

(4) $a<0$일 때, $\sqrt{(-2a)^2}$

(5) $a>2$일 때, $\sqrt{(a-2)^2}$

(6) $a<2$일 때, $\sqrt{(a-2)^2}$

(7) $0<a<3$일 때, $\sqrt{(a-3)^2}+\sqrt{(3-a)^2}$

절대개념 Focus

제곱근의 성질

$|음수|=-(음수)=(양수)$

음수의 절댓값은 항상 양수이므로 부호를 바꾸어 준다.

$\sqrt{(음수)^2}=-(음수)=(양수)$

음수의 제곱은 항상 양수이므로 부호를 바꾸어 준다.

5 제곱근의 대소 관계

$a>0,\ b>0$일 때

(1) $a<b$이면 $\sqrt{a}<\sqrt{b}$ 　예 $2<3$이므로 $\sqrt{2}<\sqrt{3}$

(2) $\sqrt{a}<\sqrt{b}$이면 $a<b$ 　예 $\sqrt{2}<\sqrt{5}$이므로 $2<5$

(3) $a<b$이면 $-\sqrt{a}>-\sqrt{b}$ 　예 $3<5$이므로 $-\sqrt{3}>-\sqrt{5}$

개념
Plus⁺

$a>0,\ b>0$일 때, a와 $\sqrt{b}$의 대소를 비교할 때에는 다음 두 가지 방법이 있다.

[방법 1] $\sqrt{a^2}$과 $\sqrt{b}$를 비교한다. 　　　　　　[방법 2] a^2과 b를 비교한다.

　예 두 수 2와 $\sqrt{5}$의 대소를 비교해 보면

　　[방법 1] $2=\sqrt{2^2}=\sqrt{4}$이고, $\sqrt{4}<\sqrt{5}$이므로 $2<\sqrt{5}$ 　　[방법 2] $2^2=4$이고, $4<5$이므로 $2<\sqrt{5}$

---

027 1 다음 두 수의 대소를 비교하여라.

(1) $\sqrt{15}\ \square\ \sqrt{14}$

(2) $\sqrt{0.1}\ \square\ \sqrt{0.11}$

(3) $-\sqrt{5}\ \square\ -\sqrt{7}$

(4) $-\sqrt{\dfrac{1}{3}}\ \square\ -\sqrt{\dfrac{1}{2}}$

(5) $\sqrt{65}\ \square\ 8$

(6) $-\sqrt{\dfrac{6}{25}}\ \square\ -\dfrac{2}{5}$

027 2 다음 부등식을 만족하는 자연수 x의 개수를 구하여라.

(1) $4<\sqrt{x}<6$

(2) $1.2<\sqrt{x}<2.5$

(3) $\sqrt{5}<x<\sqrt{20}$

(4) $\sqrt{10}<x<\sqrt{50}$

027 3 부등식 $-4<-\sqrt{x}<-3$을 만족하는 모든 자연수 x의 값의 합을 구하여라.

절대개념 **Focus**

제곱근의 대소 관계

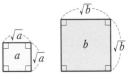

정사각형의 넓이를 이용하여 제곱근의 대소를 비교하면
① $a<b$이므로 $\sqrt{a}<\sqrt{b}$
② $\sqrt{a}<\sqrt{b}$이므로 $a<b$

확인	공부한 날	self-check		
	/	027-1	027-2	027-3
		O X	O X	O X

개념 028 무리수와 실수

6 유리수와 무리수

(1) 유리수 : $\dfrac{(정수)}{(0이\ 아닌\ 정수)}$ 의 꼴로 나타낼 수 있는 수이다.

참고 근호를 사용하여 나타낸 수 중 근호를 벗겨낼 수 있는 수는 유리수이다. $\Rightarrow \sqrt{0.01}=0.1,\ \sqrt{\dfrac{4}{9}}=\dfrac{2}{3}$

(2) 무리수 : 유리수가 아닌 수, 즉 순환하지 않는 무한소수이다.

예 $\sqrt{2}=1.414\cdots,\ \pi=3.141592\cdots$

7 실수

(1) 실수 : 유리수와 무리수를 통틀어 실수라 한다.

(2) 실수의 분류

$$
실수
\begin{cases}
유리수
\begin{cases}
정수
\begin{cases}
양의\ 정수(자연수) : 1,\ 2,\ 3,\ \cdots \\
0 \\
음의\ 정수 : -1,\ -2,\ -3,\ \cdots
\end{cases} \\
정수가\ 아닌\ 유리수 : \dfrac{1}{2},\ -\dfrac{1}{3},\ 1.\dot{2},\ \cdots \\
\quad\quad\quad \underset{유한소수,\ 순환소수}{} \\
\end{cases} \\
무리수(순환하지\ 않는\ 무한소수) : \sqrt{2},\ -\sqrt{3},\ \pi,\ \cdots
\end{cases}
$$

---

028 1 다음 〈**보기**〉 중 무리수를 모두 골라라.

〈보기〉

ㄱ. $\sqrt{9}$ ㄴ. $\sqrt{0.25}$ ㄷ. π ㄹ. $0.3\dot{4}\dot{5}$

ㅁ. $-\sqrt{5}$ ㅂ. $\sqrt{\dfrac{19}{49}}$ ㅅ. $\sqrt{\dfrac{4}{25}}$ ㅇ. 0

---

028 2 다음 설명 중 옳은 것에는 ○표, 틀린 것에는 ×표를 하여라.

(1) 무한소수는 무리수이다.   (   )

(2) 근호를 포함한 수는 모두 무리수이다.   (   )

(3) 순환소수는 유리수이다.   (   )

(4) $0.123\dot{4}$는 유리수이다.   (   )

절대개념 Focus

유리수와 무리수의 구별

$-\sqrt{7}$ (무리수), $\sqrt{\dfrac{1}{3}}$ (무리수)

$\sqrt{25}=\sqrt{5^2}=5$ (유리수)

$-\sqrt{\dfrac{9}{25}}=-\sqrt{\left(\dfrac{3}{5}\right)^2}$

$\quad\quad\quad =-\dfrac{3}{5}$ (유리수)

확인	공부한 날	self-check	
	/	028-1	028-2
		○ ×	○ ×

8 무리수를 수직선 위에 나타내기

정사각형의 넓이를 이용하여 무리수를 수직선 위에 나타낼 수 있다.

➡ 기준점의 좌표가 k일 때, 넓이가 a인 정사각형의 한 변의 길이가 $\sqrt{a}$
이므로 대응하는 점이 기준점의

오른쪽에 있으면 $k+\sqrt{a}$
왼쪽에 있으면 $k-\sqrt{a}$

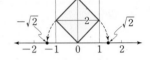

예 무리수 $\sqrt{2}$를 수직선 위에 나타내기

① 오른쪽 그림과 같이 수직선 위에 넓이가 4인 정사각형을 그린다.

② 정사각형의 각 변의 중점을 연결하여 넓이가 2인 정사각형을 그린다.

③ 넓이가 2인 정사각형의 한 변의 길이 $\sqrt{2}$를 수직선 위에 대응시킨다.

참고 정사각형의 한 변의 길이는 피타고라스 정리를 이용하여 구할 수도 있다. 예를 들어 넓이가 2인 정사각형의 한 변의 길이는 한 변의 길이가 1인 정사각형의 대각선의 길이와 같으므로 $\sqrt{1^2+1^2}=\sqrt{2}$이다.

---

029 1 다음 그림에서 □ABCD가 정사각형일 때, 수직선 위의 점 P에 대응하는 수를 구하여라.

(1)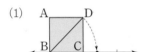

(2)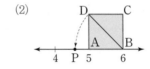

---

029 2 오른쪽 그림에서 모눈 한 칸은 한 변의 길이가 1인 정사각형이다. □ABCD는 정사각형이고 $\overline{AB}=\overline{AQ}$, $\overline{AD}=\overline{AP}$일 때, 다음을 구하여라.

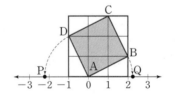

(1) □ABCD의 넓이

(2) $\overline{AB}$의 길이

(3) 두 점 P, Q 각각의 좌표

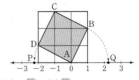
	공부한 날	self-check
확인	/	029-1 | 029-2
		O X | O X

개념 030 실수와 수직선

9 실수와 수직선

(1) 서로 다른 두 실수 사이에는 무수히 많은 실수가 있다.

(2) 모든 실수는 각각 수직선 위의 한 점에 대응한다.

(3) 수직선은 실수에 대응하는 점들로 완전히 메울 수 있다. → 수직선은 실수를 나타내는 직선이다.

개념 Plus⁺

• 모든 유리수와 모든 무리수는 각각 수직선 위의 한 점에 대응한다.

⇨ 유리수만으로는 수직선을 완전히 메울 수 없다.

⇨ 무리수만으로는 수직선을 완전히 메울 수 없다.

• 서로 다른 두 유리수 (또는 무리수) 사이에는 무수히 많은 유리수와 무리수가 있다.

---

030 1 다음 설명 중 옳은 것에는 ○표, 옳지 않은 것에는 ×표를 하여라.

(1) 0과 1 사이에는 무수히 많은 무리수가 있다. (　　)

(2) $\sqrt{3}$과 2 사이에는 무수히 많은 실수가 있다. (　　)

(3) 유리수만으로 수직선을 완전히 메울 수 있다. (　　)

(4) 서로 다른 두 무리수 사이에는 무수히 많은 유리수가 있다. (　　)

(5) $3+\sqrt{2}$에 대응하는 점을 수직선 위에 나타낼 수 있다. (　　)

030 2 다음 중 옳지 <u>않은</u> 것은?

① 1과 2 사이에는 무수히 많은 유리수가 있다.

② $\sqrt{3}$과 $\sqrt{6}$ 사이에는 무수히 많은 정수가 있다.

③ $\sqrt{2}$와 $\sqrt{3}$ 사이에는 무수히 많은 무리수가 있다.

④ 유리수와 무리수만으로 수직선을 완전히 메울 수 있다.

⑤ 서로 다른 두 실수 사이에는 무수히 많은 실수가 있다.

절대개념 Focus

실수와 수직선

① 서로 다른 두 유리수 사이에는 무수히 많은 유리수가 있다.

② 서로 다른 두 무리수 사이에는 무수히 많은 무리수가 있다.

③ 서로 다른 두 유리수 사이에는 무수히 많은 무리수가 있다.

④ 서로 다른 두 무리수 사이에는 무수히 많은 유리수가 있다.

확인	공부한 날	self-check	
	/	030-1	030-2
		O X	O X

10 실수의 대소 관계

두 실수 a, b의 대소 관계는 $a-b$의 부호로 알 수 있다.

(1) $a-b>0$이면 $a>b$ (2) $a-b=0$이면 $a=b$ (3) $a-b<0$이면 $a<b$

> 예 두 수 $1+\sqrt{3}$과 2의 대소를 비교하여라.
> $(1+\sqrt{3})-2=\sqrt{3}-1>0$이므로 $1+\sqrt{3}>2$

- -

개념 Plus+

실수의 대소 관계는 다음과 같은 방법으로도 비교할 수 있다.

① 부등식의 성질 이용

$3-\sqrt{2}$와 $2-\sqrt{2}$의 대소 비교 : 양변에 $\sqrt{2}$를 더하면 $3>2$ $\therefore 3-\sqrt{2}>2-\sqrt{2}$

② 제곱근의 값 이용

2와 $\sqrt{2}+1$의 대소 비교 : $\sqrt{2}=1.414\cdots$이므로 $\sqrt{2}+1=2.414\cdots$ $\therefore 2<\sqrt{2}+1$

---

031 1 다음은 두 실수 $1+\sqrt{3}$과 3의 대소를 비교하는 과정이다. ☐ 안에 알맞은 것을 써넣어라.

> 두 실수 $1+\sqrt{3}$과 3에 대하여
> $(1+\sqrt{3})-3=\sqrt{3}-2$
> 이때 $2=\sqrt{2^2}=\boxed{}$이므로 $\sqrt{3}-2=\sqrt{3}-\sqrt{4}\ \boxed{}\ 0$
> $\therefore 1+\sqrt{3}\ \boxed{}\ 3$

---

031 2 다음 두 실수의 대소를 비교하여라.

(1) $\sqrt{2}-1\ \boxed{}\ 1$

(2) $\sqrt{18}-3\ \boxed{}\ \sqrt{20}-3$

(3) $4\ \boxed{}\ 6-\sqrt{8}$

(4) $\sqrt{7}-\sqrt{2}\ \boxed{}\ \sqrt{7}-\sqrt{3}$

---

031 3 다음 세 실수의 대소 관계를 부등호를 이용하여 나타내어라.

(1) $1+\sqrt{3}$, 2, $\sqrt{5}+1$

(2) $\sqrt{10}+2$, $\sqrt{10}+\sqrt{5}$, $\sqrt{5}+4$

절대개념 Focus

실수의 대소 관계

실수를 수직선 위에 나타내면 오른쪽에 있는 수가 왼쪽에 있는 수보다 크다.

커진다

0

작아진다

① (음수) $<0<$ (양수)
② 양수끼리는 절댓값이 큰 수가 크다.
③ 음수끼리는 절댓값이 큰 수가 작다.

확인	공부한 날	self-check		
	/	031-1	031-2	031-3
		O X	O X	O X

개념 032   두 실수 사이에 있는 실수 찾기

11 두 실수 사이에 있는 실수 찾기

(1) 수직선에서 무리수에 대응하는 점 찾기

주어진 무리수가 어떤 정수 사이에 있는 수인지를 파악한다.

예 수직선에서 $\sqrt{40}$에 대응하는 점은

① $\sqrt{36}<\sqrt{40}<\sqrt{49}$이므로 $6<\sqrt{40}<7$

② $\sqrt{40}$은 6과 7 사이의 수이므로 아래 수직선에서 점 D에 대응한다.

(2) 두 실수 a, b 사이에 있는 실수 찾기

① 두 실수 a, b의 중점 $\dfrac{a+b}{2}$는 a, b 사이에 있는 수이다.

② 두 실수 a, b의 차보다 작은 수를 a, b 중 작은 수에 더하거나 큰 수에서 뺀 수는 두 수 사이에 있는 수이다.

---

032 1 다음 수직선 위의 점 A~F 중에서 각각의 수에 대응하는 점을 구하여라.

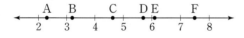

(1) $\sqrt{6}$　　　　　　　　　　(2) $\sqrt{22}$

(3) $\sqrt{33}$　　　　　　　　　　(4) $\sqrt{57}$

(5) $\sqrt{37}$　　　　　　　　　　(6) $\sqrt{10}$

---

032 2 다음 중 $\sqrt{5}$와 $\sqrt{6}$ 사이에 있는 수가 아닌 것은?

(단, $\sqrt{5}$의 값은 2.236, $\sqrt{6}$의 값은 2.449로 계산한다.)

① $\dfrac{\sqrt{5}+\sqrt{6}}{2}$　　　② $\sqrt{5}+0.1$　　　③ $\sqrt{5}+0.2$

④ $\sqrt{6}-0.2$　　　⑤ $\sqrt{6}-0.3$

절대개념 Focus

두 실수 사이에 있는 실수 찾기

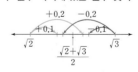

① 두 실수의 평균을 구하여 얻는다.
② 두 실수의 차보다 작은 수를 더하거나 빼서 얻는다.

확인	공부한 날	self-check
	/	032-1 | 032-2
		O X | O X

12 제곱근의 곱셈과 나눗셈 : $a>0$, $b>0$이고 m, n이 유리수일 때

(1) 제곱근의 곱셈

① $\sqrt{a}\times\sqrt{b}=\sqrt{a}\sqrt{b}=\sqrt{ab}$ ② $m\sqrt{a}\times n\sqrt{b}=mn\sqrt{ab}$

(예) $\sqrt{2}\times\sqrt{3}=\sqrt{2}\sqrt{3}=\sqrt{2\times3}=\sqrt{6}$, $2\sqrt{5}\times3\sqrt{2}=(2\times3)(\sqrt{5}\times\sqrt{2})=6\sqrt{10}$

(2) 제곱근의 나눗셈

① $\sqrt{a}\div\sqrt{b}=\dfrac{\sqrt{a}}{\sqrt{b}}=\sqrt{\dfrac{a}{b}}$ ② $m\sqrt{a}\div n\sqrt{b}=\dfrac{m}{n}\sqrt{\dfrac{a}{b}}$

(예) $\sqrt{15}\div\sqrt{3}=\dfrac{\sqrt{15}}{\sqrt{3}}=\sqrt{\dfrac{15}{3}}=\sqrt{5}$, $6\sqrt{10}\div2\sqrt{5}=\dfrac{6}{2}\sqrt{\dfrac{10}{5}}=3\sqrt{2}$

13 근호가 있는 식의 변형 : $a>0$, $b>0$일 때

① $\sqrt{a^2b}=\sqrt{a^2}\times\sqrt{b}=a\sqrt{b}$ ② $\sqrt{\dfrac{a}{b^2}}=\dfrac{\sqrt{a}}{\sqrt{b^2}}=\dfrac{\sqrt{a}}{b}$

(예) $\sqrt{12}=\sqrt{2^2\times3}=\sqrt{2^2}\times\sqrt{3}=2\sqrt{3}$, $\sqrt{\dfrac{3}{25}}=\dfrac{\sqrt{3}}{\sqrt{5^2}}=\dfrac{\sqrt{3}}{5}$

---

033 1 다음 식을 간단히 하여라.

(1) $\sqrt{\dfrac{14}{3}}\sqrt{\dfrac{3}{7}}$

(2) $-3\sqrt{2}\times\sqrt{3}$

(3) $\sqrt{\dfrac{35}{8}}\div\sqrt{\dfrac{7}{16}}$

(4) $-6\sqrt{5}\div3\sqrt{\dfrac{5}{9}}$

근호 안의 수를 소인수분해했을 때, 제곱인 인수가 있으면 근호 밖으로 나올 수 있어~

033 2 다음 수를 근호 안의 수가 가장 작은 자연수가 되도록 $a\sqrt{b}$의 꼴로 나타내어라.

(1) $\sqrt{50}$

(2) $\sqrt{\dfrac{5}{9}}$

(3) $-\sqrt{252}$

(4) $-\sqrt{0.07}$

절대개념 Focus

근호가 있는 식의 변형

근호 밖으로
$$\sqrt{a^2b}=a\sqrt{b}$$
근호 안으로

근호 밖으로
$$\sqrt{\dfrac{a}{b^2}}=\dfrac{\sqrt{a}}{b}$$
근호 안으로

033 3 다음 수를 $\sqrt{a}$의 꼴로 나타내어라.

(1) $7\sqrt{2}$

(2) $3\sqrt{\dfrac{1}{5}}$

(3) $-4\sqrt{6}$

(4) $-\dfrac{2\sqrt{7}}{3}$

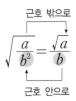

확인	공부한 날	self-check		
		033-1	033-2	033-3
	/	O X	O X	O X

분모의 유리화

14 분모의 유리화 : 분모에 무리수가 있을 때, 분모와 분자에 0이 아닌 같은 수를 곱하여 분모를 유리수로 고치는 것을 분모의 유리화라 한다.

15 분모의 유리화 방법

(1) $\dfrac{a}{\sqrt{b}} = \dfrac{a \times \sqrt{b}}{\sqrt{b} \times \sqrt{b}} = \dfrac{a\sqrt{b}}{b}$ (단, $b>0$)

예 $\dfrac{3}{\sqrt{6}} = \dfrac{3 \times \sqrt{6}}{\sqrt{6} \times \sqrt{6}} = \dfrac{3\sqrt{6}}{6} = \dfrac{\sqrt{6}}{2}$

(2) $\dfrac{\sqrt{a}}{\sqrt{b}} = \dfrac{\sqrt{a} \times \sqrt{b}}{\sqrt{b} \times \sqrt{b}} = \dfrac{\sqrt{ab}}{b}$ (단, $a>0$, $b>0$)

예 $\dfrac{\sqrt{2}}{\sqrt{3}} = \dfrac{\sqrt{2} \times \sqrt{3}}{\sqrt{3} \times \sqrt{3}} = \dfrac{\sqrt{6}}{3}$

(3) $\dfrac{a}{b\sqrt{c}} = \dfrac{a \times \sqrt{c}}{b\sqrt{c} \times \sqrt{c}} = \dfrac{a\sqrt{c}}{bc}$ (단, $b \neq 0$, $c>0$)

예 $\dfrac{3}{2\sqrt{5}} = \dfrac{3 \times \sqrt{5}}{2\sqrt{5} \times \sqrt{5}} = \dfrac{3\sqrt{5}}{10}$

개념
Plus⁺ 분모의 근호 안에 제곱인 인수가 있으면 $a\sqrt{b}$ 꼴로 바꾼 다음 분모 중 근호를 포함한 부분만 분모, 분자에 각각 곱하여 유리화한다.

예 $\dfrac{6}{\sqrt{20}} = \dfrac{6}{2\sqrt{5}} = \dfrac{3}{\sqrt{5}} = \dfrac{3\sqrt{5}}{5}$

034 **1** 다음은 분모를 유리화하는 과정이다. □ 안에 알맞은 수를 써넣어라.

(1) $\dfrac{2}{\sqrt{3}} = \dfrac{2 \times \square}{\sqrt{3} \times \square} = \dfrac{\square}{(\square)^2} = \dfrac{\square}{\square}$

(2) $\dfrac{\sqrt{5}}{\sqrt{7}} = \dfrac{\sqrt{5} \times \square}{\sqrt{7} \times \square} = \dfrac{\square}{(\square)^2} = \dfrac{\square}{\square}$

(3) $\dfrac{4}{3\sqrt{2}} = \dfrac{4 \times \square}{3\sqrt{2} \times \square} = \dfrac{\square}{3 \times (\square)^2} = \dfrac{\square}{3 \times \square} = \dfrac{\square}{\square}$

034 **2** 다음 수의 분모를 유리화하여라.

(1) $\dfrac{1}{\sqrt{5}}$

(2) $\dfrac{3}{\sqrt{7}}$

(3) $-\dfrac{5}{\sqrt{3}}$

(4) $\dfrac{\sqrt{3}}{\sqrt{5}}$

(5) $\dfrac{\sqrt{2}}{\sqrt{17}}$

(6) $\sqrt{\dfrac{7}{10}}$

(7) $\dfrac{3}{4\sqrt{6}}$

(8) $\dfrac{\sqrt{3}}{3\sqrt{6}}$

(9) $\dfrac{2}{7\sqrt{2}}$

절대개념 **Focus**

분모의 유리화

$\dfrac{1}{\sqrt{3}} \xrightarrow{\frac{1 \times \sqrt{3}}{\sqrt{3} \times \sqrt{3}}} \dfrac{\sqrt{3}}{3}$

$\dfrac{\sqrt{2}}{\sqrt{5}} \xrightarrow{\frac{\sqrt{2} \times \sqrt{5}}{\sqrt{5} \times \sqrt{5}}} \dfrac{\sqrt{10}}{5}$

$\dfrac{3}{2\sqrt{6}} \xrightarrow{\frac{3 \times \sqrt{6}}{2\sqrt{6} \times \sqrt{6}}} \dfrac{\sqrt{6}}{4}$

04. 제곱근과 실수

확인	공부한 날	self-check	
	/	034-1	034-2
		O X	O X

제곱근의 덧셈과 뺄셈

16 제곱근의 덧셈과 뺄셈

m, n이 유리수이고 $a>0$일 때

(1) $m\sqrt{a}+n\sqrt{a}=(m+n)\sqrt{a}$ 　예 $2\sqrt{3}+3\sqrt{3}=(2+3)\sqrt{3}=5\sqrt{3}$

(2) $m\sqrt{a}-n\sqrt{a}=(m-n)\sqrt{a}$ 　예 $4\sqrt{2}-2\sqrt{2}=(4-2)\sqrt{2}=2\sqrt{2}$

(3) $\sqrt{a^2 b}$ 꼴이 포함된 경우는 $a\sqrt{b}$ 꼴로 근호 안을 가장 작은 자연수로 바꾸어 계산한다.

　예 $4\sqrt{2}+\sqrt{8}=4\sqrt{2}+2\sqrt{2}=(4+2)\sqrt{2}=6\sqrt{2}$, $4\sqrt{3}-\sqrt{12}=4\sqrt{3}-2\sqrt{3}=(4-2)\sqrt{3}=2\sqrt{3}$

참고 근호 안의 수가 같을 때, 근호를 포함한 식의 덧셈과 뺄셈은 다항식의 동류항의 덧셈, 뺄셈과 같은 방법으로 계산한다.

---

035 1 다음 식을 간단히 하여라.

(1) $3\sqrt{3}+6\sqrt{3}$

(2) $8\sqrt{5}+4\sqrt{5}$

(3) $2\sqrt{6}-5\sqrt{6}$

(4) $7\sqrt{2}-\sqrt{2}$

(5) $\dfrac{3\sqrt{2}}{5}+\dfrac{4\sqrt{2}}{5}$

(6) $\dfrac{7\sqrt{5}}{3}-\dfrac{\sqrt{5}}{6}$

035 2 다음 식을 간단히 하여라.

(1) $\sqrt{8}+\sqrt{18}+\sqrt{32}$

(2) $3\sqrt{5}+\dfrac{\sqrt{5}}{6}-\sqrt{5}$

(3) $\sqrt{125}+\sqrt{5}-\sqrt{20}$

(4) $\dfrac{\sqrt{3}}{2}-\dfrac{\sqrt{12}}{3}+\dfrac{\sqrt{27}}{6}$

(5) $\sqrt{32}-\dfrac{\sqrt{6}}{\sqrt{3}}$

(6) $\sqrt{75}-\sqrt{27}+\dfrac{6}{\sqrt{3}}$

035 3 $\sqrt{80}+\sqrt{108}-\sqrt{180}+\sqrt{48}=a\sqrt{3}+b\sqrt{5}$일 때, 유리수 a, b에 대하여 $a+b$의 값을 구하여라.

절대개념 Focus

제곱근의 덧셈과 뺄셈

제곱근의 덧셈, 뺄셈은 근호 안의 수가 같은 것끼리 모아서 계산한다. 이때 근호 안의 수가 $\sqrt{a^2 b}\,(a>0)$인 경우 $a\sqrt{b}$로 고쳐서 계산한다.

확인	공부한 날	self-check		
	/	035-1	035-2	035-3
		O X	O X	O X

개념 036 근호를 포함한 복잡한 식의 계산

17 근호를 포함한 복잡한 식의 계산

(1) 무리수의 분배법칙 : $a>0$, $b>0$, $c>0$일 때

① $\sqrt{a}(\sqrt{b}\pm\sqrt{c})=\sqrt{a}\sqrt{b}\pm\sqrt{a}\sqrt{c}=\sqrt{ab}\pm\sqrt{ac}$ (복부호 동순)

② $(\sqrt{a}\pm\sqrt{b})\sqrt{c}=\sqrt{a}\sqrt{c}\pm\sqrt{b}\sqrt{c}=\sqrt{ac}\pm\sqrt{bc}$ (복부호 동순)

(2) 분모에 무리수가 있는 경우에는 분모를 유리화한다.

$$\frac{\sqrt{a}\pm\sqrt{b}}{\sqrt{c}}=\frac{(\sqrt{a}\pm\sqrt{b})\times\sqrt{c}}{\sqrt{c}\times\sqrt{c}}=\frac{\sqrt{ac}\pm\sqrt{bc}}{c}$$

(3) 근호를 포함한 복잡한 식의 계산 순서

① 괄호가 있으면 분배법칙을 이용하여 괄호를 푼다.

② 근호 안의 제곱인 인수는 근호 밖으로 꺼낸다.

③ 분모에 무리수가 있으면 분모를 유리화한다.

④ 곱셈, 나눗셈을 먼저 계산한다.

⑤ 근호 안의 수가 같은 것끼리 덧셈, 뺄셈을 한다.

---

036 1 다음 식을 간단히 하여라.

(1) $\sqrt{2}(\sqrt{5}-\sqrt{3})$

(2) $(\sqrt{2}+\sqrt{7})\sqrt{3}$

(3) $(\sqrt{6}-\sqrt{5})\sqrt{2}$

(4) $(\sqrt{3}+\sqrt{2})\div\sqrt{3}$

(5) $(\sqrt{10}+\sqrt{6})\div\sqrt{2}$

(6) $(2\sqrt{2}-\sqrt{5})\div(-4\sqrt{2})$

---

036 2 다음 식을 간단히 하여라.

(1) $\dfrac{2\sqrt{2}+3\sqrt{3}}{3\sqrt{2}}$

(2) $\dfrac{6-\sqrt{12}}{\sqrt{3}}$

(3) $\sqrt{2}(3+\sqrt{12})+\dfrac{\sqrt{32}+\sqrt{50}}{\sqrt{2}}$

(4) $\dfrac{\sqrt{2}}{3}(\sqrt{2}-\sqrt{3})+\dfrac{\sqrt{50}}{\sqrt{3}}$

(5) $\sqrt{48}-\dfrac{2}{\sqrt{5}}+\sqrt{5}\left(\dfrac{2}{5}-\dfrac{3}{\sqrt{5}}\right)$

(6) $\sqrt{2}\left(\sqrt{5}-\dfrac{\sqrt{2}}{2}\right)-\sqrt{5}\left(2\sqrt{2}-\dfrac{4}{\sqrt{5}}\right)$

절대개념 Focus

근호를 포함한 식의 계산 순서

괄호는 분배법칙을 이용하여 푼다.
↓
근호 안은 간단히 한다.
↓
분모에 무리수가 있으면 분모를 유리화한다.
↓
곱셈과 나눗셈을 먼저 계산한 후 덧셈과 뺄셈을 계산한다.

확인	공부한 날	self-check
	/	036-1 | 036-2
		O X | O X

18 제곱근의 값

(1) 제곱근표 : 1.00부터 9.99까지의 수와 10.0부터 99.9까지의 수의 양의 제곱근의 값을 반올림하여 소수점 아래 셋째 자리까지 계산해 놓은 표

(2) 제곱근표 읽는 방법 : 제곱근표에서 처음 두 자리 수의 가로줄과 끝자리 수의 세로줄이 만나는 곳에 있는 수를 읽는다.

수	0	1	2	3	⋯
⋮	⋮	⋮	⋮	⋮	⋮
2.0	1.414	1.418	1.421	1.425	⋯
2.1	1.449	1.453	1.456	1.459	⋯
2.2	1.483	1.487	1.490	1.493	⋯
⋮	⋮	⋮	⋮	⋮	⋮

〈제곱근표〉

(3) 제곱근표에 없는 수의 값

① 100 이상인 수 : $\sqrt{100a}=10\sqrt{a}$, $\sqrt{10000a}=100\sqrt{a}$, ⋯

② 0과 1 사이의 수 : $\sqrt{\dfrac{a}{100}}=\dfrac{\sqrt{a}}{10}$, $\sqrt{\dfrac{a}{10000}}=\dfrac{\sqrt{a}}{100}$, ⋯

개념 Plus⁺

무리수의 정수 부분과 소수 부분

무리수는 순환하지 않는 무한소수이므로 정수 부분과 소수 부분으로 나눌 수 있다.
이때 소수 부분은 무리수에서 정수 부분을 빼서 표현한다.

$\sqrt{a}=$(정수 부분)$+$(소수 부분)
$\Rightarrow$ (소수 부분)$=\sqrt{a}-$(정수 부분)

---

037 1 아래 제곱근표를 이용하여 다음 수의 값을 구하여라.

수	0	1	2	3	4	5	6	7	8	9
3.1	1.761	1.764	1.766	1.769	1.772	1.775	1.778	1.780	1.783	1.786
3.2	1.789	1.792	1.794	1.797	1.800	1.803	1.806	1.808	1.811	1.814

(1) $\sqrt{3.13}$ (2) $\sqrt{3.20}$ (3) $\sqrt{3.27}$

037 2 제곱근표에서 $\sqrt{3}$의 값이 1.732, $\sqrt{30}$의 값이 5.477일 때, 다음 수의 값을 구하여라.

(1) $\sqrt{300}$ (2) $\sqrt{3000}$

(3) $\sqrt{0.3}$ (4) $\sqrt{48}$

037 3 다음 수의 정수 부분과 소수 부분을 각각 구하여라.

(1) $\sqrt{29}$ (2) $3-\sqrt{2}$ (3) $\sqrt{6}-1$

절대개념 Focus

제곱근표에 없는 수의 값

① $\sqrt{a}$의 값 이용

$\sqrt{100a}=10\sqrt{a}$,

$\sqrt{10000a}=100\sqrt{a}$

$\sqrt{\dfrac{a}{100}}=\dfrac{\sqrt{a}}{10}$,

$\sqrt{\dfrac{a}{10000}}=\dfrac{\sqrt{a}}{100}$

② $\sqrt{10a}$의 값 이용

$\sqrt{1000a}=10\sqrt{10a}$,

$\sqrt{100000a}=100\sqrt{10a}$

$\sqrt{\dfrac{a}{10}}=\dfrac{\sqrt{10a}}{10}$,

$\sqrt{\dfrac{a}{1000}}=\dfrac{\sqrt{10a}}{100}$

확인	공부한 날	self-check		
	/	037-1	037-2	037-3
		O X	O X	O X

❯ 정답 및 풀이 25쪽

개념 038 제곱근의 활용

19 사각형의 대각선의 길이

(1) 직사각형의 대각선의 길이

가로, 세로의 길이가 각각 a, b인 직사각형의 대각선의 길이를 l이라 하면

$$l = \sqrt{a^2 + b^2}$$

참고 직각삼각형 BCD에서 피타고라스 정리에 의하여

$$l = \sqrt{a^2 + b^2}$$

(2) 정사각형의 대각선의 길이

한 변의 길이가 a인 정사각형의 대각선의 길이를 l이라 하면

$$l = \sqrt{2}a$$

참고 $l = \sqrt{a^2 + b^2}$에서 b 대신 a를 대입하면

$$l = \sqrt{a^2 + a^2} = \sqrt{2a^2} = \sqrt{2}a$$

20 정삼각형의 높이와 넓이

한 변의 길이가 a인 정삼각형의 높이를 h, 넓이를 S라 하면

(1) 높이 : $h = \dfrac{\sqrt{3}}{2}a$ (2) 넓이 : $S = \dfrac{\sqrt{3}}{4}a^2$

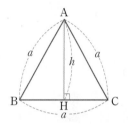

참고 △ABH에서

(1) $h = \sqrt{a^2 - \left(\dfrac{a}{2}\right)^2} = \sqrt{\dfrac{3}{4}a^2} = \dfrac{\sqrt{3}}{2}a$ (2) $S = \dfrac{1}{2} \times a \times \dfrac{\sqrt{3}}{2}a = \dfrac{\sqrt{3}}{4}a^2$

---

038 1 다음 사각형에서 대각선의 길이를 구하여라.

(1)
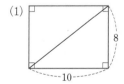

(2)

038 2 오른쪽 그림과 같이 한 변의 길이가 6 cm인 정삼각형 ABC에 대하여 다음을 구하여라.

(1) 높이 (2) 넓이

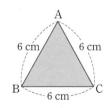

절대개념 Focus

직사각형의 대각선의 길이

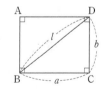

$$l = \sqrt{a^2 + b^2}$$

정사각형의 대각선의 길이

$$l = \sqrt{2}a$$

확인	공부한 날	self-check	
	/	038-1	038-2
		O X	O X

탄탄한 중단원 문제

01 다음 중 옳은 것은?

개념 025

① $\sqrt{81}$의 제곱근은 9이다.

② 0의 제곱근은 없다.

③ $\sqrt{(-4)^2}$의 음의 제곱근은 -2이다.

④ -121의 제곱근은 -11이다.

⑤ $-\sqrt{5}$는 -5의 음의 제곱근이다.

02 $(\sqrt{5})^2+(-\sqrt{2})^2-\sqrt{\left(\dfrac{2}{5}\right)^2}+\sqrt{(-0.2)^2}$을 계산하면?

개념 026

제곱근의 성질을 이용하여 주어진 수를 근호를 사용하지 않고 나타낸 다음 계산한다.

① $\dfrac{32}{5}$ ② $\dfrac{34}{5}$ ③ $\dfrac{36}{5}$ ④ $\dfrac{38}{5}$ ⑤ 8

03 $a<0$일 때, $\sqrt{(-3a)^2}-\sqrt{a^2}$을 간단히 하면?

개념 026

① $-8a$ ② $-4a$ ③ $-2a$ ④ $2a$ ⑤ $4a$

04 다음 중 두 수의 대소 관계가 옳지 <u>않은</u> 것은?

개념 027

근호가 없는 수를 근호가 있는 수로 바꾸어 비교한다.

① $\sqrt{70}>\sqrt{65}$ ② $\dfrac{1}{7}>\sqrt{\dfrac{1}{50}}$ ③ $\sqrt{3}<2$

④ $-3<-\sqrt{10}$ ⑤ $-\sqrt{5}<-\sqrt{3}$

05 오른쪽 그림에서 모눈 한 칸은 한 변의 길이가 1인 정사각형이다. $\overline{AB}=\overline{PB}$, $\overline{BC}=\overline{BQ}$이고 점 Q에 대응하는 수가 $3+\sqrt{5}$일 때, 점 P에 대응하는 수를 구하여라.

개념 029

기준점으로부터 방향(왼쪽, 오른쪽)과 크기(길이)를 이용한다.

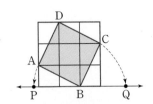

확인	공부한 날	self-check				
		01	02	03	04	05
	/	O X	O X	O X	O X	O X

06 오른쪽 수직선 위의 점 A~E 중에서 $\sqrt{11}-2$ 에 대응하는 점은?

① 점 A　　　② 점 B　　　③ 점 C　　　④ 점 D　　　⑤ 점 E

개념 032

주어진 무리수가 어떤 정수 사이에 있는 수인지를 파악한다.

07 $\sqrt{2}=a$, $\sqrt{3}=b$일 때, $\sqrt{150}$을 a, b를 이용하여 나타내어라.

개념 033

08 $\sqrt{2}(\sqrt{18}-4)+\dfrac{8(2-\sqrt{2})}{\sqrt{8}}$ 를 계산하면?

① -2　　　② $-2+2\sqrt{2}$　　③ 2　　　④ $2+2\sqrt{2}$　　⑤ $2+4\sqrt{2}$

개념 036

분모에 근호가 있을 때, 분모, 분자에 0이 아닌 수를 곱하여 분모를 유리수로 고친다.

09 제곱근표에서 $\sqrt{6}$의 값이 2.449, $\sqrt{60}$의 값이 7.746일 때, $\sqrt{0.24}$의 값은?

① 0.2449　　　　② 0.4898　　　　③ 0.7347

④ 0.7746　　　　⑤ 0.9749

개념 037

10 오른쪽 그림과 같이 높이가 6 cm인 정삼각형 ABC의 둘레의 길이는?

① $6\sqrt{7}$ cm　　　② 8 cm

③ $8\sqrt{6}$ cm　　　④ $12\sqrt{3}$ cm

⑤ 22 cm

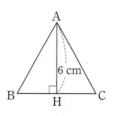

개념 038

확인	공부한 날	self-check				
		06	07	08	09	10
	/	O X	O X	O X	O X	O X

53

II

문자와 식

개념 039 문자를 사용한 식

1 문자를 사용한 식

(1) **문자의 사용** : 문자를 사용하면 수량 사이의 관계를 간단한 식으로 나타낼 수 있다.

(2) **문자를 사용하여 식 세우기**

① 문제의 뜻을 파악하여 수량 사이의 관계 또는 규칙을 찾는다.

② ①에서 찾은 규칙에 맞게 문자를 사용하여 식으로 나타낸다. ← 문자식

2 기호의 생략

(1) **곱셈 기호의 생략**

① 수는 문자 앞에 쓴다.

② 문자는 알파벳 순으로 쓰고 같은 문자의 곱은 거듭제곱의 꼴로 나타낸다.

③ $1 \times$ (문자) 또는 $(-1) \times$ (문자)에서 1은 생략한다. ← 소수 $0.1 \times a$에서 1은 생략하지 않는다.

④ 괄호가 있을 때에는 수를 괄호 앞에 쓴다.

(2) **나눗셈 기호의 생략**

① 나눗셈 기호 $\div$를 생략하고 분수의 꼴로 나타낸다.

② 나눗셈 기호 $\div$를 역수를 이용하여 곱셈으로 바꾸고 곱셈 기호를 생략한다.

---

039 1 다음을 문자를 사용한 식으로 나타내어라.

(1) 현재 a살인 승하의 10년 후의 나이

(2) 한 봉지에 $x\,\mathrm{g}$인 과자 세 봉지의 총 무게

(3) 시속 $80\,\mathrm{km}$의 속력으로 자동차가 x시간 동안 달린 거리

(4) x원짜리 지우개 4개를 사고 5000원을 냈을 때, 거스름돈

039 2 다음 식을 곱셈 기호, 나눗셈 기호를 생략하여 나타내어라.

(1) $(-0.1) \times a \times b$　　　　(2) $x \times y \times y \times 5$

(3) $x \div y \div z$　　　　(4) $(a+b) \times c \div 3$

절대개념 Focus

곱셈 기호의 생략

① $2 \times a = 2a$

② $a \times x \times b \times x = abx^2$

③ $1 \times a = a,\ (-1) \times b = -b$

④ $(a+b) \times 2 = 2(a+b)$

나눗셈 기호의 생략

① $x \div 5 = \dfrac{x}{5}$

② $a \div \dfrac{1}{2} = a \times 2 = 2a$

확인	공부한 날	self-check
		039-1 | 039-2
	/	O X | O X

개념 040 식의 값

한자 용어 풀이
• 대입(대신할 代, 넣을 入)
⇨ 문자를 대신하여 수를 넣는 것

3 식의 값

(1) **대입** : 문자를 포함한 식에서 문자 대신 어떤 수를 넣는 것

(2) **식의 값** : 문자를 사용한 식에서 문자에 수를 대입하여 계산한 결과

(3) **식의 값 구하기**

   ① 생략되어 있는 기호 $\times$, $\div$를 다시 쓴다.

   ② 문자에 주어진 수를 대입하여 식의 값을 계산한다.

개념 Plus⁺

• 문자에 음수를 대입할 때에는 반드시 괄호를 사용한다.

  예 $a=-2$를 $3a+2$에 대입하면 $3\times(-2)+2=-6+2=-4$

• 분모에 분수를 대입할 때에는 주어진 식을 $\div$를 사용하여 나타낸 후 대입한다.

  예 $x=\dfrac{1}{2}$을 $\dfrac{8}{x}$에 대입하면 $\dfrac{8}{x}=8\div x=8\div\dfrac{1}{2}=8\times 2=16$

[040] 1 $a=-4$일 때, 다음 식의 값을 구하여라.

(1) $3(a+4)$

(2) $\dfrac{12}{a+6}$

(3) a^3

(4) $-a^2-5a$

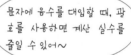

문자에 음수를 대입할 때, 괄호를 사용하면 계산 실수를 줄일 수 있어~

[040] 2 $a=-3$, $b=1$일 때, 다음 식의 값을 구하여라.

(1) $-2a+3b$

(2) $3(a-b)$

(3) $\dfrac{1}{3}a-4b$

(4) $1-ab$

(5) $(-a)^2+b$

(6) a^2+2b^2

[040] 3 $a=-\dfrac{1}{2}$, $b=\dfrac{1}{3}$일 때, $-\dfrac{3}{a}+\dfrac{1}{b}$의 값을 구하여라.

절대개념 Focus

식의 값

식 : $4\,a+2$ ← $a=2$를 대입

↓

$4\times 2+2=10$: 식의 값

확인	공부한 날	self-check		
	/	040-1	040-2	040-3
		O X	O X	O X

4 다항식

(1) 항 : 수 또는 문자의 곱으로만 이루어진 식

(2) 상수항 : 문자없이 수로만 이루어진 항

(3) 계수 : 항에서 문자 앞에 곱해진 수

(4) 다항식 : 하나 또는 2개 이상의 항의 합으로 이루어진 식 예 $4a$, $x-3y$

(5) 단항식 : 다항식 중에서 하나의 항으로만 이루어진 식 예 x, $-5y^2$, 7

5 일차식

(1) 항의 차수 : 항에 포함되어 있는 어떤 문자의 곱해진 개수 예 $2x^3$의 x에 대한 차수 : 3

(2) 다항식의 차수 : 다항식에서 차수가 가장 큰 항의 차수 예 다항식 $2x^2+5x-7$의 차수 : 2

(3) 일차식 : 차수가 1인 다항식 예 $2x+1$, $x-y+1$

개념
Plus⁺

일차식이 아닌 예

① $0 \times x + 7$ ⇨ 7(상수항)

② $\dfrac{1}{x}$ ⇨ 분모에 문자가 있는 식은 다항식이 아니므로 일차식이 아니다.

---

041 1 다음 〈보기〉 중 다항식 $\dfrac{x^2}{5}+2x-4$에 대한 설명으로 옳은 것을 모두 골라라.

┌─────────────────────〈보기〉
ㄱ. 항은 3개이다.   ㄴ. 이차항의 계수는 $\dfrac{1}{5}$이다.

ㄷ. x의 계수는 2이다.   ㄹ. 상수항은 4이다.
└────────────────────────

041 2 다음 〈보기〉 중 일차식을 모두 골라라.

┌─────────────────────〈보기〉
ㄱ. -5 ㄴ. $7-2a$ ㄷ. $\dfrac{1}{x}-4$ ㄹ. $\dfrac{x+1}{3}$
└────────────────────────

절대개념 Focus

다항식

x의 계수 y의 계수   상수항

$$\underset{\text{항}}{\underbrace{\underset{}{2}\,x+(-3\,y)+5}}$$

일차식

1차   0차

$-3\,x + 2$

└▶ 다항식의 차수 : 1

확인	공부한 날	self-check	
	/	041-1	041-2
		O X	O X

개념 042 일차식과 수의 곱셈, 나눗셈

6 일차식과 수의 곱셈, 나눗셈

(1) (단항식) × (수) : 단항식의 계수에 수를 곱하여 문자 앞에 쓴다.

> 예 $2a \times 4 = 2 \times a \times 4 = 2 \times 4 \times a = 8a$

(2) (단항식) ÷ (수) : 나누는 수의 역수를 곱한다.

> 예 $(-2a) \div \dfrac{2}{3} = (-2a) \times \dfrac{3}{2} = (-2) \times \dfrac{3}{2} \times a = -3a$

(3) (수) × (일차식) : 분배법칙을 이용하여 일차식의 각 항에 수를 곱한다.

> 예 $3(a-2) = 3 \times a - 3 \times 2 = 3a - 6$

(4) (일차식) ÷ (수) : 분배법칙을 이용하여 나누는 수의 역수를 곱한다.

> 예 $(2a-3) \div 3 = (2a-3) \times \dfrac{1}{3} = 2a \times \dfrac{1}{3} - 3 \times \dfrac{1}{3} = \dfrac{2}{3}a - 1$

참고 일차식에 음수를 곱하면 각 항의 부호가 바뀐다. ⇨ $-a(b-c) = -ab + ac$

문자와 식

1학년
2학년
3학년

---

042 1 다음을 계산하여라.

(1) $\dfrac{7}{4}a \times 16$

(2) $\left(-\dfrac{4}{5}a\right) \times 20$

(3) $(-14y) \div 2$

(4) $\dfrac{2}{3}b \div \left(-\dfrac{4}{7}\right)$

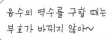

음수의 역수를 구할 때는 부호가 바뀌지 않아~

---

042 2 다음을 계산하여라.

(1) $(-4) \times \left(\dfrac{x}{12} - 3\right)$

(2) $(4x-3) \times \dfrac{3}{4}$

(3) $(x-18) \times \left(-\dfrac{1}{2}\right)$

(4) $(-2a+4) \div \dfrac{2}{5}$

(5) $(3a-9) \div \left(-\dfrac{3}{2}\right)$

(6) $\left(\dfrac{a}{6} - \dfrac{3}{2}\right) \div \dfrac{1}{12}$

절대개념 Focus

일차식과 수의 곱셈, 나눗셈

① (수) × (일차식)
$2 \times (3x+1)$
$= 2 \times 3x + 2 \times 1$

② (일차식) ÷ (수)
$(10x+3) \div 5$
$= (10x+3) \times \dfrac{1}{5}$
$= 10x \times \dfrac{1}{5} + 3 \times \dfrac{1}{5}$

01. 문자와 식

확인	공부한 날	self-check	
	/	042-1	042-2
		O X	O X

한자 용어 풀이

• 동류(같을 同, 무리 類)항
⇨ 같은 종류의 항

7 동류항

(1) **동류항** : 문자와 차수가 모두 같은 항

(2) **동류항의 덧셈, 뺄셈**

① 동류항의 덧셈 : 계수끼리의 합에 문자를 곱한다.

② 동류항의 뺄셈 : 계수끼리의 차에 문자를 곱한다.

예 $2a+3a=(2+3)a=5a$, $2a-3a=(2-3)a=-a$

8 일차식의 덧셈과 뺄셈

① 분배법칙을 이용하여 괄호를 푼다.

② 동류항끼리 모은다.

③ 동류항끼리 계산하여 식을 정리한다.

주의 괄호 앞에 $-$ 가 있으면 괄호 안의 모든 항의 부호를 바꾸어 괄호를 푼다.

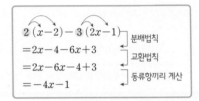

---

043 1 다음 〈보기〉 중 동류항을 모두 골라 짝지어라.

〈보기〉

ㄱ. x ㄴ. $3y^2$ ㄷ. $-\dfrac{1}{3}x$ ㄹ. 6 ㅁ. $-\dfrac{3}{5}$ ㅂ. $\dfrac{y^2}{8}$

043 2 다음 식을 간단히 하여라.

(1) $5a+3a-7a$

(2) $x-2-3x+8$

(3) $-\dfrac{5}{3}x-2+3x+8$

(4) $a+\dfrac{7}{2}-3a-\dfrac{1}{2}$

043 3 다음 식을 간단히 하여라.

(1) $(2x+6)-(7x+3)$

(2) $-2(b+7)-3(-4b+1)$

(3) $\dfrac{1}{2}(2x+5)+\dfrac{1}{4}(2x-6)$

(4) $6\left(-2x+\dfrac{1}{3}\right)+4\left(\dfrac{x}{2}-1\right)$

절대개념 Focus

동류항

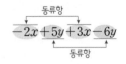

일차식의 덧셈과 뺄셈

분배법칙을 이용하여 괄호를 풀고 동류항끼리 모아서 식을 계산

확인	공부한 날	self-check		
	/	043-1	043-2	043-3
		O X	O X	O X

개념 044 복잡한 일차식의 덧셈과 뺄셈

9 복잡한 일차식의 덧셈과 뺄셈

(1) 분수 꼴인 일차식의 덧셈과 뺄셈은 괄호를 씌운 후 분모의 최소공배수로 통분하여 계산한다.

(2) 괄호는 (소괄호) ⇨ {중괄호} ⇨ [대괄호]의 순서로 풀고, 괄호를 풀 때 단계마다 동류항끼리 계산하여 최대한 간단히 한 후 다음 단계의 괄호를 푼다.

$$\frac{x-1}{2} - \frac{2x+3}{3}$$ ── 분모의 최소공배수로

$$= \frac{3(x-1)-2(2x+3)}{6}$$ ── 통분

── 분배법칙

$$= \frac{3x-3-4x-6}{6}$$ ── 동류항끼리 계산

$$= \frac{-x-9}{6}$$

개념 Plus⁺

분모의 최소공배수로 통분할 때, 분자에도 같은 수를 꼭 곱해 주어야 한다.

$$\frac{x-1}{2} - \frac{2x+3}{3} = \frac{x-1}{6} - \frac{2x+3}{6} \ (\times), \qquad \frac{x-1}{2} - \frac{2x+3}{3} = \frac{3(x-1)}{6} - \frac{2(2x+3)}{6} \ (\bigcirc)$$

문자와 식

1학년
2학년
3학년

---

044 1 다음 식을 간단히 하여라.

(1) $\dfrac{x}{2} + \dfrac{2x-5}{6}$

(2) $\dfrac{5x+2}{4} - \dfrac{1-3x}{2}$

(3) $\dfrac{4x-1}{3} + \dfrac{x-1}{6}$

(4) $\dfrac{3-x}{4} + \dfrac{5-2x}{3}$

(5) $\dfrac{4-5x}{3} - \dfrac{1-3x}{2}$

(6) $\dfrac{6x-3}{2} - \dfrac{10x+11}{5}$

044 2 다음 식을 간단히 하여라.

(1) $3b - \{5b - (b-4)\}$

(2) $2a + \{a - 4(3a-1)\}$

(3) $-5x - 1 - 2\{x - 2(x+3)\}$

(4) $4x - 5 - [x + 2 - \{-4x - (2x+1)\}]$

절대개념 Focus

복잡한 일차식의 덧셈과 뺄셈

① 괄호 앞에 수가 있는 계산 :
괄호를 풀 때 수를 각 항에 곱하여 계산

② 일차식이 분수 꼴로 주어진 계산 :
분모의 최소공배수로 통분하여 계산

③ 복잡한 괄호가 있는 계산 :
( ) ⇨ { } ⇨ [ ] 순으로 계산

01. 문자와 식

확인	공부한 날	self-check
	/	044-1 | 044-2
		○ X | ○ X

61

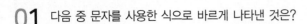

탄탄한 중단원 문제

01 다음 중 문자를 사용한 식으로 바르게 나타낸 것은?

개념 039

① 한 변의 길이가 x cm인 정삼각형의 둘레의 길이 $\Rightarrow$ x^3 cm

② 길이가 a m인 종이테이프를 5등분한 것 중 3조각의 길이의 합 $\Rightarrow$ $\dfrac{5}{3}a$ m

③ 2 km의 거리를 시속 x km의 속력으로 걸었을 때 걸린 시간 $\Rightarrow$ $\dfrac{2}{x}$ 시간

④ 농도가 7 %인 소금물 x g에 녹아 있는 소금의 양 $\Rightarrow$ $7x$ g

⑤ 정가가 10000원인 장갑을 a % 할인하여 판매할 때, 판매 가격 $\Rightarrow$ $100a$원

02 다음 중 나머지 넷과 <u>다른</u> 하나는?

개념 039
곱셈, 나눗셈이 섞여 있을 때에는 차례대로 기호 ×, ÷를 생략하고, 괄호가 있으면 괄호 안의 기호를 먼저 생략한다.

① $a \div b \div c$　　　　② $a \div (b \times c)$　　　　③ $a \div (b \div c)$

④ $a \times \dfrac{1}{b} \times \dfrac{1}{c}$　　　　⑤ $a \times \dfrac{1}{b} \div c$

03 $x = \dfrac{1}{4}$, $y = -3$일 때, $\dfrac{3}{x} - y^2$의 값은?

개념 040
분모에 분수를 대입할 때에는 주어진 식을 ÷를 사용하여 나타낸 후 대입한다.

① -8　　　② -7　　　③ -5　　　④ 3　　　⑤ 5

04 오른쪽 그림과 같은 사다리꼴의 넓이를 나타내는 식과 그 식의 값을 차례로 나열하여라. (단, $a=3$, $b=5$, $c=7$)

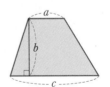

개념 040

05 다음 중 다항식 $9x^2 - \dfrac{1}{3}x - 1$에 대한 설명으로 옳지 <u>않은</u> 것은?

개념 041

① 항은 3개이다.　　② x^2의 계수는 9이다.　　③ x의 계수는 $-\dfrac{1}{3}$이다.

④ 상수항은 -1이다.　　⑤ 다항식의 차수는 1이다.

확인	공부한 날	self-check				
	/	01	02	03	04	05
		O X	O X	O X	O X	O X

▶ 정답 및 풀이 28쪽

06 다음 식의 계산 결과가 나머지 넷과 <u>다른</u> 하나는?

① $-2(x-3)$ ② $\dfrac{1}{2}(12-4x)$ ③ $-\dfrac{1}{3}(6x+6)$

④ $\left(-\dfrac{1}{2}x+\dfrac{3}{2}\right)\times 4$ ⑤ $(3-x)\div\dfrac{1}{2}$

개념 042

일차식과 수의 곱셈은 분배 법칙을 이용하여 일차식의 각 항에 수를 곱한다.

07 다음 중 식을 간단히 하였을 때, 일차항의 계수가 가장 작은 것은?

① $(4x-9)\div 3$ ② $\left(\dfrac{x}{6}-\dfrac{3}{2}\right)\div\dfrac{1}{12}$

③ $\dfrac{1}{3}(9x+6)-x$ ④ $-(3x-4)-(-2x+3)$

⑤ $6(x-1)-2(5x-3)$

개념 042+043

08 $\dfrac{x+3}{3}-\dfrac{x-4}{2}$ 를 간단히 하였을 때, x의 계수와 상수항의 곱은?

① $-\dfrac{1}{4}$ ② $-\dfrac{1}{2}$ ③ $\dfrac{1}{12}$ ④ $\dfrac{1}{4}$ ⑤ $\dfrac{1}{2}$

개념 044

일차식이 분수 꼴로 주어진 경우는 분모의 최소공배수로 통분하여 간단히 한다.

09 $A=2x-3$, $B=\dfrac{1}{2}x-4$일 때, $3A-6B$를 x에 대한 식으로 나타낸 것은?

① $3x-13$ ② $3x+15$ ③ $4x+1$

④ $8x-7$ ⑤ $8x+7$

개념 040+044

10 주어진 조건을 만족하는 두 일차식 A, B에 대하여 $A+B$는?

(가) A에서 $2x+1$을 빼면 $5x-4$이다.
(나) B에 $x-5$를 더하면 A이다.

① $x-5$ ② $x-1$ ③ $13x-1$

④ $13x+2$ ⑤ $14x+1$

개념 044

① $A-\square=\triangle$
　$\Rightarrow A=\triangle+\square$
② $B+\square=\bigcirc$
　$\Rightarrow B=\bigcirc-\square$

문자와 식

1학년
2학년
3학년

01. 문자와 식

확인	공부한 날	self-check				
		06	07	08	09	10
	/	O X	O X	O X	O X	O X

63

02 일차방정식

개념 045 방정식과 항등식

1 등식 : 등호(=)를 사용하여 두 수 또는 두 식이 서로 같음을 나타낸 식

> 참고 등호의 왼쪽 부분을 좌변, 오른쪽 부분을 우변이라 하고, 좌변과 우변을 통틀어 양변이라 한다.

$$\underset{\text{좌변}}{x-2} = \underset{\text{우변}}{1-x}$$
$$\underset{\text{양변}}{}$$

2 방정식과 항등식

(1) **방정식** : 미지수의 값에 따라 참이 되기도 하고 거짓이 되기도 하는 등식

　　① 미지수 : 방정식에 있는 x, y 등의 문자

　　② 방정식의 해(근) : 방정식을 참이 되게 하는 미지수의 값

　　③ 방정식을 푼다 : 방정식의 해(근)를 구하는 것

(2) **항등식** : 미지수에 어떤 수를 대입해도 항상 참이 되는 등식

개념 Plus⁺

등식 $ax+b=0$이 x에 대한 항등식이다. ⇨ x에 어떤 수를 대입해도 등식이 성립한다.
　　　　　　　　　　　　　　　⇨ 모든 수 x에 대하여 등식이 성립한다.
　　　　　　　　　　　　　　　⇨ x의 값에 관계없이 등식이 성립한다.

고등 연계 개념

$ax^2+bx+c=0$이 x에 대한 항등식이면
　　$a=0$, $b=0$, $c=0$

---

045 1 다음 문장을 등식으로 나타내어라.

(1) 어떤 수 x에서 3을 뺀 후 2배하면 16이다.

(2) 귤 50개를 x명에게 4개씩 나누어 주면 2개가 남는다.

(3) 300원짜리 지우개 x개와 500원짜리 연필 5자루의 값은 4000원이다.

045 2 x의 값이 -2, -1, 0, 1일 때, 주어진 방정식의 해를 구하여라.

(1) $3x+1=-2$ 　　　　　　　(2) $x-4=3x-6$

절대개념 Focus

방정식

$$3x-2=7$$
⇨ $x=3$일 때만 참

항등식

$$x+4x=5x$$
⇨ x에 어떤 값을 대입해도 항상 참

045 3 다음 〈보기〉 중 x의 값에 관계없이 항상 참이 되는 등식을 모두 골라라.

〈보기〉
ㄱ. $3(2x-1)=6x-3$ 　　　　ㄴ. $x-10=\dfrac{1}{2}(x-20)$

ㄷ. $-3-x=x-3$ 　　　　　　ㄹ. $x-6x=-5x$

확인	공부한 날	self-check		
		045-1	045-2	045-3
	/	O X	O X	O X

등식의 성질

3 등식의 성질

(1) 등식의 성질

① 등식의 양변에 같은 수를 더하여도 등식은 성립한다. ⇨ $a=b$이면 $a+c=b+c$

② 등식의 양변에서 같은 수를 빼어도 등식은 성립한다. ⇨ $a=b$이면 $a-c=b-c$

③ 등식의 양변에 같은 수를 곱하여도 등식은 성립한다. ⇨ $a=b$이면 $ac=bc$

④ 등식의 양변을 0이 아닌 같은 수로 나누어도 등식은 성립한다. ⇨ $a=b$이면 $\dfrac{a}{c}=\dfrac{b}{c}$

(단, $c\neq0$)

(2) 등식의 성질을 이용한 방정식의 풀이

등식의 성질을 이용하여 방정식을 $x=(수)$의 꼴로 고쳐 해를 구할 수 있다.

---

046 1 다음 등식이 성립하도록 □ 안에 알맞은 식을 써넣어라.

(1) $\dfrac{a}{3}=\dfrac{b}{5}$이면 $5a=\boxed{}$

(2) $a=b$이면 $4-2a=\boxed{}$

> 등식의 성질은 양팔저울이 수
> 평을 이룰 조건과 비슷해~

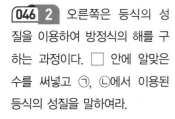

046 2 오른쪽은 등식의 성질을 이용하여 방정식의 해를 구하는 과정이다. □ 안에 알맞은 수를 써넣고 ㉠, ㉡에서 이용된 등식의 성질을 말하여라.

$$\dfrac{1}{3}x+10=-5$$

$$\dfrac{1}{3}x+10-\boxed{}=-5-\boxed{} \quad ㉠$$

$$\dfrac{1}{3}x=\boxed{}$$

$$\dfrac{1}{3}x\times\boxed{}=(\boxed{})\times\boxed{} \quad ㉡$$

$$\therefore\ x=\boxed{}$$

046 3 등식의 성질을 이용하여 다음 방정식을 풀어라.

(1) $x-5=-8$

(2) $-\dfrac{x}{3}=2$

(3) $5x+3=23$

(4) $\dfrac{x}{4}-2=3$

절대개념 Focus

등식의 성질

● = ▲ 이면

① ● + ■ = ▲ + ■

② ● − ■ = ▲ − ■

③ ● × ■ = ▲ × ■

④ $\dfrac{●}{■}=\dfrac{▲}{■}$ (단, ■ ≠ 0)

문
자
와
식

1학년
2학년
3학년

02. 일차방정식

확인	공부한 날	self-check		
	/	046-1	046-2	046-3
		O X	O X	O X

4 일차방정식

(1) 이항 : 등식의 한 변에 있는 항을 부호를 바꾸어 다른 변으로 옮기는 것

(2) 일차방정식 : 방정식의 우변의 모든 항을 좌변으로 이항하여 정리하였을 때,

(x에 관한 일차식)$=0$, 즉 $ax+b=0$ (단, $a\neq 0$)의 꼴로 변형되는 방정식

5 일차방정식의 풀이

(1) x를 포함한 항은 좌변으로, 상수항은 우변으로 이항한다.

(2) 양변을 정리하여 $ax=b\,(a\neq 0)$의 꼴로 바꾼다.

(3) 양변을 x의 계수 a로 나누어 해 $x=\dfrac{b}{a}$를 구한다.

$$
\begin{aligned}
6x-5&=4x+1 \\
6x-4x&=1+5 \\
2x&=6 \\
\therefore x&=3
\end{aligned}
$$
이항하기
$ax=b\,(a\neq 0)$의 꼴로 바꾸기
x의 계수로 나누어 해 구하기

6 괄호가 있는 방정식인 경우

분배법칙을 이용하여 괄호를 풀고 일차방정식의 풀이 방법에 따라 해를 구한다.

참고 분배법칙을 이용하여 괄호를 푼다. 이때 괄호 앞에 −가 있을 때는 괄호 안의 모든 항의 부호를 바꾸어서 괄호를 푼다.

$$
\begin{aligned}
2(x+2)&=3(x-3) \\
2x+4&=3x-9 \\
-x&=-13 \\
\therefore x&=13
\end{aligned}
$$
괄호 풀기
이항하여 동류항 계산
해 구하기

---

047 1 다음 〈보기〉 중 일차방정식을 모두 골라라.

〈보기〉

ㄱ. $2x-3$　　　　ㄴ. $x(x+1)=x^2+1$　　　　ㄷ. $x+1=x-4$

ㄹ. $2x-3=3-2x$　　　　ㅁ. $\dfrac{1}{2}x-1=-\dfrac{2}{3}x$　　　　ㅂ. $x(5x-2)=0$

---

047 2 다음 방정식을 풀어라.

(1) $3x+14=-4x-7$

(2) $2x-33=7-3x$

(3) $12-2x=10-3x$

(4) $4x-8=10x+1$

(5) $3+2(x+1)=-3x$

(6) $8x-5=3(4x+1)$

절대개념 Focus

일차방정식의 풀이

등식의 성질을 이용하여 이항하기

↓

$ax=b\,(a\neq 0)$

↓

$x=\dfrac{b}{a}$

확인	공부한 날	self-check	
	/	047-1	047-2
		O X	O X

문자와 식
1학년
2학년
3학년

개념 048 복잡한 일차방정식의 풀이

7 비례식 형태로 주어진 방정식인 경우

비례식의 성질을 이용하여 괄호가 있는 경우로 바꾼
후 일차방정식의 풀이 방법에 따라 해를 구한다.

참고
$$a : b = c : d \iff ad = bc$$
내항의 곱 (위), 외항의 곱 (아래)

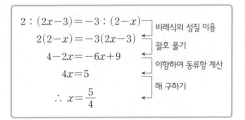

$$2 : (2x-3) = -3 : (2-x)$$ 비례식의 성질 이용
$$2(2-x) = -3(2x-3)$$ 괄호 풀기
$$4-2x = -6x+9$$ 이항하여 동류항 계산
$$4x = 5$$ 해 구하기
$$\therefore x = \frac{5}{4}$$

8 계수에 분수가 있는 방정식인 경우

양변에 분모의 최소공배수를 곱하여 계수를 정수로 고친 후 일
차방정식의 풀이 방법에 따라 해를 구한다.

주의 양변에 분모의 최소공배수를 곱할 때, 모든 항에 빠짐없이 곱해 주어야 한다.

$$\frac{1}{2}x + \frac{1}{3} = \frac{1}{6}x$$ 양변에 분모의 최소공배수 6 곱하기
$$3x+2 = x$$ 이항하여 동류항 계산
$$2x = -2$$ 해 구하기
$$\therefore x = -1$$

9 계수에 소수가 있는 방정식인 경우

양변에 10, 100, 1000, $\cdots$의 10의 거듭제곱을 곱하여 계수를
정수로 고친 후 일차방정식의 풀이 방법에 따라 해를 구한다.

주의 양변에 10의 거듭제곱을 곱할 때, 모든 항에 빠짐없이 곱해 주어야 한다.

$$0.2x-3 = -1.3x$$ 양변에 10 곱하기
$$2x-30 = -13x$$ 이항하여 동류항 계산
$$15x = 30$$ 해 구하기
$$\therefore x = 2$$

---

048 1 다음 일차방정식을 풀어라.

(1) $2 : (x+3) = 5 : 4x$

(2) $(x-1) : 3 = (2x-1) : 4$

(3) $\dfrac{x-3}{5} = \dfrac{2x-3}{4}$

(4) $\dfrac{1}{4}x = \dfrac{3}{2} + \dfrac{2}{5}x$

(5) $-\dfrac{2x+5}{6} = \dfrac{2}{3}x+1$

(6) $\dfrac{x-3}{4} = \dfrac{1}{4}(3x-1) + \dfrac{3}{2}$

048 2 다음 일차방정식을 풀어라.

(1) $0.4(2-5x) = 1.2$

(2) $0.02x + 0.18 = 0.1x - 0.3$

(3) $3.5x - 2 = 0.5x + 7$

(4) $1.1 + 0.5(2x+3) = -0.3x$

절대개념 Focus

복잡한 일차방정식의 풀이

계수를 정수로 고치기
↓
괄호 풀기
↓
이항하기
↓
$ax = b \ (a \neq 0)$의 꼴로 고치기
↓
$x = \dfrac{b}{a}$

확인	공부한 날	self-check	
	/	048-1	048-2
		O X	O X

10 일차방정식의 활용 문제 풀이

(1) 미지수 x 정하기 : 문제의 뜻을 파악하고 구하려는 것을 x로 놓는다.

(2) 방정식을 세운다 : 문제의 뜻에 맞게 방정식을 세운다.

(3) 방정식을 푼다 : 방정식을 풀어 x의 값을 구한다.

(4) 구한 해가 문제의 뜻에 맞는지 확인한다.

11 수에 관한 문제

(1) 연속하는 세 홀수(짝수)에 관한 문제 : $x-2$, x, $x+2$ (또는 x, $x+2$, $x+4$)로 놓고 방정식을 세운다.

(2) 자릿수에 관한 문제 : 십의 자리의 숫자가 a, 일의 자리의 숫자가 b인 두 자리의 자연수는 $10a+b$로 놓고 방정식을 세운다.

12 과부족에 관한 문제

(1) 물건을 나누어 줄 때, 사람 수를 x로 놓고 물건의 개수를 x에 관한 식으로 나타낸다.

(2) 나누어 주는 방법에 관계없이 물건의 개수가 같음을 이용하여 방정식을 세운다.

---

049 1 십의 자리의 숫자가 4인 두 자리의 자연수에서 십의 자리의 숫자와 일의 자리의 숫자를 바꾼 수는 처음 수보다 36만큼 크다고 할 때, 처음 수를 구하여라.

049 2 학생들에게 귤을 나누어 주는데 한 학생에게 4개씩 나누어 주면 5개가 남고, 5개씩 나누어 주면 6개가 모자란다고 할 때, 다음을 구하여라.

(1) 학생 수   (2) 귤의 개수

049 3 한 변의 길이가 8 cm인 정사각형의 가로의 길이를 4 cm 늘리고, 세로의 길이를 x cm 줄인 직사각형의 넓이가 72 cm²가 되었다. 변형된 직사각형의 세로의 길이를 구하여라.

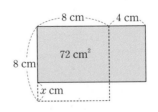

절대개념 Focus

일차방정식의 활용 문제 풀이

> 미지수 x 결정하기
> ↓
> 일차방정식 세우기
> ↓
> 일차방정식 풀기
> ↓
> 해가 문제의 뜻에 맞는지 확인하기

확인	공부한 날	self-check		
	/	049-1	049-2	049-3
		O X	O X	O X

개념 050 일차방정식의 활용 (2)

13 정가, 원가에 관한 문제

(정가)＝(원가)＋(이익), (판매 금액)＝(정가)－(할인 금액), (이익)＝(판매 금액)－(원가)

14 거리, 속력, 시간에 관한 문제

$$(속력)=\frac{(거리)}{(시간)}, \quad (시간)=\frac{(거리)}{(속력)}, \quad (거리)=(속력)\times(시간)$$

주의 거리, 속력, 시간의 단위가 다르게 주어진 경우 방정식을 세울 때 단위를 통일해야 한다.

15 농도에 관한 문제

$$(소금물의 농도)=\frac{(소금의 양)}{(소금물의 양)}\times100(\%), \quad (소금의 양)=\frac{(소금물의 농도)}{100}\times(소금물의 양)$$

참고 소금물에 물을 더 넣거나 증발시키는 경우 소금물의 양과 농도는 변하지만 녹아 있는 소금의 양은 변하지 않는다.

---

050 1 희정이가 두 지점 A, B를 자전거를 타고 왕복하는 데 갈 때에는 시속 12 km의 속력으로, 올 때에는 시속 9 km의 속력으로 달려서 7시간이 걸렸다고 할 때, 다음 물음에 답하여라.

(1) 두 지점 A, B 사이의 거리를 x km라 하고 오른쪽 표를 완성하여라.

	갈 때	올 때
거리	x km	☐ km
속력	시속 ☐ km	시속 9 km
시간	☐ 시간	☐ 시간

(2) (갈 때 걸린 시간)＋(올 때 걸린 시간)＝7(시간)임을 이용하여 방정식을 세워라.

(3) 두 지점 A, B 사이의 거리를 구하여라.

050 2 8 %의 소금물 300 g에 물을 더 넣었더니 5 %의 소금물이 되었다고 할 때, 다음 물음에 답하여라.

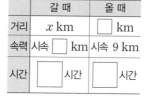

(1) 더 넣은 물의 양을 x g이라 하고 오른쪽 표를 완성하여라.

	물을 넣기 전	물을 넣은 후
농도(%)	8	
소금물의 양(g)	300	
소금의 양(g)		

(2) 소금의 양이 같음을 이용하여 방정식을 세워라.

(3) 더 넣은 물의 양을 구하여라.

절대개념 Focus

일차방정식의 활용

① 나이에 관한 문제

x년 전	현재	x년 후
$(14-x)$살	14살	$(14+x)$살

② 증가와 감소에 관한 문제

작년	변화량	올해
x	10 % 증가	$x\left(1+\dfrac{10}{100}\right)$
	5 % 감소	$x\left(1-\dfrac{5}{100}\right)$

③ 농도에 관한 문제

조건	농도	소금물	소금
물 증발	증가	감소	그대로
물 추가	감소	증가	그대로
소금 추가	증가	증가	증가
농도가 다른 소금물 추가	변함	증가	증가

확인	공부한 날	self-check
	/	050-1 050-2
		O X O X

01 다음 중 [ ] 안의 수가 주어진 방정식의 해가 되는 것은?

 개념 045

① $x+3=10$ $[-7]$ ② $x-6=5$ $[-1]$ ③ $3x-5=7$ $[4]$

④ $2x+1=-5$ $[3]$ ⑤ $x+5=2x+3$ $[-2]$

02 등식 $3(x+2a)=-12+bx$가 모든 x에 대하여 항상 참이 될 때, 상수 a, b에 대하여 $a+b$의 값은?

 개념 045
등식이 항등식이 되려면
(좌변)＝(우변)이어야 한다.

① -2 ② -1 ③ 0 ④ 1 ⑤ 2

03 다음 중 옳지 <u>않은</u> 것을 모두 고르면? (정답 2개)

개념 046

① $a=b$이면 $a-6=b-6$ ② $a=b$이면 $a-b=0$

③ $\dfrac{a}{4}=\dfrac{b}{5}$이면 $5a=4b$ ④ $ac=bc$이면 $a=b$

⑤ $a=b$이면 $1-a=b-1$

04 x에 대한 두 일차방정식 $x+12=3-2x$와 $3x-a=2$의 해가 같을 때, 상수 a의 값은?

개념 047

① -11 ② -8 ③ -4 ④ 8 ⑤ 11

05 x에 대한 일차방정식 $3(x-a)=2a-x$의 해가 $x=-5$일 때, 상수 a의 값은?

 개념 047

① -4 ② $-\dfrac{5}{2}$ ③ 0 ④ $\dfrac{5}{2}$ ⑤ 4

확인	공부한 날	self-check				
		01	02	03	04	05
	/	O X	O X	O X	O X	O X

06 다음 일차방정식 중 해가 나머지 넷과 <u>다른</u> 하나는?

① $3=-2x-5$

② $3(2x+5)+7=14+4x$

③ $\dfrac{1}{3}x+1=\dfrac{1}{4}x+\dfrac{2}{3}$

④ $\dfrac{2x-1}{3}=\dfrac{x+2}{2}$

⑤ $0.7x+0.2=0.4x-1$

개념 048
계수에 분수나 소수가 있으면 양변에 적당한 수를 곱하여 계수를 정수로 고친다.

문자와 식
1학년
2학년
3학년

07 올해 아버지의 나이는 50살, 아들의 나이는 12살이다. 아버지의 나이가 아들의 나이의 3배가 되는 것은 몇 년 후인가?

개념 049

① 6년 후   ② 7년 후   ③ 8년 후
④ 9년 후   ⑤ 10년 후

08 어떤 물건의 원가에 30 %의 이익을 붙여서 정가를 정한 후 600원을 할인하여 팔았더니 900원의 이익을 얻었다. 이 물건의 원가는 얼마인가?

개념 050
원가가 a원인 상품에 30 %의 이익을 붙인 정가는
$a\times\left(1+\dfrac{30}{100}\right)$원

① 3000원   ② 3500원   ③ 4000원
④ 4500원   ⑤ 5000원

09 지훈이는 집에서 13 km 떨어져 있는 학교를 시속 6 km의 속력으로 자전거를 타고 가다가 중간에 자전거가 고장이 나서 시속 3 km의 속력으로 걸어갔더니 2시간 15분이 걸렸다. 이때 지훈이가 걸어간 거리를 구하여라.

개념 050

10 아버지와 우진이가 어떤 일을 하는데 혼자서 한다면 아버지는 10일, 우진이는 15일이 걸린다고 한다. 이 일을 두 사람이 함께 할 때, 다음 물음에 답하여라.

개념 050
(혼자 하루에 하는 일의 양)
$=\dfrac{1}{(\text{일을 완성하는 데 걸리는 날 수})}$

(1) 전체 일의 양을 1이라 할 때, 아버지와 우진이가 하루에 하는 일의 양을 각각 구하여라.

(2) 이 일을 두 사람이 함께 할 때, 며칠이 걸리는지 구하여라.

확인	공부한 날	self-check				
		06	07	08	09	10
	/	O X	O X	O X	O X	O X

개념
051 지수법칙 (1), (2)

1 지수법칙 (1) −거듭제곱의 곱셈

$a \neq 0$이고 m, n이 자연수일 때, $a^m \times a^n = a^{m+n}$

예 $a^3 \times a^4 = (a \times a \times a) \times (a \times a \times a \times a) = a \times a \times a \times a \times a \times a \times a = a^7 \Rightarrow a^3 \times a^4 = a^{3+4} = a^7$

주의 $a^5 \times a^3 = a^{5+3} = a^8$ (O), $a^5 \times a^3 = a^{5 \times 3} = a^{15}$ (×)

2 지수법칙 (2) −거듭제곱의 거듭제곱

$a \neq 0$이고 m, n이 자연수일 때, $(a^m)^n = a^{mn}$

예 $(a^2)^3 = a^2 \times a^2 \times a^2 = a^{2+2+2} = a^6 \Rightarrow (a^2)^3 = a^{2 \times 3} = a^6$

주의 $(a^3)^2 = a^{3 \times 2} = a^6$ (O), $(a^3)^2 = a^{3+2} = a^5$ (×), $(a^3)^2 = a^{3^2} = a^9$ (×)

---

051 1 다음 식을 간단히 하여라.

(1) $x^5 \times x^7$

(2) $y^2 \times y^3 \times y^4$

(3) $a^2 \times a^5 \times a$

(4) $a \times b^2 \times a^5 \times b$

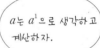

a는 a^1으로 생각하고 계산하자.

051 2 다음 식을 간단히 하여라.

(1) $(a^3)^5$

(2) $(a^2)^4$

(3) $x^2 \times (x^2)^3$

(4) $(a^2)^2 \times (b^5)^2 \times a^3$

(5) $(x^2)^2 \times x \times (x^3)^2$

(6) $(a^5)^3 \times a \times b \times (b^3)^4$

절대개념 Focus

지수의 합

지수의 곱

051 3 다음 □ 안에 알맞은 수를 써넣어라.

(1) $(2^3)^\square = 2^6$

(2) $(a^\square)^4 = a^{20}$

확인	공부한 날	self-check		
	/	051-1	051-2	051-3
		O X	O X	O X

개념 052 지수법칙 (3), (4)

3 지수법칙 (3) — 거듭제곱의 나눗셈

$a \neq 0$이고 m, n이 자연수일 때, $a^m \div a^n = \begin{cases} a^{m-n} & (m > n) \\ 1 & (m = n) \\ \dfrac{1}{a^{n-m}} & (m < n) \end{cases}$

예 $a^5 \div a^3 = \dfrac{a^5}{a^3} = \dfrac{a \times a \times a \times a \times a}{a \times a \times a} = a \times a = a^2 \Rightarrow a^5 \div a^3 = a^{5-3} = a^2$

$a^3 \div a^3 = \dfrac{a^3}{a^3} = \dfrac{a \times a \times a}{a \times a \times a} = 1 \Rightarrow a^3 \div a^3 = 1$

$a^3 \div a^5 = \dfrac{a^3}{a^5} = \dfrac{a \times a \times a}{a \times a \times a \times a \times a} = \dfrac{1}{a \times a} = \dfrac{1}{a^2} \Rightarrow a^3 \div a^5 = \dfrac{1}{a^{5-3}} = \dfrac{1}{a^2}$

주의 $a^6 \div a^2 = a^{6-2} = a^4$ (○), $a^6 \div a^2 = a^{6 \div 2} = a^3$ (×)

4 지수법칙 (4) — 거듭제곱의 분배

n이 자연수일 때,

(1) $(ab)^n = a^n b^n$ (2) $\left(\dfrac{a}{b}\right)^n = \dfrac{a^n}{b^n}$ (단, $b \neq 0$)

예 $(ab)^3 = ab \times ab \times ab = a \times a \times a \times b \times b \times b = a^3 b^3$, $\left(\dfrac{a}{b}\right)^3 = \dfrac{a}{b} \times \dfrac{a}{b} \times \dfrac{a}{b} = \dfrac{a^3}{b^3}$

고등 연계 개념

지수법칙
$a \neq 0$이고 n이 양의 정수일 때,
$a^0 = 1$, $a^{-n} = \dfrac{1}{a^n}$

문자와 식

1학년
2학년
3학년

---

052 1 다음 식을 간단히 하여라.

(1) $(x^4)^2 \div x$ (2) $(a^3)^6 \div (a^7)^3$ (3) $(x^4)^5 \div x^3 \div (x^3)^2$

052 2 다음 식을 간단히 하여라.

(1) $(a^2 b^3)^2$ (2) $(-xy^3)^3$ (3) $(-2x^2 y^3)^5$

(4) $\left(\dfrac{y^3}{x^2}\right)^3$ (5) $\left(-\dfrac{b^4}{a^3}\right)^2$ (6) $\left(\dfrac{3a^4}{b}\right)^3$

052 3 다음을 만족하는 상수 a, b에 대하여 $a-b$의 값을 구하여라.

$$3^a \div 3^2 = 27, \qquad 3^2 \div 3^b = \dfrac{1}{9}$$

절대개념 Focus

지수의 차

지수의 차
$a^6 \div a^2 = a^{6-2}$

지수의 차
$a^2 \div a^6 = \dfrac{1}{a^{6-2}}$

지수의 분배

$(ab)^5 = a^5 b^5$

$\left(\dfrac{a}{b}\right)^5 = \dfrac{a^5}{b^5}$

확인	공부한 날	self-check		
	/	052-1	052-2	052-3
		○ X	○ X	○ X

5 **단항식의 곱셈** ← (단항식) × (단항식)

(1) 계수는 계수끼리, 문자는 문자끼리 곱하여 계산한다.

(2) 같은 문자끼리 곱하는 경우에는 지수법칙을 이용한다.

예 $3x \times (-4y) = -(3 \times 4) \times (x \times y) = -12xy$

6 **단항식의 나눗셈** ← (단항식) ÷ (단항식)

단항식의 나눗셈은 다음 두 가지 방법 중 편리한 것을 택하여 계산한다.

[방법 1] 나누는 식을 역수의 곱셈으로 고쳐서 계산한다.

$$A \div B = A \times \frac{1}{B} = \frac{A}{B} \qquad \text{예 } 9x^2y \div 3xy^2 = 9x^2y \times \frac{1}{3xy^2} = \frac{3x}{y}$$

[방법 2] 분수로 나타낸 다음 계산한다.

$$A \div B = \frac{A}{B} \qquad \text{예 } 9x^2y \div 3xy^2 = \frac{9x^2y}{3xy^2} = \frac{3x}{y}$$

---

053 1 다음 식을 간단히 하여라.

(1) $4x^2 \times (-5y^3)$

(2) $\frac{1}{2}a^2 \times (-4ab) \times 3b^2$

(3) $a^2b \times (-2a)^3$

(4) $(4a^3b^4)^2 \times (a^2b)^4$

(5) $\left(-\frac{1}{2}a^2\right)^3 \times 4ab \times (3b)^2$

(6) $(-x)^3 \times 3xy \times (-6y)^2$

053 2 다음 식을 간단히 하여라.

(1) $9x^9 \div (-27x^{11})$

(2) $(-3x^3y^2)^2 \div (-9x^2y)$

(3) $\left(-\frac{3}{2}ab^2\right)^2 \div \frac{9}{4}a^4b^3$

(4) $(-3x^2)^3 \div \left(-\frac{3}{2}x\right)$

(5) $(-2ab)^2 \div 3ab \div \frac{4}{3}a^2b^2$

(6) $(-xy^2)^3 \div 3xy^3 \div (-3xy)^2$

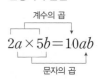
확인	공부한 날	self-check	
	/	053-1	053-2
		O X	O X

개념 054 단항식의 곱셈과 나눗셈의 혼합 계산

7 단항식의 곱셈과 나눗셈의 혼합 계산

(1) 괄호가 있는 거듭제곱은 지수법칙을 이용하여 괄호를 푼다.

(2) 나눗셈은 역수의 곱셈 또는 분수로 고친다.

(3) 부호를 결정한 후 계수는 계수끼리, 문자는 같은 문자끼리 계산한다.

예 $2ab^2 \times (-2a^2b^3) \div (-ab)^2 = 2ab^2 \times (-2a^2b^3) \div a^2b^2 = 2ab^2 \times (-2a^2b^3) \times \dfrac{1}{a^2b^2}$

$$= -(2 \times 2) \times \left(ab^2 \times a^2b^3 \times \dfrac{1}{a^2b^2}\right) = -4ab^3$$

개념 Plus+

곱셈과 나눗셈의 혼합 계산은 앞에서부터 순서대로 계산한다.

① $A \div B \times C = A \times \dfrac{1}{B} \times C = \dfrac{AC}{B}$　　② $A \times B \div C = A \times B \times \dfrac{1}{C} = \dfrac{AB}{C}$

문자와 식

1학년
2학년
3학년

---

054 1 다음 식을 간단히 하여라.

(1) $15xy^2 \div 5x^2 \times (-x^2y)^3$

(2) $(-9a^2b^5) \div (-3ab^2)^2 \times 2b^3$

(3) $(6xy)^2 \times \left(-\dfrac{3}{2}x^2y^3\right) \div 8x^5y^2$

(4) $\dfrac{5}{6}ab \div \left(-\dfrac{5}{9}a^3b\right) \times (2a^2b)^3$

> 먼저 전체 식의 부호를 결정
> 하고 계수는 계수끼리, 문자
> 는 문자끼리 계산해봐~

---

054 2 다음 ☐ 안에 알맞은 식을 구하여라.

(1) $(-2x) \times \boxed{} = 16x^2y$

(2) $18a^5b^7 \div \boxed{} = -6a^2b^3$

(3) $5x^3y^2 \times \boxed{} \div 3x^2y = 15x^3y^5$

(4) $\boxed{} \times \left(-\dfrac{4a}{b}\right) = 8a^2b$

---

054 3 오른쪽 그림은 밑면의 가로의 길이가 $2a$, 세로의 길이가 $3b$인 직육면체이다. 이 직육면체의 부피가 $48a^3b$일 때, 높이를 구하여라.

절대개념 Focus

단항식의 곱셈과 나눗셈의 계산

$A \times \boxed{} = B \Rightarrow \boxed{} = \dfrac{B}{A}$

$A \div \boxed{} = B \Rightarrow \dfrac{A}{\boxed{}} = B$

$\Rightarrow \boxed{} = \dfrac{A}{B}$

확인	공부한 날	self-check		
	/	054-1	054-2	054-3
		O X	O X	O X

8 **다항식의 덧셈과 뺄셈**

(1) 다항식의 덧셈과 뺄셈 : 괄호를 풀고 동류항끼리 모아서 간단히 한다.

(2) 여러 가지 괄호가 있는 식의 계산 : (소괄호) ⇨ {중괄호} ⇨ [대괄호]의 순서로 괄호를 풀어 동류항끼리 정리한다.

$$\begin{aligned} \text{예 } a+[b-\{3a+(a-2b)\}]&=a+[b-(3a+a-2b)]=a+[b-(4a-2b)] \\ &=a+(b-4a+2b)=a+(-4a+3b) \\ &=a-4a+3b=-3a+3b \end{aligned}$$

(3) 분수식의 계산 : 분모의 최소공배수로 통분하여 계산한다.

9 **이차식의 덧셈과 뺄셈**

(1) 이차식 : 다항식의 각 항의 차수 중에서 최고 차수가 2인 다항식　예 $2x^2+3x+1$, a^2-1, y^2-3y

(2) 이차식의 덧셈과 뺄셈

　① 괄호가 있으면 분배법칙을 이용하여 괄호를 푼다.

　② 동류항끼리 모아서 계산한 후 내림차순으로 정리한다.

　예 $(x^2+5x+7)-(3x^2+2x-4)=x^2+5x+7-3x^2-2x+4=-2x^2+3x+11$

---

055 1 다음 식을 간단히 하여라.

(1) $(3a-2b)+(-a+3b)$　　　(2) $2(5a-b)-(2a-4b)$

(3) $\dfrac{2x-y}{3}-\dfrac{x-2y}{2}$　　　(4) $\left(\dfrac{1}{2}x-\dfrac{3}{5}y\right)+\left(\dfrac{1}{4}y-\dfrac{2}{3}x\right)$

(5) $2a-\{3b-(5a-4b)\}$　　　(6) $2x+\{x-3y-(x-y)\}$

---

055 2 다음 식을 간단히 하여라.

(1) $(2a^2-4a-5)+(3a^2+4a+1)$　(2) $(3x^2+2x-8)-(x^2+4x+4)$

(3) $(a^2-3a-5)-2(-2a^2+a-1)$　(4) $\dfrac{2x^2+5x-7}{3}-\dfrac{x^2-3x+3}{2}$

(5) $2x^2-\{3x^2-7-(3x-4)\}$　　(6) $4a-[3a^2-\{2b-(4a+2b)-a^2\}]$

절대개념 Focus

다항식의 덧셈과 뺄셈

$(2x+3y)-(x+5y)$　괄호를 푼다.

$=2x+3y-x-5y$　동류항끼리 모은다.

$=2x-x+3y-5y$　간단히 한다.

$=x-2y$

확인	공부한 날	self-check
		055-1	055-2
	/	O X	O X

다항식과 단항식의 곱셈과 나눗셈

10 단항식과 다항식의 곱셈

(1) 전개 : 분배법칙을 이용하여 괄호를 풀어 단항식과 다항식의 곱을 하나의 다항식으로 나타내는 것

(2) 전개식 : 전개하여 얻은 다항식

예 $3x(2x-4y+3) = 3x \times 2x - 3x \times 4y + 3x \times 3 = 6x^2 - 12xy + 9x$

11 다항식과 단항식의 나눗셈

[방법 1] 분수 꼴로 고쳐서 분자의 각 항을 분모의 단항식으로 나눈다.

$$(A+B) \div C = \frac{A+B}{C} = \frac{A}{C} + \frac{B}{C}$$

예 $(-10ab+5a) \div 5a = \frac{-10ab+5a}{5a} = \frac{-10ab}{5a} + \frac{5a}{5a} = -2b+1$

[방법 2] 나눗셈을 역수의 곱셈으로 고친 후 전개하여 계산한다.

$$(A+B) \div C = (A+B) \times \frac{1}{C} = A \times \frac{1}{C} + B \times \frac{1}{C} = \frac{A}{C} + \frac{B}{C}$$

예 $(3x^2-2xy) \div \frac{x}{2} = (3x^2-2xy) \times \frac{2}{x} = 3x^2 \times \frac{2}{x} - 2xy \times \frac{2}{x} = 6x-4y$

문자와식

1학년
2학년
3학년

[056 **1**] 다음 식을 전개하여라.

(1) $-3x(4x+5y)$

(2) $2a(4a-b+7)$

(3) $x(x-2y)+y(x+y)$

(4) $3b(5a-2b+1)-b(7a-1)$

(5) $2x(3x+y)+4y(2x-5y)$

(6) $-4a(a-5b+4)+a(-a+2b+3)$

[056 **2**] 다음 식을 간단히 하여라.

(1) $(9ab-15b) \div (-3b)$

(2) $(8x^2-12x) \div 4x$

(3) $\left(\frac{1}{6}a^2 + \frac{1}{3}ab\right) \div \frac{a}{12}$

(4) $(2a^2b-3ab^2-5ab) \div \left(-\frac{1}{2}ab\right)$

(5) $(12x^3y^2+4xy) \div \frac{4}{3}x^2y$

(6) $(-2x^2y+10xy^2) \div \left(-\frac{2}{5}xy\right)$

절대개념 Focus

단항식과 다항식의 곱셈

전개
$$2x(3x+y) = 6x^2 + 2xy$$
전개식

다항식과 단항식의 나눗셈

[방법 1] $(12a^2-6ab) \div 3a$

$$= \frac{12a^2-6ab}{3a}$$

[방법 2] $(12a^2-6ab) \div 3a$

$$= (12a^2-6ab) \times \frac{1}{3a}$$

03. 식의 계산

확인	공부한 날	self-check	
	/	056-1	056-2
		O X	O X

12 단항식과 다항식의 혼합 계산

사칙연산이 혼합된 식은 다음과 같은 순서로 계산한다.

① 지수법칙을 이용하여 거듭제곱을 먼저 정리한다.

② 괄호는 소괄호, 중괄호, 대괄호의 순으로 푼다.

③ 분배법칙을 이용하여 곱셈과 나눗셈을 계산한다.

④ 동류항끼리 더하거나 뺀다.

> 참고 곱셈, 나눗셈($\times$, $\div$)을 먼저 계산하고 덧셈, 뺄셈($+$, $-$)을 나중에 계산한다.

> 주의 부호에 주의한다. $\Rightarrow -\dfrac{B-C}{A} = -\left(\dfrac{B}{A} - \dfrac{C}{A}\right) = -\dfrac{B}{A} + \dfrac{C}{A}$

057 1 다음 식을 간단히 하여라.

(1) $(4x^2 - 12xy) \div 4x - (6y^2 - 4xy) \div 2y$

(2) $(6ab - 8b^2) \div 2b + (12a^2b - 15ab^2) \div (-3ab)$

(3) $\dfrac{4xy + 6y}{2y} - \dfrac{5xy - 6y}{y}$

(4) $(3a - b) \times (-2b) + (18b^3 - 6ab^2) \div 6b$

057 2 오른쪽 그림과 같이 아랫변의 길이가
$2x + 5y + 1$, 높이가 $2xy$인 사다리꼴의 넓이가
$18xy^2 + 9x^2y + 4xy$일 때, 윗변의 길이를 구하여라.

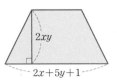

057 3 다음 식을 간단히 한 식에서 x의 계수를 a, 상수항을 b라 할 때, $a - b$
의 값을 구하여라.

$$(6x^2y - 12xy) \div 3y - (4x^2 - 6x) \div \frac{2}{3}x$$

절대개념 Focus

사칙연산이 혼합된 식의 계산 순서

거듭제곱

↓

괄호 : ( ) → { } → [ ]

↓

$\times$, $\div$

↓

$+$, $-$

확인	공부한 날	self-check		
		057-1	057-2	057-3
	/	O X	O X	O X

탄탄한 중단원 문제

01 $3^x \times 9^2 = 3^9$을 만족하는 x의 값은?

개념 051

① 1   ② 2   ③ 3   ④ 4   ⑤ 5

02 $a = 2^2$일 때, 16^4을 a를 이용하여 나타낸 것은?

개념 052

16^4을 2의 거듭제곱으로 고친 후 a를 이용할 수 있도록 밑이 2^2인 거듭제곱으로 바꾼다.

① a^2 ② a^4 ③ a^6 ④ a^8 ⑤ a^{10}

03 $(3ab^{\square})^2 \div (a^{\square}b^2)^3 = \dfrac{9b^2}{a^{10}}$일 때, $\square$ 안에 들어갈 두 수의 합은?

개념 053

① 4   ② 6   ③ 8   ④ 10   ⑤ 12

04 $\left(-\dfrac{3}{2}xy^3\right)^3 \div \dfrac{81}{4}x^4y^5 \times (-6x^2y)^2$을 간단히 하면?

개념 054

① $-12x^3y^6$ ② $-12x^6y^3$ ③ $-6x^3y^6$

④ $-6x^6y^3$ ⑤ $-2x^3y^6$

05 어떤 식에 $-\dfrac{3}{2}xy^2$을 곱해야 하는데 잘못하여 나누었더니 $2y^3$이 되었다. 바르게 계산한 답은?

개념 054

$\square \div A = B$에서
$\square = B \times A$

① $-\dfrac{9y}{x^2}$ ② $\dfrac{9x^2y^7}{2}$ ③ $\dfrac{9y^3}{2x}$

④ $\dfrac{x}{2y^7}$ ⑤ $-\dfrac{2x^2y^7}{9}$

확인	공부한 날	self-check				
	/	01	02	03	04	05
		O X	O X	O X	O X	O X

06 $3x-\{7x^2+5x-(8x^2-4x+3)\}=ax^2+bx+c$일 때, 상수 a, b, c에 대하여 $a+b+c$의 값을 구하여라.

개념 055

(소괄호) ⇨ 〔중괄호 〕 ⇨ 〔대괄호〕의 순서로 푼다.

07 $2(x^2-2x+1)-(3x^2+2x-4)$를 간단히 할 때, x^2의 계수와 상수항의 합은?

개념 055

① -7　　　② -3　　　③ 0　　　④ 3　　　⑤ 5

08 $-3x(2x^2+4x-1)=ax^3+bx^2+cx$일 때, $a-b+c$의 값은? (단, a, b, c는 상수)

개념 056

① -15　　　② -9　　　③ -3　　　④ 3　　　⑤ 9

09 다음 식을 간단히 하여라.

개념 057

곱셈, 나눗셈을 먼저 계산한 후 덧셈, 뺄셈을 계산한다.

$$(12xy^2-9y^3)\div(-3y)+(6x^2y^2-4xy^3+3xy)\div xy$$

10 오른쪽 그림과 같이 가로의 길이가 $2a$, 세로의 길이가 $2b$인 직사각형에서 색칠한 부분의 넓이는?

개념 057

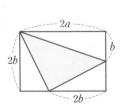

① $-b^2+ab$　　② $2ab$　　　③ b^2+ab

④ b^2+2ab　　⑤ b^2+7ab

확인	공부한 날	self-check				
		06	07	08	09	10
	/	O X	O X	O X	O X	O X

개념 058 부등식과 그 해

1 부등식과 그 해

(1) **부등식** : 부등호($<$, $\leq$, $>$, $\geq$)를 사용하여 두 수 또는 두 식의 대소 관계를 나타낸 식

$a>b$	$a<b$	$a \geq b$	$a \leq b$
a는 b보다 크다.	a는 b보다 작다.	a는 b보다 크거나 같다.	a는 b보다 작거나 같다.
a는 b 초과이다.	a는 b 미만이다.	a는 b 이상이다.	a는 b 이하이다.
		a는 b보다 작지 않다.	a는 b보다 크지 않다.

참고 부등호의 왼쪽 부분을 좌변, 오른쪽 부분을 우변이라 하고, 좌변과 우변을 통틀어 양변이라고 한다.

좌변 → $x+4>5$ ← 우변
양변

(2) **부등식의 해** : 부등식을 참이 되게 하는 미지수의 값

(3) **부등식을 푼다** : 부등식의 모든 해를 구하는 것

---

058 1 다음 수 또는 식 사이의 관계를 부등식으로 나타내어라.

(1) x의 3배에서 5를 뺀 수는 12보다 크다.

(2) 15에서 x의 4배를 빼면 6보다 작거나 같다.

(3) 분속 x m로 걸어서 10분 동안 간 거리는 500 m 이상이다.

058 2 다음 주어진 부등식에서 $x=-1$일 때, 참이 되는 것에는 ◯표, 아닌 것에는 ✕표를 하여라.

(1) $4-x \geq 5$ ( ) (2) $x-2 \geq -1$ ( )

(3) $-5x+1 \leq -4$ ( ) (4) $2x+4 < -x+2$ ( )

058 3 x의 값이 -2, -1, 0, 1, 2일 때, 다음 부등식의 해를 구하여라.

(1) $-2x+3 < 2$ (2) $-3x+2 \geq 5$

절대개념 Focus

'$\geq$'를 사용한 부등식의 표현

크거나 같다

‖

작지 않다

‖

이상

'$\leq$'를 사용한 부등식의 표현

작거나 같다

‖

크지 않다

‖

이하

확인	공부한 날	self-check		
	/	058-1	058-2	058-3
		O X	O X	O X

2 부등식의 성질

(1) 부등식의 양변에 같은 수를 더하거나 빼도 부등호의 방향은 바뀌지 않는다.

$a<b$이면 $a+c<b+c$, $a-c<b-c$

예 $3<4 \Rightarrow 3+2<4+2$, $3-2<4-2$

(2) 부등식의 양변에 같은 양수를 곱하거나 나누어도 부등호의 방향은 바뀌지 않는다.

$a<b$, $c>0$이면 $ac<bc$, $\dfrac{a}{c}<\dfrac{b}{c}$

예 $3<4 \Rightarrow 3\times2<4\times2$, $\dfrac{3}{2}<\dfrac{4}{2}$

(3) 부등식의 양변에 같은 음수를 곱하거나 나누면 부등호의 방향이 바뀐다. ← 등식에서는 양변에 같은 음수를 곱하거나 나누면 등식이 성립힌다.

$a<b$, $c<0$이면 $ac>bc$, $\dfrac{a}{c}>\dfrac{b}{c}$

예 $3<4 \Rightarrow 3\times(-2)>4\times(-2)$, $\dfrac{3}{(-2)}>\dfrac{4}{(-2)}$

---

059 1 $a<b$일 때, 다음 □ 안에 알맞은 부등호를 써넣어라.

(1) $a+5$ □ $b+5$

(2) $a-4$ □ $b-4$

(3) $3a-\dfrac{1}{2}$ □ $3b-\dfrac{1}{2}$

(4) $-\dfrac{a}{2}+1$ □ $-\dfrac{b}{2}+1$

> 부등식의 양변에 같은 음수를 곱하거나 나눌 때, 부등호의 방향이 바뀌는 것에 주의해!

059 2 $a\geq b$일 때, 다음 □ 안에 알맞은 부등호를 써넣어라.

(1) $a-1$ □ $b-1$

(2) $5+\dfrac{3}{4}a$ □ $5+\dfrac{3}{4}b$

(3) $-2a+3$ □ $-2b+3$

(4) $-\dfrac{a}{3}-\dfrac{1}{2}$ □ $-\dfrac{b}{3}-\dfrac{1}{2}$

절대개념 Focus

부등식의 성질

$a<b$일 때,

> $a+c<b+c$, $a-c<b-c$

> $c>0$이면 $ac<bc$, $\dfrac{a}{c}<\dfrac{b}{c}$

> $c<0$이면 $ac>bc$, $\dfrac{a}{c}>\dfrac{b}{c}$

059 3 $x<1$일 때, 다음 식의 값의 범위를 구하여라.

(1) $4x+1$

(2) $5-3x$

확인	공부한 날	self-check		
	/	059-1	059-2	059-3
		O X	O X	O X

개념 060

부등식의 해와 수직선

3 부등식의 해와 수직선

(1) **부등식의 해** : 부등식의 성질을 이용하여 다음의 어느 한 가지 꼴로 나타내어 해를 구한다.

$$x > (수) \ , \quad x < (수) \ , \quad x \geq (수) \ , \quad x \leq (수)$$

예 부등식 $3x - 5 > 1$을 부등식의 성질을 이용하여 풀면

$$\left. \begin{array}{l} 3x - 5 > 1 \\ 3x > 1 + 5 \end{array} \right] \ a - c > b 일 \ 때, \ a > b + c$$

$$\left. \begin{array}{l} 3x > 6 \\ \therefore \ x > 2 \end{array} \right] \ a \times c > b 일 \ 때, \ a > \dfrac{b}{c} \ (c > 0)$$

(2) 부등식의 해와 수직선

① $x > a$ ② $x < a$ ③ $x \geq a$ ④ $x \leq a$

참고 수직선에서 •에 대응하는 수는 부등식의 해이고 ∘에 대응하는 수는 부등식의 해가 아니다.

문자와 식
1학년
2학년
3학년

---

060 1 부등식의 성질을 이용하여 다음 부등식을 풀어라.

(1) $x - 1 \geq 8$

(2) $x + 3 < 0$

(3) $\dfrac{1}{3} x > 2$

(4) $-2x \leq -10$

---

060 2 다음 수직선 위에 나타내어진 x의 값의 범위를 부등식으로 나타내어라.

(1)

-1

(2)

3

---

060 3 부등식의 성질을 이용하여 다음 부등식을 풀고, 해를 오른쪽 수직선 위에 나타내어라.

(1) $x + 1 \leq 2$

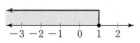

(2) $3x + 1 > -5$

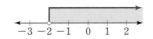

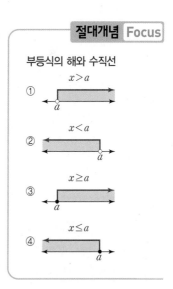

절대개념 Focus

부등식의 해와 수직선

① $x > a$

② $x < a$

③ $x \geq a$

④ $x \leq a$

04. 부등식

4 일차부등식

(1) **일차부등식** : 부등식의 모든 항을 이항하여 정리한 식이 다음 중 어느 한 가지 꼴로 변형되는 부등식

$$(\text{일차식}) < 0,\ (\text{일차식}) > 0,\ (\text{일차식}) \leq 0,\ (\text{일차식}) \geq 0$$

　예 $3x+1 > -5$에서 -5를 이항하면 $3x+1+5 > 0$

　　즉, $3x+6 > 0$이므로 일차부등식이다.

(2) **일차부등식의 풀이**

　① 미지수 x를 포함한 항은 좌변으로, 상수항은 우변으로 이항한다.

　② 정리하여 $ax < b,\ ax > b,\ ax \leq b,\ ax \geq b\ (a \neq 0)$의 꼴로 고친다.

　③ x의 계수 a로 양변을 나눈다. 이때 $a < 0$이면 부등호의 방향이 바뀐다.

　예 $-2x+1 > x-5 \xrightarrow{①} -2x-x > -5-1 \xrightarrow{②} -3x > -6 \xrightarrow{③} x < 2$

---

061 1 다음 〈보기〉 중 일차부등식을 모두 골라라.

〈보기〉

ㄱ. $x^2+3x-2 > 0$ 　　　　ㄴ. $2x^2+3x-1 > x^2+x+1$

ㄷ. $\dfrac{x}{3} < -x+10$ 　　　　ㄹ. $1-7x < 5-7x$

ㅁ. $2x-1 \leq 3x-1$ 　　　　ㅂ. $2x-4 = 6$

---

061 2 다음 일차부등식을 풀어라.

(1) $2x \leq -5+x$ 　　　　(2) $4x-1 > x+5$

(3) $-4x+1 \geq -x-6$ 　　　　(4) $7x-3 > 11x+9$

(5) $5x-4 < 3x+7$ 　　　　(6) $x-1 < 4x-4$

절대개념 Focus

계수가 미지수인 부등식의 풀이

부등식 $ax > b$의 해

$a > 0$이면 $x > \dfrac{b}{a}$

⇨ 부등호 방향은 그대로

$a < 0$이면 $x < \dfrac{b}{a}$

⇨ 부등호 방향은 반대로

---

061 3 일차부등식 $ax+4 > 0$의 해가 $x < 5$일 때, 상수 a의 값을 구하여라.

확인	공부한 날	self-check		
		061-1	061-2	061-3
	/	O X	O X	O X

개념 062 여러 가지 일차부등식

5 여러 가지 일차부등식

(1) **괄호가 있는 일차부등식**

분배법칙을 이용하여 괄호를 풀어 간단히 정리한 후 푼다.

예 $3(x-2)-5(x+1) \leq 1$의 괄호를 풀어 $3x-6-5x-5 \leq 1$을 푼다.

(2) **계수가 분수인 일차부등식**

양변에 분모의 최소공배수를 곱하여 계수를 정수로 바꾼 후 푼다.

예 $3-\dfrac{x}{2} > \dfrac{x}{3}$의 양변에 2와 3의 최소공배수인 6을 곱하여 $18-3x > 2x$를 푼다.

(3) **계수가 소수인 일차부등식**

양변에 10, 100, …과 같이 10의 거듭제곱을 곱하여 계수를 정수로 바꾼 후 푼다.

예 $1.2x-1 < 0.8x+0.6$의 양변에 10을 곱하여 $12x-10 < 8x+6$을 푼다.

---

062 1 다음 일차부등식을 풀어라.

(1) $3(x-1)-4(x+1) \leq 1$

(2) $5(x-1) > -(2-x)+6$

(3) $6-(5+3x) \leq -2(x-3)$

(4) $1-2(2x-3) > 4(1-2x)$

---

062 2 다음 일차부등식을 풀어라.

(1) $\dfrac{x-2}{4} < \dfrac{2x-1}{5}$

(2) $\dfrac{1}{2}x+\dfrac{1}{3} < \dfrac{1}{6}x-\dfrac{1}{4}$

(3) $\dfrac{3}{10}x+1 \geq \dfrac{1}{5}(2x-1)$

(4) $\dfrac{x-3}{4}-\dfrac{2x-5}{6} < \dfrac{1}{3}$

절대개념 Focus

여러 가지 일차부등식

괄호를 풀 때, 괄호 안의 모든 항에 똑같이 수를 곱해야 한다.

예 $3x-4 < 2(x-5)$
⇒ $3x-4 < 2x-10$ (○)
⇒ $3x-4 < 2x-5$ (×)

계수가 분수일 때, 분자가 다항식이면 괄호로 묶어 주어야 한다.

예 $\dfrac{x+3}{3} < \dfrac{x}{2}$
⇒ $2(x+3) < 3x$ (○)
⇒ $2x+3 < 3x$ (×)

계수가 소수일 때, 모든 항에 똑같은 수를 곱해야 한다.

예 $0.2x > 0.1x+9$
⇒ $2x > x+90$ (○)
⇒ $2x > x+9$ (×)

---

062 3 다음 일차부등식을 풀어라.

(1) $0.2x-0.9 \geq 0.5x+1.8$

(2) $0.4x-1 > 0.6x+2$

(3) $0.2(x-2) \leq -3.2-0.5x$

(4) $0.03x > 0.4x+0.74$

확인	공부한 날	self-check		
		062-1	062-2	062-3
	/	O X	O X	O X

6 일차부등식의 활용 문제 풀이

(1) 미지수 x 정하기 : 문제의 뜻을 파악하고 구하려는 것을 x로 놓는다.

(2) 부등식을 세운다 : 문제의 뜻에 맞게 일차부등식을 세운다.

(3) 부등식을 푼다 : 일차부등식을 풀어 x의 값을 구한다.

(4) 구한 해가 문제의 뜻에 맞는지 확인한다.

> 주의 개수, 횟수 등은 자연수이고 길이, 거리, 무게 등은 양수이므로 반드시 구한 해가 문제의 뜻에 맞는지 확인한다.

7 일차부등식의 여러 가지 활용

(1) 거리, 속력, 시간에 관한 문제

① $(\text{속력}) = \dfrac{(\text{거리})}{(\text{시간})}$ ② $(\text{시간}) = \dfrac{(\text{거리})}{(\text{속력})}$ ③ $(\text{거리}) = (\text{속력}) \times (\text{시간})$

> 주의 거리, 속력, 시간의 단위가 다르게 주어진 경우 부등식을 세울 때 단위를 통일해야 한다.

(2) 농도에 관한 문제

① $(\text{소금물의 농도}) = \dfrac{(\text{소금의 양})}{(\text{소금물의 양})} \times 100(\%)$ ② $(\text{소금의 양}) = \dfrac{(\text{소금물의 농도})}{100} \times (\text{소금물의 양})$

> 참고 소금물에 물을 더 넣거나 증발시키는 경우 소금물의 양과 농도는 변하지만 녹아 있는 소금의 양은 변하지 않는다.

---

063 1 집 앞 문구점에서 한 권에 1000원 하는 공책이 할인마트에서는 한 권에 800원이고, 할인마트는 다녀오는 데 왕복 교통비가 1200원이 든다고 한다. 공책을 몇 권 이상 살 때, 할인마트에서 사는 것이 유리한지 구하여라.

063 2 리아는 학교를 갈 때에는 시속 2 km로 천천히 걸어서 가고, 집으로 돌아올 때에는 시속 6 km로 뛰어서 왔다. 걸린 시간이 왕복 2시간 이내일 때, 집에서 학교까지의 최대 거리를 구하여라.

절대개념 Focus

일차부등식의 활용 문제 풀이

미지수 x 정하기
↓
일차부등식 세우기
↓
일차부등식 풀기
↓
해가 문제의 뜻에 맞는지 확인하기

063 3 농도가 10 %인 소금물 600 g이 있다. 이 소금물에 물을 더 넣어 농도가 8 % 이하의 소금물이 되게 하려면 몇 g 이상의 물을 더 넣어야 하는지 구하여라.

확인	공부한 날	self-check		
	/	063-1	063-2	063-3
		O X	O X	O X

탄탄한 중단원 문제

01 다음 중 [ ] 안의 수가 주어진 부등식의 해가 <u>아닌</u> 것은?

개념 058
[ ] 안의 수를 x에 대입한다.

① $2x+3>7$ [5]　　② $-x+1<4$ [-3]　③ $3x-1\leq 5$ [2]

④ $x\geq 3x$　　　[-1]　　⑤ $-x>3x+4$ [-2]

02 x의 값이 $-1,\ 0,\ 1,\ 2,\ 3$일 때, 부등식 $-2x+5<1$의 해의 개수는?

개념 058

① 없다.　　② 1개　　③ 2개　　④ 3개　　⑤ 4개

03 $a>b$일 때, 다음 □ 안에 들어갈 부등호의 방향이 나머지 넷과 <u>다른</u> 것은?

개념 059
먼저 a, b의 계수만큼 곱한 다음 같은 수를 더하거나 뺀다.

① $-7+a$ □ $-7+b$　　② $1-\dfrac{a}{8}$ □ $1-\dfrac{b}{8}$　　③ $-5a+6$ □ $-5b+6$

④ $\dfrac{a-4}{-3}$ □ $\dfrac{b-4}{-3}$　　⑤ $3-2a$ □ $3-2b$

04 $x\geq -2$일 때, $-3x+1$의 값의 범위는 $-3x+1\leq a$이다. 이때 a의 값은?

개념 059

① 5　　　　② 6　　　　③ 7　　　　④ 8　　　　⑤ 9

05 부등식 $2x-1<5x+4a$의 해를 수직선 위에 나타내면 오른쪽 그림과 같을 때, 상수 a의 값은?

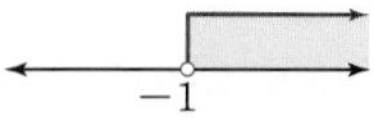

개념 060

① $-\dfrac{3}{2}$　　② $-\dfrac{1}{2}$　　③ $\dfrac{1}{2}$　　④ 1　　⑤ $\dfrac{3}{2}$

확인	공부한 날	self-check				
		01	02	03	04	05
	/	O X	O X	O X	O X	O X

06 다음 중 일차부등식인 것은?

🔗 개념 061

① $5x-2>4x+x$

② $x^2+2<-x+1$

③ $2x-5<-x+2x$

④ $0.5x-1\geq\dfrac{1}{3}+\dfrac{1}{2}x$

⑤ $-2(x-1)=3-2x$

07 x에 관한 일차부등식 $ax-4<3x-8$의 해가 $x>2$일 때, 상수 a의 값은?

🔗 개념 061

① -4　　② -3　　③ 1　　④ 3　　⑤ 4

08 부등식 $\dfrac{x-3}{4}-\dfrac{2x-1}{5}<-2$를 만족하는 x의 값 중에서 가장 작은 정수는?

🔗 개념 062

계수가 분수인 일차부등식은 양변에 분모의 최소공배수를 곱한다.

① 9　　　② 10　　　③ 11　　　④ 12　　　⑤ 13

09 두 일차부등식 $0.2(2x-3)\leq2.1x+1.1$, $4x+a\geq2x-3$의 해가 같을 때, a의 값은? (단, a는 상수)

🔗 개념 062

계수가 소수인 일차부등식은 10의 거듭제곱을 곱하여 계수를 정수로 바꾼 후 푼다.

① -3　　② -1　　③ 0　　④ 1　　⑤ 3

10 동원이는 친구들과 국가대표 축구경기를 응원하기 위해 5000원짜리 응원 깃발과 2000원짜리 태극기를 합하여 12개를 사는데 총 금액이 50000원을 넘지 않게 하려고 한다. 응원 깃발은 최대 몇 개까지 살 수 있는가?

🔗 개념 063

① 4개　　② 6개　　③ 8개　　④ 10개　　⑤ 12개

확인	공부한 날	self-check				
		06	07	08	09	10
	/	O X	O X	O X	O X	O X

개념 064 미지수가 2개인 일차방정식

1 미지수가 2개인 일차방정식

(1) **미지수가 2개인 일차방정식** : 미지수가 2개이고 차수가 모두 1인 방정식

$$ax+by+c=0 \ (a, \ b, \ c는 \ 상수, \ a \neq 0, \ b \neq 0)$$

> 참고 미지수가 2개인 일차방정식 찾기 ⇨ 주어진 식을 간단히 정리한 후, 등식인지, 미지수가 2개인지, 차수가 1인지를 모두 확인한다.

(2) **미지수가 2개인 일차방정식의 해** : 미지수가 2개인 일차방정식을 만족하는 x, y의 값 또는 그 순서쌍 (x, y)

(3) **일차방정식을 푼다** : 일차방정식의 해를 모두 구하는 것

---

064 1 다음 중 미지수가 2개인 일차방정식에는 ○표, 아닌 것에는 ×표를 하여라.

(1) $3x-4y=1$ （　　　）　　　(2) $2x+\dfrac{3}{y}=4$ （　　　）

(3) $x^2+y-1=0$ （　　　）　　　(4) $x+2y=3x-y+1$ （　　　）

(5) $\dfrac{x}{4}-\dfrac{y}{3}=-1$ （　　　）　　　(6) $xy+4=0$ （　　　）

---

064 2 주어진 일차방정식에 대하여 다음 표를 완성하고, x, y가 자연수일 때, 일차방정식의 해를 구하여라.

(1) $2x+y=12$

x	1	2	3	4	5
y					

(2) $2x+3y=15$

x					
y	1	2	3	4	5

절대개념 Focus

미지수가 2개인 일차방정식

> 순서쌍 (a, b)가 일차방정식의 해이다.
>
> ↓
>
> $x=a$, $y=b$를 일차방정식에 대입하면 등식이 성립한다.

확인	공부한 날	self-check
	/	064-1 | 064-2
		O X | O X

2 미지수가 2개인 연립일차방정식 ← 간단히 연립방정식이라고도 한다.

(1) 미지수가 2개인 연립일차방정식

미지수가 2개인 두 일차방정식을 한 쌍으로 묶어 놓은 것

예 $\begin{cases} x+y=-1 \\ x-y=5 \end{cases}$, $\begin{cases} x+2y=8 \\ 2x-y=6 \end{cases}$

(2) 미지수가 2개인 연립일차방정식의 해

두 일차방정식을 동시에 만족하는 x, y의 값 또는 그 순서쌍 (x, y)

(3) **연립방정식을 푼다** : 연립방정식의 해를 구하는 것

고등 연계 개념

미지수가 2개인 연립이차방정식의 형태

(1) $\begin{cases} (일차식)=0 \\ (이차식)=0 \end{cases}$ 의 꼴

(2) $\begin{cases} (이차식)=0 \\ (이차식)=0 \end{cases}$ 의 꼴

065 1 연립방정식 $\begin{cases} 3x+y=10 & \cdots\cdots ㉠ \\ x+y=4 & \cdots\cdots ㉡ \end{cases}$ 에서 x, y가 자연수일 때, 다음

표를 완성하고 연립방정식의 해를 구하여라.

㉠	x	1	2	3	4
	y				

㉡	x	1	2	3	4
	y				

065 2 x, y가 자연수일 때, 다음 연립방정식의 해를 구하여라.

(1) $\begin{cases} 3x+4y=25 \\ x+2y=9 \end{cases}$

(2) $\begin{cases} 2x-y=0 \\ x+y=3 \end{cases}$

(3) $\begin{cases} 3x+y=10 \\ x+y=4 \end{cases}$

(4) $\begin{cases} x+y=5 \\ x+2y=9 \end{cases}$

절대개념 Focus

연립방정식의 해

x, y가 자연수일 때, 일차방정식 $x+y=4$의 해
⇨ $(1, 3)$, $(2, 2)$, $(3, 1)$

x, y가 자연수일 때, 일차방정식 $2x+y=6$의 해
⇨ $(1, 4)$, $(2, 2)$

x, y가 자연수일 때, 연립방정식 $\begin{cases} x+y=4 \\ 2x+y=6 \end{cases}$ 의 해
⇨ $(2, 2)$

065 3 연립방정식 $\begin{cases} 2x+y=a \\ 5x-by=7 \end{cases}$ 의 해가 $(2, -1)$일 때, $a+b$의 값을 구하여라. (단, a, b는 상수)

확인	공부한 날	self-check
	/	065-1 | 065-2 | 065-3
		O X | O X | O X

개념 066 연립방정식의 풀이 (1) – 가감법

한자 용어 풀이
• 소거(사라질 消, 버릴 去)
⇒ 지워버리다

3 연립방정식의 풀이 (1) – 가감법

(1) **소거** : 미지수가 2개인 일차방정식에서 두 미지수 중 하나를 없애는 것

(2) **가감법** : 연립방정식의 두 식을 변끼리 더하거나 빼서 한 미지수를 소거하여 해를 구하는 방법

(3) **가감법을 이용한 연립방정식의 풀이**

① 두 식에 적당한 수를 곱하여 소거하려는 미지수의 계수의 절댓값을 같게 만든다.

② 소거하려는 미지수의 계수의 부호가 같으면 빼고, 다르면 더해서 한 미지수를 소거한다.
└더하거나(가) 빼다(감)

문자와식
1학년
2학년
3학년

066 1 다음은 가감법을 이용하여 연립방정식 $\begin{cases} x-2y=1 & \cdots\cdots ㉠ \\ 3x+y=10 & \cdots\cdots ㉡ \end{cases}$ 을 푸는 과정이다. ☐ 안에 알맞은 수를 써넣어라.

두 식에 적당한 수를 곱하여 소거하려는 미지수의 계수의 절댓값을 같게 만드는 것이 중요해~

미지수 x를 소거하기 위해 ☐ $\times$ ㉠ $-$ ㉡을 하면

$$☐x - ☐y = ☐$$
$$-)\quad 3x + \quad y = 10$$
$$\overline{\quad ☐y = ☐ \quad}\quad \therefore\ y = ☐$$

$y = ☐$을 ㉠에 대입하면

$$x - 2 \times ☐ = 1 \quad \therefore\ x = ☐$$

따라서 연립방정식의 해는 $x = ☐$, $y = ☐$이다.

066 2 가감법을 이용하여 다음 연립방정식을 풀어라.

(1) $\begin{cases} x+y=5 \\ x-y=-7 \end{cases}$

(2) $\begin{cases} -x+4y=9 \\ x-2y=-3 \end{cases}$

(3) $\begin{cases} x+2y=20 \\ 2x-3y=5 \end{cases}$

(4) $\begin{cases} 2x-3y=8 \\ 3x+y=1 \end{cases}$

(5) $\begin{cases} 3x-4y=-15 \\ 2x+3y=7 \end{cases}$

(6) $\begin{cases} 3x-7y=2 \\ 5x+2y=17 \end{cases}$

절대개념 Focus

연립방정식의 풀이 – 가감법

$\begin{cases} 3x+2y=4 & \cdots\cdots ㉠ \\ 2x-y=5 & \cdots\cdots ㉡ \end{cases}$

$\xrightarrow{2\times㉡} \begin{cases} 3x+2y=4 \\ 4x-2y=10 \end{cases}$

$\xrightarrow[\text{더한다.}]{\text{부호가 다르므로}}$
$\begin{array}{r} 3x+2y=4 \\ +)\ 4x-2y=10 \\ \hline 7x\quad\ =14 \end{array}$
$\therefore\ x=2$

$\xrightarrow[\text{㉡에 대입}]{x=2를} \begin{cases} x=2 \\ y=-1 \end{cases}$

4 연립방정식의 풀이 (2) – 대입법

(1) 대입법 : 연립방정식에서 한 미지수에 관한 식을 다른 방정식에 대입하여 해를 구하는 방법

(2) 대입법을 이용한 연립방정식의 풀이

  ① 한 방정식을 한 미지수에 관하여 푼다. $\rightarrow y=(x$에 관한 식$)$ 또는 $x=(y$에 관한 식$)$

  ② ①에서 정리한 식을 다른 방정식에 대입하여 한 미지수를 소거한다.

개념
Plus⁺

대입법이 더 편리한 경우

① 한 방정식이 $y=(x$에 관한 식$)$ 또는 $x=(y$에 관한 식$)$으로 정리되어 있을 때

② 한 방정식의 x 또는 y의 계수의 절댓값이 1일 때

---

067 1 다음은 대입법을 이용하여 연립방정식 $\begin{cases} x-2y=3 & \cdots\cdots ㉠ \\ 2x+3y=-1 & \cdots\cdots ㉡ \end{cases}$ 을

푸는 과정이다. ☐ 안에 알맞은 수 또는 식을 써넣어라.

㉠을 x에 관하여 풀면 $x=$☐ $\cdots\cdots ㉢$

㉢을 ㉡에 대입하면 $2($☐$)+3y=-1$

 ☐$y+$☐$=-1$ $\therefore y=$☐

$y=$☐ 을 ㉢에 대입하면 $x=$☐

따라서 연립방정식의 해는 $x=$☐, $y=$☐

---

067 2 대입법을 이용하여 다음 연립방정식을 풀어라.

(1) $\begin{cases} 3x+y=10 \\ y=6-x \end{cases}$ (2) $\begin{cases} x=3-6y \\ 2x+y=-5 \end{cases}$

(3) $\begin{cases} x-3y=7 \\ 5x+2y=1 \end{cases}$ (4) $\begin{cases} 5x+y=-7 \\ 3x+5y=9 \end{cases}$

(5) $\begin{cases} x=-2y+1 \\ x=-4y+5 \end{cases}$ (6) $\begin{cases} 2y=2x-1 \\ 2y=3x-3 \end{cases}$

절대개념 Focus

연립방정식의 풀이 – 대입법

$\begin{cases} x+2y=7 & \cdots\cdots ㉠ \\ y=x-1 & \cdots\cdots ㉡ \end{cases}$

$\xrightarrow[\text{대입하면}]{㉡을 ㉠에}$ $\begin{aligned} &x+2(x-1)=7 \\ &3x=9 \quad \therefore x=3 \end{aligned}$

$\xrightarrow[\text{㉡에 대입하면}]{x=3을}$ $\begin{cases} x=3 \\ y=2 \end{cases}$

확인	공부한 날	self-check
	/	067-1 | 067-2
		O X | O X

개념
068 복잡한 연립방정식

문
자
와
식

1 학년
2학년
3 학년

5 복잡한 연립방정식

(1) 괄호가 있는 연립방정식

분배법칙을 이용하여 괄호를 풀고, 동류항끼리 계산하여 식을 간단히 한 후 푼다.

(2) 계수가 분수인 연립방정식

양변에 분모의 최소공배수를 곱하여 계수를 정수로 바꾼 후 푼다.

예 $\begin{cases} \dfrac{x}{2} + \dfrac{y}{4} = 2 \\ \dfrac{x}{4} - \dfrac{y}{3} = -\dfrac{5}{6} \end{cases}$ $\Rightarrow$ $\begin{cases} 2x + y = 8 \\ 3x - 4y = -10 \end{cases}$

(3) 계수가 소수인 연립방정식

양변에 10, 100 …과 같이 10의 거듭제곱을 곱하여 계수를 정수로 바꾼 후 푼다.

예 $\begin{cases} 0.1x + 0.1y = 0.3 \\ 0.3x - 0.1y = 0.5 \end{cases}$ $\Rightarrow$ $\begin{cases} x + y = 3 \\ 3x - y = 5 \end{cases}$

주의 양변에 같은 수를 곱할 때에는 반드시 모든 항에 각각 곱해야 하며 상수항에도 곱해야 한다.

---

068 1 다음 연립방정식을 풀어라.

(1) $\begin{cases} 3(x-y) + 4y = 2 \\ x + 2(x-2y) = 7 \end{cases}$

(2) $\begin{cases} 4x + 3y = 12 \\ 4(5-x) - 9(1-y) = 23 \end{cases}$

068 2 다음 연립방정식을 풀어라.

(1) $\begin{cases} \dfrac{2}{5}x - \dfrac{3}{2}y = \dfrac{7}{10} \\ \dfrac{3}{2}x - \dfrac{1}{4}y = -\dfrac{11}{4} \end{cases}$

(2) $\begin{cases} x - y = 1 \\ \dfrac{2}{5}x + \dfrac{3}{4}y = 5 \end{cases}$

절대개념 Focus

복잡한 연립방정식

적당한 수를 곱하여 계수를 정수로 고친다.

계수에 분수가 있는 경우
⇨ 분모의 최소공배수

$\dfrac{x}{2} + \dfrac{y}{3} = 1$

$\xrightarrow[\text{6을 곱하면}]{\text{분모의 최소공배수}}$ $3x + 2y = 6$

계수에 소수가 있는 경우
⇨ 10의 거듭제곱

$0.3x + 1.1y = 0.8$

$\xrightarrow[\text{10을 곱하면}]{}$ $3x + 11y = 8$

068 3 다음 연립방정식을 풀어라.

(1) $\begin{cases} 0.6x + 0.2y = \dfrac{8}{5} \\ 2x + y = 6 \end{cases}$

(2) $\begin{cases} 0.5x - 0.2y = -0.4 \\ 0.05x + 0.06y = 0.28 \end{cases}$

05. 연립방정식

확인	공부한 날	self-check		
		068-1	068-2	068-3
	/	O X	O X	O X

6 $A=B=C$ 꼴의 연립방정식

다음 세 쌍의 연립방정식과 그 해가 모두 같으므로 세 가지 중 가장 간단한 것을 선택하여 푼다.

$$\begin{cases} A=B \\ A=C \end{cases} \text{또는} \begin{cases} A=B \\ B=C \end{cases} \text{또는} \begin{cases} A=C \\ B=C \end{cases}$$

참고 일반적으로 $A=B=(상수)$ 꼴의 연립방정식은 $\begin{cases} A=(상수) \\ B=(상수) \end{cases}$ 꼴로 나타낸다.

- -

**개념
Plus⁺**   연립방정식 $2x+y=5x-3y=11$을 풀 때

$$\begin{cases} 2x+y=5x-3y \\ 2x+y=11 \end{cases} \text{또는} \begin{cases} 2x+y=5x-3y \\ 5x-3y=11 \end{cases} \text{또는} \begin{cases} 2x+y=11 \\ 5x-3y=11 \end{cases} \text{의 해가 모두 같다.}$$

---

069 1 연립방정식 $2x+3y=4x+y=5$를 풀면?

① $x=2,\ y=1$ ② $x=1,\ y=2$ ③ $x=1,\ y=1$

④ $x=1,\ y=3$ ⑤ $x=3,\ y=3$

---

069 2 다음 연립방정식을 풀어라.

$$\frac{-x+6}{3} = \frac{x-y}{14} = 4x+y$$

---

069 3 다음 연립방정식을 풀어라.

(1) $-3x+4y+3=2(x-y)=2$

(2) $3x+y=6x-2y=x+2y+7$

(3) $2x+y=x-y-1=5x+3y-1$

(4) $\dfrac{x-2}{3} = \dfrac{x-y+4}{6} = \dfrac{2x+y-7}{4}$

> **절대개념 Focus**
>
> $A=B=C$ 꼴의 연립방정식
>
> $\begin{cases} A=B \\ A=C \end{cases}, \begin{cases} A=B \\ B=C \end{cases}, \begin{cases} A=C \\ B=C \end{cases}$ 중에서 가장 간단한 것을 선택하여 푼다.

확인	공부한 날	self-check		
	/	069-1	069-2	069-3
		O X	O X	O X

▶ 정답 및 풀이 42쪽

7 해가 특수한 연립방정식

(1) 해가 무수히 많은 연립방정식

두 방정식을 변형하였을 때, 미지수의 계수와 상수항이 각각 같은 경우

⇒ 한 미지수를 소거하면 $0 \cdot x = 0$ 또는 $0 \cdot y = 0$ 꼴

예 $\begin{cases} 2x+y=5 & \cdots\cdots ㉠ \\ 4x+2y=10 & \cdots\cdots ㉡ \end{cases}$ $\xrightarrow{2\times㉠}$ $\begin{cases} 4x+2y=10 \\ 4x+2y=10 \end{cases}$

(2) 해가 없는 연립방정식

두 방정식을 변형하였을 때, 미지수의 계수는 각각 같고 상수항이 다른 경우

⇒ 한 미지수를 소거하면 $0 \cdot x = k$ 또는 $0 \cdot y = k$ $(k \neq 0)$ 꼴

예 $\begin{cases} x+2y=1 & \cdots\cdots ㉠ \\ 3x+6y=2 & \cdots\cdots ㉡ \end{cases}$ $\xrightarrow{3\times㉠}$ $\begin{cases} 3x+6y=3 \\ 3x+6y=2 \end{cases}$

개념 Plus+

두 방정식을 변형했을 때

① x, y의 계수와 상수항이 같으면 해가 무수히 많다.

② x, y의 계수는 같고, 상수항이 다르면 해가 없다.

070 1 다음 연립방정식을 풀어라.

(1) $\begin{cases} x+2y=6 \\ 2x+4y=12 \end{cases}$

(2) $\begin{cases} x=-3y-5 \\ 2x+6y=4 \end{cases}$

(3) $\begin{cases} 3x+y=-2 \\ -6x-2y=4 \end{cases}$

(4) $\begin{cases} \dfrac{2}{3}x-\dfrac{1}{2}y=1 \\ -\dfrac{4}{3}x+y=-3 \end{cases}$

(5) $\begin{cases} 10x+5y=25 \\ 0.2x+0.1y=0.3 \end{cases}$

(6) $\begin{cases} 0.7x-0.3y=2.1 \\ \dfrac{x}{3}-\dfrac{y}{7}=1 \end{cases}$

070 2 다음 물음에 답하여라.

(1) 연립방정식 $\begin{cases} -3x+y=-5 \\ 6x-2y=a \end{cases}$ 의 해가 무수히 많을 때, 상수 a의 값을 구하여라.

(2) 연립방정식 $\begin{cases} 2x-3y=6 \\ kx-9y=12 \end{cases}$ 의 해가 없을 때, 상수 k의 값을 구하여라.

절대개념 Focus

해가 특수한 연립방정식

연립방정식 $\begin{cases} ax+by=c \\ a'x+b'y=c' \end{cases}$ 에서

① 해가 무수히 많을 조건

$$\dfrac{a}{a'}=\dfrac{b}{b'}=\dfrac{c}{c'}$$

② 해가 없을 조건

$$\dfrac{a}{a'}=\dfrac{b}{b'}\neq\dfrac{c}{c'}$$

8 연립방정식의 활용 문제 풀이

(1) 미지수 x, y 정하기 : 문제의 뜻을 파악하고 구하려는 것을 x, y로 정한다.

(2) 방정식을 세운다 : 문제의 뜻에 맞게 연립방정식을 세운다.

(3) 방정식을 푼다 : 연립방정식을 풀어 x, y의 값을 구한다.

(4) 구한 해가 문제의 뜻에 맞는지 확인한다.

> 주의 나이, 개수, 횟수 등은 자연수이고 길이, 거리, 무게 등은 양수이므로 반드시 구한 해가 문제의 뜻에 맞는지 확인한다.

9 수에 관한 문제 : 두 자리의 자연수가 십의 자리의 숫자가 x, 일의 자리의 숫자가 y일 때

① 처음 수 : $10x+y$　　　　　　② 십의 자리와 일의 자리의 숫자를 바꾼 수 : $10y+x$

10 나이에 관한 문제 : 올해 x살일 때

① a년 전의 나이 : $x-a$　　　　② b년 후의 나이 : $x+b$

---

[071] **1** 각 자리의 숫자의 합이 10인 두 자리의 자연수가 있다. 이 자연수의 십의 자리의 숫자와 일의 자리의 숫자를 바꾼 수는 처음 수보다 36이 크다고 할 때, 처음 자연수를 구하여라.

무엇을 미지수 x, y로 놓을 것인지 먼저 생각해 봐 ~

[071] **2** 현재 수아는 아버지와 27살 차이가 난다고 한다. 10년 후에 아버지의 나이는 수아의 나이의 2배가 된다고 할 때, 현재 아버지와 수아의 나이를 각각 구하여라.

절대개념 Focus

연립방정식의 활용 문제 풀이

미지수 x, y 결정하기
↓
연립방정식 세우기
↓
연립방정식 풀기
↓
해가 문제의 뜻에 맞는지 확인하기

[071] **3** 어느 국립공원의 입장료는 어른이 900원, 어린이가 500원이다. 어른과 어린이를 합하여 15명이 입장하였는데 입장료의 합계가 11100원이었다. 이때 입장한 어린이의 수를 구하여라.

확인	공부한 날	self-check		
	/	071-1	071-2	071-3
		O X	O X	O X

연립방정식의 활용 (2)

11 거리, 속력, 시간에 관한 문제

① (거리)=(속력)×(시간) ② (속력)=$\dfrac{(거리)}{(시간)}$ ③ (시간)=$\dfrac{(거리)}{(속력)}$

주의 거리, 속력, 시간의 단위가 다르게 주어진 경우 방정식을 세울 때 단위를 통일해야 한다.

12 농도에 관한 문제

① (소금물의 농도)=$\dfrac{(소금의 양)}{(소금물의 양)}×100(\%)$ ② (소금의 양)=$\dfrac{(소금물의 농도)}{100}×(소금물의 양)$

참고 소금물에 물을 더 넣거나 증발시키는 경우 소금물의 양과 농도는 변하지만 녹아 있는 소금의 양은 변하지 않는다.

개념
Plus⁺

속력에 대한 문제 유형
① (총 거리)=(처음 거리)+(나중 거리) ② (총 시간)=(처음 시간)+(나중 시간)

농도에 대한 문제 유형
① (전체 소금의 양)=(A 소금의 양)+(B 소금의 양) ② (전체 소금물의 양)=(A 소금물의 양)+(B 소금물의 양)

---

[072] **1** 현주가 총 19 km의 거리를 등산을 하는 데 올라갈 때는 시속 3 km로 걷고, 내려올 때는 다른 길로 시속 4 km로 걸어서 5시간 30분이 걸렸다. 현주가 올라간 거리와 내려온 거리를 각각 구하여라.

[072] **2** 재석이와 명수의 집은 3.6 km 떨어져 있다. 둘은 중간에서 만나 함께 방송국에 가기로 했다. 각자의 집에서 재석이는 시속 5 km, 명수는 시속 4 km로 동시에 출발하여 쉬지 않고 걸어서 어느 중간 지점에서 만났다면 재석이는 명수보다 몇 m를 더 걸었는지 구하여라.

[072] **3** 4 %의 소금물 x g과 10 %의 소금물 y g을 섞어서 6 %의 소금물 600 g을 만들 때 필요한 4 %의 소금물과 10 %의 소금물의 양을 각각 구하려고 한다. 다음 표를 완성하고 물음에 답하여라.

(1) 오른쪽 표를 이용하여 연립방정식을 세워라.

(2) 4 %의 소금과 10 %의 소금물의 양을 각각 구하여라.

농도(%)	4	10	6
소금의 양(g)			
소금물의 양(g)	x	y	600

절대개념 Focus

소금물에 관한 문제
농도가 다른 두 소금물을 섞을 때
① (섞기 전 소금물의 양의 합)
 =(섞은 후 소금물의 양)
② (섞기 전 소금의 양의 합)
 =(섞은 후 소금의 양)

13 증가와 감소에 관한 문제

증가하거나 감소하는 기준이 되는 시점을 미지수로 두는 것이 편리하다.

① x가 $a \%$ 증가하였을 때

⇨ 증가량 : $x \times \dfrac{a}{100}$, 증가한 후의 양 : $x \times \left(1 + \dfrac{a}{100}\right)$

② x가 $a \%$ 감소하였을 때

⇨ 감소량 : $x \times \dfrac{b}{100}$, 감소한 후의 양 : $x \times \left(1 - \dfrac{b}{100}\right)$

14 일에 관한 문제

전체 일의 양을 1로 두고, 한 사람이 단위 시간(1분, 1시간, 1일)에 할 수 있는 일의 양을 미지수로 놓고 식을 세운다.

073 1 꿈틀중학교의 작년의 학생 수는 960명이었다. 올해는 작년보다 남학생 수가 15 % 증가하고 여학생 수가 10 % 감소하여 전체 학생 수가 44명이 증가했다고 할 때, 올해의 여학생 수를 구하여라.

073 2 영우와 종숙이가 함께 일을 하는 데 영우가 9시간, 종숙이가 2시간 동안 일을 하여 끝냈다. 그 후 똑같은 일을 영우가 3시간, 종숙이가 6시간 동안 일을 하여 끝냈다. 만약 이 일을 영우가 혼자서 한다면 몇 시간이 걸리는지 구하여라.

073 3 어떤 물탱크에 물을 가득 채우려고 한다. 이 물탱크는 물을 A 호스와 B 호스로 동시에 6시간 동안 넣으면 가득 채울 수 있고, A 호스로만 2시간 동안 넣은 후 나머지를 B 호스로만 12시간 동안 넣으면 가득 채울 수 있다고 한다. 이 물탱크에 B 호스로만 물을 넣어서 가득 채우려면 몇 시간이 걸리는지 구하여라.

절대개념 Focus

증가와 감소에 관한 문제

① x가 10 % 증가한 후의 총 양 :

$x + x \times \dfrac{10}{100} = x \times \left(1 + \dfrac{10}{100}\right)$

② x가 10 % 감소한 후의 총 양 :

$x - x \times \dfrac{10}{100} = x \times \left(1 - \dfrac{10}{100}\right)$

확인	공부한 날	self-check		
	/	073-1	073-2	073-3
		O X	O X	O X

탄탄한 중단원 문제

01 두 순서쌍 $(-1, -4)$, $(2, b)$가 모두 x, y에 대한 일차방정식 $ax-2y-5=0$의 해일 때, ab의 값을 구하여라. (단, a, b는 상수)

개념 **064**

02 연립방정식 $\begin{cases} ax-by=-9 \\ bx+ay=8 \end{cases}$ 의 해가 $(-1, 2)$일 때, 상수 a, b에 대하여 $a-b$의 값은?

① 2　　　② 3　　　③ 4　　　④ 5　　　⑤ 6

개념 **065**

연립방정식의 해가 $(\bigcirc, \triangle)$일 때, $x=\bigcirc$, $y=\triangle$를 각각의 일차방정식에 대입하면 등호가 성립한다.

03 다음 두 연립방정식의 해가 같을 때, 상수 a, b에 대하여 $a+b$의 값은?

$$\begin{cases} y=-4x+2 \\ 3ax+y=-11 \end{cases}, \quad \begin{cases} 2x-3y=8 \\ 5x+by=1 \end{cases}$$

① -5　　② -1　　③ 1　　④ 3　　⑤ 5

개념 **067**

두 연립방정식의 해가 같으면 그 해는 네 개의 일차방정식의 공통인 해이다.

04 연립방정식 $\begin{cases} 0.2x+0.5y=-0.2 \\ \dfrac{x-5}{3}-\dfrac{y+1}{2}=\dfrac{1}{6} \end{cases}$ 의 해가 $x=m$, $y=n$일 때, m^2-n^2의 값은?

① 7　　　② 8　　　③ 10　　　④ 12　　　⑤ 20

개념 **068**

05 연립방정식 $\dfrac{2x+3}{5}=\dfrac{2x-y}{2}=\dfrac{x+y}{3}$ 를 풀면?

① $x=3$, $y=\dfrac{12}{5}$　　　② $x=-3$, $y=\dfrac{12}{5}$　　　③ $x=3$, $y=-\dfrac{12}{5}$

④ $x=-3$, $y=-\dfrac{12}{5}$　　⑤ $x=3$, $y=12$

개념 **069**

$A=B=C$ 꼴의 연립방정식은 $\begin{cases} A=B \\ B=C \end{cases}$, $\begin{cases} A=B \\ A=C \end{cases}$, $\begin{cases} A=C \\ B=C \end{cases}$ 중 하나로 고쳐서 푼다.

문자와 식

1학년
2학년
3학년

05. 연립방정식

확인	공부한 날	self-check				
	/	01	02	03	04	05
		O X	O X	O X	O X	O X

99

06 연립방정식 $\begin{cases} ax+y=5 \\ 4x-y=b-1 \end{cases}$ 의 해가 무수히 많을 때, 상수 a, b에 대하여 $\dfrac{b}{a}$의 값을 구하여라.

개념 **070**

해가 무수히 많다.
⟹ x의 계수, y의 계수, 상수항 중 하나를 같게 하였을 때, 나머지도 모두 같다.

07 오른쪽 그림과 같이 크기와 모양이 같은 직사각형 모양의 카드 7장을 겹치지 않게 붙여 큰 직사각형을 만들었다. 큰 직사각형의 둘레의 길이가 76 cm일 때, 카드 한 장의 넓이를 구하여라.

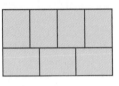

개념 **071**

08 나리는 일요일에 집에서 13 km 떨어진 공원까지 걸어가는 데 처음에는 시속 3 km로 걷다가 도중에 서점에서 1시간 동안 책을 읽고, 나머지 거리는 시속 4 km로 걸어갔다. 걸린 시간이 총 5시간일 때, 집에서 서점까지의 거리를 구하여라.

개념 **072**

09 농도가 다른 A, B 두 소금물이 있다. 소금물 A를 60 g, 소금물 B를 40 g 섞으면 7 %의 소금물이 되고, 소금물 A를 40 g, 소금물 B를 60 g 섞으면 8 %의 소금물이 된다고 한다. 두 소금물 A, B의 농도를 각각 x %, y %라 할 때, x, y의 값을 각각 구하여라.

개념 **072**

농도가 다른 두 소금물을 섞었을 때, 소금물의 농도는 변하지만 소금의 양은 변하지 않는다.

10 작년 여름 서울과 제주의 강수량의 합은 1200 mm였다. 올해 여름 서울의 강수량은 작년 여름에 비하여 20 % 증가하고 제주는 10 % 감소하여 총 강수량이 4.5 % 감소하였을 때, 올해 여름 서울의 강수량은?

개념 **073**

① 264 mm   ② 266 mm   ③ 268 mm

④ 270 mm   ⑤ 272 mm

확인	공부한 날	self-check				
		06	07	08	09	10
	/	O X	O X	O X	O X	O X

1 다항식과 다항식의 곱셈

다항식과 다항식의 곱셈은 분배법칙을 이용하여 전개하고, 동류항이 있으면 동류항끼리 모아서 계산한다.

$$(a+b)(c+d)=\underset{①}{ac}+\underset{②}{ad}+\underset{③}{bc}+\underset{④}{bd}$$

2 곱셈 공식 (1)

(1) 합의 제곱

$$(a+b)^2=a^2+2ab+b^2$$

참고 $(a+b)^2=①+②+③+④$
$=a^2+ab+ab+b^2=a^2+2ab+b^2$

(2) 차의 제곱

$$(a-b)^2=a^2-2ab+b^2$$

참고 $(a-b)^2=a^2-(①+③)-(②+③)+③$
$=a^2-ab-ab+b^2=a^2-2ab+b^2$

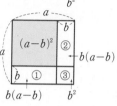

고등 연계 개념

곱셈 공식
(1) $(a+b+c)^2$
$=a^2+b^2+c^2+2ab+2bc+2ca$
(2) $(a+b)^3=a^3+3a^2b+3ab^2+b^3$
$(a-b)^3=a^3-3a^2b+3ab^2-b^3$
(3) $(a+b)(a^2-ab+b^2)=a^3+b^3$
$(a-b)(a^2+ab+b^2)=a^3-b^3$

---

074 1 다음 식을 전개하여라.

(1) $(a+3b)(c-d)$

(2) $(2x+y-1)(x+1)$

(3) $(3x-2)(2x+2)$

(4) $(a-2)(2a+b+5)$

---

074 2 다음 식을 전개하여라.

(1) $(x+3)^2$

(2) $(3a-b)^2$

(3) $(2x+3y)^2$

(4) $(-2x+7)^2$

(5) $\left(4a+\dfrac{1}{2}\right)^2$

(6) $(-a-5b)^2$

---

074 3 $(2x+A)^2=4x^2+Bx+\dfrac{1}{4}$일 때, 두 상수 A, B에 대하여 $6A+B$의 값을 구하여라. (단, $A>0$)

절대개념 Focus

$(a+b)^2$, $(a-b)^2$의 전개

$$(a+b)^2=a^2+2ab+b^2$$
같은 부호

$$(a-b)^2=a^2-2ab+b^2$$
같은 부호

$(-a-b)^2$, $(-a+b)^2$의 전개

$$(-a-b)^2=\{(-a)+(-b)\}^2$$
$$=a^2+2ab+b^2$$
$$(-a+b)^2=\{(-a)+b\}^2$$
$$=a^2-2ab+b^2$$

3 곱셈 공식의 변형

(1) $(a+b)^2=a^2+2ab+b^2$

$(a-b)^2=a^2-2ab+b^2$

(2) $(a+b)^2=(a-b)^2+4ab$

$(a-b)^2=(a+b)^2-4ab$

참고 $a^2+\dfrac{1}{a^2}=\left(a+\dfrac{1}{a}\right)^2-2=\left(a-\dfrac{1}{a}\right)^2+2$

$\left(a+\dfrac{1}{a}\right)^2=\left(a-\dfrac{1}{a}\right)^2+4,\ \left(a-\dfrac{1}{a}\right)^2=\left(a+\dfrac{1}{a}\right)^2-4$

개념
Plus⁺
① $a^2+b^2=(a+b)^2-2ab \Leftrightarrow (a+b)^2=a^2+2ab+b^2$

② $a^2+b^2=(a-b)^2+2ab \Leftrightarrow (a-b)^2=a^2-2ab+b^2$

고등 연계 개념

곱셈 공식의 변형

(1) $a^2+b^2+c^2$
$=(a+b+c)^2-2(ab+bc+ca)$

(2) $a^3+b^3=(a+b)^3-3ab(a+b)$
$a^3-b^3=(a-b)^3+3ab(a-b)$

[075] 1 다음 조건을 만족하는 식의 값을 구하여라.

(1) $x+y=3$, $xy=-2$일 때, x^2+y^2

(2) $a-b=-2$, $ab=3$일 때, a^2+b^2

(3) $x+y=5$, $xy=2$일 때, $(x-y)^2$

(4) $a-b=3$, $ab=4$일 때, $(a+b)^2$

(5) $a-\dfrac{1}{a}=-5$일 때, $a^2+\dfrac{1}{a^2}$

절대개념 Focus

곱셈 공식의 변형

$a^2+b^2=(a+b)^2-2ab$
⟸ 두 수의 합과 곱을 알고 제곱의 합을
구할 때

$a^2+b^2=(a-b)^2+2ab$
⟸ 두 수의 차와 곱을 알고 제곱의 합을
구할 때

$(a+b)^2=(a-b)^2+4ab$
⟸ 두 수의 차와 곱을 알고 합의 제곱을
구할 때

$(a-b)^2=(a+b)^2-4ab$
⟸ 두 수의 합과 곱을 알고 차의 제곱을
구할 때

[075] 2 $a+b=-3$, $a^2+b^2=5$일 때, ab의 값은?

① 1   ② 2   ③ 3

④ 4   ⑤ 5

확인	공부한 날	self-check	
	/	075-1	075-2
		O X	O X

▶ 정답 및 풀이 46쪽

4 곱셈 공식 (2)

(1) 합·차의 곱

$$(a+b)(a-b)=a^2-b^2$$

참고 $(a+b)(a-b)=①+②=①+④$
$\qquad =a^2-③=a^2-b^2$

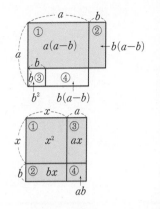

(2) x의 계수가 1인 두 일차식의 곱

$$(x+a)(x+b)=x^2+(a+b)x+ab$$

참고 $(x+a)(x+b)=①+②+③+④$
$\qquad =x^2+bx+ax+ab=x^2+(a+b)x+ab$

(3) x의 계수가 1이 아닌 두 일차식의 곱

$$(ax+b)(cx+d)=acx^2+(ad+bc)x+bd$$

참고 $(ax+b)(cx+d)=①+②+③+④=acx^2+adx+bcx+bd$
$\qquad =acx^2+(ad+bc)x+bd$

문자와 식

1학년
2학년
3학년

---

076 1 다음 식을 전개하여라.

(1) $(a+3)(a-3)$

(2) $(-2x+3y)(-2x-3y)$

(3) $(x+2y)(2y-x)$

(4) $\left(-\dfrac{1}{4}x+5y\right)\left(-\dfrac{1}{4}x-5y\right)$

076 2 다음 식을 전개하여라.

(1) $(x+6)(x+4)$

(2) $(a-3)(a+7)$

(3) $(x-2y)(x-4y)$

(4) $(a+2b)(a-3b)$

076 3 다음 식을 전개하여라.

(1) $(3a+1)(4a-2)$

(2) $(x+3y)(3x+2y)$

(3) $(3x+2y)(2x-5y)$

(4) $(2a-3b)(-3a+5b)$

절대개념 **Focus**

$(x+a)(x+b)$의 전개

$(x+a)(x+b)$

$=x^2+(a+b)x+ab$
　　　상수항의 합　상수항의 곱

$(ax+b)(cx+d)$의 전개

$(ax+b)(cx+d)$

$=acx^2+(ad+bc)x+bd$
　　바깥쪽 항의 곱　안쪽 항의 곱

확인	공부한 날	self-check		
		076-1	076-2	076-3
	/	O X	O X	O X

5 곱셈 공식을 이용한 수의 계산

(1) 제곱의 계산

$(a+b)^2=a^2+2ab+b^2$ 또는 $(a-b)^2=a^2-2ab+b^2$을 이용한다.

예) $102^2=(100+2)^2=100^2+2\times100\times2+2^2=10404 \Leftarrow (a+b)^2=a^2+2ab+b^2$

$98^2=(100-2)^2=100^2-2\times100\times2+2^2=9604 \Leftarrow (a-b)^2=a^2-2ab+b^2$

(2) 두 수의 곱의 계산

$(a+b)(a-b)=a^2-b^2$ 또는 $(x+a)(x+b)=x^2+(a+b)x+ab$를 이용한다.

예) $49\times51=(50-1)(50+1)=50^2-1^2=2499 \Leftarrow (a+b)(a-b)=a^2-b^2$

$101\times102=(100+1)(100+2)=100^2+(1+2)\times100+1\times2=10302 \Leftarrow (x+a)(x+b)=x^2+(a+b)x+ab$

참고 곱셈 공식을 이용하여 수의 계산을 할 때 a, b, x의 값은 계산이 편리한 수로 정한다.

---

077 1 다음은 곱셈 공식을 이용하여 값을 계산하는 과정이다. □ 안에 알맞은 수를 써넣어라.

(1) $48^2=(50-\boxed{})^2$

$\qquad =2500-2\times\boxed{}+\boxed{}=\boxed{}$

(2) $97^2=(100-\boxed{})^2$

$\qquad =10000-2\times\boxed{}+\boxed{}=\boxed{}$

(3) $49\times51=(50-\boxed{})(50+\boxed{})$

$\qquad =2500-\boxed{}=\boxed{}$

(4) $3.2\times2.8=(3+\boxed{})(3-\boxed{})$

$\qquad =9-\boxed{}=\boxed{}$

---

077 2 다음 중 곱셈 공식 $(x+a)(x+b)=x^2+(a+b)x+ab$를 이용하여 계산하면 가장 편리한 것은?

① 103^2 ② 95^2 ③ 5.8×6.2

④ 101×99 ⑤ 102×105

절대개념 Focus

제곱의 계산

$101^2=(100+1)^2$

$\qquad =100^2+2\times100\times1+1^2$

$\qquad =10201$

$\Leftarrow (a+b)^2=a^2+2ab+b^2$

두 수의 곱의 계산

103×97

$=(100+3)(100-3)$

$=100^2-3^2=9991$

$\Leftarrow (a+b)(a-b)=a^2-b^2$

확인	공부한 날	self-check
	/	077-1 | 077-2
		O X | O X

개념 078 곱셈 공식을 이용한 근호를 포함한 식의 계산

6 곱셈 공식을 이용한 근호를 포함한 식의 계산

곱셈 공식을 이용하여 다항식의 곱셈과 같은 방법으로 계산한다.

(1) $(a+b)^2=a^2+2ab+b^2$ 또는 $(a+b)(a-b)=a^2-b^2$을 이용한다.

예 $(\sqrt{2}+1)^2=(\sqrt{2})^2+2\times\sqrt{2}\times1+1^2=2+2\sqrt{2}+1=3+2\sqrt{2}$

$(\sqrt{3}+\sqrt{2})(\sqrt{3}-\sqrt{2})=(\sqrt{3})^2-(\sqrt{2})^2=3-2=1$

(2) $(x+a)(x+b)=x^2+(a+b)x+ab$ 또는 $(ax+b)(cx+d)=acx^2+(ad+bc)x+bd$를 이용한다.

예 $(\sqrt{3}+2)(\sqrt{3}-1)=(\sqrt{3})^2+(2-1)\sqrt{3}+2\times(-1)=3+\sqrt{3}-2=1+\sqrt{3}$

$(2\sqrt{2}-1)(\sqrt{2}+3)=2\times(\sqrt{2})^2+(6-1)\sqrt{2}+(-1)\times3=4+5\sqrt{2}-3=1+5\sqrt{2}$

078 1 곱셈 공식을 이용하여 다음을 계산하여라.

(1) $(\sqrt{5}+\sqrt{2})^2$

(2) $(2\sqrt{2}-1)^2$

(3) $(\sqrt{11}+2)(\sqrt{11}-2)$

(4) $(2\sqrt{2}+\sqrt{7})(2\sqrt{2}-\sqrt{7})$

(5) $(2\sqrt{7}+1)(\sqrt{7}+2)$

(6) $(2\sqrt{5}-1)(\sqrt{5}+2)$

078 2 $(2\sqrt{3}-\sqrt{5})(3\sqrt{3}+\sqrt{5})=a+b\sqrt{15}$일 때, 유리수 a, b에 대하여 $a-b$의 값은?

① 12   ② 13   ③ 14

④ 15   ⑤ 16

절대개념 Focus

곱셈 공식을 이용한 근호를 포함한 식의 계산

곱셈 공식을 이용하여 다항식의 곱셈과 같은 방법으로 전개하여 계산한다.

(1) $(a\pm b)^2=a^2\pm2ab+b^2$

(2) $(a+b)(a-b)=a^2-b^2$

(3) $(x+a)(x+b)$
$=x^2+(a+b)x+ab$

(4) $(ax+b)(cx+d)$
$=acx^2+(ad+bc)x+bd$

078 3 $(3+\sqrt{7})(a-2\sqrt{7})$이 유리수가 될 때, 유리수 a의 값은?

① 2   ② 4   ③ 6

④ 8   ⑤ 10

확인	공부한 날	self-check		
	/	078-1	078-2	078-3
		O X	O X	O X

7 곱셈 공식을 이용한 분모의 유리화

분모가 두 개의 항으로 되어 있는 무리수일 때, 곱셈 공식 $(a+b)(a-b)=a^2-b^2$을 이용하여 분모를 유리화한다.

$$\frac{c}{\sqrt{a}+\sqrt{b}}=\frac{c(\sqrt{a}-\sqrt{b})}{(\sqrt{a}+\sqrt{b})(\sqrt{a}-\sqrt{b})}=\frac{c(\sqrt{a}-\sqrt{b})}{a-b} \ (\text{단}, a \neq b)$$
부호 반대

예 $\dfrac{1}{\sqrt{7}+\sqrt{6}}=\dfrac{\sqrt{7}-\sqrt{6}}{(\sqrt{7}+\sqrt{6})(\sqrt{7}-\sqrt{6})}=\sqrt{7}-\sqrt{6}$

079 1 다음 수의 분모를 유리화하여라.

(1) $\dfrac{1}{\sqrt{2}+1}$

(2) $\dfrac{3}{\sqrt{5}-1}$

(3) $\dfrac{\sqrt{2}}{\sqrt{7}+\sqrt{5}}$

(4) $\dfrac{\sqrt{3}}{2\sqrt{2}-\sqrt{3}}$

079 2 다음 식을 간단히 하여라.

(1) $\dfrac{\sqrt{2}}{2-\sqrt{3}}+\dfrac{\sqrt{2}}{2+\sqrt{3}}$

(2) $\dfrac{2}{\sqrt{2}+1}-\dfrac{1}{3-2\sqrt{2}}$

분모의 두 항 중 작은 수의 부호를 바꾼 수를 분모, 분자에 곱하면 계산이 편리해~

079 3 $\dfrac{-2+\sqrt{5}}{2+\sqrt{5}}=a+b\sqrt{5}$일 때, $a+b$의 값은? (단, a, b는 유리수)

① -7

② -5

③ 0

④ 5

⑤ 9

확인	공부한 날	self-check		
	/	079-1	079-2	079-3
		O X	O X	O X

식의 값 구하기

8 식의 값 구하기

(1) **식의 값** : 주어진 식의 문자에 그 문자의 값을 대입하여 얻은 값

(2) **식의 값 구하기**

[방법 1] 곱셈 공식의 변형을 이용하기

$x+y$, xy의 값을 구하고, 곱셈 공식의 변형을 이용하여 식의 값을 구한다.

[방법 2] 식을 간단히 한 후 대입하기

곱셈 공식을 이용하여 식을 간단히 한 후 주어진 수를 대입하여 식의 값을 구한다.

[방법 3] 상수를 이항한 후 제곱하기

① $x=a+\sqrt{b}$에서 $\sqrt{b}$만 우변에 남기고 a를 좌변으로 이항한다.

② 양변을 제곱하여 정리한다.

$$x=a+\sqrt{b} \Rightarrow \overset{①}{x-a=\sqrt{b}} \Rightarrow \overset{②}{(x-a)^2=b}$$

080 1 $x=\dfrac{1}{\sqrt{5}-2}$, $y=\dfrac{1}{\sqrt{5}+2}$일 때, 다음 식의 값을 구하여라.

(1) $x+y$

(2) xy

(3) x^2-xy+y^2

080 2 다음 조건을 만족하는 식의 값을 구하여라.

(1) $x=3+\sqrt{2}$일 때, x^2-6x+5의 값

(2) $x=1+\sqrt{5}$일 때, x^2-2x-5의 값

(3) $x=\dfrac{1}{2-\sqrt{3}}$일 때, x^2-4x-3의 값

(4) $x=\dfrac{1}{\sqrt{2}+1}$일 때, x^2+2x+6의 값

절대개념 Focus

식의 값 구하기

$x=2-\sqrt{3}$일 때, x^2-4x+9의 값을 구해 보자.

① 주어진 수를 대입하기

x^2-4x+9
$=(2-\sqrt{3})^2-4(2-\sqrt{3})+9$
$=7-4\sqrt{3}-8+4\sqrt{3}+9=8$

② 상수를 이항한 후 제곱하기

$x=2-\sqrt{3}$

$\xrightarrow[우변에]{무리수만}$ $x-2=-\sqrt{3}$

$\xrightarrow[제곱한다.]{양변을}$ $x^2-4x+4=3$

$\xrightarrow[구한다.]{식의 값을}$ $x^2-4x+9=8$

9 인수분해의 뜻

(1) 인수분해 : 하나의 다항식을 두 개 이상의 다항식의 곱으로 나타내는 것

(2) 인수 : 하나의 다항식을 두 개 이상의 다항식의 곱으로 나타낼 때의 각각의 식

$$x^2+3x+2 \xrightarrow[\text{전개}]{\text{인수분해}} (x+1)(x+2)$$

인수

10 공통인수를 이용한 인수분해

(1) 공통인수 : 다항식의 각 항에 공통으로 곱해져 있는 인수

(2) 공통인수를 이용한 인수분해 : 다항식의 각 항에 공통인수가 있을 때는 분배법칙을 이용하여 공통인수로 묶어 인수분해한다.

예 $2x^2-2x=2x \times x+2x \times (-1)=2x(x-1)$

개념 Plus+

소인수분해와 인수분해

소인수분해	인수분해
자연수를 분해	다항식을 분해
$21=3 \times 7$	$na+nb=n(a+b)$

---

081 1 다음 식은 어떤 다항식을 인수분해한 것인지 구하여라.

(1) $x(x+4)$

(2) $(x+5)^2$

(3) $(a-2)(a+3)$

(4) $(2-3x)(x-1)$

081 2 다음 식을 인수분해하고 인수를 모두 써라.

(1) $2a^2+ab$

(2) $xy(a+3)-2(a+3)$

081 3 다음 두 다항식의 공통인수를 구하여라.

(1) $x-3x^2, \ -9xy+3y$

(2) $x(a+b)-y(a+b), \ a(x-y)+b(y-x)$

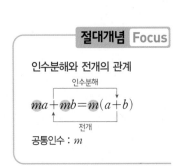

절대개념 Focus

인수분해와 전개의 관계

인수분해

$$ma+mb=m(a+b)$$

전개

공통인수 : m

확인	공부한 날	self-check		
	/	081-1	081-2	081-3
		O X	O X	O X

개념 082 인수분해 공식 (1), (2)

11 인수분해 공식 (1) − 완전제곱식을 이용한 인수분해

(1) 완전제곱식 : 다항식의 제곱으로 된 식 또는 이 식에 상수를 곱한 식

(2) 완전제곱식을 이용한 인수분해

① $a^2+2ab+b^2=(a+b)^2$ ② $a^2-2ab+b^2=(a-b)^2$

@ $x^2+2x+1=(x+1)^2$, $x^2-6x+9=(x-3)^2$, $2x^2-4x+2=2(x-1)^2$

12 인수분해 공식 (2) − 합·차의 곱을 이용한 인수분해

$a^2-b^2=(a+b)(a-b)$

@ $x^2-4=x^2-2^2=(x+2)(x-2)$

- -

개념 Plus⁺ x^2+ax+b가 완전제곱식이 되기 위한 b의 조건 : $b=\left(\dfrac{a}{2}\right)^2$

문자와 식

1 학년
2 학년
3 학년

---

082 1 다음 식을 인수분해하여라.

(1) x^2-4x+4 (2) $9a^2+6ab+b^2$

(3) $4a^2-20ab+25b^2$ (4) $16x^2+8x+1$

082 2 다음 식을 인수분해하여라.

(1) $9x^2-y^2$ (2) $\dfrac{1}{16}x^2-\dfrac{9}{25}y^2$

(3) $2a^2-8$ (4) x^4-16

082 3 다음 식이 완전제곱식이 되도록 ☐ 안에 알맞은 수를 써넣어라.

(1) $x^2+8x+\boxed{}$ (2) $a^2+\boxed{}ab+36b^2$

절대개념 Focus

완전제곱식 만들기

$$x^2\pm mx+\left(\dfrac{m}{2}\right)^2=\left(x\pm\dfrac{m}{2}\right)^2$$

제곱
2배

06. 인수분해

확인	공부한 날	self-check		
		082-1	082-2	082-3
	/	O X	O X	O X

13 인수분해 공식 (3) $-x^2$의 계수가 1인 이차식의 인수분해

$$x^2+(a+b)x+ab=(x+a)(x+b)$$

① 곱하여 상수항이 되는 두 수를 모두 찾는다.

② ①에서 찾은 두 수 중 그 합이 x의 계수가 되는 두 수 a, b를 찾는다.

③ $(x+a)(x+b)$의 꼴로 인수분해한다.

예 $x^2+2x-3=x^2+(3-1)x+(-1)\times3$

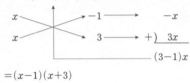

$$=(x-1)(x+3)$$

---

083 1 $x^2+ax-20=(x+4)(x-b)$일 때, $a+b$의 값을 구하여라.

(단, a, b는 상수)

083 2 다음 식을 인수분해하여라.

(1) $x^2+9xy+20y^2$

(2) $x^2-3xy-4y^2$

(3) $x^2-7xy+6y^2$

(4) $x^2-6xy+8y^2$

083 3 $x-6$이 x^2-3x+a의 인수일 때, a의 값은?

① -18

② -6

③ 6

④ 12

⑤ 18

확인	공부한 날	self-check		
		083-1	083-2	083-3
	/	O X	O X	O X

개념
084 인수분해 공식 (4)

14 인수분해 공식 (4)－x^2의 계수가 1이 아닌 이차식의 인수분해

$$acx^2+(ad+bc)x+bd=(ax+b)(cx+d)$$

① 곱하여 x^2의 계수가 되는 두 수를 찾는다.

② 곱하여 상수항이 되는 두 수를 찾는다.

③ ①, ②에서 찾은 두 수 중 대각선으로 곱하여 x의 계수가 되는 수 a, b, c, d를 찾는다.

④ $(ax+b)(cx+d)$의 꼴로 인수분해한다.

예 $4x^2+7x+3=(1×4)x^2+(4+3)x+1×3$

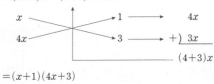

$$=(x+1)(4x+3)$$

084 **1** $6x^2+5x-4=(2x+a)(3x+b)$일 때, $a-b$의 값을 구하여라.

(단, a, b는 상수)

084 **2** 다음 식을 인수분해하여라.

(1) $5x^2+24xy-5y^2$

(2) $2x^2+11xy+12y^2$

(3) $11x^2+13xy+2y^2$

(4) $9x^2-9xy+2y^2$

절대개념 Focus

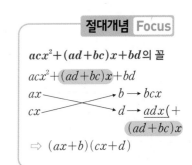

$acx^2+(ad+bc)x+bd$의 꼴

$acx^2+(ad+bc)x+bd$

$ax \qquad b \to bcx$

$cx \qquad d \to \underline{adx}(+$

$\qquad\qquad\qquad (ad+bc)x$

$\Rightarrow (ax+b)(cx+d)$

084 **3** 다음 두 다항식의 공통인수를 구하여라.

(1) $2x^2-5x+3$, $5x^2-12x+7$

(2) $2x^2-7x+6$, $5x^2-3x-14$

확인	공부한 날	self-check		
	/	084-1	084-2	084-3
		O X	O X	O X

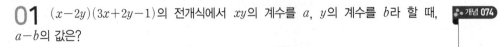

01 $(x-2y)(3x+2y-1)$의 전개식에서 xy의 계수를 a, y의 계수를 b라 할 때, $a-b$의 값은?

① -6 ② -4 ③ -3 ④ 2 ⑤ 5

개념 074

02 $x+y=4$, $xy=2$일 때, $\dfrac{y}{x}+\dfrac{x}{y}$의 값은?

① 3 ② 4 ③ 5 ④ 6 ⑤ 7

개념 075

$a+b$와 ab의 값이 주어진 경우
$\Rightarrow a^2+b^2=(a+b)^2-2ab$
를 이용

03 다음 등식을 만족하는 상수 a, b에 대하여 $a+b$의 값은?

$$(3x+a)(4x-5)=12x^2+bx-10$$

① -5 ② -4 ③ -3 ④ -2 ⑤ -1

개념 076

분배법칙을 이용하여 전개한 후 양변의 계수를 비교한다.

04 다음 중 1004×996을 계산하는데 가장 편리한 곱셈 공식은?

① $(a+b)^2=a^2+2ab+b^2$

② $(a-b)^2=a^2-2ab+b^2$

③ $(a+b)(a-b)=a^2-b^2$

④ $(x+a)(x+b)=x^2+(a+b)x+ab$

⑤ $(ax+b)(cx+d)=acx^2+(ad+bc)x+bd$

개념 077

05 $x=2\sqrt{2}$, $y=3-\sqrt{5}$일 때, $(x+y)^2-(x-y)^2$의 값을 구하여라.

개념 080

주어진 식을 간단히 한 후 x, y의 값을 대입한다.

확인	공부한 날	self-check				
	/	01	02	03	04	05
		O X	O X	O X	O X	O X

06 $x=\dfrac{1}{\sqrt{2}+\sqrt{3}}$, $y=\dfrac{1}{\sqrt{2}-\sqrt{3}}$일 때, $x^2+3xy+y^2$의 값은?

① 7　　　　② 9　　　　③ 11　　　　④ $3\sqrt{2}$　　　　⑤ $3\sqrt{3}$

> **개념 080**
> 분모가 2개의 항으로 되어 있는 무리수일 때, $(a+b)(a-b)=a^2-b^2$을 이용하여 분모를 유리화한다.

> 문자와식
> 1학년
> 2학년
> **3학년**

07 $(x+2)(x-3)-a$가 완전제곱식이 되도록 하는 유리수 a의 값은?

① $-\dfrac{29}{4}$　　② $-\dfrac{25}{4}$　　③ $-\dfrac{21}{4}$　　④ $-\dfrac{17}{4}$　　⑤ $-\dfrac{13}{4}$

> **개념 082**

08 다음 중 a^3-a의 인수가 <u>아닌</u> 것은?

① a　　　　② a^2　　　　③ $a+1$　　　　④ $a-1$　　　　⑤ a^2-1

> **개념 081+082**
> 공통인수로 묶어내어 인수분해한다.

09 일차항의 계수가 1인 두 일차식의 곱이 $(x-5)(x+4)-7x$일 때, 이 두 일차식의 합을 구하여라.

> **개념 083**

10 다음 두 식의 공통인수는?

$$3x^2+8x+4, \qquad 2x^2+3x-2$$

① $x+1$　　　　② $x+2$　　　　③ $2x-1$

④ $2x+1$　　　　⑤ $2x+3$

> **개념 084**

확인	공부한 날	self-check				
		06	07	08	09	10
	/	O X	O X	O X	O X	O X

이차방정식과 그 해

1 이차방정식의 뜻

(1) x에 관한 이차방정식 : 방정식의 우변의 모든 항을 좌변으로 이항하여 정리한 식이

(x에 관한 이차식)$=0$의 꼴로 나타내어지는 방정식을 이차방정식이라 한다.

(2) 이차방정식의 일반형

$$ax^2+bx+c=0 \ (a\neq0, \ a, \ b, \ c는 상수)$$

주의 주어진 모든 항을 좌변으로 정리하였을 때, 좌변이 x에 대한 이차식이어야 이차방정식이다.

2 이차방정식의 해

(1) 이차방정식의 해 또는 근 : 이차방정식 $ax^2+bx+c=0$을 참이 되게 하는 x의 값

(2) 이차방정식을 푼다 : 이차방정식의 해를 모두 구하는 것을 이차방정식을 푼다라고 한다.

---

085 1 다음 〈보기〉 중 x에 관한 이차방정식을 모두 골라라.

〈보기〉

ㄱ. $x^2-2x=x^3-3$ ㄴ. $2x^2=9-5x$

ㄷ. $(x+2)^2=(5-x)^2-3$ ㄹ. $2x^2+3x=(x+2)(x-3)$

ㅁ. $x^2-3x=x(x-2)^2$ ㅂ. $x^2-3x+2=(x-1)^2-4$

이차항이 있다고 해서 모두 이차방정식이 되는 것은 아니야 ~

085 2 x의 값이 -2, -1, 0, 1, 2, 3일 때, 다음 이차방정식의 해를 모두 구하여라.

(1) $x^2-x-6=0$ (2) $x^2-3x+2=0$

(3) $x^2+x-2=0$ (4) $x^2-x=0$

085 3 다음 [ ] 안의 수가 주어진 이차방정식의 해인지 알아보아라.

(1) $x^2-7x+6=0$ [1]   (2) $x^2-3x-10=0$ [2]

(3) $2x^2-11x+5=0$ [5]   (4) $x^2-4x-12=0$ [-6]

절대개념 Focus

이차방정식의 해

$x=a$가 이차방정식 $ax^2+bx+c=0$의 해이다.

↓

$x=a$를 $ax^2+bx+c=0$에 대입하면 참이 된다.

↓

$aa^2+ba+c=0$

확인	공부한 날	self-check		
	/	085-1	085-2	085-3
		O X	O X	O X

개념 086 인수분해를 이용한 이차방정식의 풀이

3 인수분해를 이용한 이차방정식의 풀이

(1) $AB=0$의 성질 : 두 수 또는 두 식 A, B에 대하여

$AB=0$이면 $A=0$ 또는 $B=0$

(2) 인수분해를 이용한 이차방정식의 풀이

① 주어진 이차방정식을 $ax^2+bx+c=0$의 꼴로 정리한다.

② 좌변을 인수분해한다.

③ $AB=0$의 성질을 이용하여 해를 구한다.

예 이차방정식 $x^2-3x+2=0$의 좌변을 인수분해하면

$(x-1)(x-2)=0$, 즉 $x-1=0$ 또는 $x-2=0$ ∴ $x=1$ 또는 $x=2$

문자와 식
1학년
2학년
3학년

---

086 1 다음 이차방정식을 풀어라.

(1) $2x(x-3)=0$

(2) $\dfrac{1}{2}(x+4)(x-2)=0$

(3) $(2x+1)(3x-2)=0$

---

086 2 다음 이차방정식을 풀어라.

(1) $x^2-7x+12=0$ (2) $x^2-16=0$

(3) $9x^2-64=0$ (4) $2x^2+3x-2=0$

(5) $-3x^2+11x+4=0$ (6) $2x^2-4x+15=6x^2$

---

086 3 $x=1$ 또는 $x=4$를 두 근으로 갖는 이차방정식은?

① $x^2+2x-3=0$ ② $x^2+4x+3=0$ ③ $x^2-4x+3=0$

④ $x^2-x-2=0$ ⑤ $x^2-5x+4=0$

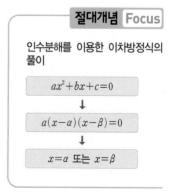

절대개념 Focus

인수분해를 이용한 이차방정식의 풀이

$$ax^2+bx+c=0$$
↓
$$a(x-\alpha)(x-\beta)=0$$
↓
$$x=\alpha \text{ 또는 } x=\beta$$

07. 이차방정식

확인	공부한 날	self-check		
	/	086-1	086-2	086-3
		O X	O X	O X

개념 087 이차방정식의 중근

4 이차방정식의 중근

(1) 이차방정식의 중근

이차방정식의 두 근이 중복되어 서로 같을 때, 이 근을 중근이라 한다.

(2) 중근을 가질 조건

이차방정식이 (완전제곱식)=0의 꼴로 인수분해되면 중근을 갖는다.

$$a(x-p)^2=0 \Rightarrow x=p(중근)$$

예 $x^2-2x+1=0 \longrightarrow (x-1)^2=0 \longrightarrow (x-1)(x-1)=0 \longrightarrow x=1(중근)$

참고 이차방정식 $a(x-p)^2=k$가 중근을 가지려면 $k=0$이어야 한다.

개념 Plus+ x^2의 계수가 1인 이차방정식 $x^2+ax+b=0$에서 $b=\left(\dfrac{a}{2}\right)^2$이면 주어진 이차방정식은 중근을 갖는다.

---

[087] 1 다음 이차방정식을 풀어라.

(1) $x^2-12x+36=0$

(2) $x^2+x+\dfrac{1}{4}=0$

(3) $25x^2-20x+4=0$

(4) $9x^2+6x+1=0$

(5) $x^2-6x+8=-1$

(6) $x^2+3x+1=x$

[087] 2 다음 이차방정식이 중근을 갖도록 하는 상수 k의 값을 정하여라.

(1) $(3x-2)^2=k$

(2) $x^2+18x+k=0$

(3) $x^2+8x+k-1=0$

(4) $x^2-(k+1)x+4=0$

[087] 3 이차방정식 $x^2+ax+b=0$이 중근 $x=1$을 가질 때, $b-a$의 값은?

(단, a, b는 상수)

① 0   ② 1   ③ 2

④ 3   ⑤ 4

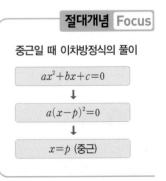

절대개념 Focus

중근일 때 이차방정식의 풀이

$$ax^2+bx+c=0$$
↓
$$a(x-p)^2=0$$
↓
$$x=p \ (중근)$$

II. 문자와 식

확인	공부한 날	self-check		
	/	087-1	087-2	087-3
		O X	O X	O X

제곱근을 이용한 이차방정식의 풀이

5 제곱근을 이용한 이차방정식의 풀이

(1) 이차방정식 $x^2=k\ (k\geq0)$의 해

$$x^2=k \xrightarrow{\ x는\ k의\ 제곱근\ } x=\pm\sqrt{k}$$

예 $x^2=2 \Rightarrow 2$의 제곱근은 $\pm\sqrt{2} \Rightarrow x=\pm\sqrt{2}$

(2) 이차방정식 $(x+p)^2=q\ (q\geq0)$의 해

$$(x+p)^2=q \Rightarrow x+p=\pm\sqrt{q} \Rightarrow x=-p\pm\sqrt{q}$$

예 $(x-2)^2=10 \Rightarrow x-2=\pm\sqrt{10} \Rightarrow x=2\pm\sqrt{10}$

문자와식
1학년
2학년
3학년

088 1 다음 이차방정식을 풀어라.

(1) $4x^2=1$

(2) $2x^2=81$

(3) $4x^2-5=0$

(4) $3(x+1)^2=27$

(5) $(2x-1)^2=8$

(6) $9(x-2)^2-1=0$

088 2 이차방정식 $(x+A)^2=B$의 해가 $x=2\pm\sqrt{13}$일 때, $A+B$의 값을 구하여라. (단, A, B는 상수)

절대개념 Focus

제곱근을 이용한 이차방정식의 풀이

① 이차방정식 $x^2=k$의 해

$k>0$일 때, $x=\pm\sqrt{k}$

$k=0$일 때, $x=0$ (중근)

$k<0$일 때, 해는 없다.

② 이차방정식 $(x+p)^2=q$의 해

$q>0$일 때, $x=-p\pm\sqrt{q}$

$q=0$일 때, $x=-p$ (중근)

$q<0$일 때, 해는 없다.

088 3 이차방정식 $(2x+1)^2=3$의 두 근을 a, b라 할 때, $2ab$의 값은?

① -2　　② -1　　③ 0

④ 1　　⑤ 2

07. 이차방정식

6 완전제곱식을 이용한 이차방정식의 풀이

이차방정식 $ax^2+bx+c=0$에서 좌변이 인수분해되지 않을 때, $(x-p)^2=k$의 꼴로 변형하여 해를 구할 수 있다.

① 이차항의 계수로 양변을 나누어 이차항의 계수를 1로 만든다.

② 상수항을 우변으로 이항한다.

③ 양변에 $\left(\dfrac{x의\ 계수}{2}\right)^2$을 더한다.

④ 좌변을 완전제곱식으로 정리한다.

⑤ 제곱근을 이용하여 방정식을 푼다.

$$2x^2-4x-4=0$$
$$\xrightarrow{\text{①}} x^2-2x-2=0$$
$$\xrightarrow{\text{②}} x^2-2x=2$$
$$\xrightarrow{\text{③}} x^2-2x+\left(\dfrac{-2}{2}\right)^2=2+\left(\dfrac{-2}{2}\right)^2$$
$$\xrightarrow{\text{④}} (x-1)^2=3$$
$$\xrightarrow{\text{⑤}} x=1\pm\sqrt{3}$$

참고 완전제곱의 꼴로 변형할 때는 반드시 양변에 같은 값을 더해주어야 한다.

089 1 다음을 $(x-a)^2=b$의 꼴로 나타낼 때, 상수 a, b의 값을 각각 구하여라.

(1) $x^2-2x-2=0$　　　　　(2) $x^2-4x-3=0$

089 2 다음 이차방정식을 풀어라.

(1) $x^2-6x-5=0$　　　　　(2) $2x^2+4x+1=0$

(3) $3x^2+6x-12=0$　　　　(4) $x^2+8x=2$

(5) $x^2-4x=1$　　　　　　(6) $x^2+4x+5=2(x+3)$

089 3 이차방정식 $5x^2-6x-2=0$을 완전제곱식을 이용하여 풀었더니 해가 $x=\dfrac{a\pm\sqrt{b}}{5}$이었다. 이때 유리수 a, b의 합 $a+b$를 구하여라.

> **절대개념 Focus**
>
> 완전제곱식을 이용한 이차방정식의 풀이
>
> $$2x^2+20x+16=0$$
> $$x^2+10x+8=0$$
> $$x^2+10x=-8$$
> $$x^2+10x+\left(\dfrac{10}{2}\right)^2=-8+\left(\dfrac{10}{2}\right)^2$$
> $$(x+5)^2=17$$
> $$x=-5\pm\sqrt{17}$$

확인	공부한 날	self-check		
	/	089-1	089-2	089-3
		O X	O X	O X

이차방정식의 근의 공식

7 근의 공식을 이용한 이차방정식의 풀이 : 이차방정식 $ax^2+bx+c=0\ (a\neq0)$의 근은

$$x=\frac{-b\pm\sqrt{b^2-4ac}}{2a}\ (단,\ b^2-4ac\geq0)$$

8 이차방정식의 근의 개수 : 이차방정식 $ax^2+bx+c=0\ (a\neq0)$의 근의 개수는 b^2-4ac의 부호에 따라 결정된다.

(1) $b^2-4ac>0$이면 서로 다른 두 근을 갖는다.

(2) $b^2-4ac=0$이면 한 개의 근(중근)을 갖는다.

(3) $b^2-4ac<0$이면 근이 없다.

개념
Plus⁺

일차항의 계수가 짝수인 이차방정식 $ax^2+2b'x+c=0\ (a\neq0)$의 근은

$$x=\frac{-b'\pm\sqrt{b'^2-ac}}{a}\ (단,\ b'^2-ac\geq0)$$

문자와식
1학년
2학년
3학년

---

090 **1** 다음 이차방정식을 풀어라.

(1) $x^2+3x-1=0$

(2) $2x^2-x-2=0$

(3) $x^2-4x-6=0$

(4) $2x^2-2x-3=0$

(이차식) $=0$ 의 좌변이 인수분해되지 않을 때, 근의 공식을 이용해 ~

절대개념 Focus

이차방정식의 근의 공식 유도 과정

$ax^2+bx+c=0\ (a\neq0)$

$x^2+\dfrac{b}{a}x+\dfrac{c}{a}=0$

$x^2+\dfrac{b}{a}x=-\dfrac{c}{a}$

$x^2+\dfrac{b}{a}x+\left(\dfrac{b}{2a}\right)^2$

$=-\dfrac{c}{a}+\left(\dfrac{b}{2a}\right)^2$

$\left(x+\dfrac{b}{2a}\right)^2=\dfrac{b^2-4ac}{4a^2}$

$x+\dfrac{b}{2a}=\pm\sqrt{\dfrac{b^2-4ac}{4a^2}}$

$\therefore x=\dfrac{-b\pm\sqrt{b^2-4ac}}{2a}$

---

090 **2** 다음 표를 완성하여라.

이차방정식	b^2-4ac의 값	근의 개수(개)
(1) $2x^2-x-1=0$	①	②
(2) $x^2-2x+1=0$	①	②
(3) $x^2-3x+4=0$	①	②

090 **3** 이차방정식 $x^2-4x+k=0$에 대하여 근의 개수가 다음과 같을 때, 상수 k의 값 또는 범위를 구하여라.

(1) 서로 다른 두 근

(2) 중근

(3) 근이 없다.

확인	공부한 날	self-check		
	/	090-1	090-2	090-3
		O X	O X	O X

9 복잡한 이차방정식의 풀이

(1) 계수가 분수나 소수이면 양변에 적당한 수를 곱하여 계수를 정수로 고친다.

　① 계수가 분수이면 양변에 분모의 최소공배수를 곱한다.

　② 계수가 소수이면 양변에 10의 거듭제곱을 곱한다.

(2) 괄호가 있으면 괄호를 풀어 $ax^2+bx+c=0$의 꼴로 정리한다.

(3) 공통 부분이 있으면 한 문자로 치환한다.

　예 $(x-1)^2+2(x-1)+1=0$ ➡ $x-1=A$로 치환 ➡ $A^2+2A+1=0$

　참고 좌변이 인수분해되면 인수분해를, 인수분해되지 않으면 근의 공식을 이용하여 방정식을 푼다.

---

[091] 1 다음 이차방정식을 풀어라.

(1) $\dfrac{1}{3}x^2+\dfrac{1}{6}x-\dfrac{1}{2}=0$

(2) $\dfrac{1}{5}x^2+\dfrac{1}{2}x-\dfrac{3}{10}=0$

(3) $0.1x^2+0.1x-0.4=0$

(4) $0.2x^2+0.4x-0.3=0$

[091] 2 다음 이차방정식을 풀어라.

(1) $2x(x-1)-(x+2)(x-3)=10$

(2) $(2x-1)^2=-x+2$

[091] 3 다음 이차방정식을 풀어라.

(1) $(x-1)^2+4(x-1)+3=0$

(2) $(2x-1)^2-(2x-1)-2=0$

(3) $(x+1)^2+2(x+1)=15$

(4) $(3x+1)^2-11(3x+1)+28=0$

절대개념 Focus

복잡한 이차방정식의 풀이

① 복잡한 이차방정식에서 계수가 정수가 되도록 정리한다.

② 인수분해가 되면 인수분해하여 해를 구한다.

③ 인수분해가 되지 않으면 근의 공식을 이용하여 해를 구한다.

확인	공부한 날	self-check		
		091-1	091-2	091-3
	/	O X	O X	O X

092 개념 이차방정식의 활용

10 이차방정식의 활용 문제 풀이

(1) 미지수 x 정하기 : 문제의 뜻을 파악하고 구하려는 것을 x로 놓는다.

(2) 방정식을 세운다 : 문제의 뜻에 맞게 이차방정식을 세운다.

(3) 방정식을 푼다 : 이차방정식을 풀어 x의 값을 구한다.

(4) 구한 해가 문제의 뜻에 맞는지 확인한다.

11 도형에 관한 활용

다음 그림의 세 직사각형에서 색칠한 부분의 넓이는 모두 같다.

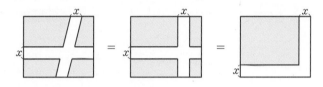

12 위로 쏘아 올린 물체에 관한 활용

(1) 시간 t에 따른 높이 h가 $h=at^2+bt+c$일 때, 높이가 p일 때의 시간은 이 차방정식 $p=at^2+bt+c$의 해이다.

(2) 쏘아 올린 물체의 높이가 p일 때는 물체가 올라갈 때와 내려올 때, 즉 두 번 생긴다. (단, p가 최고 높이일 때는 한 번 생긴다.)

(3) 물체가 지면에 떨어질 때의 높이는 0이다.

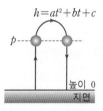

---

092 1 오른쪽 그림과 같이 가로의 길이가 12 m, 세로의 길이가 10 m인 직사각형 모양의 땅에 폭이 일정한 도로를 낸 후 남은 땅의 넓이가 80 m²일 때, 도로의 폭을 구하여라.

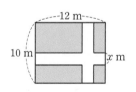

092 2 지면에서 초속 36 m로 똑바로 위로 던진 공의 t초 후의 높이가 $(36t-4t^2)$ m일 때, 다음 물음에 답하여라.

(1) 공의 높이가 72 m가 되는 것은 공을 던진 지 몇 초 후인지 구하여라.

(2) 공이 다시 땅에 떨어지는 것은 공을 던진 지 몇 초 후인지 구하여라.

절대개념 Focus

연립부등식의 활용 문제 풀이

미지수 x 결정하기
↓
이차방정식 세우기
↓
이차방정식 풀기
↓
해가 문제의 뜻에 맞는지 확인하기

확인	공부한 날	self-check
	/	092-1 092-2
		O X O X

01 이차방정식 $x^2-5x-2=0$의 두 근을 α, β라 할 때, $(\alpha^2-5\alpha+2)(\beta^2-5\beta+1)$의 값은?

① 4   ② 8   ③ 12   ④ 16   ⑤ 20

> **개념 085**
>
> $x=k$가 이차방정식 $ax^2+bx+c=0$의 해일 때, x 대신 k를 대입하면 등식이 성립한다.

02 이차방정식 $(x+2)(x+3)=9-x^2$을 풀어라.

> **개념 086**

03 이차방정식 $x^2-11x+24=0$의 두 근 중 큰 근이 $x(x+1)=ax-8$의 한 근일 때, 상수 a의 값은?

① 5   ② 10   ③ 15   ④ 20   ⑤ 30

> **개념 086**
>
> 한 근이 주어졌으므로 이차방정식에 대입하여 a의 값을 구한다.

04 이차방정식 $x^2+3(2x-1)+4a=0$이 중근 $x=b$를 가질 때, 상수 a, b에 대하여 ab의 값을 구하여라.

> **개념 087**
>
> 이차방정식 $x^2+ax+b=0$이 중근을 가질 조건은 $b=\left(\dfrac{a}{2}\right)^2$이다.

05 이차방정식 $2(x-5)^2=10$의 해가 $x=a\pm\sqrt{b}$일 때, 유리수 a, b의 합 $a+b$의 값은?

① 6   ② 7   ③ 8   ④ 9   ⑤ 10

> **개념 088**

확인	공부한 날	self-check				
		01	02	03	04	05
	/	O X	O X	O X	O X	O X

❯ 정답 및 풀이 55쪽

06 이차방정식 $x^2-12x+p=0$을 완전제곱식을 이용하여 풀었더니 해가 $x=6\pm\sqrt{21}$이 되었다. 이때 상수 p의 값은?

 개념 089

① 15　　　　② 20　　　　③ 25　　　　④ 30　　　　⑤ 35

07 이차방정식 $x^2+8x+1=0$의 근이 $x=A\pm\sqrt{B}$일 때, $\dfrac{A}{B}$의 값을 구하여라.

개념 090

(단, A, B는 유리수)

08 이차방정식 $x^2+kx+9=0$이 중근을 갖도록 하는 모든 k의 값의 곱은?

개념 090

(단, k는 상수)

① -4　　　② -25　　　③ -36　　　④ 25　　　⑤ 36

09 다음 두 이차방정식의 공통인 근은?

개념 091

계수가 분수나 소수이면 적당한 수를 곱하여 계수를 정수로 고친다.

$$\frac{1}{5}x^2+\frac{3}{10}x-\frac{1}{5}=0, \qquad 0.2x^2-0.5x+0.2=0$$

① $x=-2$　　　　　② $x=-1$　　　　　③ $x=\dfrac{1}{2}$

④ $x=1$　　　　　⑤ $x=2$

10 연속하는 세 자연수가 있다. 가장 작은 수의 제곱이 나머지 두 수의 합의 7배보다 30만큼 크다고 할 때, 이 세 자연수 중 가장 큰 수는?

개념 092

연속하는 세 자연수
⇨ $x-1$, x, $x+1$로 놓는다.
(단, $x\geq2$)

① 16　　　　② 17　　　　③ 18　　　　④ 19　　　　⑤ 20

문자와 식
1학년
2학년
3학년

07. 이차방정식

확인	공부한 날	self-check				
		06	07	08	09	10
	/	O X	O X	O X	O X	O X

III

함 수

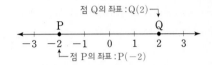

개념 093 순서쌍과 좌표

1 수직선 위의 점의 좌표

(1) 수직선 위의 한 점에 대응하는 수를 그 점의 좌표라 한다.

(2) 점 P의 좌표가 a일 때 기호 P(a)로 나타낸다.

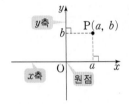

2 좌표평면 위의 점의 좌표

(1) **좌표평면**: 두 수직선이 점 O에서 서로 수직으로 만날 때

① 가로의 수직선을 x축, 세로의 수직선을 y축이라 하고, x축과 y축을 통틀어 좌표축이라 한다.

② 두 좌표축의 교점 O를 원점이라 한다.

(2) **좌표평면 위의 점의 좌표**

① 두 수의 순서를 정하여 쌍으로 나타낸 것을 순서쌍이라 한다.

② 좌표평면 위의 점 P의 x좌표가 a, y좌표가 b일 때 순서쌍 (a, b)를 점 P의 좌표라 하고 기호 P(a, b)로 나타낸다.

주의 순서쌍은 두 수의 순서를 생각하여 짝지은 것이므로 (a, b)와 순서를 바꾼 (b, a)는 서로 다르다.

---

093 1 다음 수직선 위의 점 A, B, C, D의 좌표를 기호로 나타내어라.

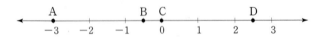

093 2 다음 점을 오른쪽 좌표평면 위에 나타내어라.

(1) A$(2, 3)$　　　(2) B$(-2, 1)$

(3) C$(-1, -3)$　　(4) D$(0, 2)$

(5) E$(0, 0)$　　　(6) F$(-4, 0)$

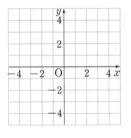

절대개념 Focus

순서쌍과 좌표

x축 위의 점의 좌표
⇨ y좌표가 0이다.
즉, $(a, 0)$의 꼴

y축 위의 점의 좌표
⇨ x좌표가 0이다.
즉, $(0, b)$의 꼴

093 3 다음 점의 좌표를 구하여라.

(1) x축 위에 있고, x좌표가 7인 점

(2) y축 위에 있고, y좌표가 -2인 점

확인	공부한 날	self-check		
	/	093-1	093-2	093-3
		O X	O X	O X

개념 094 사분면

3 사분면

좌표축은 좌표평면을 네 부분으로 나누는데, 그 각각을 제1사분면, 제2사분면, 제3사분면, 제4사분면이라 한다.

부호＼사분면	제1사분면	제2사분면	제3사분면	제4사분면
x좌표의 부호	+	−	−	+
y좌표의 부호	+	+	−	−

참고 x축, y축 위의 점은 어느 사분면에도 속하지 않는다.

제2사분면 $(-, +)$ 제1사분면 $(+, +)$

제3사분면 $(-, -)$ 제4사분면 $(+, -)$

---

094 1 다음 점은 각각 제 몇 사분면 위에 있는 점인지 말하여라.

(1) $A(7, -4)$

(2) $B(-1, -5)$

(3) $C\left(10, \dfrac{1}{3}\right)$

(4) $D\left(-2, \dfrac{1}{5}\right)$

함
수
1학년
2학년
3학년

094 2 점 (a, b)가 제2사분면 위의 점이라고 할 때, 다음 점은 각각 제 몇 사분면 위의 점인지 말하여라.

(1) (b, a)

(2) $(-a, b)$

(3) $(a, -b)$

(4) (ab, b)

094 3 다음 설명 중 옳은 것에는 ○표, 옳지 않은 것에는 ×표를 하여라.

(1) 원점은 어느 사분면에도 속하지 않는다. ( )

(2) y축 위의 점은 모든 사분면에 속한다. ( )

(3) 제1사분면 위의 점과 제4사분면 위의 점의 x좌표의 부호는 서로 다르다.
( )

(4) 제2사분면 위의 점과 제3사분면 위의 점의 y좌표의 부호는 서로 다르다.
( )

절대개념 Focus

사분면

점 (a, b)에 대하여

제1사분면 위의 점
⇨ $a>0$, $b>0$

↓

제2사분면 위의 점
⇨ $a<0$, $b>0$

↓

제3사분면 위의 점
⇨ $a<0$, $b<0$

↓

제4사분면 위의 점
⇨ $a>0$, $b<0$

01. 좌표와 그래프

확인	공부한 날	self-check		
	/	094-1	094-2	094-3
		O X	O X	O X

4 그래프

(1) **변수** : x, y와 같이 여러 가지로 변하는 값을 나타내는 문자

(2) **그래프** : 두 변수 사이의 관계를 좌표평면 위에 그림으로 나타낸 것

(3) **그래프의 해석**

① 그래프는 다양한 상황을 점, 직선, 곡선 등으로 나타낼 수 있다.

② 그래프를 해석하면 그 그래프가 나타내는 상황을 파악할 수 있다.

예 다음은 역에서 출발한 기차가 일정한 속력으로 달린 후 정지할 때까지 기차의 속력을 나타낸 그래프이다.

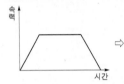

그래프의 모양			
속력	증가한다.	일정하다.	감소한다.

---

095 1 오른쪽 그림은 0 ℃의 물을 가열하기 시작한 지 x분 후의 물의 온도를 y ℃라 할 때, x와 y 사이의 관계를 그래프로 나타낸 것이다. 물을 가열하기 시작한 지 4분, 8분 후의 물의 온도의 차를 구하여라.

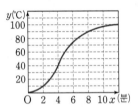

095 2 지안이는 집을 출발하여 자전거를 타고 할머니 댁에 다녀왔다. 오른쪽 그림은 자전거가 x시간 동안 달린 거리를 y km라 할 때, x와 y 사이의 관계를 그래프로 나타낸 것이다. 다음 설명 중 옳은 것에는 ○표, 옳지 않은 것에는 ×표를 하여라.

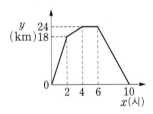

(1) 자전거는 출발하여 4시간 동안 24 km를 달렸다. (　　)

(2) 자전거는 2시간 동안 정지하였다. (　　)

(3) 지안이의 집에서 할머니 댁까지의 거리는 18 km이다. (　　)

절대개념 Focus

그래프

① x의 값이 0에서 1이 될 때, y의 값은 0에서 2로 증가한다.

② x의 값이 1에서 3이 될 때, y의 값은 2로 일정하다.

③ x의 값이 3에서 4가 될 때, y의 값은 2에서 0으로 감소한다.

확인	공부한 날	self-check	
	/	095-1	095-2
		O X	O X

정비례 관계와 그 그래프

5 정비례

(1) 두 변수 x, y에 대하여 x의 값이 2배, 3배, 4배, ⋯로 변함에 따라 y의 값도 2배, 3배, 4배 ⋯
로 변할 때, y는 x에 정비례한다고 한다.

(2) y가 x에 정비례하면 x와 y 사이의 관계식을 $y=ax\,(a\neq0)$로 나타낼 수 있다.
또 x와 y 사이의 관계식이 $y=ax\,(a\neq0)$로 나타내지면 y는 x에 정비례한다.

6 정비례 관계의 그래프

원점 $(0, 0)$을 지나는 직선이다.

(1) $a>0$일 때

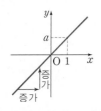

(2) $a<0$일 때

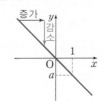

① 오른쪽 위로 향하는 직선이다.

② 제 1 사분면, 제 3 사분면을 지난다.

③ x의 값이 증가할 때, y의 값도 증가한다.

① 오른쪽 아래로 향하는 직선이다.

② 제 2 사분면, 제 4 사분면을 지난다.

③ x의 값이 증가할 때, y의 값은 감소한다.

참고 정비례 관계 $y=ax\,(a\neq0)$의 그래프는 a의 절댓값이 클수록 y축에 가까워진다.

---

096 **1** 다음 좌표평면 위에 정비례 관계의 그래프를 그려라.

(1) $y=-\dfrac{1}{2}x$

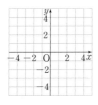

(2) $y=3x$

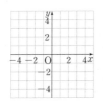

096 **2** 다음 중 정비례 관계 $y=-3x$의 그래프에 대한 설명으로 옳은 것을
모두 골라라.

ㄱ. 제 2 사분면과 제 4 사분면을 지난다.

ㄴ. 점 $(1, 3)$을 지난다.

ㄷ. x의 값이 증가하면 y의 값도 증가한다.

ㄹ. 정비례 관계 $y=-\dfrac{3}{2}x$의 그래프보다 y축에 더 가깝다.

함

수

1학년
2학년
3학년

절대개념 Focus

정비례 관계의 그래프

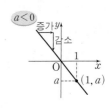

---

01. 좌표와 그래프

7 정비례 관계의 활용

(1) 변화하는 두 양을 변수 x, y로 놓고, x, y가 서로 정비례하는지 알아본다.

(2) 관계식을 $y=ax$ 꼴로 나타낸다.

(3) 관계식, 그래프, 표를 이용하여 문제에서 요구하는 답을 구한다.

> 예 한 개의 가격이 500원인 볼펜 x개의 가격을 y원이라 하면 대응표는 다음과 같다.

개수(개)	1	2	3	4	…
가격(원)	500	1000	1500	2000	…

> 이때 x, y가 서로 정비례하므로 관계식은 $y=500x$이다.

개념 Plus⁺

정비례 관계

① x의 값이 2배, 3배, …가 될 때, y의 값도 2배, 3배, …가 된다.

② x의 값과 y의 값의 비$(x : y)$가 일정하다. 즉 $\dfrac{y}{x}=a$(일정)

---

097 1 윤호는 콘서트 티켓을 구매하기 위하여 매일 2000원씩 저금하려고 한다. 윤호가 x일 동안 저금한 금액을 y원이라 할 때, 다음 물음에 답하여라.

(1) x와 y 사이의 관계식을 구하여라.

(2) 콘서트 티켓의 가격이 50000원이라 할 때, 몇 일 동안 저금해야 하는지 구하여라.

097 2 5 L의 휘발유로 45 km를 달릴 수 있는 자동차가 있다. x L의 휘발유로 달릴 수 있는 거리를 y km라 할 때, 다음 물음에 답하여라.

(1) x와 y 사이의 관계식을 구하여라.

(2) 30 L의 휘발유로 달릴 수 있는 거리를 구하여라.

(3) 108 km 거리에 있는 할아버지 댁에 가려면 몇 L의 휘발유가 필요한지 구하여라.

절대개념 Focus

정비례 관계의 활용

변화하는 두 양을 변수 x, y로 정하기

↓

x, y 사이의 관계를 관계식 $y=ax$ 꼴로 나타내기

↓

주어진 값에 대응하는 구하고자 하는 값 구하기

↓

문제의 조건에 맞는지 확인하기

확인	공부한 날	self-check	
		097-1	097-2
	/	O X	O X

개념 098 반비례 관계와 그 그래프

8 반비례

(1) 두 변수 x, y에 대하여 x의 값이 2배, 3배, 4배, …로 변함에 따라 y의 값이 $\frac{1}{2}$배, $\frac{1}{3}$배, $\frac{1}{4}$배, …로 변할 때, y는 x에 반비례한다고 한다.

(2) y가 x에 반비례하면 x와 y 사이의 관계식을 $y=\dfrac{a}{x}\,(a\neq0)$로 나타낼 수 있다.

또 x와 y 사이의 관계식이 $y=\dfrac{a}{x}\,(a\neq0)$로 나타내지면 y는 x에 반비례한다.

9 반비례 관계의 그래프

두 좌표축에 접근하면서 한없이 뻗어 나가는 한 쌍의 매끄러운 곡선이다.

(1) $a>0$일 때

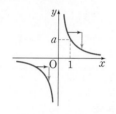

(2) $a<0$일 때

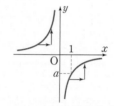

① 제1사분면, 제3사분면을 지난다.

① 제2사분면, 제4사분면을 지난다.

② x의 값이 증가할 때, y의 값은 감소한다.

② x의 값이 증가할 때, y의 값도 증가한다.

참고 반비례 관계 $y=\dfrac{a}{x}\,(a\neq0)$의 그래프는 a의 절댓값이 클수록 원점에서 멀어진다.

함
수
1학년
2학년
3학년

---

098 1 다음 좌표평면 위에 반비례 관계의 그래프를 그려라.

(1) $y=\dfrac{6}{x}$

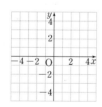

(2) $y=-\dfrac{4}{x}$

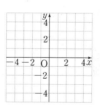

098 2 다음 중 반비례 관계 $y=\dfrac{5}{x}$의 그래프에 대한 설명으로 옳지 <u>않은</u> 것을 모두 골라라.

ㄱ. x의 값이 증가하면 y의 값도 증가한다.

ㄴ. 점 $(1,\ 5)$를 지난다.

ㄷ. 제2사분면과 제4사분면을 지난다.

ㄹ. 반비례 관계 $y=\dfrac{3}{x}$의 그래프보다 원점에서 더 멀다.

절대개념 Focus

반비례 관계의 그래프

01. 좌표와 그래프

확인	공부한 날	self-check
	/	098-1 O X 098-2 O X

10 반비례 관계의 활용

(1) 변화하는 두 양을 변수 x, y로 놓고, x, y가 서로 반비례하는지 알아본다.

(2) 관계식을 $y = \dfrac{a}{x}$ 꼴로 나타낸다.

(3) 관계식, 그래프, 표를 이용하여 문제에서 요구하는 답을 구한다.

예 수학 문제 100개를 매일 x개씩 y일 푼다고 하면 대응표는 다음과 같다.

문제(개)	1	2	4	⋯	25	50	100
시간(일)	100	50	25	⋯	4	2	1

이때 x, y가 서로 반비례하므로 관계식은 $y = \dfrac{100}{x}$ 이다.

개념
Plus⁺

반비례 관계

① x의 값이 2배, 3배, ⋯가 될 때, y의 값은 $\dfrac{1}{2}$배, $\dfrac{1}{3}$배, ⋯가 된다.

② x의 값과 y의 값의 곱이 일정하다. 즉 $xy = a$(일정)

099 1 36개의 사탕을 x명의 친구들이 똑같이 y개씩 나누어 가질 때, 다음 물음에 답하여라.

(1) x와 y 사이의 관계식을 구하여라.

(2) 한 사람당 사탕을 9개씩 나누어 가졌을 때, 모두 몇 명의 친구들이 나누어 가진 것인지 구하여라.

099 2 300 L 용량의 물탱크에 1분에 x L씩 물을 넣으면 가득 채우는 데 y분이 걸린다고 한다. 다음 물음에 답하여라.

(1) x와 y 사이의 관계식을 구하여라.

(2) 1분에 5 L씩 물을 넣을 때, 걸린 시간을 구하여라.

(3) 50분 만에 물탱크를 다 채우려면 1분에 몇 L의 물을 넣어야 하는지 구하여라.

절대개념 Focus

반비례 관계의 활용

변화하는 두 양을 변수
x, y로 정하기

↓

x, y 사이의 관계를
관계식 $y = \dfrac{a}{x}$ 꼴로 나타내기

↓

주어진 값에 대응하는
구하고자 하는 값 구하기

↓

문제의 조건에
맞는지 확인하기

확인	공부한 날	self-check
	/	099-1 | 099-2
		O X | O X

탄탄한 중단원 문제

01 x축 위에 있고, x좌표가 -3인 점의 좌표는?

① $(0,\ 0)$ ② $(0,\ -3)$ ③ $(-3,\ 0)$

④ $(-3,\ 3)$ ⑤ $(-3,\ 3)$

> 개념 **093**

02 $xy>0$, $x+y<0$일 때, 점 $\mathrm{P}(x,\ -y)$는 제 몇 사분면 위의 점인가?

① 제 1 사분면   ② 제 2 사분면   ③ 제 3 사분면

④ 제 4 사분면   ⑤ 알 수 없다.

> 개념 **094**
> x, y가 같은 부호이면 $xy>0$ 이고 x, y가 다른 부호이면 $xy<0$이다.

> 함
> 수
> **1**학년
> **2**학년
> **3**학년

03 다음 중 옳지 <u>않은</u> 것은?

① 점 $(2,\ 0)$은 x축 위의 점이다.
② 원점은 x축과 y축의 교점이다.
③ 점 $(2,\ 4)$와 $(4,\ 2)$는 같은 사분면 위에 있다.
④ 점 $(0,\ 5)$는 어느 사분면에도 속하지 않는다.
⑤ y축 위의 점은 y좌표가 0이다.

> 개념 **093+094**

04 오른쪽 그림은 기차가 출발하여 x시간 후의 기차의 속력을 시속 y km라 할 때, x와 y 사이의 관계를 그래프로 나타낸 것이다. 다음 중 옳지 <u>않은</u> 것은?

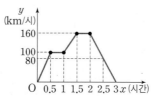

① 기차는 출발한 후 2시간 동안 총 2번 멈췄다.
② 출발하고 1시간 후의 기차의 속력은 시속 100 km이다.
③ 출발하고 1시간 30분 후부터 기차는 시속 160 km로 달리기 시작하였다.
④ 출발한 후 1시간 동안 기차의 속력은 증가하다가 같은 속력을 유지하였다.
⑤ 출발하고 30분 후의 기차의 속력은 출발하고 2시간 30분 후의 속력과 같다.

> 개념 **095**
> 그래프를 해석할 때 x의 값에 따른 y의 값의 증가, 감소 등을 파악한다.

확인	공부한 날	self-check			
	/	01	02	03	04
		O X	O X	O X	O X

05 다음 중 정비례 관계 $y = -\dfrac{3}{2}x$의 그래프 위에 있는 점은?

① $(-4, -6)$ ② $(-2, 3)$ ③ $(2, 3)$

④ $(4, 6)$ ⑤ $(6, -4)$

개념 **096**

06 정비례 관계 $y = ax$의 그래프가 두 점 $A(2, 4)$와 $B(b, -6)$을 지날 때, ab의 값은?

① -6 ② -4 ③ 2 ④ 4 ⑤ 6

개념 **096**

그래프 위의 점의 좌표를 관계식에 대입했을 때 등식이 성립함을 이용하여 미지수를 구한다.

07 지면에서 10 km까지는 100 m씩 올라갈 때마다 기온이 0.6 ℃씩 내려간다고 한다. 지면의 기온이 0 ℃일 때, 높이가 3 km인 곳의 기온을 구하여라.

개념 **097**

정비례 관계의 활용 문제에서 관계식을 $y = ax$로 놓는다.

08 반비례 관계 $y = -\dfrac{4}{x}$의 그래프에 대한 다음 설명 중 옳은 것은?

① 원점을 지난다. ② y는 x에 정비례한다.

③ 제 1 사분면과 제 3 사분면을 지난다. ④ 점 $(1, 8)$을 지난다.

⑤ 반비례 관계 $y = \dfrac{2}{x}$의 그래프보다 원점에서 멀리 떨어져 있다.

개념 **098**

09 승진이는 영어 단어 350개를 매일 일정한 양만큼 암기하려고 한다. 매일 25개씩 암기한다면 며칠 만에 모두 암기할 수 있는지 구하여라.

개념 **099**

반비례 관계의 활용 문제에서 관계식을 $y = \dfrac{a}{x}$로 놓는다.

확인	공부한 날	self-check				
	/	05	06	07	08	09
		O X	O X	O X	O X	O X

개념 100 함수와 함숫값

1 함수의 뜻

(1) 변수 : x, y와 같이 여러 가지로 변하는 값을 가지는 문자

(2) 상수 : 변하지 않는 값을 가지는 문자

(3) 함수 : 두 변수 x, y에 대하여 변수 x의 값이 정해짐에 따라 y의 값이 오직 하나씩 정해질 때, y를 x의 함수라고 한다. [기호] $y=f(x)$

2 일차함수

(1) 일차함수 : 함수 $y=f(x)$에서 y가 x에 대한 일차식

$$y=ax+b\,(a\neq0,\ a,\ b는\ 상수)$$

로 나타내어질 때, 이 함수 f를 x에 대한 일차함수라 한다.

[예] $y=2x$, $y=\dfrac{1}{2}x+5$는 일차함수이고 $y=3$, $y=\dfrac{1}{x}$, $y=x^2-x-2$는 일차함수가 아니다.

(2) 함숫값 : 함수 $y=f(x)$에서 x의 값에 따라 하나로 결정되는 y의 값을 x에서의 함숫값이라 한다.

[예] 함수 $f(x)=2x-5$에서 $x=3$일 때 함숫값은 $f(3)=2\times3-5=1$

개념 Plus+

a, b는 상수이고 $a\neq0$일 때,

① 일차식 : $ax+b$ ② 일차방정식 : $ax+b=0$ ③ 일차부등식 : $ax+b>0$ ④ 일차함수 : $y=ax+b$

---

100 1 다음 《보기》 중 일차함수인 것을 모두 골라라.

┌─────────────── 보기 ───────────────┐

ㄱ. $2x+y=1$ ㄴ. $y=(x-2)^2-x^2$ ㄷ. $y=(x+3)x$

ㄹ. $y=\dfrac{3}{x}$ ㅁ. $y=\dfrac{3}{2}x$ ㅂ. $y=4$

└───────────────────────────────────┘

100 2 다음과 같은 함수 $y=f(x)$에 대하여 $x=4$일 때의 함숫값을 구하여라.

(1) $y=-2x$　　　　　　(2) $y=4x-1$

절대개념 Focus

함수와 함숫값

100 3 함수 $f(x)=3x-6$에 대하여 다음을 구하여라.

(1) $\dfrac{1}{3}f(-3)$　　　　　　(2) $3f(1)+2f(-1)$

확인	공부한 날	self-check		
	/	100-1	100-2	100-3
		O X	O X	O X

3 일차함수 $y=ax+b(a\ne0)$의 그래프

(1) **평행이동** : 한 도형을 일정한 방향으로 일정한 거리만큼 이동시키는 것

(2) **일차함수 $y=ax+b(a\ne0)$의 그래프**

일차함수 $y=ax+b$의 그래프는 일차함수 $y=ax$의 그래프를 y축
의 방향으로 b만큼 평행이동한 직선이다.

예 $y=5x+2$의 그래프는 $y=5x$의 그래프를 y축의 방향으로 2만큼 평행이동한 것이다.

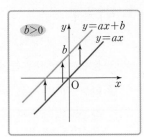

개념
Plus+

$y=ax+b(a\ne0)$의 그래프

① 함수 $y=ax(a>0)$의 그래프를 y축의 방향으로 $b(b>0)$만큼 평행이동하면 제 1, 2, 3 사분면을 지난다.

② 함수 $y=ax(a>0)$의 그래프를 y축의 방향으로 $-b(b>0)$만큼 평행이동하면 제 1, 3, 4 사분면을 지난다.

---

101 1 오른쪽 그림과 같은 일차함수 $y=-2x$의
그래프를 이용하여 다음 일차함수의 그래프를 그려라.

(1) $y=-2x+2$

(2) $y=-2x-3$

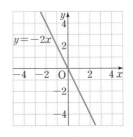

101 2 오른쪽 그림과 같은 일차함수 $y=3x$의 그
래프를 이용하여 다음 일차함수의 그래프를 그려라.

(1) $y=3x+3$

(2) $y=3x-2$

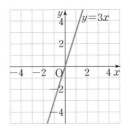

101 3 다음 일차함수의 그래프를 y축의 방향으로 [ ] 안의 값만큼 평행이
동한 그래프가 나타내는 일차함수의 식을 구하여라.

(1) $y=\dfrac{2}{5}x\ [-1]$

(2) $y=-3x\ \left[\dfrac{2}{7}\right]$

(3) $y=-x+1\ [-3]$

(4) $y=4x-2\ [5]$

절대개념 Focus

일차함수 $y=3x+5$의 그래프

$y=3x$

↓ y축의 양의 방향으로
5만큼 평행이동

$y=3x+5$

일차함수 $y=3x-5$의 그래프

$y=3x$

↓ y축의 음의 방향으로
5만큼 평행이동

$y=3x-5$

확인	공부한 날	self-check		
	/	101-1	101-2	101-3
		O X	O X	O X

일차함수의 그래프와 절편

한자 용어 풀이
• 절편(끊을 截, 조각 片)
⇨ 끊어진 조각(부분)

4 일차함수 $y=ax+b$의 그래프의 x절편과 y절편

(1) x절편, y절편

x절편	y절편
① 함수의 그래프가 x축과 만나는 점의 x좌표	① 함수의 그래프가 y축과 만나는 점의 y좌표
② $y=0$일 때의 x의 값	② $x=0$일 때의 y의 값
③ x절편이 a이면 x축과 만나는 점의 좌표는 $(a, 0)$	③ y절편이 b이면 y축과 만나는 점의 좌표는 $(0, b)$

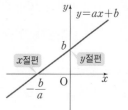

(2) 일차함수 $y=ax+b\,(a\neq0)$의 그래프에서

① x절편 : $-\dfrac{b}{a}$　　② y절편 : b

예 오른쪽 그림과 같은 일차함수의 그래프에서 x축과 만나는 점의 x좌표가 1, y축과 만나는 점의 y좌표가 2이므로 x절편은 1, y절편은 2이다.

함
수
1학년
2학년
3학년

---

102 1 다음 일차함수의 그래프의 x절편, y절편을 각각 구하여라.

(1) $y=x-4$

(2) $y=-2x+6$

(3) $y=3x+1$

(4) $y=-4x+8$

(5) $y=\dfrac{1}{2}x+2$

(6) $y=-\dfrac{3}{4}x+6$

---

102 2 오른쪽 그림과 같은 일차함수의 그래프 (1), (2)에서 x절편과 y절편을 각각 구하여라.

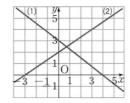

절대개념 Focus

일차함수의 그래프의 x절편과 y절편

일차함수 $y=ax+b$의 그래프에서
① x절편 ⇨ $y=ax+b$에 $y=0$ 을 대입하면 $x=-\dfrac{b}{a}$

② y절편 ⇨ $y=ax+b$에 $x=0$ 을 대입하면 $y=b$

02. 일차함수

확인	공부한 날	self-check	
		102-1	102-2
	/	O X	O X

5 일차함수 $y=ax+b$의 그래프의 기울기

일차함수 $y=ax+b(a\neq0)$에서 x의 값의 증가량에 대한 y의 값의 증가량의 비율은 항상 a로 일정하다. 이때 a를 일차함수 $y=ax+b$의 그래프의 기울기라고 한다.

$$(기울기)=\frac{(y의\ 값의\ 증가량)}{(x의\ 값의\ 증가량)}=a=\frac{(y의\ 값이\ a만큼\ 증가)}{(x의\ 값이\ 1만큼\ 증가)}$$

예 오른쪽 그림과 같은 일차함수의 그래프에서 두 점 $(1, 0)$, $(0, 2)$를 지나므로 일차함수의 그래프의 기울기는 $\frac{0-2}{1-0}=-2$이다.

개념
Plus⁺   두 점 (x_1, y_1), (x_2, y_2)를 이용하여 기울기 구하기

$$(기울기)=\frac{y_2-y_1}{x_2-x_1}=\frac{y_1-y_2}{x_1-x_2}=a$$

---

103 1 오른쪽 좌표평면 위의 4개의 점 A, B, C, D 중에서 다음 두 점을 지나는 일차함수의 그래프의 기울기를 구하여라.

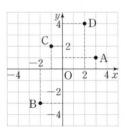

(1) 두 점 A, B

(2) 두 점 C, D

103 2 다음 물음에 답하여라.

(1) 두 점 $(1, 4)$, $(3, a)$를 지나는 일차함수의 그래프의 기울기가 4일 때, a의 값을 구하여라.

(2) 두 점 $(4, 2)$, $(a, -4)$를 지나는 일차함수의 그래프의 기울기가 -2일 때, a의 값을 구하여라.

절대개념 Focus

일차함수의 그래프의 기울기

일차함수 $y=2x-3$에서 x의 값이 1에서 2까지 1만큼 증가하면 y의 값은 -1에서 1까지 2만큼 증가하므로
(그래프의 기울기)
$$=\frac{(y의\ 값의\ 증가량)}{(x의\ 값의\ 증가량)}$$
$$=\frac{1-(-1)}{2-1}=\frac{2}{1}=2$$

확인	공부한 날	self-check	
	/	103-1	103-2
		O X	O X

일차함수 $y=ax+b$의 그래프의 성질

6 일차함수 $y=ax+b$의 그래프의 성질

일차함수 $y=ax+b(a\neq0)$의 그래프는 기울기가 a이고 y절편이 b인 직선이다.

(1) a의 부호에 따른 그래프의 모양 결정 ← a의 절댓값이 클수록 y축에 가깝다.

$a>0$ (기울기가 양수일 때)	$a<0$ (기울기가 음수일 때)
① 오른쪽 위를 향하는 직선	① 오른쪽 아래를 향하는 직선
② x의 값이 증가하면 y의 값도 증가	② x의 값이 증가하면 y의 값은 감소

(2) b의 부호에 따른 그래프의 위치 결정

　① $b>0$일 때, y축과 양의 부분에서 만난다. ← y절편이 양수

　② $b<0$일 때, y축과 음의 부분에서 만난다. ← y절편이 음수

　참고 일차함수 $y=ax+b$의 그래프가 지나는 사분면

　　① $a>0$, $b>0$: 제 1, 2, 3 사분면　　② $a>0$, $b<0$: 제 1, 3, 4 사분면

　　③ $a<0$, $b>0$: 제 1, 2, 4 사분면　　④ $a<0$, $b<0$: 제 2, 3, 4 사분면

함
수
1학년
2학년
3학년

104 1 다음 조건을 만족하는 일차함수를 〈보기〉에서 모두 골라라.

──〈보기〉──

ㄱ. $y=x+2$　　　ㄴ. $y=-\dfrac{1}{2}x+1$　　　ㄷ. $y=\dfrac{2}{3}x-4$

ㄹ. $y=-2x+5$　　　ㅁ. $y=3x-7$　　　ㅂ. $y=-x-1$

(1) x의 값이 증가하면 y의 값은 감소하는 일차함수

(2) y축과 양의 부분에서 만나는 일차함수

104 2 오른쪽 그림은 일차함수 $y=ax+b$의 그래프이다. 그래프 ㉠, ㉡, ㉢, ㉣에 대하여 a와 b의 부호를 각각 구하여라. (단, a, b는 상수)

절대개념 Focus

$y=ax+b$의 그래프의 개형

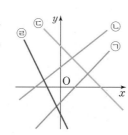

$a>0$, $b>0$	$a>0$, $b<0$
$a<0$, $b>0$	$a<0$, $b<0$

7 일차함수의 그래프의 평행과 일치

(1) 두 일차함수의 그래프 $y=ax+b$, $y=a'x+b'$은 다음과 같은 경우에 서로 평행하거나 일치한다.

① 기울기가 같고 y절편이 다른 경우

$a=a'$, $b\neq b'$ $\Rightarrow$ **평행**

② 기울기와 y절편이 각각 같은 경우

$a=a'$, $b=b'$ $\Rightarrow$ **일치**

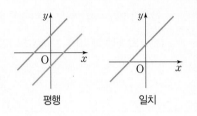

평행   일치

(2) 서로 평행한 두 일차함수의 그래프의 기울기는 서로 같다.

참고 기울기가 다른 두 일차함수의 그래프는 한 점에서 만난다.

---

105 1 다음 일차함수 중에서 그래프가 서로 평행한 것끼리 선으로 연결하여라.

(1) $y=3x-2$ •

(2) $y=-2x+3$ •

(3) $y=\dfrac{3}{2}x$ •

• ㉠ $y=\dfrac{3}{2}x-2$

• ㉡ $y=3x-4$

• ㉢ $y=-2x-5$

평행과 일치를 구별하기 위해서는 y절편의 조건도 꼭 생각해!

---

105 2 다음 일차함수의 그래프 중 오른쪽 그래프와 평행한 것은?

① $y=3x+1$

② $y=3x+3$

③ $y=-3x+1$

④ $y=-3x+3$

⑤ $y=-\dfrac{1}{3}x+1$

절대개념 Focus

두 일차함수의 그래프가 평행

두 일차함수의 그래프가 평행하다.

두 일차함수의 그래프가 만나지 않는다.

두 일차함수의 기울기는 서로 같고, y절편은 다르다.

---

105 3 두 일차함수 $y=ax+3$, $y=-x+b$에 대하여 다음 물음에 답하여라.

(1) 두 그래프가 서로 만나지 않기 위한 상수 a, b의 조건을 구하여라.

(2) 두 그래프가 일치하기 위한 상수 a, b의 조건을 구하여라.

확인	공부한 날	self-check		
	/	105-1	105-2	105-3
		O X	O X	O X

일차함수의 그래프 그리기

8 일차함수의 그래프 그리기

(1) 두 점을 이용하여 그래프 그리기

일차함수의 식을 만족하는 두 점을 찾아 나타낸 후 두 점을 직선으로 연결한다.

(2) x절편과 y절편을 이용하여 그래프 그리기

① x절편과 y절편을 각각 구한다.

② 구한 절편을 x축, y축 위에 점으로 나타낸 후 두 점을 직선으로 연결한다.

(3) 기울기와 y절편을 이용하여 그래프 그리기

① y절편을 이용하여 y축과 만나는 점을 좌표평면 위에 나타낸다.

② 기울기를 이용하여 다른 한 점을 찾아 나타낸 후 두 점을 직선으로 연결한다.

함

수

1학년
2학년
3학년

---

106 1 다음 두 점을 지나는 일차함수의 그래프를 오른쪽 좌표평면 위에 그려라.

(1) $(-2, -3)$, $(1, 3)$

(2) $(-1, 4)$, $(1, -2)$

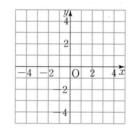

---

106 2 x절편과 y절편을 이용하여 다음 일차함수의 그래프를 오른쪽 좌표평면 위에 그려라.

(1) $y = 3x + 3$

(2) $y = -\dfrac{1}{3}x - 1$

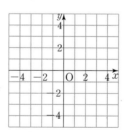

절대개념 Focus

일차함수 $y = \dfrac{1}{3}x + 2$의 그래프 그리기

① 두 점을 이용하여 그리기

⇨ 만족시키는 두 점 $(0, 2)$, $(3, 3)$을 지나는 직선이다.

② x절편과 y절편을 이용하여 그리기

⇨ x절편은 -6이고 y절편은 2이므로 두 점 $(-6, 0)$, $(0, 2)$를 지나는 직선이다.

③ 기울기와 y절편을 이용하여 그리기

⇨ y절편이 2이므로 점 $(0, 2)$, 기울기가 $\dfrac{1}{3}$이므로 점 $\left(1, \dfrac{7}{3}\right)$을 지나는 직선이다.

---

106 3 기울기와 y절편을 이용하여 다음 일차함수의 그래프를 오른쪽 좌표평면 위에 그려라.

(1) $y = 2x - 2$

(2) $y = -\dfrac{1}{2}x + 1$

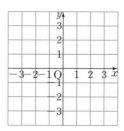

02. 일차함수

확인	공부한 날	self-check		
	/	106-1	106-2	106-3
		O X	O X	O X

9 일차함수의 식 구하기(1) - 기울기가 주어진 경우

(1) **기울기와 y절편을 알 때** : 기울기가 a이고 y절편이 b인 직선을 그래프로

하는 일차함수의 식 $\Rightarrow y=ax+b$

$$y=\boxed{a}x+\boxed{b}$$
기울기 y절편

예 기울기가 3이고, y절편이 -2인 직선을 그래프로 하는 일차함수의 식은 $y=3x-2$이다.

(2) **기울기와 한 점의 좌표를 알 때** : 기울기가 a이고 한 점 (x_1, y_1)을 지나는 직선을 그래프로 하는

일차함수의 식은 다음과 같은 순서로 구한다.

① 기울기가 a이므로 구하는 일차함수의 식을 $y=ax+b$로 놓는다.

② $x=x_1$, $y=y_1$을 대입하여 b의 값을 구한다.

예 기울기가 2이고, 점 $(3, 5)$를 지나는 직선을 그래프로 하는 일차함수의 식은

① $y=2x+b$로 놓는다.   ② $x=3$, $y=5$를 대입하면 $5=6+b$이므로 $b=-1$ $\therefore y=2x-1$

---

107 1 다음 직선을 그래프로 하는 일차함수의 식을 구하여라.

(1) 기울기가 -2이고, y절편이 5인 직선

(2) x의 값이 3만큼 증가할 때 y의 값이 1만큼 감소하고, y절편이 -5인
직선

(3) 일차함수 $y=3x+2$의 그래프와 평행하고, y절편이 5인 직선

107 2 다음 직선을 그래프로 하는 일차함수의 식을 구하여라.

(1) 기울기가 5이고, 점 $(0, -3)$을 지나는 직선

(2) 기울기가 2이고, x절편이 $\dfrac{1}{4}$인 직선

(3) 일차함수 $y=-\dfrac{1}{2}x+3$의 그래프와 평행하고, 점 $(4, 3)$을 지나는 직선

절대개념 Focus

일차함수의 식 구하기(1)

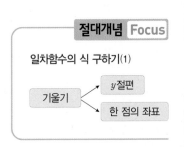

일차함수의 식 구하기(2)

10 일차함수의 식 구하기(2) – 서로 다른 두 점이 주어진 경우

(1) 서로 다른 두 점의 좌표를 알 때 : 서로 다른 두 점 (x_1, y_1), (x_2, y_2)를 지나는 직선을 그래프로 하는 일차함수의 식은 다음과 같은 순서로 구한다.

① 기울기 a를 구한다. $\Rightarrow a = \dfrac{y_2 - y_1}{x_2 - x_1} = \dfrac{y_1 - y_2}{x_1 - x_2}$

② $y = ax + b$에 두 점 중 한 점의 좌표를 대입하여 b의 값을 구한다.

참고 $y = ax + b$에 두 점의 좌표를 각각 대입하여 연립방정식으로 풀어도 된다.

(2) x절편, y절편을 알 때 : x절편이 m, y절편이 n인 직선을 그래프로 하는 일차함수의 식은 두 점 $(m, 0)$, $(0, n)$을 지나고 y절편이 n이라는 것을 이용하여 구한다.

즉, (기울기)$= \dfrac{0 - n}{m - 0} = -\dfrac{n}{m}$이고 y절편이 n인 직선이므로 $y = -\dfrac{n}{m}x + n$

예 x절편이 5, y절편이 2인 직선을 그래프로 하는 일차함수의 식은 $y = -\dfrac{2}{5}x + 2$이다.

함
수

1학년
2학년
3학년

108 1 다음 직선을 그래프로 하는 일차함수의 식을 구하여라.

(1) $(3, 1)$, $(2, -2)$

(2) $(3, 0)$, $(0, 6)$

(3) $(0, 3)$, $(-2, 1)$

108 2 다음 직선을 그래프로 하는 일차함수의 식을 구하여라.

(1) x절편이 2, y절편이 4인 직선

(2) x절편이 3, y절편이 -6인 직선

절대개념 Focus

일차함수의 식 구하기(2)

(3) x절편이 -1, y절편이 -2인 직선

02. 일차함수

11 일차함수의 활용 문제 풀이

x, y 정하기	x, y의 관계식 세우기	해 구하기	확인하기
문제의 뜻을 파악한 후 변화하는 두 양을 변수 x, y로 놓는다.	x, y 사이의 관계를 식으로 나타내고, x의 값의 범위를 정한다.	주어진 조건에 맞는 x, y의 값을 구한다.	구한 값이 문제의 뜻에 맞는지 확인한다.

109 1 목욕을 한 후, 욕조 안을 청소하기 위해 100 L의 물을 1분에 5 L씩 뺀다고 한다. x분 후에 남아 있는 물의 양을 y L라 할 때, 다음 물음에 답하여라.

(1) x와 y 사이의 관계식을 구하여라.

(2) 몇 분 동안 물을 빼면 욕조의 물이 모두 빠지는지 구하여라.

109 2 영우는 A 마을에서 12 km만큼 떨어진 B 마을까지 자전거를 타고 분속 600 m의 속력으로 가고 있다. 다음 물음에 답하여라.

(1) 출발하여 x분 동안 간 거리는 몇 km인지 구하여라.

(2) 출발한 지 x분 후에 B 마을까지 남은 거리를 y km라 할 때, x와 y 사이의 관계식을 구하여라.

(3) 영우가 B 마을에 도착하는 데 걸리는 시간을 구하여라.

109 3 오른쪽 그림과 같은 직각삼각형 ABC에서 점 P가 점 B를 출발하여 선분 BC를 따라 점 C까지 움직인다고 할 때, 다음 물음에 답하여라.

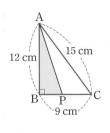

(1) 점 P가 점 B를 출발하여 움직인 거리를 x cm, $\triangle$ABP의 넓이를 y cm^{2}라 할 때, x와 y 사이의 관계식을 구하여라.

(2) $\triangle$ABP의 넓이가 24 cm^{2}일 때, $\overline{PC}$의 길이를 구하여라.

절대개념 Focus

일차함수의 활용 문제 풀이

변수 x, y 정하기

↓

관계식 세우기

↓

답 구하기

↓

확인하기

확인	공부한 날	self-check		
	/	109-1	109-2	109-3
		O X	O X	O X

일차방정식의 그래프

12 일차방정식의 그래프

(1) **일차방정식의 그래프**

x, y에 관한 일차방정식의 해의 순서쌍 (x, y)를 좌
표로 하는 점을 좌표평면 위에 나타낸 것

① x, y가 자연수 또는 정수이면 그래프는 점으로 나
타난다.

② x, y의 값의 범위가 수 전체이면 직선이 된다.

(2) **직선의 방정식**

x, y의 값의 범위가 수 전체일 때, 일차방정식

$ax+by+c=0$ (a, b, c는 상수, $a\neq0$ 또는 $b\neq0$)의 해를 나타내는 그래프는 직선이 된다.

이때 일차방정식 $ax+by+c=0$을 직선의 방정식이라 한다.

일차방정식 $x+y=5$의 그래프

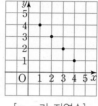 

[x, y가 자연수]   [x, y가 수 전체]

함

수

1학년

2학년

3학년

---

110 1 x, y의 값의 범위가 다음과 같을 때, 일차방정식 $2x+y=4$의 그래
프를 그려라.

(1) x, y가 정수인 경우

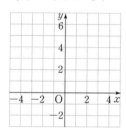

(2) x, y가 수 전체인 경우

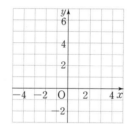

110 2   다음 일차방정식의 그래프가 주어진 점을 지날 때, 상수 a의 값을 구
하여라.

(1) $ax+y=7$ $(-4, 3)$

(2) $ax-y+10=0$ $(-6, -8)$

(3) $3x+ay=-7$ $(2, 5)$

(4) $-2x+ay+8=0$ $(-1, -5)$

절대개념 Focus

일차방정식의 그래프

(1) 일차방정식의 그래프의 모양

① x, y의 값이 자연수 또는 정
수일 때 : 점으로 나타난다.

② x, y의 값이 수 전체일 때 :
그래프는 직선으로 나타난
다.

(2) 직선의 방정식 : x, y의 값이
수 전체일 때, 일차방정식
$ax+by+c=0$(a, b, c는 상
수, $a\neq0$ 또는 $b\neq0$)을 직선의
방정식이라 한다.

02. 일차함수

확인	공부한 날	self-check	
	/	110-1	110-2
		O X	O X

13 일차함수와 일차방정식의 관계

일차방정식 $ax+by+c=0$ (a, b, c는 상수, $a\neq0$ 또는 $b\neq0$)의 그래프는 일차함수

$$y=-\frac{a}{b}x-\frac{c}{b}\ (a,\ b,\ c\text{는 상수},\ a\neq0,\ b\neq0)$$

의 그래프와 같다.

---

111 1 다음 일차방정식을 $y=ax+b$(a, b는 상수) 꼴로 나타내어라.

(1) $3x-y+2=0$　　　　　　(2) $-4x-y+17=0$

(3) $5x+2y-10=0$　　　　　(4) $x-\dfrac{y}{6}+3=0$

---

111 2 다음 일차방정식의 그래프의 기울기, x절편, y절편을 각각 구하여라.

(1) $x-y-4=0$　　　　　　(2) $x+2y-8=0$

(3) $-2x-3y+6=0$　　　　(4) $\dfrac{x}{5}-\dfrac{y}{4}+\dfrac{1}{10}=0$

---

111 3 다음 〈보기〉의 일차방정식의 그래프에 대하여 물음에 답하여라.

〈보기〉

ㄱ. $-2x+4y+6=0$　　　　ㄴ. $2x+4y+4=0$

ㄷ. $x-2y-2=0$　　　　　ㄹ. $-8x+4y-16=0$

(1) x의 값이 증가할 때 y의 값은 감소하는 그래프를 모두 골라라.

(2) 제4사분면을 지나지 않는 그래프를 모두 골라라.

(3) 서로 평행한 두 그래프를 골라라.

(4) x축 위에서 만나는 두 그래프를 골라라.

(5) y축 위에서 만나는 두 그래프를 골라라.

절대개념 Focus

일차함수와 일차방정식

일차방정식
$ax+by+c=0$
($a\neq0$, $b\neq0$)

⇩ y에 관하여
　　 푼다.

일차함수
$y=-\dfrac{a}{b}x-\dfrac{c}{b}$

확인	공부한 날	self-check		
	/	111-1	111-2	111-3
		O X	O X	O X

개념 112 일차방정식 $x=a$, $y=b$의 그래프

14 좌표축에 평행한(수직인) 직선

방정식 $x=a$의 그래프	방정식 $y=b$의 그래프
① 점 $(a, 0)$을 지나는 직선	① 점 $(0, b)$를 지나는 직선
② y축에 평행한 직선	② x축에 평행한 직선
③ x축에 수직인 직선	③ y축에 수직인 직선
④ $x=0$의 그래프는 y축	④ $y=0$의 그래프는 x축

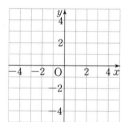

112 1 다음 조건을 만족하는 직선의 방정식을 〈보기〉에서 모두 골라라.

〈보기〉
ㄱ. $2y-5=0$ ㄴ. $x-3=1$ ㄷ. $-2x=4$ ㄹ. $3y=-9$

(1) x축에 평행한 직선 (2) y축에 평행한 직선

112 2 다음 일차방정식의 그래프를 오른쪽 좌표평면 위에 그려라.

(1) $x-1=0$ (2) $2x+4=0$

(3) $-2y+6=0$ (4) $4y+12=0$

112 3 다음 조건을 만족하는 직선의 방정식을 구하여라.

(1) 점 $(-2, 3)$을 지나고 x축에 평행한 직선

(2) 점 $(3, 5)$를 지나고 x축에 수직인 직선

(3) 점 $(-1, -2)$를 지나고 y축에 평행한 직선

(4) 점 $(2, -4)$를 지나고 y축에 수직인 직선

(5) 두 점 $(3, 1)$, $(5, 1)$을 지나는 직선

절대개념 Focus

두 점을 지나고 축에 평행한 직선

두 점 (k, a), (k, b)를 지나는 직선
⟹ x좌표가 같으므로 $x=k$

두 점 (a, k), (b, k)를 지나는 직선
⟹ y좌표가 같으므로 $y=k$

함
수
1학년
2학년
3학년

02. 일차함수

확인	공부한 날	self-check
	/	112-1 / 112-2 / 112-3
		O X / O X / O X

147

15　연립방정식의 해와 일차함수의 그래프 사이의 관계

연립방정식 $\begin{cases} ax+by+c=0 \\ a'x+b'y+c'=0 \end{cases}$ 의 해가 $x=p$, $y=q$이면 두 방정식의

그래프, 즉 일차함수의 그래프의 교점의 좌표는 $(p,\ q)$이다.

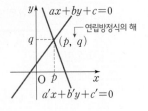

| 연립방정식의 해 $x=p$, $y=q$ | $\Longleftrightarrow$ | 두 일차방정식의 그래프의 교점의 좌표 $(p,\ q)$ |

---

113 1 다음 물음에 답하여라.

(1) 두 일차방정식 $x+2y=2$, $2x-y=-6$의 그래프를 그려라.

(2) 두 일차방정식의 그래프의 교점의 좌표를 구하여라.

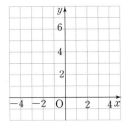

두 일차방정식의 그래프의 교점의 좌표가 연립방정식의 해임을 꼭 기억해 ～

(3) 연립방정식 $\begin{cases} x+2y=2 \\ 2x-y=-6 \end{cases}$ 의 해를 구하여라.

---

113 2 오른쪽 그림은 연립방정식 $\begin{cases} x+2y=-3 \\ 2x-3y=8 \end{cases}$

의 해를 구하기 위해 두 일차방정식의 그래프를 그린
것이다. 그래프를 이용하여 이 연립방정식의 해를 구하
여라.

절대개념 Focus

연립방정식의 해와 일차함수의
그래프

연립방정식 $\begin{cases} ax+by+c=0 \\ a'x+b'y+c'=0 \end{cases}$
의 해 $\Rightarrow x=p$, $y=q$

$\Updownarrow$

두 일차함수 $y=-\dfrac{a}{b}x+\dfrac{c}{b}$,

$y=-\dfrac{a'}{b'}x+\dfrac{c'}{b'}$ 의 그래프의

교점의 좌표 $\Rightarrow (p,\ q)$

---

113 3 연립방정식 $\begin{cases} 2x-ay=9 \\ 3x+2y=b \end{cases}$ 의 해를 구하기 위

해 두 일차방정식의 그래프를 그렸더니 오른쪽 그림과 같
았다. 이때 상수 a, b의 값을 각각 구하여라.

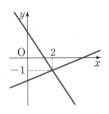

확인	공부한 날	self-check		
	/	113-1	113-2	113-3
		O X	O X	O X

개념 114 연립방정식의 해의 개수와 두 그래프의 위치 관계

16 연립방정식의 해의 개수와 두 그래프의 위치 관계

연립방정식 $\begin{cases} ax+by+c=0 \\ a'x+b'y+c'=0 \end{cases}$ 의 해의 개수는 두 방정식의 그래프의 교점의 개수와 같다.

연립방정식의 해의 개수	해는 하나이다.	해가 없다.	해가 무수히 많다.
두 그래프의 교점의 개수	1개	교점이 없다.	교점이 무수히 많다.
두 직선의 위치 관계	한 점에서 만난다.	평행하다.	일치한다.
일차방정식의 계수의 비	$\dfrac{a}{a'} \neq \dfrac{b}{b'}$	$\dfrac{a}{a'} = \dfrac{b}{b'} \neq \dfrac{c}{c'}$	$\dfrac{a}{a'} = \dfrac{b}{b'} = \dfrac{c}{c'}$
기울기와 y절편	기울기가 다르다.	기울기는 같고 y절편은 다르다.	기울기와 y절편이 각각 같다.

함
수
1학년
2학년
3학년

114 1 연립방정식 $\begin{cases} ax+y=b \\ 4x+2y=10 \end{cases}$ 에 대하여 다음 물음에 답하여라. (단, $a\neq 0$)

(1) 해가 무수히 많을 때, 상수 a, b의 값을 각각 구하여라.

(2) 해가 없을 때, 상수 a, b의 조건을 구하여라.

114 2 그래프를 이용하여 다음 연립방정식의 해를 구하여라.

(1) $\begin{cases} x+y=2 \\ 2x+2y=4 \end{cases}$ (2) $\begin{cases} 2x-y=0 \\ 4x-2y=-8 \end{cases}$

절대개념 Focus

연립방정식의 해와 그래프

연립방정식 $\begin{cases} ax+by+c=0 \\ a'x+b'y+c'=0 \end{cases}$ 의 해의 개수

$\dfrac{a}{a'} \neq \dfrac{b}{b'}$: 1개
└▶ 기울기가 다르다.

▶ y절편은 다르다.
$\dfrac{a}{a'} = \dfrac{b}{b'} \neq \dfrac{c}{c'}$: 0개
└▶ 기울기가 같다.

기울기와 $\dfrac{a}{a'} = \dfrac{b}{b'} = \dfrac{c}{c'}$
y절편이 모두 같다. : 무수히 많다.

114 3 두 직선 $3x-y=b$, $ax-y=-2$에 대하여 다음 물음에 답하여라.
(단, $a\neq 0$)

(1) 두 직선이 한 점에서 만날 때, 상수 a의 조건을 구하여라.

(2) 두 직선이 일치할 때, 상수 a, b의 값을 각각 구하여라.

(3) 두 직선이 평행할 때, 상수 a, b의 조건을 구하여라.

확인	공부한 날	self-check		
	/	114-1	114-2	114-3
		O X	O X	O X

02. 일차함수

01 일차함수 $y=-5x$의 그래프를 y축의 방향으로 p만큼 평행이동한 그래프는 점 $(2, 3)$을 지난다고 할 때, p의 값은?

① 5 　　　 ② 7 　　　 ③ 10 　　　 ④ 13 　　　 ⑤ 15

개념 101

평행이동한 일차함수의 식을 구한 후 주어진 점을 식에 대입한다.

02 일차함수 $y=-x+k$의 그래프의 y절편이 2일 때, x절편은? (단, k는 상수)

① -2 　　 ② -1 　　 ③ 0 　　 ④ 1 　　 ⑤ 2

개념 102

03 세 점 $(1, 0)$, $(3, 5)$, $(-k, -3)$이 한 직선 위에 있을 때, k의 값은?

① $\dfrac{1}{5}$ 　　 ② $\dfrac{2}{5}$ 　　 ③ $\dfrac{5}{3}$ 　　 ④ $\dfrac{5}{2}$ 　　 ⑤ 5

개념 103

한 직선 위의 세 점에서 어느 두 점을 택해도 그 기울기는 모두 같다.

04 일차함수 $y=-ax-b$의 그래프가 오른쪽 그림과 같을 때, a, b의 부호를 구하여라. (단, a, b는 상수)

개념 104

05 일차함수 $y=ax+4$의 그래프는 $y=2x-3$의 그래프와 평행하고 점 $(1, b)$를 지날 때, $a+b$의 값을 구하여라. (단, a, b는 상수)

개념 105

두 일차함수의 그래프가 서로 평행하려면 기울기가 같아야 한다.

확인	공부한 날	self-check				
		01	02	03	04	05
	/	O X	O X	O X	O X	O X

▶ 정답 및 풀이 62쪽

06 오른쪽 그림과 같은 직선을 그래프로 하는 일차함수의 식을 $y=ax+b$라 할 때, $a+b$의 값을 구하여라. (단, a, b는 상수)

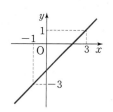

◆ 개념 108

두 점을 이용하여 일차함수의 기울기 a를 구하고 두 점 중 한 점의 좌표를 대입하여 b의 값을 구한다.

07 30 L의 기름이 들어 있는 난로를 켜두면 10분 후에 26 L의 기름이 남아 있다고 한다. 난로를 켠지 25분 후에는 몇 L의 기름이 남아 있는지 구하여라.

◆ 개념 109

함

수

1학년

2학년

3학년

08 두 점 $(2,\ a-1)$, $(a,\ 2a-4)$를 지나는 직선이 x축에 평행할 때, a의 값과 직선의 방정식을 차례로 적은 것은?

① $a=3$, $y=2$ ② $a=2$, $y=2$ ③ $a=3$, $x=3$

④ $a=2$, $x=3$ ⑤ $a=3$, $x=2$

◆ 개념 112

x축에 평행한 직선 위의 모든 점의 y좌표는 일정하다.

09 오른쪽 그림과 같이 두 직선 $x+3y-6=0$, $x-y-2=0$과 y축으로 둘러싸인 삼각형의 넓이는?

① 4   ② 6   ③ 8

④ 10   ⑤ 12

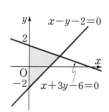

◆ 개념 113

좌표평면 위에서 세 직선으로 둘러싸인 부분은 삼각형이고, 직선의 교점의 좌표를 이용하여 넓이를 구한다.

10 두 직선 $3x+2y=a$, $bx-y=-3$의 교점이 무수히 많을 때, ab의 값은?

(단, a, b는 상수)

① -9 ② -8 ③ -7 ④ -6 ⑤ -5

◆ 개념 114

02. 일차함수

확인	공부한 날	self-check				
	/	06	07	08	09	10
		O X	O X	O X	O X	O X

개념 115 이차함수와 함숫값

1 이차함수

(1) 이차함수

함수 $y=f(x)$에서 $f(x)$가 x에 대한 이차식

$$y=ax^2+bx+c\,(a,\ b,\ c\text{는 상수},\ a\neq0)$$

로 나타내어질 때, 이 함수 f를 x에 대한 이차함수라 한다.

예 $y=\dfrac{1}{2}x^2,\ y=-3x^2+2,\ y=x^2+3x-1$

(2) 이차함수의 함숫값

이차함수 $f(x)=ax^2+bx+c$에서 $x=p$일 때의 함숫값 $f(p)$는

$$f(p)=ap^2+bp+c$$

참고 문자에 음수를 대입할 때에는 괄호를 사용한다.

---

115 1 다음 〈보기〉 중 이차함수인 것을 모두 골라라.

〈보기〉

ㄱ. $y=x^2+x$　　　ㄴ. $y=2x+1$　　　ㄷ. $y=(x+2)(x-1)$

ㄹ. $x^2-2x+1=0$　　　ㅁ. $y=\dfrac{1}{3}x^2$

---

115 2 다음에서 y를 x의 식으로 나타내고 y가 x에 대한 이차함수인지 말하여라.

(1) 한 변의 길이가 x cm인 정사각형의 둘레의 길이

(2) 반지름의 길이가 x cm인 구의 겉넓이 y cm²

(3) 시속 15 km로 x시간 동안 달린 거리 y km

---

115 3 함수 $f(x)=x^2+1$에 대하여 다음을 구하여라.

(1) $f(1)$　　　　　　　(2) $f(-2)$

절대개념 Focus

이차함수

① $y=ax^2+bx+c$

0이 아닌 상수　상수

② $y=(x$에 대한 이차식$)$

확인	공부한 날	self-check		
	/	115-1	115-2	115-3
		O X	O X	O X

이차함수 $y=x^2$, $y=-x^2$의 그래프

2 포물선

이차함수 $y=x^2$, $y=-x^2$의 그래프와 같은 모양의 곡선을 포물선이라 한다.

(1) 축 : 포물선은 선대칭도형이고, 그 대칭축을 포물선의 축이라 한다.

(2) 꼭짓점 : 포물선과 축의 교점을 꼭짓점이라 한다.

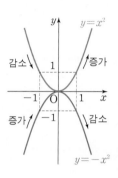

3 이차함수 $y=x^2$, $y=-x^2$의 그래프

	$y=x^2$	$y=-x^2$
그래프의 모양	아래로 볼록한 포물선	위로 볼록한 포물선
꼭짓점의 좌표	원점 $(0,\,0)$	원점 $(0,\,0)$
축의 방정식	$x=0$ (y축)	$x=0$ (y축)
그래프의 증가, 감소	• $x<0$일 때, x의 값이 증가하면 y의 값은 감소한다. • $x>0$일 때, x의 값이 증가하면 y의 값도 증가한다.	• $x<0$일 때, x의 값이 증가하면 y의 값도 증가한다. • $x>0$일 때, x의 값이 증가하면 y의 값은 감소한다.

함

수

1 학년

2 학년

3 학년

116 1 다음은 이차함수 $f(x)=x^2$의 그래프에 대한 설명이다. ☐ 안에 알맞은 것을 써넣어라.

(1) 꼭짓점의 좌표는 (☐, ☐)이다.

(2) 그래프가 점 $(-2,$ ☐$)$를 지난다.

(3) ☐로 볼록한 포물선이다.

(4) 축의 방정식은 ☐이다.

(5) ☐일 때, x의 값이 증가하면 y의 값도 증가한다.

(6) 제 ☐ 사분면, 제 ☐ 사분면을 지난다.

116 2 다음은 이차함수 $y=-x^2$의 그래프에 대한 설명이다. ☐ 안에 알맞은 것을 써넣어라.

(1) 꼭짓점의 좌표는 (☐, ☐)이다.

(2) 그래프가 점 $(3,$ ☐$)$를 지난다.

(3) ☐로 볼록한 포물선이다.

(4) 축의 방정식은 ☐이다.

(5) ☐일 때, x의 값이 증가하면 y의 값도 증가한다.

(6) 제 ☐ 사분면, 제 ☐ 사분면을 지난다.

절대개념 Focus

이차함수 $y=x^2$의 그래프

(1) 그래프의 모양은 아래로 볼록한 포물선이다.

(2) 꼭짓점의 좌표는 $(0,\,0)$이고 축의 방정식은 $x=0$이다.

(3) $x<0$일 때, x의 값이 증가하면 y의 값은 감소하고 $x>0$일 때 x의 값이 증가하면 y의 값도 증가한다.

이차함수 $y=ax^2$의 그래프

4 이차함수 $y=ax^2$의 그래프

	$y=ax^2 \, (a \neq 0)$
꼭짓점의 좌표	원점 $(0, \, 0)$
축의 방정식	$x=0$ $(y$축$)$
그래프의 모양	• $a>0$이면 아래로 볼록한 포물선 $\Rightarrow$ a의 부호에 따라 결정 • $a<0$이면 위로 볼록한 포물선
그래프의 폭	• a의 절댓값이 클수록 폭이 좁아진다. $\Rightarrow$ a의 절댓값의 크기에 따라 결정 • a의 절댓값이 작을수록 폭이 넓어진다.
y의 값의 범위	• $a>0$이면 $y \geq 0$ • $a<0$이면 $y \leq 0$

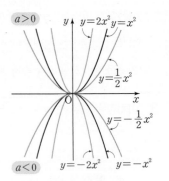

참고 이차함수 $y=ax^2$의 그래프와 $y=-ax^2$의 그래프는 x축에 대하여 서로 대칭이다.

---

117 1 다음 〈보기〉의 이차함수의 그래프에 대하여 물음에 답하여라.

〈보기〉
ㄱ. $y=3x^2$ ㄴ. $y=-\dfrac{1}{5}x^2$ ㄷ. $y=\dfrac{1}{3}x^2$

ㄹ. $y=-4x^2$ ㅁ. $y=2x^2$ ㅂ. $y=-3x^2$

(1) 그래프의 모양이 아래로 볼록한 이차함수의 그래프를 모두 골라라.

(2) 그래프의 폭이 가장 좁은 이차함수의 그래프를 골라라.

(3) x축에 대하여 서로 대칭인 포물선끼리 짝지어라.

---

117 2 다음은 이차함수 $y=3x^2$의 그래프에 대한 설명이다. □ 안에 알맞은 것을 써넣어라.

(1) 꼭짓점의 좌표는 $(\square, \square)$이다.

(2) □축을 축의 방정식으로 하고 □로 볼록하다.

(3) y의 값의 범위는 $y \square 0$이다.

> **절대개념 Focus**
>
> 이차함수 $y=ax^2$의 그래프
>
> • 꼭짓점의 좌표는 $(0, \, 0)$, 축의 방정식은 $x=0$이다.
>
> • $a>0$이면 아래로 볼록하고 $a<0$이면 위로 볼록하다.
> • a의 절댓값이 클수록 폭이 좁아진다.
>
> • 두 이차함수 $y=ax^2$, $y=-ax^2$의 그래프는 x축에 대하여 대칭이다.

---

117 3 이차함수 $y=ax^2$의 그래프가 다음 점을 지날 때, 상수 a의 값을 구하여라.

(1) 점 $(-1, \, 2)$ (2) 점 $(3, \, 27)$ (3) 점 $(6, \, -12)$

확인	공부한 날	self-check		
		117-1	117-2	117-3
	/	O X	O X	O X

이차함수 $y=ax^2+q$의 그래프

5 이차함수 $y=ax^2+q$의 그래프

이차함수 $y=ax^2+q$의 그래프는 이차함수 $y=ax^2$의 그래프를 y축의 방향으로 q만큼 평행이동한 것이다.

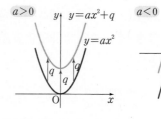 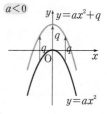

$$y=ax^2 \xrightarrow[\substack{q\text{만큼 평행이동}}]{\substack{y\text{축의 방향으로}}} y=ax^2+q$$

(1) 꼭짓점의 좌표 : $(0, \ q)$　　　　(2) 축의 방정식 : $x=0 \ (y$축$)$

예 이차함수 $y=x^2+1$의 그래프는

① $y=x^2$의 그래프를 y축의 방향으로 1만큼 평행이동한 것이다.

② 꼭짓점의 좌표는 $(0, \ 1)$이고 축의 방정식은 $x=0$이다.

참고 이차함수의 그래프를 평행이동하여도 x^2의 계수 a는 변하지 않으므로 그래프의 모양과 폭은 변하지 않는다.

---

118 1 이차함수 $y=x^2$의 그래프를 이용하여 $y=x^2+3$의 그래프를 오른쪽 좌표평면 위에 나타내고, ☐ 안에 알맞은 것을 써넣어라.

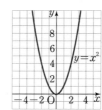

(1) $y=x^2 \xrightarrow[\boxed{}\text{만큼 평행이동}]{\boxed{}\text{축의 방향으로}} y=x^2+3$

(2) 꼭짓점의 좌표는 $\boxed{}$ 이고 축의 방정식은 $\boxed{}$ 이다.

---

118 2 주어진 이차함수의 그래프를 y축의 방향으로 [　] 안의 수만큼 평행이동할 때, 평행이동한 그래프에 대하여 다음을 구하여라.

	(1) $y=4x^2 \ [2]$	(2) $y=-x^2 \ [-3]$	(3) $y=\dfrac{2}{3}x^2 \ \left[-\dfrac{1}{2}\right]$	(4) $y=-\dfrac{1}{2}x^2 \ \left[\dfrac{1}{3}\right]$
그래프의 식				
꼭짓점의 좌표				
축의 방정식				
점 $(2, k)$를 지날 때, k의 값				

절대개념 Focus

이차함수 $y=ax^2+q$의 그래프

$y=ax^2$
• 꼭짓점의 좌표 : $(0, \ 0)$
• 축의 방정식 : $x=0$

y축의
방향으로
q만큼

$y=ax^2+q$
• 꼭짓점의 좌표 : $(0, \ q)$
• 축의 방정식 : $x=0$

확인	공부한 날	self-check	
	/	118-1	118-2
		O X	O X

6 이차함수 $y=a(x-p)^2$의 그래프

이차함수 $y=a(x-p)^2$의 그래프는 이차함수 $y=ax^2$의 그래프를 x축의 방향으로 p만큼 평행이동한 것이다.

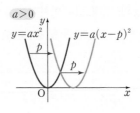
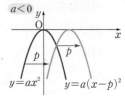

$$y=ax^2 \xrightarrow[p\text{만큼 평행이동}]{x\text{축의 방향으로}} y=a(x-p)^2$$

(1) 꼭짓점의 좌표 : $(p, 0)$　　　　(2) 축의 방정식 : $x=p$

예 이차함수 $y=(x-1)^2$의 그래프는

　① $y=x^2$의 그래프를 x축의 방향으로 1만큼 평행이동한 것이다.

　② 꼭짓점의 좌표는 $(1, 0)$이고 축의 방정식은 $x=1$이다.

참고 $y=a(x-p)^2$의 그래프에서 $a>0$일 때

　① x의 값이 증가할 때 y의 값도 증가하는 x의 값의 범위 ⇨ $x>p$

　② x의 값이 증가할 때 y의 값은 감소하는 x의 값의 범위 ⇨ $x<p$

---

119 1 이차함수 $y=x^2$의 그래프를 이용하여
$y=(x-2)^2$의 그래프를 오른쪽 좌표평면 위에 나타내고,
□ 안에 알맞은 것을 써넣어라.

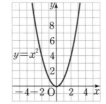

(1) $y=x^2 \xrightarrow[\boxed{}\text{만큼 평행이동}]{\boxed{}\text{축의 방향으로}} y=(x-2)^2$

(2) 꼭짓점의 좌표는 $\boxed{}$이고 축의 방정식은 $\boxed{}$이다.

---

119 2 주어진 이차함수의 그래프를 x축의 방향으로 [　] 안의 수만큼 평행
이동할 때, 평행이동한 그래프에 대하여 다음을 구하여라.

	(1) $y=4x^2$ [1]	(2) $y=-x^2 \left[-\frac{1}{2}\right]$	(3) $y=\frac{1}{3}x^2$ [2]	(4) $y=-\frac{3}{2}x^2$ [-3]
그래프의 식				
꼭짓점의 좌표				
축의 방정식				
점 $(2, k)$를 지날 때, k의 값				

절대개념 Focus

이차함수 $y=a(x-p)^2$의 그래프

$y=ax^2$
• 꼭짓점의 좌표 : $(0, 0)$
• 축의 방정식 : $x=0$

x축의
방향으로
p만큼

$y=a(x-p)^2$
• 꼭짓점의 좌표 : $(p, 0)$
• 축의 방정식 : $x=p$

확인	공부한 날	self-check	
	/	119-1	119-2
		O X	O X

개념 120 이차함수 $y=a(x-p)^2+q$의 그래프

7 이차함수 $y=a(x-p)^2+q$의 그래프

이차함수 $y=a(x-p)^2+q$의 그래프는 이차함수 $y=ax^2$의 그래프를 x축의 방향으로 p만큼, y축의 방향으로 q만큼 평행이동한 것이다.

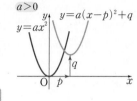

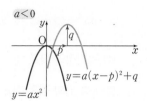

$$y=ax^2 \xrightarrow[\,y축의 방향으로 q만큼\,]{\,x축의 방향으로 p만큼\,} y=a(x-p)^2+q$$

(1) 꼭짓점의 좌표 : (p, q)　　　　(2) 축의 방정식 : $x=p$

참고 이차함수 그래프의 꼭짓점의 좌표
　① $y=ax^2 \Rightarrow (0, 0)$　　　　② $y=ax^2+q \Rightarrow (0, q)$
　③ $y=a(x-p)^2 \Rightarrow (p, 0)$　　④ $y=a(x-p)^2+q \Rightarrow (p, q)$

---

120 1 이차함수 $y=x^2$의 그래프를 이용하여
$y=(x-1)^2+2$의 그래프를 오른쪽 좌표평면 위에 나타내고, □ 안에 알맞은 것을 써넣어라.

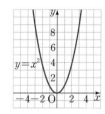

(1) $y=x^2 \xrightarrow[\,y축의 방향으로 \boxed{}만큼\,]{\,x축의 방향으로 \boxed{}만큼\,} y=(x-1)^2+2$

(2) 꼭짓점의 좌표는 $\boxed{}$ 이고 축의 방정식은 $\boxed{}$ 이다.

---

120 2 주어진 이차함수의 그래프를 [　] 안의 수만큼 차례로 x축, y축의 방향으로 평행이동할 때, 평행이동한 그래프에 대하여 다음을 구하여라.

	(1) $y=x^2$ $[-1, 3]$	(2) $y=-2x^2$ $\left[1, \dfrac{1}{3}\right]$	(3) $y=\dfrac{2}{3}x^2$ $[-2, -3]$
그래프의 식			
꼭짓점의 좌표			
축의 방정식			
점 $(2, k)$를 지날 때, k의 값			

절대개념 Focus

이차함수 $y=a(x-p)^2+q$의 그래프

$$y=ax^2$$
• 꼭짓점의 좌표 : $(0, 0)$
• 축의 방정식 : $x=0$

x축의 방향으로 p만큼　y축의 방향으로 q만큼

$$y=a(x-p)^2+q$$
• 꼭짓점의 좌표 : (p, q)
• 축의 방정식 : $x=p$

함
수
1학년
2학년
3학년

03. 이차함수

이차함수 $y=ax^2+bx+c$의 그래프

8 이차함수 $y=ax^2+bx+c$의 그래프 : $y=a(x-p)^2+q$의 꼴로 고쳐서 그린다.
┌→ 일반형   └→ 표준형

$$y=ax^2+bx+c \Rightarrow y=a\left(x+\frac{b}{2a}\right)^2-\frac{b^2-4ac}{4a}$$

(1) 꼭짓점의 좌표 : $\left(-\dfrac{b}{2a},\ -\dfrac{b^2-4ac}{4a}\right)$　　(2) 축의 방정식 : $x=-\dfrac{b}{2a}$

(3) y축 위의 점의 좌표 : $(0,\ c)$

9 이차함수 $y=ax^2+bx+c$의 그래프와 x축, y축과의 교점

(1) x축과의 교점 : $y=0$일 때의 x의 값을 구한다.

(2) y축과의 교점 : $x=0$일 때의 y의 값을 구한다.

> **고등 연계 개념**
>
> 이차함수와 이차방정식의 관계
> 이차함수 $y=ax^2+bx+c(a\neq0)$의 그래프와 x축의 교점의 x좌표는 이차방정식 $ax^2+bx+c=0$의 실근과 같다.

121 1 다음 이차함수를 $y=a(x-p)^2+q$의 꼴로 고치고 꼭짓점의 좌표와 축의 방정식을 차례로 구하여라.

(1) $y=-2x^2-4x$　　　　　(2) $y=\dfrac{1}{2}x^2+3x+2$

121 2 다음 이차함수의 그래프의 x축, y축과의 교점의 좌표를 차례로 구하여라.

(1) $y=3x^2-6x-9$　　　　　(2) $y=-x^2+4x+5$

절대개념 Focus

그래프와 x축, y축과의 교점

> x축과의 교점(x절편) :
> 그래프가 x축과 만나는 점의 x좌표로 $y=0$을 대입

> y축과의 교점(y절편) :
> 그래프가 y축과 만나는 점의 y좌표로 $x=0$을 대입

121 3 다음 이차함수의 그래프의 x절편, y절편을 각각 구하여라.

(1) $y=3x^2+6x-9$

(2) $y=-4x^2+6x+10$

확인	공부한 날	self-check		
		121-1	121-2	121-3
	/	O X	O X	O X

이차함수 $y=ax^2+bx+c$의 그래프의 평행이동

10 **이차함수 $y=ax^2+bx+c$의 그래프의 평행이동**

이차함수 $y=ax^2+bx+c$의 그래프를 x축의 방향으로 m만큼, y축의 방향으로 n만큼 평행이동한
그래프가 나타내는 이차함수의 식

$$y=ax^2+bx+c \Rightarrow y=a(x-p)^2+q \text{ 꼴로 변형}$$
$$\Rightarrow y-n=a(x-m-p)^2+q$$
$$\Rightarrow y=a(x-m-p)^2+q+n$$

(1) 꼭짓점의 좌표 : $(p, \; q) \longrightarrow (p+m, \; q+n)$

(2) 축의 방정식 : $x=p \longrightarrow x=p+m$

---

122 1 다음 이차함수의 그래프를 x축, y축의 방향으로 [　] 안의 수만큼
차례로 평행이동한 그래프가 나타내는 이차함수의 식을 $y=a(x-p)^2+q$의 꼴
로 나타내어라.

(1) $y=x^2-8x+3 \; [1, \; -1]$　　　(2) $y=-5x^2-10x+3 \; [-1, \; 5]$

(3) $y=-x^2-2x-3 \; [4, \; 3]$　　　(4) $y=2x^2-8x+12 \; [-1, \; -2]$

122 2 다음 이차함수의 그래프를 x축, y축의 방향으로 [　] 안의 수만큼
차례로 평행이동한 그래프의 꼭짓점의 좌표, 축의 방정식을 구하여라.

(1) $y=3x^2-12x+14 \; [-1, \; 3]$

(2) $y=-x^2+6x-8 \; [2, \; -1]$

(3) $y=-\dfrac{1}{2}x^2+x+\dfrac{11}{2} \; [1, \; 2]$

(4) $y=2x^2+8x+5 \; [3, \; 1]$

> **절대개념** Focus
>
> **이차함수 $y=ax^2+bx+c$의
> 그래프의 평행이동**
>
> 이차함수 $y=ax^2+bx+c$를
> $y=a(x-p)^2+q$의 꼴로 고쳐서
> x축의 방향으로 m만큼, y축의 방
> 향으로 n만큼 평행이동하면
> ① 꼭짓점의 좌표 :
> 　$(p, \; q) \Rightarrow (p+m, \; q+n)$
> ② 그래프의 식 :
> 　$y=a(x-m-p)^2+q+n$

확인	공부한 날	self-check	
		122-1	122-2
	/	O X	O X

이차함수 $y=ax^2+bx+c$의 그래프에서 a, b, c의 부호

11 이차함수 $y=ax^2+bx+c$의 그래프에서 a, b, c의 부호

(1) a의 부호 : 그래프의 모양에 따라 결정된다.

   ① 아래로 볼록한 포물선 ⇨ $a>0$ ② 위로 볼록한 포물선 ⇨ $a<0$

(2) b의 부호 : 축의 위치에 따라 결정된다.

   ① 축이 y축의 왼쪽에 위치 ⇨ a, b는 서로 같은 부호 $(ab>0)$

   ② 축이 y축과 일치 ⇨ $b=0$

   ③ 축이 y축의 오른쪽에 위치 ⇨ a, b는 서로 다른 부호 $(ab<0)$

(3) c의 부호 : y축과의 교점의 위치에 따라 결정된다.

   ① y축과의 교점이 x축보다 위쪽 ⇨ $c>0$

   ② 원점을 지날 때 ⇨ $c=0$

   ③ y축과의 교점이 x축보다 아래쪽 ⇨ $c<0$

---

123 1 이차함수 $y=ax^2+bx+c$의 그래프가 오른쪽 그림과 같을 때, ☐ 안에 알맞은 것을 써넣어라.

(1) 포물선이 ☐로 볼록하므로 a☐0이다.

(2) 포물선의 축이 y축의 ☐쪽에 있으므로 ab☐0에서 b☐0이다.

(3) 포물선의 y절편이 ☐이므로 c☐0이다.

---

123 2 이차함수 $y=ax^2+bx+c$의 그래프가 다음 그림과 같을 때, a, b, c의 값 또는 부호를 말하여라.

(1)
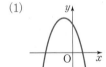

(2)
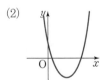

(3)
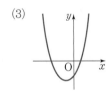

(4)
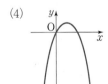

절대개념 Focus

이차함수 $y=ax^2+bx+c$의 그래프에서 a, b의 부호

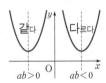

① 축이 y축의 왼쪽에 있으면

$$-\frac{b}{2a}<0 \Rightarrow ab>0$$

즉, a, b는 서로 같은 부호

② 축이 y축의 오른쪽에 있으면

$$-\frac{b}{2a}>0 \Rightarrow ab<0$$

즉, a, b는 서로 다른 부호

확인	공부한 날	self-check	
	/	123-1	123-2
		O X	O X

이차함수의 식 구하기(1)

12 꼭짓점의 좌표 (p, q)와 그래프 위의 한 점을 알 때

① 이차함수의 식을 $y=a(x-p)^2+q$로 놓는다.

② 한 점의 좌표를 대입하여 a의 값을 구한다.

예 그래프의 꼭짓점의 좌표가 $(-1, 1)$이고, 점 $(1, 5)$를 지나는 이차함수의 식을 $y=a(x+1)^2+1$로 놓고

$x=1$, $y=5$를 대입하면

$$5=a(1+1)^2+1 \quad \therefore a=1$$
$$\therefore y=(x+1)^2+1=x^2+2x+2$$

개념 Plus⁺ 꼭짓점의 좌표에 따른 이차함수의 식을 오른쪽과 같이 놓으면 편리하다.

꼭짓점의 좌표	이차함수의 식
$(0, 0)$	$y=ax^2$
$(0, q)$	$y=ax^2+q$
$(p, 0)$	$y=a(x-p)^2$
(p, q)	$y=a(x-p)^2+q$

124 1 다음 조건을 만족하는 이차함수의 식을 $y=ax^2+bx+c$의 꼴로 나타내어라.

(1) 꼭짓점의 좌표가 $(3, 5)$이고 점 $(1, -3)$을 지나는 포물선

(2) 꼭짓점의 좌표가 $(-2, -2)$이고 x축과 점 $(-1, 0)$에서 만나는 포물선

(3) 꼭짓점의 좌표가 $(-1, 2)$이고 y절편이 5인 포물선

124 2 다음 그림이 나타내는 이차함수의 식을 $y=ax^2+bx+c$의 꼴로 나타내어라.

(1)
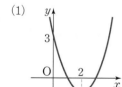

(2)
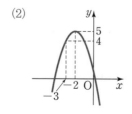

절대개념 Focus

이차함수의 식 구하기(1)

꼭짓점 (p, q)와 한 점의 좌표를 알 때

(i) $y=a(x-p)^2+q$로 놓는다.

(ii) 한 점의 좌표를 식에 대입한다.

확인	공부한 날	self-check	
	/	124-1	124-2
		○ X	○ X

13 축의 방정식 $x=p$와 그래프 위의 두 점을 알 때

① 이차함수의 식을 $y=a(x-p)^2+q$로 놓는다.

② ①의 식에 두 점의 좌표를 각각 대입하여 a, q의 값을 구한다.

예 축의 방정식이 $x=-2$이고, 두 점 $(0, -5)$, $(2, 7)$을 지나는 이차함수의 식을 $y=a(x+2)^2+q$로 놓고

$x=0$, $y=-5$를 대입하면

$\qquad -5=a(0+2)^2+q \qquad \therefore 4a+q=-5 \qquad \cdots\cdots \text{㉠}$

$x=2$, $y=7$을 대입하면 $7=a(2+2)^2+q \qquad \therefore 16a+q=7 \qquad \cdots\cdots \text{㉡}$

㉠, ㉡을 연립하여 풀면 $a=1$, $q=-9 \qquad \therefore y=(x+2)^2-9=x^2+4x-5$

개념 Plus⁺ 축의 방정식에 따른 이차함수의 식을 오른쪽과 같이 놓으면 편리하다.

축의 방정식	이차함수의 식
$x=0$	$y=ax^2+q$
$x=p$	$y=a(x-p)^2+q$

---

125 1 다음 조건을 만족하는 이차함수의 식을 $y=ax^2+bx+c$의 꼴로 나타내어라.

(1) 축의 방정식이 $x=2$이고 두 점 $(1, 7)$, $(0, 4)$를 지나는 포물선

(2) 축의 방정식이 $x=-2$이고, 두 점 $(-1, 1)$, $(-2, 3)$을 지나는 포물선

(3) 직선 $x=1$을 축으로 하고 두 점 $(-1, 12)$, $(0, 6)$을 지나는 포물선

125 2 다음 그림이 나타내는 이차함수의 식을 $y=ax^2+bx+c$의 꼴로 나타내어라.

(1)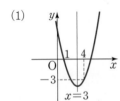

(2)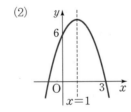

절대개념 Focus

이차함수의 식 구하기(2)

축 $x=p$와 서로 다른 두 점의 좌표를 알 때

(ⅰ) $y=a(x-p)^2+q$로 놓는다.

(ⅱ) 두 점의 좌표를 식에 각각 대입한다.

확인	공부한 날	self-check	
		125-1	125-2
	/	O X	O X

개념 126 이차함수의 식 구하기(3)

14 서로 다른 세 점을 알 때

① 이차함수의 식을 $y=ax^2+bx+c$로 놓는다.

② ①의 식에 세 점의 좌표를 각각 대입하여 a, b, c의 값을 구한다.

예 세 점 $(-2, 4)$, $(0, -2)$, $(2, 0)$을 지나는 이차함수의 식을 $y=ax^2+bx+c$로 놓고

$x=-2$, $y=4$를 대입하면 $4a-2b+c=4$ …… ㉠

$x=0$, $y=-2$를 대입하면 $c=-2$ …… ㉡

$x=2$, $y=0$을 대입하면 $4a+2b+c=0$ …… ㉢

㉠, ㉡, ㉢을 연립하여 풀면 $a=1$, $b=-1$, $c=-2$ ∴ $y=x^2-x-2$

참고 x축과의 두 교점 $(\alpha, 0)$, $(\beta, 0)$과 그래프 위의 다른 한 점을 알 때

⇨ 이차함수의 식을 $y=a(x-\alpha)(x-\beta)$로 놓고 다른 한 점의 좌표를 대입하여 a의 값을 구한다.

---

126 1 다음 조건을 만족하는 이차함수의 식을 $y=ax^2+bx+c$의 꼴로 나타내어라.

(1) 세 점 $(0, 4)$, $(1, 5)$, $(-1, 9)$를 지나는 포물선

(2) 세 점 $(2, 0)$, $(3, 0)$, $(1, 4)$를 지나는 포물선

(3) 세 점 $(0, 1)$, $(2, 1)$, $(3, 7)$을 지나는 포물선

(4) 세 점 $(-3, 0)$, $(-1, 0)$, $(0, -1)$을 지나는 포물선

126 2 다음 그림이 나타내는 이차함수의 식을 $y=ax^2+bx+c$의 꼴로 나타내어라.

(1)
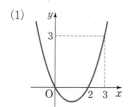

(2)
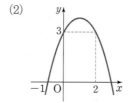

절대개념 Focus

이차함수의 식 구하기(3)

서로 다른 세 점의 좌표를 알 때

(i) $y=ax^2+bx+c$로 놓는다.

(ii) 세 점의 좌표를 식에 각각 대입한다.

확인	공부한 날	self-check	
	/	126-1	126-2
		O X	O X

탄탄한 중단원 문제

01
이차함수 $f(x)$에서 $y=x^2-3x+a$이고 $f(-2)=7$일 때, a의 값은?

(단, a는 상수)

① -4 ② -3 ③ -2 ④ -1 ⑤ 0

개념 115

함숫값 $f(a)$는 $y=f(x)$에 x 대신 a를 대입하여 얻은 값이다.

02
다음 〈보기〉의 이차함수의 그래프에 대한 설명으로 옳지 <u>않은</u> 것은?

〈보기〉

ㄱ. $y=-\dfrac{1}{4}x^2$ ㄴ. $y=5x^2$ ㄷ. $y=-5x^2$ ㄹ. $y=\dfrac{1}{3}x^2$

① 폭이 가장 넓은 것은 ㄱ이다.
② 위로 볼록한 포물선은 ㄱ, ㄷ이다.
③ x축에 대하여 서로 대칭인 것은 ㄴ, ㄷ이다.
④ $x<0$일 때, x의 값이 증가하면 y의 값도 증가하는 것은 ㄴ, ㄹ이다.
⑤ 원점을 지나는 것은 ㄱ, ㄴ, ㄷ, ㄹ이다.

개념 117

$y=ax^2$의 그래프는 a의 부호에 따라 그래프의 모양이, a의 절댓값에 따라 그래프의 폭이 결정된다.

03
이차함수 $y=ax^2+1$의 그래프가 두 점 $(2, -1)$, $(-4, b)$를 지날 때, 상수 a, b에 대하여 ab의 값을 구하여라.

개념 118

04
다음 〈보기〉 중 이차함수 $y=-(x-3)^2+4$의 그래프에 대한 설명으로 옳은 것을 모두 고른 것은?

〈보기〉

ㄱ. 꼭짓점의 좌표는 $(3, 4)$이다.
ㄴ. 제 1, 2, 4사분면을 지난다.
ㄷ. y의 값의 범위는 $y\leq3$이다.
ㄹ. 이차함수 $y=-x^2$의 그래프를 x축의 방향으로 3만큼, y축의 방향으로 4만큼 평행 이동하면 얻을 수 있다.

① ㄱ, ㄴ   ② ㄱ, ㄷ   ③ ㄱ, ㄹ
④ ㄴ, ㄷ   ⑤ ㄴ, ㄹ

개념 120

확인	공부한 날	self-check			
		01	02	03	04
	/	O X	O X	O X	O X

05 이차함수 $y=x^2-8x+k$의 그래프를 x축의 방향으로 3만큼, y축의 방향으로 -2만큼 평행이동한 그래프가 점 $(1, 15)$를 지날 때, 상수 k의 값은?

① -1 ② -2 ③ -3 ④ -4 ⑤ -5

🔖 개념 **122**

평행이동한 그래프의 식에 그래프가 지나는 점을 대입하여 미지수의 값을 구한다.

06 $a>0$, $b<0$, $c<0$일 때, 다음 중 이차함수 $y=ax^2+bx+c$의 그래프의 개형으로 알맞은 것은?

🔖 개념 **123**

a의 부호는 그래프의 모양, b의 부호는 축의 위치, c의 부호는 y축과의 교점의 위치에 따라 결정한다.

함
수
1학년
2학년
3학년

07 오른쪽 그림과 같은 그래프가 나타내는 이차함수의 식이 $y=ax^2+bx+c$일 때, $a+b+c$의 값은?

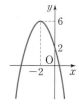

① -5 ② -4 ③ -3
④ -2 ⑤ -1

🔖 개념 **124**

08 축의 방정식이 $x=3$이고 꼭짓점이 x축 위에 있는 이차함수의 그래프가 점 $(2, 4)$를 지날 때, 이 그래프의 y절편은?

① 18 ② 36 ③ 40 ④ 42 ⑤ 54

🔖 개념 **125**

09 이차함수 $y=ax^2+bx+c$의 그래프가 x축과 두 점 $(-3, 0)$, $(2, 0)$에서 만나고 점 $(-1, 6)$을 지날 때, 상수 a, b, c에 대하여 abc의 값은?

① 1 ② 2 ③ 3 ④ 6 ⑤ 12

🔖 개념 **126**

03. 이차함수

확인	공부한 날	self-check				
	/	05	06	07	08	09
		O X	O X	O X	O X	O X

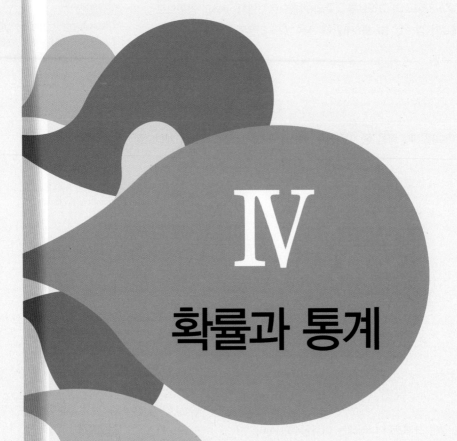

IV

확률과 통계

개념 127 줄기와 잎 그림

1 줄기와 잎 그림

(1) 변량 : 키, 몸무게, 성적 등과 같이 자료를 수량으로 나타낸 것

(2) 줄기와 잎 그림 : 줄기와 잎을 이용하여 자료를 나타낸 그림

> 참고 ① 세로선의 왼쪽에 있는 수를 줄기, 오른쪽에 있는 수를 잎이라 한다.
> ② 줄기와 잎 그림은 조사한 자료의 각각의 변량과 분포 상태를 동시에 쉽게 파악할 수 있는 장점이 있지만 자료의 크기가 클 때에는 적당하지 않다.

(3) 줄기와 잎 그림 그리기

① 줄기와 잎을 정한다.

② 세로선을 긋고, 세로선의 왼쪽에 줄기의 수를 쓴다.

③ 오른쪽에 잎의 수를 크기가 작은 순서대로 쓴다.

④ $a \mid b$ 를 설명한다.

[자료] (단위 : 회)

74	75	82	90	79
87	77	88	78	92

↓

[줄기와 잎 그림]

세로선 → (7|4는 74회)

줄기	잎
7	4 5 7 8 9
8	2 7 8
9	0 2

→ 일의 자리
→ 십의 자리

---

127 1 아래 자료는 어느 모임 사람들의 나이를 조사하여 나타낸 것이다. 물음에 답하여라.

(단위 : 살)

15	18	21	24	39	42
35	41	24	37	45	35
34	20	35	17	38	34

[나이] (1|5는 15살)

줄기	잎

줄기와 잎 그림에서 잎을 쓸 때 중복되는 수는 빠짐없이 모두 써야 해~

(1) 자료를 보고 줄기와 잎 그림으로 나타내어라.

(2) 나이가 가장 많이 분포되어 있는 나이대를 말하여라.

(3) 나이가 적은 쪽에서 5번째인 사람의 나이를 구하여라.

---

127 2 오른쪽 그림은 정혁이네 반 학생들의 키를 조사하여 줄기와 잎 그림으로 나타낸 것이다. 물음에 답하여라.

(1) 정혁이네 반 학생은 모두 몇 명인지 구하여라.

(2) 정혁이의 키가 150 cm일 때, 정혁이보다 키가 큰 학생은 몇 명인지 구하여라.

[학생들의 키] (13|5는 135 cm)

줄기	잎
13	5 7 7 8 9 9
14	0 2 5 7 8 9 9
15	0 2 2 5 5 7 8 9
16	0 1 4 6

절대개념 Focus

줄기와 잎 그림

[나이] (1|5는 15살)

줄기	잎
1	5 6 6 7 8
2	2 3 4 4

① 나이가 16살인 사람이 2명일 때, 줄기가 1인 잎에 6을 2번 적는다.

② 잎의 수를 크기가 작은 순서대로 나열하면 자료를 분석할 때 편리하다.

확인	공부한 날	self-check	
	/	127-1	127-2
		O X	O X

개념 128 도수분포표

한자 용어 풀이
- 도수(빈도 度, 셀 數)
  ⇨ 빈도를 센 숫자

2 도수분포표

(1) **계급** : 변량을 일정한 간격으로 나눈 구간

    ① **계급의 크기** : 구간의 너비 또는 계급의 양 끝값의 차

    ② **계급의 개수** : 변량을 나눈 구간의 수

    ③ **계급값** : 계급을 대표하는 값으로 그 계급의 가운데 값

$$(계급값) = \frac{(계급의 \ 양 \ 끝값의 \ 합)}{2}$$

$\longrightarrow a$ 이상 b 미만인 계급의 계급값 : $\dfrac{a+b}{2}$

(2) **도수** : 각 계급에 속하는 자료의 개수

(3) **도수분포표** : 주어진 자료를 몇 개의 계급으로 나누고, 각 계급에 속하는 도수를 조사하여 나타낸 표

참고 계급, 계급의 크기, 계급값, 도수 등은 항상 단위를 포함하여 말한다.

[자료] (단위 : kg)

32	56	40	47	52
66	55	44	38	58

↓

[도수분포표]

몸무게(kg)		학생 수(명)
$30^{이상} \sim 40^{미만}$	//	2
40 ～ 50	///	3
50 ～ 60	////	4
60 ～ 70	/	1
합계		10

계급 ← (왼쪽), 도수 → (오른쪽)

3 도수분포표 작성 순서

    ① 주어진 자료에서 가장 작은 변량과 가장 큰 변량을 찾는다.

    ② 계급의 개수가 5～15개 정도가 되도록 계급의 크기를 정한다.

    ③ 각 계급에 속하는 변량의 개수를 세어 계급의 도수를 구한다.

---

128 1 오른쪽 표는 영호네 반 학생 40명의 영어 성적을 조사하여 나타낸 도수분포표이다. 다음 물음에 답하여라.

영어 성적(점)	학생 수(명)
$40^{이상} \sim 50^{미만}$	2
50 ～ 60	10
60 ～ 70	9
70 ～ 80	A
80 ～ 90	7
90 ～ 100	4
합계	40

(1) A의 값을 구하여라.

(2) 계급의 크기를 구하여라.

(3) 계급값이 65점인 계급의 도수를 구하여라.

(4) 영어 성적이 58점인 학생이 속하는 계급의 계급값을 구하여라.

(5) 영어 성적이 60점 미만인 학생들은 전체의 몇 %인지 구하여라.

(6) 영어 성적이 7번째로 높은 학생이 속하는 계급을 구하여라.

절대개념 Focus

도수분포표

시간(분)		도수
$5^{이상} \sim 10^{미만}$		2
10 ～ 15		3
15 ～ 20		3
20 ～ 25		1
25 ～ 30		1
합계		10

계급 ← (왼쪽), 도수 → (오른쪽)

계급의 크기 $10-5=5$(분)

계급값 $\dfrac{20+25}{2}=22.5$(분)

확인	공부한 날	self-check
	/	128-1
		O X

4 히스토그램

(1) **히스토그램** : 도수분포표의 각 계급을 가로축에, 그 계급에 속하는
도수를 세로축에 표시하여 직사각형으로 나타낸 그래프

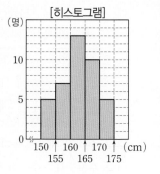

(2) **히스토그램을 그리는 순서**

① 가로축에 계급의 양 끝값을, 세로축에 도수를 차례로 써넣는다.

② 계급의 크기를 가로로, 도수를 세로로 하는 직사각형을 차례로
그린다.

(3) **히스토그램의 특징**

① 도수분포표보다 자료의 분포 상태를 쉽게 알 수 있다.

② 각 직사각형의 넓이는 그 계급의 도수에 정비례한다.

③ (직사각형의 넓이의 합)=[{(각 계급의 크기)×(그 계급의 도수)}의 합]

=(계급의 크기)×(도수의 총합)

**개념
Plus⁺**

히스토그램에서
① (계급의 개수)=(직사각형의 개수)   ② (계급의 크기)=(직사각형의 가로의 길이)   ③ (도수)=(직사각형의 세로의 길이)

---

129 1 오른쪽 그림은 영주네 반 학생들의 한
달 동안의 동아리 활동 시간을 조사하여 나타낸
히스토그램이다. 다음을 구하여라.

(1) 계급의 크기와 계급의 개수

(2) 도수가 가장 큰 계급의 직사각형의 넓이

(3) 직사각형의 넓이의 합

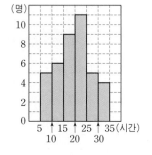

129 2 오른쪽 그림은 꿈틀중학교 1학년 2반
학생들의 과학 성적을 조사하여 나타낸 히스토그
램이다. 다음 물음에 답하여라.

(1) 과학 성적이 80점 이상 90점 미만인 학생
은 모두 몇 명인지 구하여라.

(2) 전체 학생 수를 구하여라.

(3) 과학 성적이 70점 미만인 학생은 전체의 몇
%인지 구하여라.

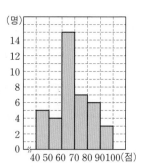

절대개념 Focus

히스토그램 그리기

가로축 : 각 계급의 양 끝값을 나
타낸다.

↓

세로축 : 도수를 나타낸다.

↓

각 계급의 크기를 가로로 하고,
도수를 세로로 하는 직사각형을
그린다.

확인	공부한 날	self-check	
		129-1	129-2
	/	O X	O X

개념 130 도수분포다각형

5 도수분포다각형

(1) **도수분포다각형** : 히스토그램에서 각 직사각형의 윗변의 가운데 점을 차례로 선분으로 연결하여 그린 다각형 모양의 그래프

(2) **도수분포다각형을 그리는 순서**

① 히스토그램에서 각 직사각형의 윗변의 가운데 점을 표시한다.

② 양 끝에 도수가 0인 계급을 하나씩 추가하여 그 가운데 점을 표시한 후 점들을 차례로 선분으로 연결한다.

(3) **도수분포다각형의 특징**

① 도수의 분포 상태를 연속적으로 관찰할 수 있다.

② (도수분포다각형과 가로축으로 둘러싸인 부분의 넓이)
= (히스토그램의 각 직사각형의 넓이의 합)

③ 2개 이상의 자료의 분포 상태를 한눈에 비교할 수 있다.

예 오른쪽 그림과 같이 A, B 두 반의 성적에 대한 도수분포다각형에서 자료의 분포 상태를 비교할 때, B반의 점수가 A반의 점수보다 대체로 높음을 알 수 있다.

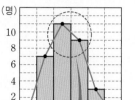
[도수분포다각형]

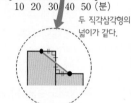
두 직각삼각형의 넓이가 같다.

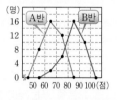

확률과 통계
1학년
2학년
3학년

---

130 1 오른쪽 그림은 승현이네 반 학생들의 5분 동안의 줄넘기 횟수를 조사하여 나타낸 그래프이다. 다음을 구하여라.

(1) 계급의 개수

(2) 도수가 가장 큰 계급의 계급값

(3) 도수분포다각형과 가로축으로 둘러싸인 부분의 넓이

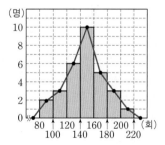

계급의 개수를 구할 때, 양 끝의 도수가 0인 계급은 포함하지 않아~

---

130 2 오른쪽 그림은 승완이네 반 학생들이 1학기 동안 도서관을 이용한 횟수를 조사하여 나타낸 도수분포다각형이다. 다음 물음에 답하여라.

(1) 도수가 10명인 계급의 계급값을 구하여라.

(2) 도서관을 이용한 횟수가 17회인 학생이 속하는 계급의 도수를 구하여라.

(3) 도서관을 이용한 횟수가 12회 이상인 학생은 전체의 몇 %인지 구하여라.

절대개념 Focus

도수분포다각형의 이해

(도수분포다각형과 가로축으로 둘러싸인 부분의 넓이)

= (히스토그램의 각 직사각형의 넓이의 합)

= (계급의 크기) × (도수의 총합)

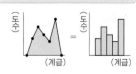

01. 도수분포와 그래프

6 상대도수

(1) **상대도수** : 각 계급의 도수가 전체 도수에서 차지하는 비율

$$(어떤 계급의 상대도수) = \frac{(그 계급의 도수)}{(전체 도수)}$$

(2) **상대도수의 특징**

① 상대도수의 총합은 항상 1이다.

② 각 계급의 상대도수는 그 계급의 도수에 정비례한다.

③ 전체 도수가 다른 두 집단의 분포 상태를 비교할 때 상대도수를 이용하면 편리하다.

> 참고 $(상대도수의 총합) = \frac{(각 계급의 도수의 합)}{(전체 도수)} = \frac{(전체 도수)}{(전체 도수)} = 1$

(3) **상대도수의 분포표** : 각 계급의 상대도수를 나타낸 표

[상대도수의 분포표]

계급(점)	도수(명)	상대도수
$60^{이상} \sim 70^{미만}$	2	$\frac{2}{20} = 0.1$
70 ~ 80	6	$\frac{6}{20} = 0.3$
80 ~ 90	8	$\frac{8}{20} = 0.4$
90 ~ 100	4	$\frac{4}{20} = 0.2$
합계	20	1

개념 Plus⁺

• (백분율) = (해당 계급의 상대도수) × 100(%)

---

131 1 오른쪽 표는 장마철 50일간의 일일 강수량을 조사하여 나타낸 상대도수의 분포표이다. 다음 물음에 답하여라.

일일 강수량(mm)	도수(일)	상대도수
$0^{이상} \sim 10^{미만}$	7	
10 ~ 20	15	
20 ~ 30	14	
30 ~ 40	6	
40 ~ 50	8	
합계	50	

(1) 일일 강수량에 대한 상대도수의 분포표를 완성하여라.

(2) 상대도수가 가장 큰 계급의 계급값을 구하여라.

(3) 일일 강수량이 20 mm 미만인 날은 전체의 몇 %인지 구하여라.

131 2 오른쪽 표는 백호중학교 1학년 7반 학생들의 농구공으로 자유투를 12번씩 각각 던져 성공한 횟수를 조사하여 나타낸 상대도수의 분포표이다. A, B, C, D, E의 값을 각각 구하여라.

성공 횟수(회)	학생 수(명)	상대도수
$2^{이상} \sim 4^{미만}$	5	0.1
4 ~ 6	7	A
6 ~ 8	C	B
8 ~ 10	13	0.26
10 ~ 12	D	0.2
합계		E

절대개념 Focus

상대도수, 도수, 전체 도수

① (어떤 계급의 도수)
= (전체 도수) × (그 계급의 상대도수)

② (전체 도수)
$= \frac{(그 계급의 도수)}{(어떤 계급의 상대도수)}$

확인	공부한 날	self-check
	/	131-1 | 131-2
		O X | O X

7 상대도수의 분포를 나타낸 그래프

(1) 상대도수의 분포를 나타낸 그래프 : 상대
도수의 분포표를 히스토그램이나 도수분
포다각형과 같은 모양으로 나타낸 그래프

(2) 상대도수의 분포를 나타낸 그래프 그리기
　① 가로축에 계급의 양 끝값, 세로축에 상
　　대도수를 차례로 표시한다.
　② 히스토그램이나 도수분포다각형과 같은 모양으로 그린다.

[상대도수의 분포표]

계급(점)	상대도수
60^{이상} ~ 70^{미만}	0.1
70 ~ 80	0.3
80 ~ 90	0.4
90 ~ 100	0.2
합계	1

[상대도수의 분포를 나타낸 그래프]

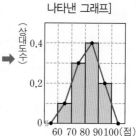

8 상대도수의 분포를 나타낸 그래프의 활용 : 전체 도수가 다른 두 자료는

① 한 그래프에 나타내어 비교하면 한눈에 두 자료의 분포 상태를 쉽게 알 수 있다.

② 도수를 그대로 비교하지 않고 상대도수를 구하여 각 계급별로 비교한다.

> **개념 Plus+**
> • 상대도수의 분포를 나타낸 그래프와 가로축으로 둘러싸인 부분의 넓이는 계급의 크기와 같다.
> • (넓이)=(계급의 크기)×(상대도수의 총합)=(계급의 크기)

---

132 1 오른쪽 표는 한강중학교 특별
활동 볼링반 남학생 50명과 여학생 40명
의 볼링 점수를 조사하여 나타낸 도수분포
표이다. 다음 물음에 답하여라.

볼링 점수(점)	학생 수(명)	
	남학생	여학생
40^{이상} ~ 70^{미만}	10	4
70 ~ 100	20	12
100 ~ 130	15	16
130 ~ 160	5	8
합계	50	40

(1) 남학생과 여학생에 대한 상대도수의
분포표를 완성하고, 상대도수의 분
포를 도수분포다각형 모양으로 나타내어라.

볼링 점수(점)	상대도수	
	남학생	여학생
40^{이상} ~ 70^{미만}		
70 ~ 100		
100 ~ 130		
130 ~ 160		
합계		

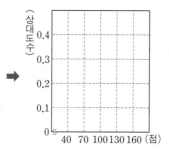

(2) 남학생이 여학생보다 상대도수가 더 큰 계급을 모두 말하여라.

(3) 남학생과 여학생 중 볼링을 더 잘 치는 학생은 어느 쪽이 상대적으로 더
많은지 말하여라.

> **절대개념 Focus**
>
> 상대도수의 분포를 나타낸 그래프
> 그리기
>
> 가로축 : 각 계급의 양 끝값을
> 　　　　나타낸다.
> ↓
> 세로축 : 상대도수를 나타낸다.
> ↓
> 히스토그램이나 도수분포다각형
> 과 같은 모양으로 그린다.

확인	공부한 날	self-check
	/	132-1
		O X

01 오른쪽 그림은 정수네 마을 사람들의 나이를 조사하여 나타낸 줄기와 잎 그림이다. 다음 중 옳지 <u>않은</u> 것은?

① 전체 마을 사람 수는 25명이다.
② 줄기가 2인 잎의 개수는 3개이다.
③ 잎이 가장 많은 줄기는 6이다.
④ 가장 나이가 많은 사람의 나이는 62살이다.
⑤ 나이가 54살인 사람은 나이가 많은 편이다.

[마을 사람들의 나이]
(2|8은 28살)

줄기	잎
2	8 9 9
3	1 4 4 6 7 7 7
4	0 1 2 4 5 7 8 9
5	3 3 4 6 8
6	1 2

개념 127
중복된 자료의 값은 중복된 횟수만큼 나열한다.

02 오른쪽 표는 지현이네 반 학생들의 국어 점수를 조사하여 나타낸 도수분포표이다. 다음 중 옳지 <u>않은</u> 것은?

① 계급의 크기는 10점이다.
② 점수가 70점 미만인 학생 수는 6명이다.
③ 점수가 70점 이상 80점 미만인 학생 수는 10명이다.
④ 도수가 가장 작은 계급의 계급값은 55점이다.
⑤ 점수가 높은 쪽에서 10번째인 학생이 속하는 계급은 80점 이상 90점 미만이다.

국어 점수(점)	학생 수(명)
50^{이상} ~ 60^{미만}	2
60 ~ 70	4
70 ~ 80	
80 ~ 90	8
90 ~ 100	6
합계	40

개념 128
(계급값)
$= \dfrac{(계급의\ 양\ 끝값의\ 합)}{2}$

[03~04] 오른쪽 그림은 어느 반 여학생의 멀리던지기 기록을 조사하여 나타낸 히스토그램의 일부이다. 기록이 11 m 이상 13 m 미만인 학생이 전체의 15 %일 때, 다음 물음에 답하여라.

03 전체 학생 수를 구하여라.

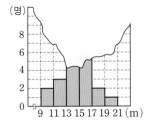

개념 129
(어떤 계급의 도수)
=(도수의 총합)
 −(나머지 계급의 도수의 합)

04 기록이 15 m 미만인 학생이 전체의 50%일 때, 기록이 15 m 이상 17 m 미만인 학생 수는?

① 5명
② 6명
③ 7명
④ 8명
⑤ 9명

확인	공부한 날	self-check			
	/	01	02	03	04
		O X	O X	O X	O X

[05～06] 오른쪽 그림은 멍멍이 농장에서 키우는 개의 무게를 조사하여 나타낸 도수분포다각형이다. 다음 물음에 답하여라.

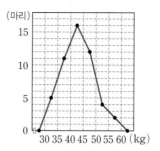

◆♣ 개념 130

05 도수가 가장 큰 계급의 계급값을 a kg, 도수가 가장 작은 계급의 계급값을 b kg이라 할 때, $b-a$의 값을 구하여라.

06 무게가 40 kg 미만인 개는 전체의 몇 %인가?

① 24 %　　② 28 %　　③ 32 %　　④ 36 %　　⑤ 40 %

[07～08] 오른쪽 그림은 지훈이네 반 학생 40명의 일주일 동안의 라디오 청취 시간에 대한 상대도수의 분포를 나타낸 그래프이다. 다음 물음에 답하여라.

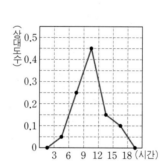

◆♣ 개념 132

상대도수의 분포를 나타낸 그래프에서 백분율(%)은 (해당 계급의 상대도수의 합) $\times 100$(%)임을 이용한다.

07 라디오 청취 시간이 12시간 이상 15시간 미만인 학생 수를 구하여라.

08 라디오 청취 시간이 9시간 미만인 학생은 전체의 몇 %인가?

① 15 %　　② 20 %　　③ 25 %　　④ 30 %　　⑤ 35 %

09 오른쪽 그림은 A, B 두 중학교 학생들의 일주일 동안의 운동 시간에 대한 상대도수의 분포를 나타낸 그래프이다. 다음 설명 중 옳은 것을 모두 고르면? (정답 2개)

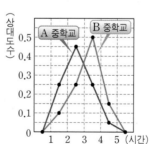

◆♣ 개념 132

(어떤 계급의 도수) ＝(전체 도수)×(그 계급의 상대도수)임을 이용한다.

① A 중학교 학생들의 운동 시간이 더 길다.
② A, B 두 중학교의 전체 학생 수는 같다.
③ A 중학교에서 운동 시간이 2시간 이상 3시간 미만인 학생은 A 중학교 전체의 45 %이다.
④ B 중학교의 전체 학생 수가 40명일 때, B 중학교에서 운동 시간이 3시간 미만인 학생 수는 14명이다.
⑤ 두 그래프와 가로축으로 둘러싸인 부분의 넓이는 서로 다르다.

확인	공부한 날	self-check				
	/	05	06	07	08	09
		O X	O X	O X	O X	O X

경우의 수

1 사건과 경우의 수

(1) 사건 : 실험이나 관찰에 의하여 일어나는 결과

(2) 경우의 수 : 어떤 사건이 일어날 수 있는 모든 가짓수

2 사건 A 또는 사건 B가 일어나는 경우의 수(합의 법칙)

두 사건 A, B가 동시에 일어나지 않을 때, 한 사건 A가 일어나는 경우의 수가 m가지이고, 다른 사건 B가 일어나는 경우의 수가 n가지이면

  (사건 A 또는 사건 B가 일어나는 경우의 수)$=m+n$(가지)

3 사건 A와 사건 B가 동시에 일어나는 경우의 수(곱의 법칙)

한 사건 A가 일어나는 경우의 수가 m가지이고, 그 각각에 대하여 다른 사건 B가 일어나는 경우의 수가 n가지이면

  (사건 A와 사건 B가 동시에 일어나는 경우의 수)$=m\times n$(가지)

개념
Plus⁺
- 두 사건이 동시에 일어나지 않으며 '이거나', '또는' 이라는 표현이 있으면 합의 법칙을 이용한다.
- '그리고', '~와', '하고 나서', '동시에' 혹은 '연속하여' 라는 표현이 있으면 곱의 법칙을 이용한다.

---

133 1 서로 다른 2개의 주머니에 1부터 6까지의 숫자가 각각 적혀 있는 6개의 공이 들어 있다. 2개의 주머니에서 각각 1개씩 공을 꺼낼 때, 공에 적힌 숫자의 합이 5 또는 6이 되는 경우의 수를 구하여라.

절대개념 Focus

사건 A와 사건 B가 동시에 일어나는 경우의 수

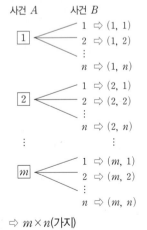

사건 A 사건 B

$\boxed{1}$ — $1 \Rightarrow (1, 1)$
    $2 \Rightarrow (1, 2)$
    $\vdots$
    $n \Rightarrow (1, n)$

$\boxed{2}$ — $1 \Rightarrow (2, 1)$
    $2 \Rightarrow (2, 2)$
    $\vdots$
    $n \Rightarrow (2, n)$

$\vdots$

$\boxed{m}$ — $1 \Rightarrow (m, 1)$
    $2 \Rightarrow (m, 2)$
    $\vdots$
    $n \Rightarrow (m, n)$

$\Rightarrow m\times n$(가지)

133 2 주희네 집에서 언덕을 지나 학교까지 가는 길이 오른쪽 그림과 같을 때, 집에서 언덕을 지나 학교까지 가는 방법의 수를 구하여라.

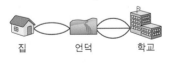

집   언덕   학교

확인	공부한 날	self-check	
	/	133-1	133-2
		O X	O X

▶ 정답 및 풀이 72쪽

개념 134 동전, 주사위를 던지는 경우의 수

4 동전, 주사위를 던지는 경우의 수

(1) n개의 동전을 동시에 던질 때 일어나는 모든 경우의 수

⇨ 각각의 동전에 대하여 앞면, 뒷면의 2가지이므로 2^n(가지)이다.

예 2개의 동전을 동시에 던질 때 일어나는 모든 경우의 수는 $2^2 = 4$(가지)이다.

3개의 동전을 동시에 던질 때 일어나는 모든 경우의 수는 $2^3 = 8$(가지)이다.

(2) n개의 주사위를 동시에 던질 때 일어나는 모든 경우의 수

⇨ 각각의 주사위에 대하여 1, 2, 3, 4, 5, 6의 6가지이므로 6^n(가지)이다.

예 2개의 주사위를 동시에 던질 때 일어나는 모든 경우의 수는 $6^2 = 36$(가지)이다.

(3) m개의 동전과 n개의 주사위를 동시에 던질 때 일어나는 모든 경우의 수

⇨ 두 사건이 동시에 일어나므로 $2^m \times 6^n$(가지)이다.

개념 Plus+

(동전 2개를 동시에 던진다.)=(동전 1개를 2번 던진다.)=(동전 2개를 한 번씩 던진다.)

---

134 1 50원짜리, 100원짜리, 500원짜리 동전을 각각 한 개씩 동시에 던질 때, 다음을 구하여라.

(1) 일어날 수 있는 모든 경우의 수

(2) 모두 같은 면이 나오는 경우의 수

(3) 한 개만 뒷면이 나오는 경우의 수

134 2 두 개의 주사위 A, B를 동시에 던질 때, 다음을 구하여라.

(1) 같은 눈이 나오는 경우의 수

(2) 주사위 A는 짝수의 눈이 나오고, 주사위 B는 소수의 눈이 나오는 경우의 수

절대개념 Focus

동전 1개, 주사위 2개를 던질 때 경우의 수

$2 \times (6 \times 6) = 2 \times 6^2$

134 3 100원짜리, 500원짜리 동전 1개씩과 주사위 1개를 동시에 던질 때, 동전은 모두 앞면이 나오고 주사위는 소수의 눈이 나오는 경우의 수를 구하여라.

확인	공부한 날	self-check		
	/	134-1	134-2	134-3
		O X	O X	O X

5 한 줄로 세우는 경우의 수

(1) n명을 한 줄로 세우는 경우의 수 ⇨ $n \times (n-1) \times (n-2) \times \cdots \times 2 \times 1$(가지)

> 예 네 명을 한 줄로 세우는 경우의 수는 $4 \times 3 \times 2 \times 1 = 24$(가지)이다.

(2) n명 중 2명을 뽑아 한 줄로 세우는 경우의 수 ⇨ $n \times (n-1)$(가지)

> 예 네 명 중 2명을 뽑아 한 줄로 세우는 경우의 수는 $4 \times 3 = 12$(가지)이다.

(3) n명 중 3명을 뽑아 한 줄로 세우는 경우의 수 ⇨ $n \times (n-1) \times (n-2)$(가지)

> 예 네 명 중 3명을 뽑아 한 줄로 세우는 경우의 수는 $4 \times 3 \times 2 = 24$(가지)이다.

6 한 줄로 세울 때 이웃하여 세우는 경우의 수

① 이웃하는 것을 하나로 묶어 한 줄로 세우는 경우의 수를 구한다.

② 묶음 안에서 자리를 바꾸는 경우의 수를 곱한다.

> 예 A, B, C, D를 한 줄로 세울 때, A와 B를 이웃하여 세우는 경우의 수
> ① A, B를 하나로 묶어 A, B, C, D를 한 줄로 세우는 경우의 수는 $3 \times 2 \times 1 = 6$(가지)이다.
> ② A와 B가 자리를 바꾸는 경우의 수는 2가지이다.
> ①, ②에 의하여 구하는 경우의 수는 $(3 \times 2 \times 1) \times 2 = 12$(가지)이다.

개념
Plus⁺   한 줄로 세울 때, 어떤 사람이 고정되어 있는 경우 그 사람은 제외하고 나머지를 한 줄로 세우면 된다.

[135 1] 상용, 종숙, 동근, 현주, 지은 5명을 한 줄로 세울 때, 다음을 구하여라.

(1) 5명을 한 줄로 세우는 경우의 수

(2) 5명 중 2명을 뽑아 한 줄로 세우는 경우의 수

[135 2] 봄이, 여름이, 가을이, 겨울이 4명을 한 줄로 세울 때, 다음을 구하여라.

(1) 4명을 한 줄로 세우는 경우의 수

(2) 4명 중 2명을 뽑아 한 줄로 세우는 경우의 수

(3) 봄이를 맨 앞에, 겨울이를 맨 뒤에 세우는 경우의 수

(4) 여름이와 겨울이를 이웃하여 세우는 경우의 수

(5) 봄이, 여름이, 가을이를 이웃하여 세우는 경우의 수

절대개념 Focus

한 줄로 세우는 경우의 수

① A, B, C, D를 한 줄로 세우는 경우의 수

| A | B | C | D |

$4 \times 3 \times 2 \times 1 = 24$(가지)

② A, B, C, D를 한 줄로 세울 때, A와 B를 이웃하여 세우는 경우의 수

| A, B | C | D |

$2 \times (3 \times 2 \times 1) = 12$(가지)

확인	공부한 날	self-check	
		135-1	135-2
	/	O X	O X

개념
136

정수를 만드는 경우의 수

7 정수를 만드는 경우의 수

(1) 0이 아닌 서로 다른 한 자리 숫자가 각각 적힌 n장의 카드에서

① 2장을 뽑아 두 자리의 정수를 만드는 경우의 수 ⇨ $n \times (n-1)$(가지)

② 3장을 뽑아 세 자리의 정수를 만드는 경우의 수 ⇨ $n \times (n-1) \times (n-2)$(가지)

(2) 0이 포함된 서로 다른 한 자리 숫자가 각각 적힌 n장의 카드에서

① 2장을 뽑아 두 자리의 정수를 만드는 경우의 수 ⇨ $(n-1) \times (n-1)$(가지)

② 3장을 뽑아 세 자리의 정수를 만드는 경우의 수 ⇨ $(n-1) \times (n-1) \times (n-2)$(가지)

> **주의** 서로 다른 한 자리 숫자가 각각 적힌 n장의 카드에서 0이 포함된 경우, 정수의 맨 앞자리에는 0이 올 수 없으므로 맨 앞자리에 올 수 있는 숫자는 0을 제외한 $(n-1)$가지이다.

고등 연계 개념

순열
서로 다른 n개에서 $r(0 < r \le n)$개를 택하여 일렬로 나열하는 것
⇨ $_n\mathrm{P}_r = \underset{r개}{\underline{n(n-1)(n-2)\cdots(n-r+1)}}$

---

136 1 1, 2, 3, 4의 숫자가 각각 적힌 4장의 카드로 정수를 만들 때, 다음을 구하여라.

(1) 4장을 뽑아 네 자리의 정수를 만드는 경우의 수

(2) 3장을 뽑아 세 자리의 정수를 만드는 경우의 수

(3) 2장을 뽑아 두 자리의 정수를 만드는 경우의 수

확률과 통계
1학년
2학년
3학년

절대개념 Focus

정수를 만드는 경우의 수

① 1, 2, 3의 숫자가 각각 적힌 3장의 카드에서 2장을 뽑아 두 자리의 정수를 만드는 경우의 수

136 2 0, 1, 2, 3의 숫자가 각각 적힌 4장의 카드로 정수를 만들 때, 다음을 구하여라.

(1) 2장을 뽑아 두 자리의 정수를 만드는 경우의 수

(2) 3장을 뽑아 세 자리의 정수를 만드는 경우의 수

$3 \times 2 = 6$(가지)
십의 자리 일의 자리

② 0, 1, 2의 숫자가 각각 적힌 3장의 카드에서 2장을 뽑아 두 자리의 정수를 만드는 경우의 수

$2 \times 2 = 4$(가지)
십의 자리 일의 자리

136 3 0, 1, 2, 3, 4의 숫자가 각각 적힌 5장의 카드에서 2장을 뽑아 두 자리의 정수를 만들 때, 짝수가 나오는 경우의 수를 구하여라.

02. 경우의 수와 확률

확인	공부한 날	self-check		
		136-1	136-2	136-3
	/	O X	O X	O X

8 대표를 뽑는 경우의 수

(1) 자격이 다른 대표를 뽑는 경우

① n명 중 자격이 다른 대표 2명을 뽑는 경우의 수 ⇨ $n \times (n-1)$(가지)

② n명 중 자격이 다른 대표 3명을 뽑는 경우의 수 ⇨ $n \times (n-1) \times (n-2)$(가지)

(2) 자격이 같은 대표를 뽑는 경우

① n명 중 자격이 같은 대표 2명을 뽑는 경우의 수 ⇨ $\dfrac{n \times (n-1)}{2}$(가지)

> 참고 n명 중 자격이 같은 2명의 대표를 뽑는 경우의 수와 같은 것
> ① n명 중 두 사람이 악수를 하는 경우의 수 　　② n개의 팀 중 두 팀이 시합하는 경우의 수
> ③ n개의 점 중 두 점을 이어 선분을 만드는 경우의 수

② n명 중 자격이 같은 대표 3명을 뽑는 경우의 수 ⇨ $\dfrac{n \times (n-1) \times (n-2)}{3 \times 2 \times 1}$(가지)

> 주의 자격이 같은 3명의 대표를 뽑는 경우는 (A, B, C), (A, C, B), (B, A, C), (B, C, A), (C, A, B), (C, B, A)가 모두 같은 경우이므로 $3 \times 2 \times 1$로 나누어 준다.

고등 연계 개념

조합

서로 다른 n개에서 순서를 생각하지 않고 $r\,(0 < r \le n)$개를 택하는 것

⇨ ${}_n\mathrm{C}_r = \dfrac{{}_n\mathrm{P}_r}{r!} = \dfrac{n!}{r!(n-r)!}$

137　1 동아리에 매, 난, 국, 죽 4명의 학생이 있다. 다음을 구하여라.

(1) 회장과 부회장을 각각 1명씩 뽑는 경우의 수

(2) 회장, 부회장, 총무를 각각 1명씩 뽑는 경우의 수

(3) 진행요원 2명을 뽑는 경우의 수

(4) 진행요원 3명을 뽑는 경우의 수

137　2 은희는 국어, 영어, 수학, 사회, 과학 문제집을 각각 1권씩 가지고 있다. 다음을 구하여라.

(1) 3권을 선택하는 경우의 수

(2) 3권을 선택할 때, 수학 문제집은 반드시 선택하는 경우의 수

절대개념 Focus

대표를 뽑는 경우의 수

회장　부회장　　회장　부회장

대표　대표　　대표　대표

137　3 오른쪽 그림과 같이 한 원의 둘레에 서로 다른 5개의 점이 있을 때, 다음을 구하여라.

(1) 두 점을 이어서 선분을 만드는 경우의 수

(2) 두 점을 이어서 반직선을 만드는 경우의 수

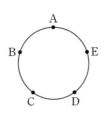

확인	공부한 날	self-check		
	/	137-1	137-2	137-3
		O X	O X	O X

개념 138 확률의 뜻과 성질

9 확률의 뜻

어떤 실험이나 관찰에서 일어날 수 있는 모든 경우의 수가 n가지이고, 각 경우가 일어날 가능성이 같을 때, 어떤 사건 A가 일어나는 경우의 수가 a가지이면 사건 A가 일어날 확률 p는

$$p = \frac{(\text{사건 } A\text{가 일어나는 경우의 수})}{(\text{모든 경우의 수})} = \frac{a}{n}$$

10 확률의 성질 (1) – 확률의 범위

(1) 어떤 사건이 일어날 확률을 p라 하면 $0 \leq p \leq 1$이다.

(2) 반드시 일어나는 사건의 확률은 1이다. ← $\frac{(\text{모든 경우의 수})}{(\text{모든 경우의 수})} = 1$

(3) 절대로 일어날 수 없는 사건의 확률은 0이다. ← $\frac{0}{(\text{모든 경우의 수})} = 0$

11 확률의 성질 (2) – 어떤 사건이 일어나지 않을 확률

사건 A가 일어날 확률을 p라 할 때, 사건 A가 일어나지 않을 확률은 $1-p$이다.

참고 사건 A가 일어날 확률을 p, 사건 A가 일어나지 않을 확률을 q라 하면 $p+q=1$이다.

─────────────────────────

개념 Plus+

어떤 사건이 일어나지 않을 확률을 이용하는 경우
① '적어도' 라는 표현이 있을 때
② '~가 아닐', '~하지 못할' 과 같은 부정어가 있을 때
③ 일어나지 않을 확률이 더 간단할 때

138 1 오른쪽 그림과 같은 상자 안에 1부터 5까지의 숫자가 각각 적힌 공이 들어 있다. 이 중에서 한 개의 공을 꺼낼 때, 다음을 구하여라.

(1) 짝수가 적힌 공이 나올 확률

(2) 6 미만의 자연수가 적힌 공이 나올 확률

(3) 7이 적힌 공이 나올 확률

138 2 주머니 속에 1부터 10까지의 숫자가 각각 적힌 10개의 구슬이 들어 있다. 이 주머니에서 한 개의 구슬을 꺼낼 때, 다음을 구하여라.

(1) 구슬에 적힌 숫자가 소수일 확률

(2) 구슬에 적힌 숫자가 소수가 아닐 확률

절대개념 Focus

어떤 사건 A가 일어날 확률을 구하는 순서

모든 경우의 수를 구한다.
⇨ n가지
↓
사건 A가 일어나는 경우의 수를 구한다. ⇨ a가지
↓
(사건 A가 일어날 확률)$= \dfrac{a}{n}$

02. 경우의 수와 확률

확인	공부한 날	self-check	
	/	138-1	138-2
		O X	O X

12 사건 A 또는 사건 B가 일어날 확률(확률의 덧셈)

사건 A와 사건 B가 동시에 일어나지 않을 때, 사건 A가 일어날 확률을 p, 사건 B가 일어날 확률을 q라 하면

(사건 A 또는 사건 B가 일어날 확률)$=p+q$

예 1부터 20까지의 숫자가 각각 적힌 20장의 카드에서 한 장의 카드를 뽑을 때, 3의 배수 또는 7의 배수가 적힌 카드를 뽑을 확률

$\Rightarrow \dfrac{6}{20}+\dfrac{2}{20}=\dfrac{8}{20}=\dfrac{2}{5}$

13 사건 A와 사건 B가 동시에 일어날 확률(확률의 곱셈)

두 사건 A, B가 서로 영향을 끼치지 않을 때, 사건 A가 일어날 확률을 p, 사건 B가 일어날 확률을 q라 하면

(사건 A와 사건 B가 동시에 일어날 확률)$=p\times q$

예 동전 1개와 주사위 1개를 동시에 던질 때, 동전은 앞면이 나오고, 주사위는 3의 눈이 나올 확률

$\Rightarrow \dfrac{1}{2}\times\dfrac{1}{6}=\dfrac{1}{12}$

---

139 1 오른쪽 그림과 같이 황금 구슬 2개, 은 구슬 3개, 옥 구슬 4개가 들어 있는 주머니가 있다. 이 주머니에서 한 개의 구슬을 임의로 꺼낼 때, 다음을 구하여라.

'또는'의 표현이 있으면 각각의 확률을 더해야 해~

(1) 황금 구슬을 꺼낼 확률

(2) 옥 구슬을 꺼낼 확률

(3) 황금 구슬 또는 옥 구슬을 꺼낼 확률

139 2 A 주머니에는 딸기맛 사탕이 2개, 사과맛 사탕이 3개 들어 있고, B 주머니에는 딸기맛 사탕이 5개, 사과맛 사탕이 4개 들어 있다. A, B 두 주머니에서 각각 사탕을 한 개씩 꺼낼 때, 다음을 구하여라.

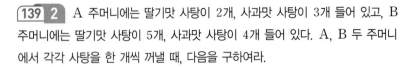

(1) A 주머니에서 딸기맛 사탕을 꺼내고, B 주머니에서 사과맛 사탕을 꺼낼 확률

(2) A, B 두 주머니에서 모두 딸기맛 사탕을 꺼낼 확률

절대개념 **Focus**

사건 A 또는 사건 B가 일어날 확률

한 개의 주사위를 던질 때, 2의 배수 또는 5의 약수의 눈이 나올 확률

$\dfrac{3}{6}+\dfrac{2}{6}=\dfrac{5}{6}$

사건 A와 사건 B가 동시에 일어날 확률

두 사람 A, B가 주사위를 동시에 던졌을 때, A는 짝수의 눈이 나오고 B는 3의 배수의 눈이 나올 확률

$\dfrac{3}{6}\times\dfrac{2}{6}=\dfrac{1}{6}$

	공부한 날	self-check
확인	/	139-1 | 139-2
		O X | O X

연속하여 뽑는 경우의 확률

14 연속하여 뽑는 경우의 확률

(1) 꺼낸 것을 다시 넣고 연속하여 뽑는 경우의 확률

처음 뽑을 때의 전체 개수와 다시 뽑을 때의 전체 개수가 같다.

⇨ 처음 사건이 나중 사건에 영향을 주지 않는다.

(2) 꺼낸 것을 다시 넣지 않고 연속하여 뽑는 경우의 확률

처음 뽑을 때의 전체 개수와 다시 뽑을 때의 전체 개수가 다르다.

⇨ 처음 사건이 나중 사건에 영향을 준다.

예 흰 공이 4개, 검은 공이 6개 들어 있는 주머니에서 연속하여 2개의 공을 꺼낼 때, 2개 모두 흰 공일 확률은 다음과 같다.

① 첫 번째 흰 공을 뽑고 다시 넣고 두 번째 흰 공을 뽑을 확률

⇨ $\dfrac{4}{10} \times \dfrac{4}{10} = \dfrac{16}{100} = \dfrac{4}{25}$

② 첫 번째 흰 공을 뽑고 다시 넣지 않고 두 번째 흰 공을 뽑을 확률

⇨ $\dfrac{4}{10} \times \dfrac{3}{9} = \dfrac{2}{15}$

**개념
Plus⁺**

	뽑은 것을 다시 넣을 때	뽑은 것을 다시 넣지 않을 때
첫 번째	n개	n개
두 번째	n개	$(n-1)$개

140 1 강낭콩 3알, 완두콩 2알, 검정콩 2알이 들어 있는 주머니가 있다. 다음과 같이 연속하여 한 알의 콩을 두 번 꺼낼 때, 2알 모두 완두콩일 확률을 구하여라.

(1) 처음 꺼낸 콩을 다시 넣을 때

(2) 처음 꺼낸 콩을 다시 넣지 않을 때

140 2 10개의 제비 중 벌칙 제비가 5개 들어 있는 상자가 있다. 호동, 지원, 수근 세 사람이 차례로 제비를 한 개씩 뽑을 때, 세 사람 모두 벌칙 제비를 뽑지 않을 확률을 구하여라. (단, 꺼낸 제비는 다시 넣지 않는다.)

절대개념 Focus

꺼낸 것을 다시 넣을 때

(처음 뽑을 때의 전체 개수)
=(다시 뽑을 때의 전체 개수)

꺼낸 것을 다시 넣지 않을 때

(처음 뽑을 때의 전체 개수)
≠(다시 뽑을 때의 전체 개수)

확률과 통계

1학년
2학년
3학년

02. 경우의 수와 확률

확인	공부한 날	self-check	
	/	140-1	140-2
		O X	O X

탄탄한 중단원 문제

01 한 개의 주사위를 연속하여 2번 던져 첫 번째 나온 눈의 수를 a, 두 번째 나온 눈의 수를 b라 할 때, $a+b$의 값이 5 또는 7이 되는 경우의 수는?

① 8가지   ② 10가지   ③ 13가지

④ 14가지   ⑤ 15가지

02 주희, 승희, 아버지와 어머니, 할아버지와 할머니 6명의 가족이 나란히 서서 사진을 찍을 때, 아버지와 어머니가 양 끝에 서서 사진을 찍는 방법의 수는?

개념 135

① 24가지   ② 36가지   ③ 48가지

④ 120가지   ⑤ 720가지

03 $\boxed{0}$, $\boxed{1}$, $\boxed{2}$, $\boxed{3}$, $\boxed{4}$, $\boxed{5}$ 의 6장의 숫자 카드 중에서 서로 다른 4장의 카드를 선택하여 네 자리의 정수를 만들 때, 홀수가 나오는 경우의 수를 구하여라.

개념 136

정수를 만드는 문제에서 0이 포함되는 경우 맨 앞의 자리에는 0이 올 수 없음에 주의한다.

04 동희, 서희, 남희, 북희 4명의 학생 중 반장, 부반장, 총무를 각각 한 명씩 뽑는 경우의 수를 a가지, 청소 당번 3명을 뽑는 경우의 수를 b가지라 할 때, $a+b$의 값은?

개념 137

자격이 같은 경우와 자격이 다른 경우를 구별하여 생각한다.

① 24   ② 26   ③ 28   ④ 30   ⑤ 32

05 ○, ×를 표시하는 문제가 3개 있다. 서영이가 임의로 답을 표시한다고 할 때, 적어도 한 문제를 맞힐 확률을 구하여라.

개념 138

Ⅳ. 확률과 통계

184

확인	공부한 날	self-check				
		01	02	03	04	05
	/	O X	O X	O X	O X	O X

06 0, 1, 2, 3, 4의 숫자가 각각 적힌 5장의 카드에서 임의로 두 장의 카드를 뽑아 두 자리의 정수를 만들 때, 짝수일 확률을 구하여라.

개념 139

07 서로 다른 주사위 2개를 동시에 던졌을 때, 두 눈의 수의 합이 10 이상일 확률은?

개념 139

① $\dfrac{1}{12}$ ② $\dfrac{1}{9}$ ③ $\dfrac{5}{36}$ ④ $\dfrac{1}{6}$ ⑤ $\dfrac{7}{36}$

08 명중률이 $\dfrac{1}{2}$, $\dfrac{1}{3}$인 두 명의 사냥꾼이 한 마리의 멧돼지를 향해 동시에 총을 쏘 았을 때, 이 멧돼지가 총에 맞을 확률은?

개념 138+139

① $\dfrac{1}{6}$ ② $\dfrac{1}{3}$ ③ $\dfrac{1}{2}$ ④ $\dfrac{2}{3}$ ⑤ $\dfrac{5}{6}$

확률과 통계

1학년
2학년
3학년

09 1부터 15까지의 숫자가 각각 적힌 15장의 카드에서 한 장을 뽑아 숫자를 확인하 고 다시 넣은 후 한 장을 또 뽑을 때, 처음에는 3의 배수가 적힌 카드를 뽑고 나중에는 소수가 적힌 카드를 뽑을 확률은?

개념 140

처음에 일어난 사건이 나중에 일어난 사건에 영향을 주지 않 는다.

① $\dfrac{2}{15}$ ② $\dfrac{1}{7}$ ③ $\dfrac{2}{13}$ ④ $\dfrac{1}{5}$ ⑤ $\dfrac{3}{14}$

10 주머니 속에 파란 구슬 4개, 빨간 구슬 5개, 흰 구슬 1개가 들어 있다. 이 주머니 에서 1개씩 연속하여 2번 구슬을 꺼낼 때, 2개의 구슬의 색이 서로 같을 확률은?
(단, 꺼낸 구슬은 다시 넣지 않는다.)

개념 140

처음에 일어난 사건이 나중에 일어난 사건에 영향을 준다.

① $\dfrac{2}{9}$ ② $\dfrac{2}{15}$ ③ $\dfrac{2}{45}$ ④ $\dfrac{41}{100}$ ⑤ $\dfrac{16}{45}$

확인	공부한 날	self-check				
		06	07	08	09	10
	/	O X	O X	O X	O X	O X

02 경우의 수와 확률

개념 141 평균, 중앙값, 최빈값

1 대푯값과 평균

(1) **대푯값** : 자료 전체의 특징을 하나의 수로 나타낸 값

(2) **평균(Mean)** : 변량의 총합을 변량의 개수로 나눈 값, 즉 $(평균)=\dfrac{\{(변량)의 총합\}}{\{(변량)의 개수\}}$

참고 대푯값에는 평균, 중앙값, 최빈값 등이 있으며 그 중에서 평균을 가장 많이 사용한다.

2 중앙값과 최빈값

(1) **중앙값(Median)** : 변량을 작은 값부터 크기순으로 나열했을 때, 중앙에 위치하는 값

① 자료의 개수가 홀수이면 중앙에 놓이는 값이 중앙값이다.

② 자료의 개수가 짝수이면 중앙에 놓이는 두 자료의 평균이 중앙값이다.

참고 자료의 값 중에 극단적인 값이 있는 경우에는 평균보다 중앙값이 자료 전체의 특징을 더 잘 나타낸다.

(2) **최빈값(Mode)** : 변량 중에서 가장 많이 나타나는 값, 즉 도수가 가장 큰 값

① 자료의 값 중에서 도수가 가장 큰 값이 한 개 이상 있으면 그 값이 모두 최빈값이다.

② 각 자료의 값의 도수가 모두 같으면 최빈값은 없다.

(3) **도수분포표에서의 중앙값과 최빈값**

① 도수분포표에서의 중앙값은 중앙에 위치한 자료의 값이 속하는 계급의 계급값이다.

② 도수분포표에서의 최빈값은 도수가 가장 큰 계급의 계급값이다.

---

141 1 오른쪽 그림은 학생 7명이 일주일 동안 운동한 시간을 조사하여 나타낸 줄기와 잎 그림이다. 학생들의 운동 시간의 평균을 구하여라.

[운동 시간]

(0|6은 6시간)

줄기	잎
0	6 8
1	0 3 5 5 7

141 2 다음은 연아네 모둠 학생들이 가지고 있는 필기구의 개수를 조사하여 나타낸 것이다. 필기구의 개수의 평균, 중앙값, 최빈값을 각각 구하여라.

(단위 : 개)

8	1	7	1	8	2	5	7	3	8

절대개념 Focus

중앙값

① 자료의 값이 다음과 같을 때

3	5	6	7	7	8	8

⇨ (중앙값)=7

② 자료의 값이 다음과 같을 때

1	3	5	8	9	11

⇨ (중앙값)=$\dfrac{5+8}{2}=6.5$

최빈값

① 자료의 값이 다음과 같을 때

8	4	6	8	2	5	8

⇨ (최빈값)=8

② 자료의 값이 다음과 같을 때

1	1	2	3	3	4

⇨ (최빈값)=1, 3

확인	공부한 날	self-check	
	/	141-1	141-2
		O X	O X

분산과 표준편차

한자 용어 풀이

• 산포도(흩어질 散, 펼 布, 법 度)
 ⇨ 변량의 흩어져 있는 정도를 수로 나타
   낸 값

3 산포도와 편차

(1) **산포도** : 자료 전체가 대푯값을 중심으로 흩어져 있는 정도를 하나의 수로 나타낸 값

> 참고 자료에서 각 변량이 평균에 가까이 집중되어 있을수록 산포도가 작아지고 평균에서 멀리 흩어져 있을수록 산포도가 커진다.

(2) **편차** : 자료의 한 변량에서 평균을 뺀 값, 즉 (편차)＝(변량)－(평균)

① 편차의 합은 항상 0이다.

② 평균보다 큰 변량의 편차는 양수이고, 평균보다 작은 변량의 편차는 음수이다.

> 참고 편차의 합은 항상 0이므로 편차의 합으로는 변량들이 흩어져 있는 정도를 나타낼 수 없다.

4 분산과 표준편차

(1) **분산** : 각 변량의 편차의 제곱의 합을 전체 변량의 개수로 나눈 값, 즉 편차의 제곱의 평균

$$(분산)=\frac{\{(편차)^2의\ 총합\}}{\{(변량)의\ 개수\}}$$

(2) **표준편차** : 분산의 양의 제곱근, 즉 (표준편차)＝$\sqrt{(분산)}$

> 참고 ① 표준편차는 가장 널리 쓰이는 산포도이고 표준편차의 단위는 주어진 변량의 단위와 같다.
>
> ② 분산 또는 표준편차가 작을수록 자료가 평균 가까이에 밀집되어 있으므로 자료의 분포 상태가 고르다고 할 수 있다.

---

142 **1** 다음 표는 희연이의 5과목의 성적의 편차를 나타낸 것이다. 물음에 답하여라.

과목	국어	영어	수학	과학	사회
편차(점)	3	−1	x	−2	1

(1) x의 값을 구하여라.

(2) 희연이의 5과목의 평균이 87점일 때, 수학 성적을 구하여라.

> 분산 또는 표준편차를 구하려면 평균을 알아야 하므로 평균을 먼저 구해야 해~

확률과 통계

1학년
2학년
3학년

142 **2** 오른쪽 자료는 학생 다섯 명의 일주일 동안의 취미 활동을 한 시간을 조사하여 나타낸 것이다. 표를 완성하고 취미 활동을 한 시간의 분산과 표준편차를 각각 구하여라.

(단위 : 시간)

| 10 11 14 13 17 |

취미 활동 시간(시간)	10	11	14	13	17	합계
편차(시간)						
(편차)²						

절대개념 Focus

표준편차 구하는 순서

평균 구하기
↓
편차 구하기
↓
각 변량의 (편차)²의 합 구하기
↓
분산 구하기
↓
표준편차 구하기

확인	공부한 날	self-check
	/	142-1 | 142-2
		O X | O X

5 산점도

(1) 산점도 : 두 변량 x, y 사이의 관계를 알아보기 위하여 x, y를 순서쌍으로 하는 점 (x, y)를 좌표
평면 위에 나타낸 그림

(2) 산점도에서 두 자료의 비교
산점도에서 '~보다 높은', '~와 같은', '~보다 낮은' 등의 표현이 나오면 두 자료를 비교할 때 대각선
을 그어 생각한다.

① x가 y보다 작다.

② x와 y가 같다.

③ x가 y보다 크다.

예 다음 표는 수정이네 반 학생 10명의 키와 몸무게를 나타낸 것이다. 이 표의 내용에서 키와 몸무게의 산점도를 그리면 아래 그림과
같다.

키(cm)	몸무게(kg)	키(cm)	몸무게(kg)
140	45	165	65
165	70	145	50
140	40	150	60
160	55	160	65
150	50	155	55

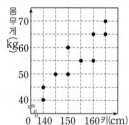

143 **1** 오른쪽 그림은 건우네 반 학생 20
명의 사회 성적과 영어 성적을 나타낸 산점도
이다. 다음 물음에 답하여라.

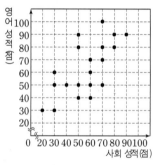

(1) 사회 성적과 영어 성적이 같은 학생 수를
구하여라.

(2) 영어 성적이 80점 이상인 학생 수를 구
하여라.

(3) 영어 성적보다 사회 성적이 좋은 학생 수를 구하여라.

(4) 영어 성적이 가장 좋은 학생의 사회 성적을 구하여라.

(5) 두 과목 모두 50점 이하인 학생은 전체의 몇 %인지 구하여라.

(6) 사회와 영어 성적의 차가 30점 이상인 학생 수를 구하여라.

절대개념 Focus

산점도

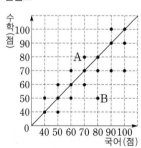

⇨ A는 수학 성적이 국어 성적보다
높다.
B는 국어 성적이 수학 성적보다
높다.

확 인	공부한 날	self-check
	/	143-1
		O X

6 상관관계

(1) **상관관계** : 두 변량 x, y 사이에 어떤 관계가 있을 때, 이 관계를 상관관계라 한다.

(2) **상관관계의 종류** : 두 변량 x, y에 대하여

   ① **양의 상관관계** : x의 값이 증가함에 따라 y의 값도 증가하는 관계

     예 데이터 사용량과 데이터 요금, 키와 신발 사이즈

   ② **음의 상관관계** : x의 값이 증가함에 따라 y의 값은 감소하는 관계

     예 가격과 판매량, 기온과 난방비

   ③ **상관관계가 없다** : x의 값이 증가함에 따라 y의 값이 증가하는지 감소하는지 관계가 분명하지 않은 경우

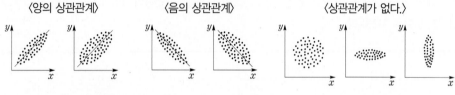

       〈양의 상관관계〉   〈음의 상관관계〉   〈상관관계가 없다.〉

참고 산점도에서 대각선 주위에 점들이 가까이 모여 있을수록 상관관계가 강하고 흩어져 있을수록 상관관계가 약하다.

---

144 1 오른쪽 그림은 승주네 반 학생들의 한 달 용돈과 저축액에 대한 산점도이다. 다음 〈**보기**〉 중 이 그림과 같은 상관관계를 가지는 것을 모두 골라라.

┌──────────〈보기〉──────────
ㄱ. 몸무게와 허리둘레
ㄴ. 산의 높이와 기온
ㄷ. 여름철 기온과 빙과류 판매량
ㄹ. 키와 수학 성적
└─────────────────────────

144 2 다음 설명 중 옳은 것에는 ○표, 옳지 않은 것에는 ×표를 하여라.

(1) 두 변량 x와 y에 대한 산점도에서 x의 값이 커짐에 따라 y의 값이 대체로 작아지면 x와 y 사이에는 양의 상관관계가 있다고 한다. ( )

(2) 산점도에서 대각선 주위에 점들이 넓게 퍼져 있을수록 상관관계가 약하다고 할 수 있다. ( )

절대개념 Focus

상관관계

(1) 산점도에서 점들이 오른쪽 위를 향한다. ⇨ 양의 상관관계

(2) 산점도에서 점들이 오른쪽 아래를 향한다. ⇨ 음의 상관관계

확인	공부한 날	self-check	
		144-1	144-2
	/	○ ×	○ ×

01 다음은 인원 수가 같은 A, B 두 모둠 학생들의 턱걸이 횟수를 조사하여 나타낸 것이다. A모둠의 최빈값을 a, B모둠의 중앙값을 b라 할 때, $a+b$의 값을 구하여라.

횟수(회)	0	1	2	3	4
A모둠(명)	2	3	x	4	5
B모둠(명)	4	1	5	4	3

> 개념 141
> 각 변량을 작은 값부터 크기 순으로 나열할 때, 중앙에 오는 값을 중앙값이라 하고, 각 변량 중에서 도수가 가장 큰 값을 최빈값이라 한다.

02 4개의 변량이 있다. 이 변량의 중앙값은 48이고 세 개의 변량이 42, 51, 52일 때, 나머지 변량을 구하여라.

> 개념 141
> 자료의 개수가 짝수이면 가운데 위치한 두 값의 평균이 중앙값이다.

03 다음 표는 어느 항공사의 홍콩행 비행기 출발 지연 시간의 편차를 1회부터 6회까지 기록한 것이다. x의 값은?

회	1	2	3	4	5	6
편차(분)	4	-5	-3	8	-6	x

① 2 　　② 3 　　③ 4 　　④ 5 　　⑤ 6

> 개념 142

04 오른쪽 표는 네 차례의 수학 시험에서 승호와 성훈이가 얻은 점수이다. 승호와 성훈이가 얻은 점수의 분산을 각각 a, b라 할 때, $b-a$의 값을 구하여라.

(단위 : 점)

승호	78	79	85	82
성훈	71	76	80	73

> 개념 142

05 다음 표는 예원이가 일주일 동안 받은 문자메시지 개수의 편차를 나타낸 것이다. 문자메시지 개수의 표준편차는?

요일	월	화	수	목	금	토	일
편차(개)	3	-1	2	0	x	1	-3

① $\sqrt{3}$개 　② 2개 　③ $\sqrt{5}$개 　④ $\sqrt{6}$개 　⑤ $\sqrt{7}$개

> 개념 142
> 편차의 합은 항상 0임을 이용하여 x의 값을 구하고 분산은 편차의 제곱의 평균임을 이용한다.

확인	공부한 날	self-check				
	/	01	02	03	04	05
		O X	O X	O X	O X	O X

[06~09] 오른쪽 그림은 어느 반 학생 15명의 수학 과목에 대한 중간고사 성적과 기말고사 성적을 나타낸 산점도이다. 다음 물음에 답하여라.

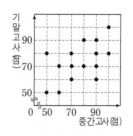

개념 143

산점도에서 대각선을 그어 생각해본다.

06 중간고사 성적과 기말고사 성적이 모두 80점 이상인 학생 수를 구하여라.

07 중간고사 성적과 기말고사 성적이 같은 학생 수를 구하여라.

08 중간고사 성적은 70점 이하이고 기말고사 성적은 60점 이하인 학생은 전체의 몇 %인지 구하여라.

09 중간고사 성적에 비해 기말고사 성적이 가장 많이 향상된 학생은 몇 점 더 향상되었는지 구하여라.

10 다음 중 두 변량 사이의 관계가 오른쪽 그림과 같은 산점도를 나타내는 것은?

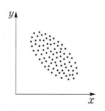

개념 144

음의 상관관계는 x의 값이 증가함에 따라 y의 값은 감소하는 관계이다.

① 독서량과 수명 　　　② 운동량과 심장 박동 수
③ 제품의 공급량과 가격 　　④ 머리숱과 허리둘레
⑤ 스마트폰 이용 시간과 데이터 사용량

확인	공부한 날	self-check				
		06	07	08	09	10
	/	O X	O X	O X	O X	O X

03. 대푯값과 산포도

V

기 하

개념 145 도형 / 직선, 반직선, 선분

한자 용어 풀이
• 직선(곧을 直, 선 線)
⇨ 곧게 뻗은 선

1 도형

(1) 도형

① 평면도형 : 삼각형, 사각형, 원과 같이 한 평면 위에 놓여 있는 도형

② 입체도형 : 직육면체, 원기둥과 같이 한 평면 위에 있지 않은 도형

③ 도형의 기본 요소 : 점, 선, 면을 도형의 기본 요소라 한다.

(2) 교점과 교선

① 교점 : 선과 선 또는 선과 면이 만나서 생기는 점

② 교선 : 면과 면이 만나서 생기는 선

2 직선, 반직선, 선분

(1) 직선의 결정 : 한 점을 지나는 직선은 무수히 많지만, 서로 다른 두 점을 지나는 직선은 오직 하나뿐이다.

(2) 직선, 반직선, 선분

① 직선 AB : 서로 다른 두 점 A, B를 지나는 직선 [기호] $\overleftrightarrow{AB}$

② 반직선 AB : 직선 AB 위의 점 A에서 시작하여 점 B의 방향으로 뻗어나가는 직선의 일부분 [기호] $\overrightarrow{AB}$

③ 선분 AB : 직선 AB의 두 점 A, B를 포함하여 점 A에서 점 B까지의 부분 [기호] $\overline{AB}$

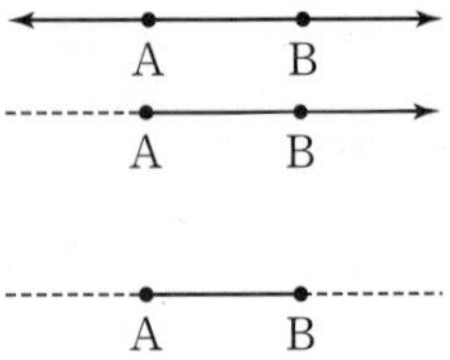

---

145 1 오른쪽 그림과 같이 한 직선 위에 세 점 A, B, C가 있을 때, 다음에서 서로 같은 것끼리 짝지어라.

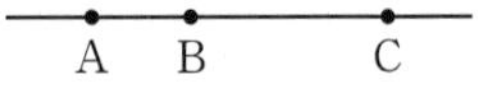

A•———B•———C•

| $\overleftrightarrow{AB}$ | $\overline{BC}$ | $\overrightarrow{AB}$ | $\overleftarrow{AC}$ | $\overleftrightarrow{BA}$ | $\overrightarrow{BA}$ | $\overrightarrow{CA}$ | $\overrightarrow{CB}$ |

145 2 오른쪽 그림과 같이 한 직선 위에 있지 않은 세 점 중에서 두 점을 이어서 서로 다른 직선, 반직선, 선분을 만들 때, 다음을 구하여라.

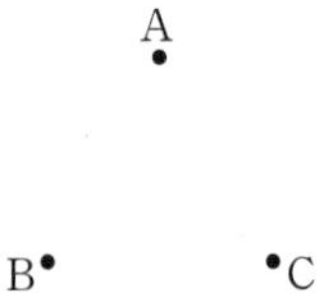

A•

B•   •C

(1) 직선의 개수   (2) 반직선의 개수

(3) 선분의 개수

절대개념 **Focus**

직선, 반직선, 선분의 비교

직선 AB	$\overleftrightarrow{AB}=\overleftrightarrow{BA}$ ↓ 직선 AB와 직선 BA는 같다.
반직선 AB	$\overrightarrow{AB}\neq\overrightarrow{BA}$ ↓ 시작점과 방향이 다르므로 같지 않다.
선분 AB	$\overline{AB}=\overline{BA}$ ↓ 선분 AB와 선분 BA는 같다.

	공부한 날	self-check
확인	/	145-1 145-2
		O X O X

개념 146 두 점 사이의 거리

3 두 점 사이의 거리

(1) **두 점 A, B 사이의 거리** : 두 점 A, B를 잇는 무수히 많은 선 중에서 길이가 가장 짧은 선인 선분 AB의 길이

> 참고 $\overline{AB}$는 선분을 나타내기도 하고, 선분의 길이를 나타내기도 한다.

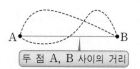

두 점 A, B 사이의 거리

(2) **선분 AB의 중점** : 선분 AB 위에 있는 점으로 선분 AB를 이등분하는 점 M

$$\overline{AM}=\overline{BM}=\frac{1}{2}\overline{AB}$$

선분 AB의 중점

---

146 1 오른쪽 그림에서 점 M은 $\overline{AN}$의 중점이고, 점 N은 $\overline{MB}$의 중점일 때, ☐ 안에 알맞은 수를 써넣어라.

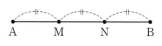

두 점 A, B 사이의 거리
=(선분 AB의 길이)
=(선분 BA의 길이)

(1) $\overline{AM}=\boxed{}\ \overline{AB}$

(2) $\overline{NB}=\boxed{}\ \overline{AB}$

(3) $\overline{AN}=\boxed{}\ \overline{NB}$

(4) $\overline{AB}=\boxed{}\ \overline{MN}$

---

146 2 오른쪽 그림에서 점 M은 $\overline{AB}$의 중점이고, 점 N은 $\overline{MB}$의 중점이다. $\overline{AB}=20$ cm일 때, 다음을 구하여라.

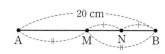

20 cm

(1) $\overline{AM}$의 길이

(2) $\overline{MN}$의 길이

(3) $\overline{AN}$의 길이

절대개념 Focus

선분의 길이

① 점 M은 $\overline{AB}$의 중점이므로
$$\overline{AM}=\overline{MB}=\frac{1}{2}\overline{AB}$$

② 점 N은 $\overline{MB}$의 중점이므로
$$\overline{MN}=\overline{NB}=\frac{1}{2}\overline{MB}$$

③ $\overline{AB}=2\overline{AM}=2\overline{MB}$
$\overline{AB}=4\overline{MN}=4\overline{NB}$

---

146 3 오른쪽 그림에서 점 M은 $\overline{AB}$의 중점이고 점 N은 $\overline{BC}$의 중점이다. $\overline{MN}=25$ cm일 때, $\overline{AC}$의 길이를 구하여라.

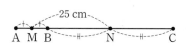

25 cm

확인	공부한 날	self-check		
	/	146-1	146-2	146-3
		O X	O X	O X

4 각

(1) 각 AOB : 한 점 O에서 시작하는 두 반직선 OA, OB로 이루어진 도형

기호 ∠AOB, ∠BOA, ∠O, ∠a

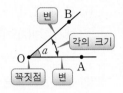

(2) 각 AOB의 크기 : 꼭짓점 O를 중심으로 $\overrightarrow{OA}$를 $\overrightarrow{OB}$까지 회전한 양

(3) 각의 분류

① 평각 : 각의 두 변이 꼭짓점을 중심으로 반대쪽에 있고 한 직선을 이루는 각, 즉 크기가 180°인 각

② 직각 : 평각의 크기의 $\frac{1}{2}$인 각, 즉 크기가 90°인 각

③ 예각 : 0°보다 크고 90°보다 작은 각

④ 둔각 : 90°보다 크고 180°보다 작은 각

5 맞꼭지각

(1) **교각** : 두 직선이 한 점에서 만날 때 생기는 네 개의 각 ⇨ ∠a, ∠b, ∠c, ∠d

(2) **맞꼭지각** : 두 직선이 한 점에서 만날 때 생기는 네 개의 각 중에서 서로 마주 보는 두 각 ⇨ ∠a와 ∠c, ∠b와 ∠d

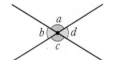

(3) **맞꼭지각의 성질** : 맞꼭지각의 크기는 서로 같다. ⇨ ∠a=∠c, ∠b=∠d

---

147 1 다음 그림에서 ∠x의 크기를 구하여라.

(1)

(2)

(3)

---

147 2 다음 그림에서 ∠x의 크기를 구하여라.

(1)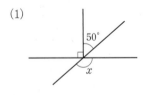

(2)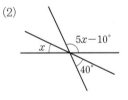

절대개념 Focus

각의 분류

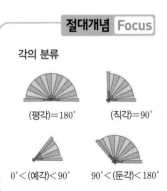

(평각)=180° (직각)=90°

0°<(예각)<90° 90°<(둔각)<180°

확인	공부한 날	self-check
		147-1	147-2
	/	O X	O X

개념 **148** 수직과 수선

한자 용어 풀이
• 직교(곧을 直, 만날 交)
 ⇨ 두 직선이 직각으로 만나는 것

6 수직과 수선

(1) **직교** : 두 선분 AB와 CD의 교각이 직각일 때, 두 선분은 서로 직교한다고 한다. **[기호]** $\overline{AB} \perp \overline{CD}$

(2) **수직과 수선** : 직교하는 두 직선을 서로 수직이라 하고, 한 직선을 다른 직선의 수선이라 한다.

(3) **수직이등분선** : 선분의 중점을 지나고 그 선분에 수직인 직선

(4) **수선의 발** : 직선 l 위에 있지 않은 점 P에서 직선 l에 그은 수선과 직선 l의 교점 H를 수선의 발이라 한다.

(5) **점과 직선 사이의 거리** : 직선 l 위에 있지 않은 점 P에서 직선 l에 내린 수선의 발 H까지의 거리, 즉 $\overline{PH}$의 길이이다.

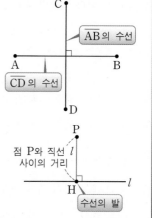

---

148 1 오른쪽 그림에서 ∠AED=90°일 때, 다음 □ 안에 알맞은 것을 써넣어라.

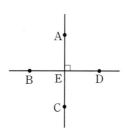

(1) $\overleftrightarrow{AC}$는 $\overleftrightarrow{BD}$의 □이다.

(2) $\overleftrightarrow{BD}$는 $\overleftrightarrow{AC}$의 □이다.

(3) 점 A에서 $\overleftrightarrow{BD}$에 내린 수선의 발은 점 □이다.

(4) 점 B와 $\overleftrightarrow{AC}$ 사이의 거리는 선분 □의 길이와 같다.

148 2 오른쪽 그림과 같은 평행사변형 ABCD에서 다음을 구하여라.

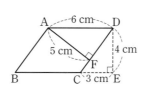

(1) 점 A에서 선분 CD에 내린 수선의 발

(2) 점 A와 선분 BC 사이의 거리

(3) 점 C와 선분 AB 사이의 거리

절대개념 Focus

점과 직선 사이의 거리

점 P와 직선 l 위에 있는 점을 이은 선분 중에서 길이가 가장 짧은 $\overline{PC}$의 길이를 점 P와 직선 l 사이의 거리라 한다.

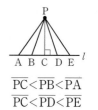

$$\overline{PC} < \overline{PB} < \overline{PA}$$
$$\overline{PC} < \overline{PD} < \overline{PE}$$

148 3 오른쪽 그림에서 점 C와 $\overline{AB}$ 사이의 거리를 구하여라.

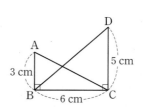

기
하
1학년
2학년
3학년

7 점과 직선, 점과 평면의 위치 관계

(1) 점과 직선의 위치 관계

① 점 A는 직선 l 위에 있다. → 직선 l은 점 A를 지난다.

② 점 B는 직선 l 위에 있지 않다. → 직선 l은 점 B를 지나지 않는다.

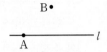

(2) 점과 평면의 위치 관계

① 점 A는 평면 P 위에 있다. → 평면 P는 점 A를 포함한다.

② 점 B는 평면 P 위에 있지 않다. → 평면 P는 점 B를 포함하지 않는다.

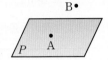

8 평면에서 두 직선의 위치 관계

(1) **평행** : 한 평면 위에 있는 두 직선 l, m이 서로 만나지 않을 때, 두 직선 l, m
은 평행하다고 한다.

이때 평행한 두 직선을 평행선이라 한다. 기호 $l /\!/ m$

(2) **평면에서 두 직선의 위치 관계**

① 한 점에서 만난다.

└→ 교점이 1개이다.

② 평행하다. → $l /\!/ m$

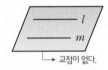
└→ 교점이 없다.

③ 일치한다.

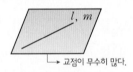
└→ 교점이 무수히 많다.

참고 한 평면 위에서 두 직선이 평행한 경우는 두 직선이 만나지 않는 경우이고, 두 직선이 일치하는 경우는 하나의 직선으로 생각한다.

---

149 1 오른쪽 그림의 정팔각형에서 다음을 구하여라.

(1) 직선 AB와 한 점에서 만나는 직선

(2) 직선 CD와 평행한 직선

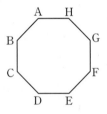

149 2 오른쪽 그림의 직사각형에서 다음을 구하여라.

(1) 직선 AB 위에 있는 점

(2) 점 C를 지나는 직선

(3) 직선 AD와 한 점에서 만나는 직선

(4) 직선 AB와 평행한 직선

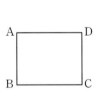

절대개념 Focus

평면에서 두 직선의 위치 관계

① 한 점에서 만난다.

② 평행하다.

③ 일치한다.

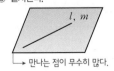
└→ 만나는 점이 무수히 많다.

확인	공부한 날	self-check	
	/	149-1	149-2
		O X	O X

개념 **150** 공간에서 두 직선의 위치 관계

9 공간에서 두 직선의 위치 관계

(1) **꼬인 위치** : 공간에서 두 직선이 서로 만나지도 않고 평행하지도 않을 때, 두 직선은 꼬인 위치에 있다고 한다.

(2) **공간에서 두 직선의 위치 관계**

① 한 점에서 만난다.   ② 일치한다.   ③ 평행하다. → $l /\!/ m$ ④ 꼬인 위치에 있다.

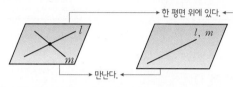
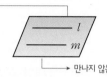
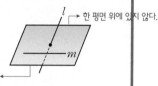

(3) **평면의 결정조건** : 다음과 같은 조건이 주어질 때, 평면은 하나로 결정된다.

① 한 직선 위에 있지 않은 서로 다른 세 점   ② 한 직선과 그 직선 밖의 한 점
③ 한 점에서 만나는 두 직선   ④ 서로 평행한 두 직선

개념 Plus⁺

• 공간에서 두 직선이 만나지 않는 경우는 평행할 때와 꼬인 위치에 있을 때이다.
• 두 점을 지나는 평면은 무수히 많다. 또, 두 점은 한 직선을 결정하므로 한 직선을 지나는 평면도 무수히 많다.

---

150 1 오른쪽 그림의 삼각기둥에서 다음을 구하여라.

(1) 모서리 AB와 만나는 모서리

(2) 모서리 BC와 평행한 모서리

(3) 모서리 BE와 꼬인 위치에 있는 모서리

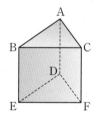

150 2 오른쪽 그림은 밑면이 정오각형인 오각기둥이다. 모서리 CH와 만나지도 않고 평행하지도 않은 모서리의 개수를 구하여라.

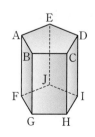

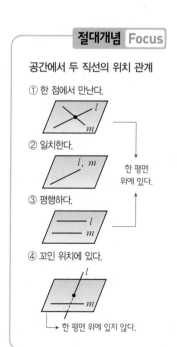
확인	공부한 날	self-check	
	/	150-1	150-2
		O X	O X

10 공간에서 직선과 평면의 위치 관계

(1) 공간에서 직선과 평면의 위치 관계

① 직선이 평면에 포함된다. ② 한 점에서 만난다. ③ 평행하다. → $l/\!/P$

 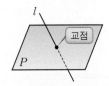 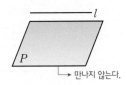

└▶ 직선 l이 평면 P 위에 있다. └▶ 만나지 않는다.

참고 직선 l과 평면 P가 서로 만나지 않을 때, 서로 평행하다고 한다. 기호 $l/\!/P$

(2) **직선과 평면의 수직** : 직선 l이 평면 P와 한 점 O에서 만나고 직선 l이 점 O를 지나는 평면 P 위의 모든 직선과 수직일 때, 직선 l과 평면 P는 수직이라 한다. 기호 $l\perp P$

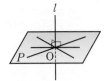

참고 평면 P의 수선인 직선 l과 평면 P가 만나는 점 O를 수선의 발이라 한다.

(3) **점과 평면 사이의 거리** : 평면 P 위에 있지 않은 점 A에서 평면 P에 내린 수선의 발 H까지의 거리, 즉 $\overline{AH}$의 길이이다.

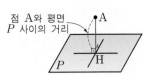

점 A와 평면 P 사이의 거리

---

151 1 오른쪽 그림의 직육면체에서 다음을 구하여라.

(1) 모서리 AB를 포함하는 면

(2) 모서리 BC와 한 점에서 만나는 면

(3) 모서리 EF와 평행한 면

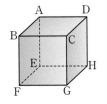

151 2 오른쪽 그림의 직육면체에서 점 E와 면 CGHD 사이의 거리를 구하여라.

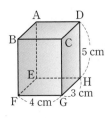

절대개념 Focus

공간에서 직선과 평면의 위치 관계

① 직선이 평면에 포함된다.

직선과 평면이 만난다.

② 한 점에서 만난다.

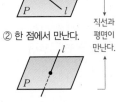

③ 평행하다.

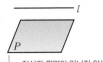

└▶ 직선과 평면이 만나지 않는다.

확인	공부한 날	self-check	
	/	151-1	151-2
		O X	O X

개념 152 공간에서 두 평면의 위치 관계

11 공간에서 두 평면의 위치 관계

(1) 공간에서 두 평면의 위치 관계

① 일치한다.

② 한 직선에서 만난다.

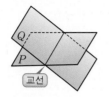

교선

③ 평행하다. → $P /\!/ Q$

→ 만나지 않는다.

참고 두 평면 P, Q가 만나지 않을 때, 서로 평행하다고 한다. 기호 $P /\!/ Q$

(2) **두 평면의 수직** : 평면 P가 평면 Q에 수직인 직선 l을 포함할 때, 평면 P는 평면 Q에 수직이라 한다. 기호 $P \perp Q$

(3) **평행한 두 평면 사이의 거리** : 평면 P 위의 한 점 A에서 평면 Q에 내린 수선의 발 H까지의 거리, 즉 $\overline{AH}$의 길이이다.

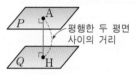

평행한 두 평면 사이의 거리

---

152 1 오른쪽 그림의 삼각기둥에서 다음을 구하여라.

(1) 면 ABC와 평행한 면

(2) 면 BEDA와 수직인 면

(3) 면 ADFC와 만나는 면

(4) 면 DEF와 면 BEFC의 교선

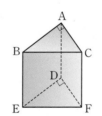

152 2 오른쪽 그림의 직육면체에서 면 AEGC와 수직인 면의 개수를 구하여라.

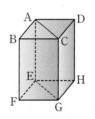

한자 용어 풀이

• 동위각(같을 同, 위치 位, 각 角)
⇨ 같은 위치에 있는 각

12 동위각과 엇각

서로 다른 두 직선이 다른 한 직선과 만나서 생기는 각 중에서

(1) 동위각 : 서로 같은 위치에 있는 두 각

⇨ $\angle a$와 $\angle e$, $\angle b$와 $\angle f$, $\angle c$와 $\angle g$, $\angle d$와 $\angle h$

(2) 엇각 : 서로 엇갈린 위치에 있는 두 각 ⇨ $\angle b$와 $\angle h$, $\angle c$와 $\angle e$

참고 서로 다른 두 직선과 다른 한 직선이 만나서 생기는 8개의 각 중 동위각은 4쌍, 엇각은 2쌍이다.

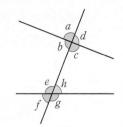

13 평행선의 성질

평행한 두 직선이 다른 한 직선과 만날 때

(1) 동위각의 크기는 서로 같다. ⇨ $l /\!/ m$이면 $\angle a = \angle e$

(2) 엇각의 크기는 서로 같다. ⇨ $l /\!/ m$이면 $\angle b = \angle h$

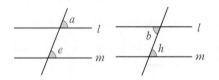

---

153 1 오른쪽 그림에서 다음을 구하여라.

(1) $\angle a$의 동위각의 크기

(2) $\angle f$의 동위각의 크기

(3) $\angle c$의 엇각의 크기

(4) $\angle e$의 엇각의 크기

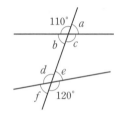

동위각과 엇각은 두 직선이 평행할 때 그 크기가 같아~

---

153 2 다음 그림에서 $l /\!/ m$일 때, $\angle x$, $\angle y$의 크기를 각각 구하여라.

(1)

(2)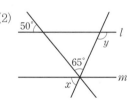

---

153 3 다음 그림에서 $l /\!/ m$일 때, $\angle x$의 크기를 구하여라.

(1)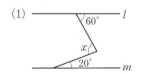

(2)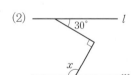

확인	공부한 날	self-check		
		153-1	153-2	153-3
	/	O X	O X	O X

개념 154 | 두 직선이 평행할 조건

14 두 직선이 평행할 조건

서로 다른 두 직선이 다른 한 직선과 만날 때

(1) 동위각의 크기가 같으면 두 직선은 서로 평행하다.
　　　⇨ $\angle a = \angle e$이면 $l // m$

(2) 엇각의 크기가 같으면 두 직선은 서로 평행하다.
　　　⇨ $\angle b = \angle h$이면 $l // m$

참고 　$\angle x + \angle y = 180°$이면 $l // m$이다.
　　　⇨ $\angle x + \angle y = 180°$이면 $\angle x + \angle a = 180°$이므로 $\angle y = \angle a$
　　　따라서 엇각의 크기가 같으므로 $l // m$이다.

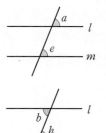

---

154 1 다음 〈**보기**〉 중 두 직선 l, m이 서로 평행한 것을 모두 골라라.

〈보기〉

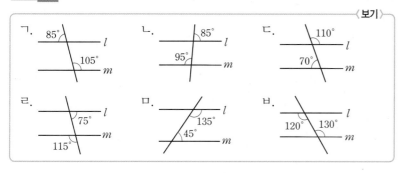

ㄱ. $85°$, $105°$
ㄴ. $85°$, $95°$
ㄷ. $110°$, $70°$
ㄹ. $75°$, $115°$
ㅁ. $135°$, $45°$
ㅂ. $120°$, $130°$

---

154 2 오른쪽 그림에서 평행한 두 직선을 찾아 기호 $//$ 를 사용하여 나타내어라.

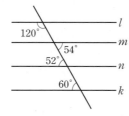

$120°$　$54°$　$52°$　$60°$

---

154 3 오른쪽 그림에서 두 직선 l, m이 서로 평행함을 설명할 수 있는 것을 모두 고르면? (정답 2개)

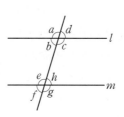

① $\angle a = \angle c$
② $\angle f = \angle g$
③ $\angle d = \angle f$
④ $\angle b = \angle c$
⑤ $\angle c + \angle h = 180°$

절대개념 Focus

평행선과 동위각

꿈틀역
담틀역

동위각의 크기가 같으면 두 직선은 서로 평행하다.

기

하

1학년
2학년
3학년

01. 기본 도형

01 오른쪽 그림과 같이 직선 l 위의 네 점 A, B, C, D 중에서 두 점을 골라 만들 수 있는 서로 다른 직선의 개수를 a개, 서로 다른 반직선의 개수를 b개라 할 때, $a+b$의 값을 구하여라.

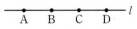

> **개념 145**
> 시작점과 방향이 같은 반직선은 같은 반직선이다.

02 오른쪽 그림에서 $\overline{AB}=20$ cm, $\overline{BC}=12$ cm이다. 점 M은 $\overline{AB}$의 중점, 점 N은 $\overline{BC}$의 중점, 점 P는 $\overline{MN}$의 중점일 때, $\overline{PB}$의 길이를 구하여라.

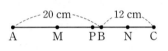

> **개념 146**
> 두 점 M, N이 $\overline{AB}$, $\overline{BC}$의 중점일 때, $\overline{MN}=\dfrac{1}{2}\overline{AC}$이다.

03 오른쪽 그림에서 $\angle AOB=2\angle BOC$, $\angle DOE=2\angle COD$일 때, $\angle BOD$의 크기는?

① $55°$ ② $60°$ ③ $65°$

④ $70°$ ⑤ $75°$

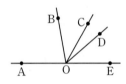

> **개념 147**

04 오른쪽 그림과 같이 세 직선이 한 점에서 만날 때, $\angle x+\angle y$의 크기는?

① $60°$ ② $65°$ ③ $70°$

④ $75°$ ⑤ $80°$

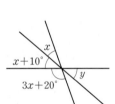

> **개념 147**

05 오른쪽 그림의 직육면체에서 면 BFHD와 평행한 모서리의 개수를 x개, 선분 BD와 꼬인 위치에 있는 모서리의 개수를 y개라 할 때, $x+y$의 값을 구하여라.

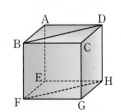

> **개념 150+151**
> 꼬인 위치에 있는 모서리를 찾을 때에는 만나거나 평행한 모서리를 제외시킨다.

확인	공부한 날	self-check				
		01	02	03	04	05
	/	O X	O X	O X	O X	O X

06 다음 중 오른쪽 그림의 삼각기둥에 대한 설명으로 옳은
것은?

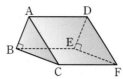

개념 151+152

① 모서리 AC와 면 BCFE는 평행하다.
② 모서리 BC와 면 ABED는 수직이다.
③ 면 ACFD와 면 ABED는 수직이다.
④ 모서리 AD와 모서리 CF는 꼬인 위치에 있다.
⑤ 모서리 AB와 면 DEF는 수직이다.

07 다음 중 공간에서의 위치 관계에 대한 설명으로 옳지 <u>않은</u> 것은?

개념 150+152

① 한 직선에 평행한 서로 다른 두 직선은 평행하다.
② 한 직선에 수직인 서로 다른 두 평면은 평행하다.
③ 한 평면에 평행한 서로 다른 두 직선은 평행하다.
④ 한 평면에 평행한 서로 다른 두 평면은 평행하다.
⑤ 한 평면에 수직인 서로 다른 두 직선은 평행하다.

08 오른쪽 그림과 같이 직사각형 모양의 종이를 접었을 때,
$\angle x$, $\angle y$의 크기를 각각 구하여라.

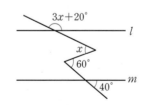

개념 153

09 오른쪽 그림에서 $l /\!/ m$일 때, $\angle x$의 크기를 구하
여라.

개념 153

꺾인 두 점을 지나고 주어진
평행선 l, m에 평행이 되도
록 직선을 그어 동위각, 엇각
의 크기가 같음을 이용한다.

10 오른쪽 그림에서 평행한 직선을 모두 고르면?
(정답 2개)

개념 154

서로 다른 두 직선이 다른 한
직선과 만날 때 생기는 동위
각(엇각)의 크기가 같으면 두
직선은 서로 평행하다.

① 두 직선 l과 m ② 두 직선 l과 n
③ 두 직선 m과 n ④ 두 직선 p와 q
⑤ 두 직선 p와 r

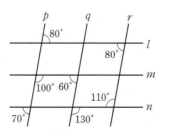

확인	공부한 날	self-check				
		06	07	08	09	10
	/	O X	O X	O X	O X	O X

개념 155 작도

1 작도 : 눈금 없는 자와 컴퍼스만을 사용하여 도형을 그리는 것

(1) 눈금 없는 자 : 두 점을 연결하여 선분을 그리거나 주어진 선분을 연장하는 데 사용

(2) 컴퍼스 : 원을 그리거나 주어진 선분을 같은 길이의 선분으로 옮기는 데 사용

2 길이가 같은 선분의 작도

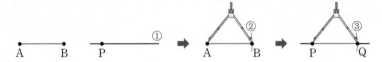

3 크기가 같은 각의 작도

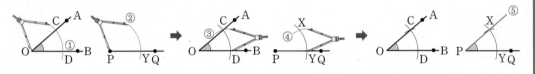

---

155 1 다음은 $\overline{AB}$를 한 변으로 하는 정삼각형을 작도한 것이다. 작도 순서를 나열하여라.

ㄱ 점 A와 C, 점 B와 C를 각각 연결한다.
ㄴ 컴퍼스를 사용하여 $\overline{AB}$의 길이를 잰다.
ㄷ 직선 l을 긋고 두 점 A, B를 잡는다.
ㄹ 두 점 A, B를 중심으로 하고 반지름의 길이가 $\overline{AB}$
　인 원을 각각 그린 후 두 원이 만나는 점을 C라 한다.

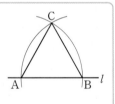

크기가 같은 각의 작도를
할 때 각도기는 사용하지
않아 ~

155 2 오른쪽 그림은 ∠XOY와 크기가 같은 각을 반직선 O′Y′을 한 변으로 하여 작도하는 과정이다. 작도 순서를 나열하여라.

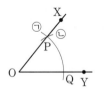

절대개념 Focus

작도

① 작도를 할 때는 눈금 없는 자를 사용하므로 선분의 길이를 잴 수 없다. 따라서 길이가 같은 선분을 작도할 때는 컴퍼스를 사용한다.

② 길이가 같은 선분의 작도와 크기가 같은 각의 작도는 삼각형의 작도에 사용된다.

확인	공부한 날	self-check	
		155-1	155-2
	/	O X	O X

4 삼각형

(1) 삼각형의 구성 요소

　① 오른쪽 그림과 같이 세 변 AB, BC, CA와 세 각 ∠A, ∠B, ∠C로 이루어진 도형을 삼각형 ABC라 한다. [기호] **△ABC**

　② △ABC에서 ∠A와 마주 보는 변 BC를 ∠A의 대변, ∠A를 변 BC의 대각이라 한다.

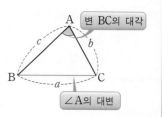

변 BC의 대각

∠A의 대변

　[참고] 일반적으로 △ABC에서 ∠A, ∠B, ∠C의 대변의 길이를 각각 a, b, c로 나타낸다.

(2) 삼각형의 세 변의 길이 사이의 관계

　(한 변의 길이) < (나머지 두 변의 길이의 합)

　[참고] 삼각형의 세 변의 길이를 a, b, c라 하면 $a<b+c$, $b<a+c$, $c<a+b$이다.

---

156 1 오른쪽 그림과 같은 △ABC에서 다음을 구하여라.

(1) $\overline{AC}$의 대각　　(2) $\overline{AB}$의 대각

(3) ∠A의 대변　　(4) ∠C의 대변

---

156 2 삼각형의 세 변의 길이가 각각 4 cm, x cm, 12 cm일 때, 다음 중 x의 값이 될 수 있는 것을 모두 골라라.

7	8	12	15	17

---

156 3 길이가 3 cm, 4 cm, 6 cm, 8 cm인 네 개의 선분이 주어졌을 때, 네 개의 선분 중 3개를 이용하여 만들 수 있는 삼각형의 개수를 구하여라.

절대개념 Focus

삼각형의 세 변의 길이의 관계

(가장 긴 변의 길이)
< (나머지 두 변의 길이의 합)

다음과 같은 각 경우는 삼각형이 만들어지지 않는다.

① (가장 긴 변의 길이)
　> (나머지 두 변의 길이의 합)
　인 경우 (×)

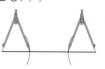

② (가장 긴 변의 길이)
　= (나머지 두 변의 길이의 합)
　인 경우 (×)

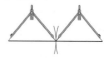

기

하

1학년

2학년

3학년

02. 작도와 합동

확인	공부한 날	self-check		
		156-1	156-2	156-3
	/	O X	O X	O X

5 **삼각형의 작도** : 다음의 각 경우에 삼각형을 하나로 작도할 수 있다.

(1) 세 변의 길이가 주어질 때

(2) 두 변의 길이와 그 끼인 각의 크기가 주어질 때

(3) 한 변의 길이와 그 양 끝각의 크기가 주어질 때

157 1 다음은 세 변의 길이가 주어질 때, 삼각형 ABC를 작도하는 과정이다. ☐ 안에 알맞은 것을 써넣어라.

① 직선 l을 긋고 그 위에 길이가 a인 ☐를 작도한다.

② 점 B를 중심으로 반지름의 길이가 ☐인 원과 점 C를 중심으로 반지름의 길이가 ☐인 원을 그려 그 교점을 ☐라 한다.

③ 두 점 ☐와 B, 두 점 ☐와 C를 각각 이으면 삼각형 ABC가 된다.

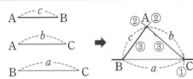

157 2 다음은 두 변의 길이와 그 끼인 각의 크기가 주어질 때, 삼각형 ABC를 작도하는 과정이다. ☐ 안에 알맞은 것을 써넣어라.

① 직선 l을 긋고 그 위에 ☐와 크기가 같은 ∠XBY를 작도한다.

② 점 B를 중심으로 반지름의 길이가 ☐인 원을 그려 $\overrightarrow{BX}$와의 교점을 A, 반지름의 길이가 ☐인 원을 그려 $\overrightarrow{BY}$와의 교점을 C라 한다.

③ 두 점 A와 ☐를 이으면 △ABC가 된다.

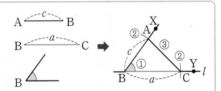

157 3 다음은 한 변의 길이와 그 양 끝각의 크기가 주어질 때, 삼각형 ABC를 작도하는 과정이다. ☐ 안에 알맞은 것을 써넣어라.

① 직선 l을 긋고 그 위에 길이가 a인 ☐를 작도한다.

② ∠B, ∠C와 크기가같은 ∠XBC, ☐를 각각 작도한다.

③ $\overrightarrow{BX}$와 ☐의 교점을 A라 하면 △ABC가 된다.

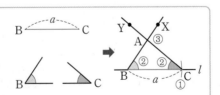

확인	공부한 날	self-check		
		157-1	157-2	157-3
	/	O X	O X	O X

개념 **158** 삼각형이 하나로 정해지는 조건

6 삼각형이 하나로 정해지는 조건

(1) 삼각형이 하나로 정해지는 경우

① 세 변의 길이가 주어질 때

② 두 변의 길이와 그 끼인 각의 크기가 주어질 때

③ 한 변의 길이와 그 양 끝각의 크기가 주어질 때

> 참고 한 변의 길이와 그 양 끝각이 아닌 두 각의 크기가 주어지면 삼각형의 내각의 크기의 합이 180°임을 이용하여 나머지 한 각의 크기를 구할 수 있다.

(2) 삼각형이 하나로 정해지지 않는 경우

① 두 변의 길이와 그 끼인 각이 아닌 다른 한 각의 크기가 주어질 때

→ 삼각형이 그려지지 않거나 1 개 또는 2 개로 그려진다.

예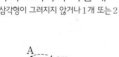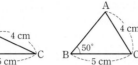

② 세 각의 크기가 주어질 때

→ 모양은 같고 크기가 다른 삼각형이 무수히 많이 그려진다.

예 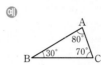 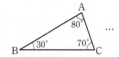 …

---

158 **1** 다음을 만족하는 △ABC가 하나로 정해지면 ○표, 그렇지 않으면 ×표를 하여라.

(1) $\overline{AB}=3$ cm, $\overline{BC}=4$ cm, $\overline{CA}=8$ cm ( )

(2) $\overline{AB}=8$ cm, $\overline{AC}=5$ cm, $\angle B=30°$ ( )

(3) $\overline{BC}=5$ cm, $\angle B=50°$, $\angle C=70°$ ( )

(4) $\overline{BC}=6$ cm, $\overline{CA}=7$ cm, $\angle C=45°$ ( )

158 **2** 다음 〈보기〉 중 △ABC가 하나로 정해지는 것을 모두 골라라.

─── 〈보기〉 ───
ㄱ. $\overline{AB}=4$, $\overline{BC}=6$, $\overline{CA}=7$ ㄴ. $\angle A=30°$, $\angle B=70°$, $\angle C=80°$
ㄷ. $\overline{AB}=7$, $\overline{AC}=5$, $\angle B=50°$ ㄹ. $\angle A=60°$, $\angle B=50°$, $\overline{AC}=8$

158 **3** 삼각형 ABC에서 $\overline{AB}=7$ cm, $\angle B=30°$가 주어질 때, 다음 〈보기〉 중 삼각형 ABC가 하나로 정해지기 위해 필요한 나머지 한 조건을 모두 골라라.

─── 〈보기〉 ───
ㄱ. $\angle A=70°$ ㄴ. $\angle C=70°$ ㄷ. $\overline{AC}=5$ cm   ㄹ. $\overline{BC}=8$ cm

---

절대개념 **Focus**

삼각형이 하나로 정해지는 경우

① 세 변의 길이가 주어질 때

② 두 변의 길이와 그 끼인 각의 크기가 주어질 때

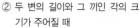

③ 한 변의 길이와 그 양 끝각의 크기가 주어질 때

확인	공부한 날	self-check		
	/	158-1	158-2	158-3
		O X	O X	O X

209

한자 용어 풀이
• 합동(하나될 合, 같을 同)
⇨ 하나로 포개어지는 것

7 도형의 합동

(1) **합동** : 두 도형에서 한 도형을 모양이나 크기를 바꾸지 않고 옮겨서 다른 도형에 완전히 포갤 수 있을 때, 이 두 도형을 **합동**이라 한다. 기호 $\triangle ABC \equiv \triangle DEF$

주의 $\equiv$(합동)과 =(넓이가 같다)를 혼동하지 않도록 주의한다.

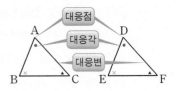

(2) **대응** : 합동인 두 도형에서 서로 포개어지는 꼭짓점, 변, 각을 서로 대응한다고 하며 이들을 각각 대응점, 대응변, 대응각이라 한다.

(3) **합동인 도형의 성질**

① 대응변의 길이가 서로 같다.　② 대응각의 크기가 서로 같다.

예 오른쪽 그림에서 $\triangle ABC \equiv \triangle DEF$일 때
① $\overline{AB}=\overline{DE}$, $\overline{BC}=\overline{EF}$, $\overline{AC}=\overline{DF}$
② $\angle A = \angle D$, $\angle B = \angle E$, $\angle C = \angle F$

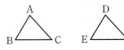

개념 Plus⁺ 서로 합동인 두 도형의 넓이는 같다. 그러나 오른쪽 그림과 같이 넓이가 같다고 해서 두 도형이 반드시 합동인 것은 아니다.

---

159 1 오른쪽 그림에서 두 삼각형이 서로 합동일 때, 다음 물음에 답하여라.

(1) 두 삼각형을 합동기호($\equiv$)를 사용하여 나타내어라.

(2) 변 BC의 대응변을 구하여라.

(3) $\angle B$의 대응각을 구하여라.

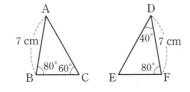

159 2 오른쪽 그림에서 사각형 ABCD와 사각형 EFGH가 합동일 때, 다음을 구하여라.

(1) $\angle A$의 크기

(2) $\angle H$의 크기

(3) $\overline{AD}$의 길이

(4) $\overline{EF}$의 길이

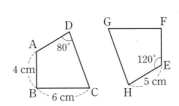

절대개념 Focus

도형의 합동

$\triangle ABC \equiv \triangle DEF$

대응점을 같은 순서로 쓴다.

⇨ $\angle A$의 대응각은 $\angle D$
⇨ $\angle B$의 대응각은 $\angle E$
⇨ $\angle C$의 대응각은 $\angle F$
⇨ $\overline{AB}$의 대응변은 $\overline{DE}$
⇨ $\overline{BC}$의 대응변은 $\overline{EF}$
⇨ $\overline{CA}$의 대응변은 $\overline{FD}$

확인	공부한 날	self-check	
	/	159-1	159-2
		O X	O X

개념 160 삼각형의 합동조건

8 삼각형의 합동조건

$\triangle ABC \equiv \triangle DEF$

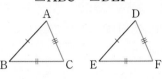

(1) SSS 합동 : $\triangle ABC$와 $\triangle DEF$에서 대응하는 세 변의 길이 가 각각 같을 때

⇒ $\overline{AB}=\overline{DE}$, $\overline{BC}=\overline{EF}$, $\overline{AC}=\overline{DF}$

(2) SAS 합동 : $\triangle ABC$와 $\triangle DEF$에서 대응하는 두 변의 길이 가 각각 같고, 그 끼인 각의 크기가 같을 때

⇒ $\overline{AB}=\overline{DE}$, $\overline{BC}=\overline{EF}$, $\angle B=\angle E$

(3) ASA 합동 : $\triangle ABC$와 $\triangle DEF$에서 대응하는 한 변의 길이 가 같고, 그 양 끝각의 크기가 각각 같을 때

⇒ $\overline{BC}=\overline{EF}$, $\angle B=\angle E$, $\angle C=\angle F$

참고 대응하는 세 쌍의 각의 크기가 각각 같다고 해서 합동이 되는 것은 아니다.

오른쪽 그림과 같은 $\triangle ABC$와 $\triangle AB'C'$는 세 쌍의 크기가 각각 같지만 합동은 아니다.

---

160 1 다음 〈보기〉 중 합동인 삼각형을 찾고, 그때의 합동조건을 말하여라.

〈보기〉

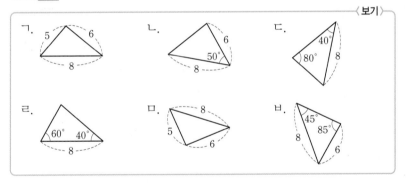

---

160 2 오른쪽 그림에서 $\overline{OA}=\overline{OC}$, $\overline{AB}=\overline{CD}$일 때, $\triangle AOD$와 $\triangle COB$는 합동이다. 이때 사용된 삼각형의 합동조건을 말하여라.

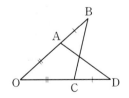

절대개념 Focus

삼각형의 합동조건

세 변

Ⓢ Ⓢ Ⓢ

두 변

Ⓢ Ⓐ Ⓢ

끼인 각

한 변

Ⓐ Ⓢ Ⓐ

양 끝각

확인	공부한 날	self-check	
	/	160-1	160-2
		O X	O X

01 오른쪽 그림은 ∠XOY와 크기가 같은 각 ∠CPD를 작도한 것이다. 다음 중 옳지 <u>않은</u> 것은?

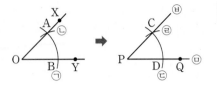

개념 155

① $\overline{OB}=\overline{PD}$ ② $\overline{AB}=\overline{CD}$

③ $\overline{OA}=\overline{OB}$ ④ $\overline{OX}=\overline{OY}$

⑤ 작도 순서는 ㅁ → ㄱ → ㄷ → ㄴ → ㄹ → ㅂ이다.

02 오른쪽 그림과 같이 변 AB의 길이와 그 양 끝각인 ∠A, ∠B의 크기가 주어졌을 때, 다음 〈보기〉 중 △ABC를 작도하는 순서가 될 수 있는 것을 모두 골라라.

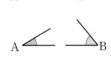

개념 157

〈보기〉

ㄱ. $\overline{AB}$ → ∠A → ∠B   ㄴ. ∠A → ∠B → $\overline{AB}$

ㄷ. ∠B → ∠A → $\overline{AB}$ ㄹ. ∠A → $\overline{AB}$ → ∠B

03 다음 중 △ABC가 하나로 정해지는 것을 모두 고르면? (정답 2개)

① $\overline{AB}=4$ cm, $\overline{BC}=4$ cm, $\overline{AC}=9$ cm

② $\overline{AB}=9$ cm, $\overline{AC}=6$ cm, ∠B=40°

③ $\overline{AB}=7$ cm, $\overline{AC}=6$ cm, ∠A=50°

④ $\overline{AC}=9$ cm, ∠A=60°, ∠B=45°

⑤ $\overline{AC}=8$ cm, ∠A=85°, ∠C=95°

개념 158

삼각형이 하나로 정해지는 조건
① 세 변의 길이가 주어질 때
② 두 변의 길이와 그 끼인 각의 크기가 주어질 때
③ 한 변의 길이와 그 양 끝 각의 크기가 주어질 때

04 오른쪽 그림과 같은 삼각형에서 $\overline{AB}$의 길이가 주어졌다. 다음의 조건이 더 주어질 때, 삼각형이 하나로 정해지지 <u>않는</u> 것은?

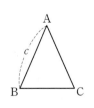

개념 158

① ∠A와 ∠B의 크기   ② ∠B와 ∠C의 크기

③ $\overline{BC}$와 $\overline{AC}$의 길이   ④ ∠B의 크기와 $\overline{AC}$의 길이

⑤ ∠A의 크기와 $\overline{AC}$의 길이

확인	공부한 날	self-check			
	/	01	02	03	04
		O X	O X	O X	O X

05 오른쪽 그림에서 사각형 ABCD와 사각형 A′B′C′D′이 합동일 때, 다음 중 옳은 것은?

> 개념 **159**

① ∠D=80° ② ∠C=∠D′

③ ∠B′=70° ④ $\overline{\text{CD}}$=11 cm

⑤ $\overline{\text{B′C′}}$=11 cm

06 다음 중 오른쪽 그림의 삼각형과 합동인 것은?

> 개념 **160**
> 주어진 삼각형의 두 각의 크기를 이용하여 나머지 한 각의 크기를 구한다.

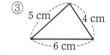

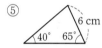

07 오른쪽 그림과 같은 정사각형 ABCD에서 $\overline{\text{BE}}$=$\overline{\text{CF}}$이고 ∠BAE=20°일 때, ∠BFC의 크기는?

① 60° ② 65° ③ 70°

④ 75° ⑤ 80°

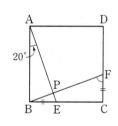

> 개념 **160**
> 정사각형이 주어졌을 때 합동인 도형을 찾으려면 네 변의 길이와 네 내각의 크기가 같음을 이용한다.

08 오른쪽 그림에서 사각형 ABCD와 사각형 GCEF가 정사각형일 때, $\overline{\text{DE}}$의 길이는?

① 6 cm ② 7 cm ③ 8 cm

④ 9 cm ⑤ 10 cm

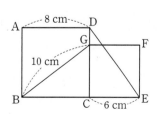

> 개념 **160**
> △BCG와 △DCE가 합동이 되는 조건을 찾는다.

기

하

1학년

2학년

3학년

확인	공부한 날	self-check			
	/	05	06	07	08
		O X	O X	O X	O X

다각형

1 다각형

(1) **다각형** : 여러 개의 선분으로 둘러싸인 평면도형

⇨ 선분의 개수에 따라 삼각형, 사각형, 오각형, …, n각형이라 한다.

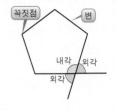

삼각형　　　사각형　　　오각형

(2) **내각** : 다각형에서 이웃하는 두 변으로 이루어진 각

(3) **외각** : 다각형의 각 꼭짓점에서 한 변과 그 변에 이웃하는 다른 변의 연장선이 이루는 각

참고 • 다각형의 한 내각에 대한 외각은 각각 2개씩 있고, 두 외각은 맞꼭지각이므로 그 크기가 같다.

　　• (한 내각의 크기)+(그 외각의 크기)=180°

2 정다각형 : 모든 변의 길이가 같고 모든 내각의 크기가 같은 다각형

⇨ 변의 개수에 따라 정삼각형, 정사각형, 정오각형, …, 정 n 각형이라 한다.

정삼각형　　　정사각형　　　정오각형

---

161 1 다음 〈보기〉 중 다각형인 것을 모두 골라라.

〈보기〉

　ㄱ. 　　ㄴ. 　　ㄷ. 　　ㄹ.

161 2 다음 조건을 모두 만족하는 다각형의 이름을 말하여라.

⑺ 모든 변의 길이가 같고 모든 내각의 크기가 같다.

⑻ 5개의 선분으로 둘러싸여 있다.

절대개념 Focus

정다각형이 아닌 예

① 변의 길이가 모두 같아도 내각의 크기가 다르면 정다각형이 아니다.

예

마름모

② 내각의 크기가 모두 같아도 변의 길이가 다르면 정다각형이 아니다.

예

직사각형

확인	공부한 날	self-check	
		161-1	161-2
	/	O X	O X

개념
164 ## 다각형의 내각과 외각의 크기

6 다각형의 내각의 크기의 합

(1) n각형의 한 꼭짓점에서 대각선을 그어 만들어지는 삼각형의 개수 : $(n-2)$개

(2) n각형의 내각의 크기의 합 : $180° \times (n-2)$

예 ① 육각형의 한 꼭짓점에서 대각선을 그어 만들어지는 삼각형의 개수 : $6-2=4$(개)
　② 육각형의 내각의 크기의 합 : $180° \times 4 = 720°$

7 다각형의 외각의 크기의 합

다각형의 외각의 크기의 합은 항상 $360°$이다.

예 ① 사각형의 내각과 외각의 크기의 총합 : $180° \times 4 = 720°$
　② 사각형의 내각의 크기의 합 : $180° \times 2 = 360°$
　③ 사각형의 외각의 크기의 합 : $360°$

개념
Plus⁺　오른쪽 그림과 같이 오각형의 내부의 한 점과 5개의 꼭짓점을 연결하면 5개의 삼각형이 만들어지므로
(오각형의 내각의 크기의 합)$=180° \times 5 - 360° = 540°$로 구할 수도 있다.

164 1　오른쪽 그림과 같은 팔각형에서 다음을 구하여라.

(1) 한 꼭짓점에서 대각선을 그어 만들어지는 삼각형의 개수

(2) 내각의 크기의 합

164 2　다음 그림에서 $\angle x$의 크기를 구하여라.

(1)

$100°$
$135°$　x
$105°$

(2)

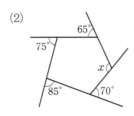

$65°$
$75°$
x
$85°$　$70°$

절대개념 **Focus**

다각형의 외각의 크기의 합

n각형의 한 내각의 크기와 그와 이웃하는 외각의 크기의 합이 $180°$이므로
(내각의 크기의 합)+(외각의 크기의 합)
$=180° \times n$
∴ (외각의 크기의 합)
　$=180° \times n -$ (내각의 크기의 합)
　$=180° \times n - 180° \times (n-2)$
　$=360°$

164 3　오른쪽 그림에서 $\angle x$, $\angle y$의 크기를 각각 구하여라.

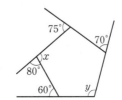

$75°$
$70°$
x
$80°$
$60°$　y

확	공부한 날	self-check		
		164-1	164-2	164-3
인	/	O X	O X	O X

정다각형의 한 내각과 한 외각의 크기

8 정다각형의 한 내각과 한 외각의 크기

(1) 정 n각형의 한 내각의 크기 : $\dfrac{180° \times (n-2)}{n}$

(2) 정 n각형의 한 외각의 크기 : $\dfrac{360°}{n}$

예 ① 정오각형의 한 내각의 크기 : $\dfrac{540°}{5} = 108°$

② 정오각형의 한 외각의 크기 : $\dfrac{360°}{5} = 72°$

- -

개념
Plus⁺

정 n각형의 한 내각의 크기는 한 꼭짓점에서의 한 내각의 크기와 그와 이웃하는 외각의 크기의 합이 180°임을 이용하여 구할 수 있다.

⇨ $180° - \dfrac{360°}{n}$

---

165 1 오른쪽 그림과 같은 정구각형에서 다음을 구하여라.

(1) 한 내각의 크기

(2) 한 외각의 크기

165 2 다음 정다각형의 한 내각의 크기와 한 외각의 크기를 차례로 구하여라.

(1) 정육각형   (2) 정팔각형

(3) 정십각형   (4) 정십오각형

절대개념 Focus

정다각형의 한 내각의 크기

(정 n각형의 한 내각의 크기)
+(정 n각형의 한 외각의 크기)$=180°$
∴ (정 n각형의 한 내각의 크기)
$\quad =180°$
$\qquad -$(정 n각형의 한 외각의 크기)
$\quad =180° - \dfrac{360°}{n}$
$\quad =\dfrac{180° \times n - 360°}{n}$
$\quad =\dfrac{180° \times (n-2)}{n}$

165 3 한 외각의 크기가 30°인 정다각형의 이름을 말하여라.

확인	공부한 날	self-check		
		165-1	165-2	165-3
	/	O X	O X	O X

개념 166 원과 부채꼴

9 원과 부채꼴

(1) 원 : 평면 위의 한 점 O로부터 일정한 거리에 있는 점들로 이루어진 도형

(2) 호 AB : 원 위의 두 점 A, B를 양 끝으로 하는 원의 일부분

기호 $\overparen{AB}$

참고 $\overparen{AB}$는 보통 길이가 짧은 쪽의 호를 말한다.

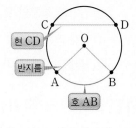

(3) 현 CD : 원 위의 두 점 C, D를 이은 선분

(4) 부채꼴 AOB : 원 O에서 두 반지름 OA, OB와 호 AB로 이루어진 도형

(5) 중심각 : ∠AOB를 호 AB에 대한 중심각 또는 부채꼴 AOB의 중심각이라 한다.

(6) 활꼴 CD : 현 CD와 호 CD로 이루어진 도형

---

166 1 오른쪽 그림의 원 O에 다음을 나타내어라.

(1) 호 AB

(2) 현 BC

(3) 부채꼴 COD

(4) 활꼴 AD

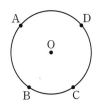

---

166 2 오른쪽 그림의 원 O에 대하여 다음을 기호로 나타내어라.

(1) $\overparen{AB}$에 대한 현

(2) $\overline{CD}$에 대한 호

(3) 부채꼴 AOE에 대한 중심각

(4) 중심각 AOB에 대한 호

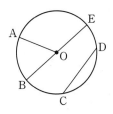

절대개념 Focus

원과 부채꼴

① 원의 지름은 한 원에서 길이가 가장 긴 현이다.

② 반원은 활꼴인 동시에 부채꼴이다. 즉, 반원은 한 원에서 활꼴 중 넓이가 가장 큰 도형이며, 중심각의 크기가 180°인 부채꼴이다.

확인	공부한 날	self-check	
		166-1	166-2
	/	O X	O X

10 **중심각의 크기와 부채꼴의 호의 길이 및 넓이 사이의 관계**

한 원 또는 합동인 두 원에서

(1) 같은 크기의 중심각에 대한 부채꼴의 호의 길이와 넓이는 각각 같다.

(2) 부채꼴의 호의 길이와 넓이는 각각 중심각의 크기에 정비례한다.

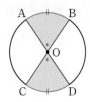

11 **중심각의 크기와 현의 길이 사이의 관계**

한 원 또는 합동인 두 원에서

(1) 같은 크기의 중심각에 대한 현의 길이는 같다.

(2) 현의 길이는 중심각의 크기에 정비례하지 않는다.

참고 오른쪽 그림에서 $\angle COE = 2\angle AOB$이지만 $\overline{CE} < 2\overline{AB}$임을 알 수 있다.

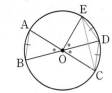

개념
Plus+

부채꼴의 호의 길이와 넓이는 각각 중심각의 크기에 정비례하므로 비례식을 이용하여 구한다.

① $\angle AOB : \angle COD = \overparen{AB} : \overparen{CD}$

② $\angle AOB : \angle COD = $ (부채꼴 AOB의 넓이) : (부채꼴 COD의 넓이)

③ $\overparen{AB} : \overparen{CD} = $ (부채꼴 AOB의 넓이) : (부채꼴 COD의 넓이)

---

167 1 다음 그림에서 x의 값을 구하여라.

(1)

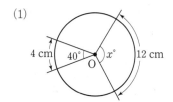

(2)

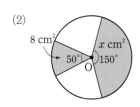

167 2 오른쪽 그림의 원 O에서

$\angle AOB = \angle COD = \angle DOE$일 때, 다음 〈보기〉 중 옳지 <u>않은</u> 것을 모두 골라라.

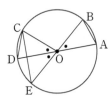

―〈보기〉―
ㄱ. $\overparen{CD} = \overparen{AB}$ ㄴ. $\overparen{CE} = 2\overparen{AB}$
ㄷ. $\overline{CD} = \overline{AB}$ ㄹ. $\overline{CE} = 2\overline{AB}$
ㅁ. $\triangle AOB = \triangle COD$ ㅂ. $\triangle COE = 2\triangle AOB$
ㅅ. (부채꼴 COE의 넓이)
  $= 2 \times$ (부채꼴 AOB의 넓이)

확인	공부한 날	self-check	
		167-1	167-2
	/	O X	O X

개념 168 부채꼴의 호의 길이와 넓이

12 원주와 원의 넓이

반지름의 길이가 r인 원의 둘레의 길이(원주)를 l, 넓이를 S라 하면

(1) $l=2\pi r$ (2) $S=\pi r^2$

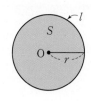

참고 원주율 : 원의 지름의 길이에 대한 원의 둘레의 길이의 비 기호 π(파이)

$$(원주율)=\frac{(원의\ 둘레의\ 길이)}{(원의\ 지름의\ 길이)}=3.141592\cdots=\pi$$

13 부채꼴의 호의 길이와 넓이

반지름의 길이가 r, 중심각의 크기가 $x°$인 부채꼴의 호의 길이를 l, 넓이를 S라 하면

(1) $l=2\pi r\times\dfrac{x}{360}$ (2) $S=\pi r^2\times\dfrac{x}{360}=\dfrac{1}{2}rl$

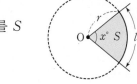

개념 Plus⁺

$\therefore$ (원의 넓이)$=\dfrac{1}{2}\times2\pi r\times r=\pi r^2$

---

168 1 오른쪽 그림에서 색칠한 부분의 둘레의 길이 l과 넓이 S를 각각 구하여라.

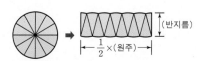

3 cm   3 cm

168 2 다음 그림에서 부채꼴의 호의 길이 l과 넓이 S를 각각 구하여라.

(1)

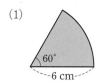

60°
6 cm

(2)

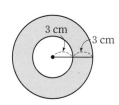

8 cm
135°

168 3 다음 그림에서 x의 값을 구하여라.

(1)

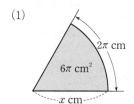

2π cm
6π cm²
x cm

(2)

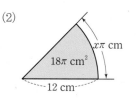

$x\pi$ cm
18π cm²
12 cm

절대개념 Focus

부채꼴의 호의 길이와 넓이

① 부채꼴의 중심각의 크기를 $x°$라 하면

$$S=\pi r^2\times\frac{x}{360}$$
$$=\frac{1}{2}r\times\left(2\pi r\times\frac{x}{360}\right)$$
$$=\frac{1}{2}r\times l=\frac{1}{2}rl$$

② 부채꼴의 호의 길이는 중심각의 크기에 정비례하므로

$$l:2\pi r=x:360$$
$$\therefore l=2\pi r\times\frac{x}{360}$$

③ 부채꼴의 넓이는 중심각의 크기에 정비례하므로

$$S:\pi r^2=x:360$$
$$\therefore S=\pi r^2\times\frac{x}{360}$$

기 하

1학년
2학년
3학년

03. 평면도형의 성질

확인	공부한 날	self-check		
	/	168-1	168-2	168-3
		O X	O X	O X

탄탄한 중단원 문제

01 다음 조건을 모두 만족하는 다각형의 이름을 말하여라.

개념 161+162

> (가) 모든 변의 길이가 같고 모든 내각의 크기가 같다.
> (나) 대각선의 총 개수는 54개이다.

02 다음 조건을 모두 만족하는 다각형에 대한 설명으로 옳은 것을 모두 고르면?

(정답 2개)

개념 161+162

> (가) 6개의 꼭짓점이 있다.
> (나) 모든 변의 길이와 모든 외각의 크기가 같다.

① 정육각형이다.　　　　　② 정구각형이다.

③ 모든 내각의 크기는 같다.　　　　④ 대각선의 총 개수는 18개이다.

⑤ 한 꼭짓점에서 그을 수 있는 대각선의 개수는 4개이다.

03 오른쪽 그림에서 $\overline{AB}=\overline{AC}=\overline{CD}$이고, $\angle DCE=120°$ 일 때, $\angle x$의 크기를 구하여라.

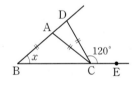

개념 163

삼각형의 한 외각의 크기는 그와 이웃하지 않는 두 내각의 크기의 합과 같다.

04 오른쪽 그림에서 $\angle x$의 크기는?

① $60°$　　　　② $65°$　　　　③ $70°$

④ $75°$　　　　⑤ $80°$

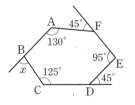

개념 164

다각형의 외각의 크기의 합은 항상 $360°$이다.

05 한 내각의 크기와 한 외각의 크기의 비가 3 : 1인 정다각형의 이름을 말하여라.

개념 165

정다각형의 한 내각의 크기와 한 외각의 크기의 합은 $180°$이다.

확인	공부한 날	self-check				
	/	01	02	03	04	05
		O X	O X	O X	O X	O X

06 오른쪽 그림의 원 O에서 $\widehat{AB} : \widehat{BC} : \widehat{CA} = 2 : 3 : 4$일 때, $\widehat{CA}$에 대한 중심각의 크기를 구하여라.

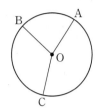

개념 167
중심각의 크기와 부채꼴의 호의 길이는 정비례한다.

07 오른쪽 그림과 같이 $\overline{AB}$를 지름으로 하는 원 O에서 $\overline{AC} /\!/ \overline{OD}$이고 $\angle DOB = 40°$, $\widehat{BD} = 4$ cm일 때, $\widehat{AC}$의 길이는?

① 7 cm　　② 8 cm　　③ 9 cm
④ 10 cm　　⑤ 11 cm

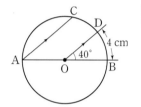

개념 167
점 C와 점 O를 잇고 이등변 삼각형의 두 밑각의 크기가 같음을 이용한다.

08 오른쪽 그림에서 $\overline{AD}$는 큰 원의 지름이다. $\overline{AB} = \overline{BC} = \overline{CD}$이고 $\overline{AD} = 18$ cm일 때, 색칠한 부분의 넓이는?

① 12π cm² 　② 20π cm² 　③ 27π cm²
④ 48π cm² 　⑤ 64π cm²

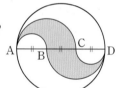

개념 168
넓이를 구할 때 도형의 일부분을 적당히 옮기면 쉽게 구할 수 있다.

09 오른쪽 그림의 정사각형에서 색칠한 부분의 둘레의 길이와 넓이를 차례로 구하여라.

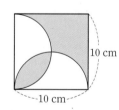

10 cm

10 cm

개념 168

10 넓이가 30π cm²이고 호의 길이가 6π cm인 부채꼴의 반지름의 길이와 중심각의 크기를 차례로 구하여라.

개념 168
반지름의 길이가 r, 중심각의 크기가 $x°$인 부채꼴에서 호의 길이를 l, 넓이를 S라 하면
$$S = \frac{1}{2}rl, \quad l = 2\pi r \times \frac{x}{360}$$

기

하

1학년
2학년
3학년

확인	공부한 날	self-check				
		06	07	08	09	10
	/	O X	O X	O X	O X	O X

다면체

1 다면체 : 다각형인 면으로만 둘러싸인 입체도형

⇨ 둘러싸인 면의 개수에 따라 사면체, 오면체, 육면체, … 라 한다.

2 다면체의 종류

(1) **각기둥** : 두 밑면이 서로 평행하고 합동인 다각형이고 옆면이 모두 직사각형인 다면체

(2) **각뿔** : 밑면이 다각형이고 옆면이 모두 삼각형인 다면체

(3) **각뿔대** : 각뿔을 밑면에 평행한 평면으로 자를 때 생기는 두 입체도형 중에서 각뿔이 아닌 다면체인데 밑면이 다각형이고 옆면이 모두 사다리꼴이다.

	각기둥	각뿔	각뿔대
겨냥도			
이름	삼각기둥, 사각기둥, 오각기둥, …	삼각뿔, 사각뿔, 오각뿔, …	삼각뿔대, 사각뿔대, 오각뿔대, …
옆면의 모양	직사각형	삼각형	사다리꼴
성질	두 밑면이 서로 평행하고 그 모양과 크기가 같다.	꼭짓점의 개수와 면의 개수가 같다.	두 밑면이 서로 평행하고 그 모양은 같지만 크기가 다르다.

참고

이름	면의 개수	모서리의 개수	꼭짓점의 개수
n각기둥	$(n+2)$면체	$(n+2)$개	$3n$개	$2n$개
n각뿔	$(n+1)$면체	$(n+1)$개	$2n$개	$(n+1)$개
n각뿔대	$(n+2)$면체	$(n+2)$개	$3n$개	$2n$개

169 1 다음 〈보기〉 중 다면체인 것을 모두 골라라.

〈보기〉

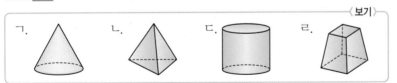

169 2 밑면이 칠각형이고, 옆면의 모양이 이등변삼각형인 입체도형의 꼭짓점의 개수를 구하여라.

절대개념 Focus

다면체의 이름 정하기

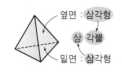

확인	공부한 날	self-check
	/	169-1 | 169-2
		O X | O X

정다면체

3 정다면체

(1) **정다면체** : 모든 면이 합동인 정다각형이고, 각 꼭짓점에 모인 면의 개수가 같은 다면체

(2) **정다면체의 종류** : 정사면체, 정육면체, 정팔면체, 정십이면체, 정이십면체의 5가지뿐이다.

	정사면체	정육면체	정팔면체	정십이면체	정이십면체
겨냥도					
면의 모양	정삼각형	정사각형	정삼각형	정오각형	정삼각형
한 꼭짓점에 모인 면의 개수	3개	3개	4개	3개	5개
전개도					

개념
Plus+

정다면체가 5가지뿐인 이유

① 한 꼭짓점에서 3개 이상의 면이 만나야 한다.   ② 한 꼭짓점에 모인 각의 크기의 합이 360°보다 작아야 한다.

---

170 1 다음 조건을 모두 만족하는 정다면체의 이름을 말하여라.

(가) 각 면의 모양은 모두 합동인 정삼각형이다.
(나) 각 꼭짓점에 모인 면의 개수는 5개이다.

170 2 오른쪽 전개도로 만든 정다면체에 대하여
다음을 구하여라.

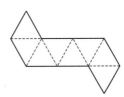

(1) 정다면체의 이름

(2) 한 꼭짓점에 모인 면의 개수

(3) 꼭짓점의 개수

(4) 모서리의 개수

절대개념 Focus

면의 모양에 따른 정다면체의 분류

① 정삼각형 ➡ 정사면체, 정팔면체, 정이십면체
② 정사각형 ➡ 정육면체
③ 정오각형 ➡ 정십이면체

한 꼭짓점에 모인 면의 개수에 따른 정다면체의 분류

① 3개 ➡ 정사면체, 정육면체, 정십이면체
② 4개 ➡ 정팔면체
③ 5개 ➡ 정이십면체

확인	공부한 날	self-check	
	/	170-1	170-2
		O X	O X

4 회전체

(1) 회전체 : 평면도형을 한 직선을 회전축으로 하여 1회전시킬 때 생기는 입체도형

  ① 회전축 : 회전시킬 때 축이 되는 직선

  ② 모선 : 원기둥, 원뿔, 원뿔대에서와 같이 회전하면서 옆면을 만드는 선분

(2) 원뿔대 : 원뿔을 밑면에 평행한 평면으로 자를 때 생기는 두 입체도형 중에서 원뿔이 아닌 쪽의 입체도형

(3) 회전체의 종류

	원기둥	원뿔	원뿔대	구
겨냥도	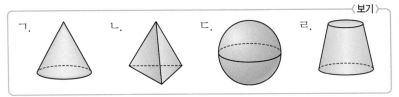			
회전시킨 평면도형	직사각형	직각삼각형	두 각이 직각인 사다리꼴	반원

171 1 다음 〈보기〉 중 회전체인 것을 모두 골라라.

〈보기〉

ㄱ. ㄴ. ㄷ. ㄹ.

평면도형이 회전축과 떨어져 있으면 회전체의 겨냥도 는 가운데가 뚫린 모양이야~

171 2 다음 평면도형을 직선 l을 회전축으로 하여 1회전시킬 때 생기는 회전체의 겨냥도를 그려라.

(1) (2) (3)

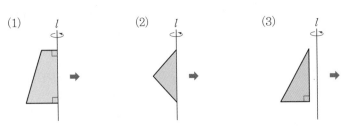

절대개념 Focus

회전체의 종류

① 원기둥 : 직사각형의 한 변을 회전축으로 하여 1회전시킨 입체도형

② 원뿔 : 직각삼각형의 직각을 낀 변을 회전축으로 하여 1회전시킨 입체도형

③ 원뿔대 : 두 각이 직각인 사다리꼴에서 직각을 낀 한 변을 회전축으로 하여 1회전시킨 입체도형

④ 구 : 반원의 지름을 회전축으로 하여 1회전시킨 입체도형

확인	공부한 날	self-check	
	/	171-1	171-2
		O X	O X

회전체의 성질

5 회전체의 성질

(1) 회전체를 회전축에 수직인 평면으로 자른 단면은 항상 원이다.

(2) 회전체를 회전축을 포함하는 평면으로 자른 단면은 모두 합동이고, 회전축을 대칭축으로 하는 선대칭도형이다.

	원기둥	원뿔	원뿔대	구
회전축에 수직인 평면으로 자른 단면의 모양				
	원	원	원	원 → 위에서 본 모양
회전축을 포함하는 평면으로 자른 단면의 모양				
	직사각형	이등변삼각형	등변사다리꼴	원 → 정면에서 본 모양

참고 ① 회전체를 회전축에 수직인 평면으로 자른 단면은 항상 원이다. (○)
　　② 회전체를 회전축에 수직인 평면으로 자른 단면은 모두 합동이다. (×)

---

172 **1** 다음 평면도형을 직선 l을 회전축으로 하여 1회전시킬 때 생기는 회전체를 회전축에 수직인 평면으로 자른 단면의 모양과 회전축을 포함하는 평면으로 자른 단면의 모양을 차례로 그려라.

(1) l 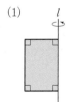　　(2) l 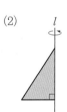　　(3) l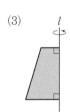

172 **2** 다음 〈보기〉 중 회전체와 그 회전체를 회전축을 포함하는 평면으로 자를 때 생기는 단면의 모양이 옳게 짝지어진 것을 모두 골라라.

〈보기〉
ㄱ. 원기둥 – 원　　　ㄴ. 반구 – 반원　　　ㄷ. 원뿔대 – 등변사다리꼴
ㄹ. 구 – 원　　　ㅁ. 원뿔 – 직각삼각형

절대개념 Focus

구의 성질

① 구는 어느 방향으로 자르더라도 단면의 모양은 항상 원이다.
② 구를 평면으로 자른 단면이 가장 큰 경우는 구의 중심을 지나는 평면으로 잘랐을 때이다.
③ 회전축이 무수히 많다.

확 인	공부한 날	self-check
	/	172-1 | 172-2
		○ X | ○ X

6 회전체의 전개도

(1) 원기둥의 전개도

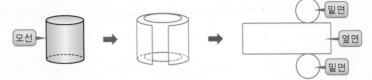

(2) 원뿔의 전개도

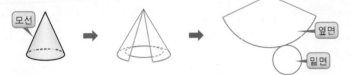

(3) 원뿔대의 전개도

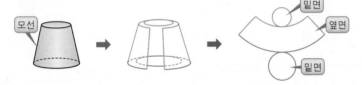

개념 Plus⁺

① 원기둥의 전개도 ➡ (직사각형의 세로의 길이)＝(원기둥의 높이), (직사각형의 가로의 길이)＝(밑면인 원의 둘레의 길이)

② 원뿔의 전개도 ➡ (부채꼴의 반지름의 길이)＝(원뿔의 모선의 길이), (부채꼴의 호의 길이)＝(밑면인 원의 둘레의 길이)

---

173 1 오른쪽 그림과 같은 원뿔과 그 전개도에서 옆면을 만드는 부채꼴의 반지름의 길이를 a cm, 밑면인 원의 반지름의 길이를 b cm라 할 때, $a+b$의 값을 구하여라.

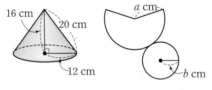

173 2 오른쪽 그림과 같은 전개도로 만들 수 있는 원기둥에 대하여 다음을 구하여라.

(1) 원기둥의 높이

(2) 밑면인 원의 둘레의 길이

(3) 옆면을 만드는 직사각형의 가로의 길이

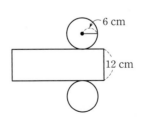

절대개념 Focus

원뿔의 전개도

(×)　　　(○)

원뿔대의 전개도

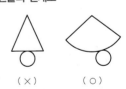

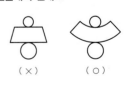

(×)　　　(○)

확인	공부한 날	self-check	
		173-1	173-2
	/	O X	O X

개념
174 **각기둥의 겉넓이와 부피**

7 각기둥의 겉넓이와 부피

(1) 각기둥의 겉넓이

(겉넓이)=(밑넓이)×2+(옆넓이)

(2) 각기둥의 부피 : 밑넓이가 S, 높이가 h인 각기둥의

부피를 V라 하면

$V=$(밑넓이)×(높이)$=Sh$

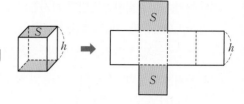

개념
Plus⁺

각기둥의 전개도에서 두 밑면은 서로 합동이고 옆면은 항상 직사각형 모양으로 펼쳐진다. 이 직사각형에서

① (가로의 길이)=(밑면의 둘레의 길이)

② (세로의 길이)=(각기둥의 높이)

---

174 1 오른쪽 그림은 삼각
기둥과 그 전개도이다. 다음을
구하여라.

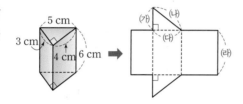

(1) (가), (나), (다), (라)의 길이

(2) 밑넓이

(3) 옆넓이

(4) 겉넓이

(5) 부피

---

174 2 오른쪽 그림은 속이 빈 직육면체이다.
다음을 구하여라.

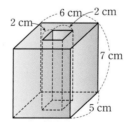

(1) 밑넓이

(2) 큰 직육면체의 옆넓이

(3) 작은 직육면체의 옆넓이

(4) 입체도형의 겉넓이

(5) 입체도형의 부피

절대개념 Focus

구멍이 뚫린 기둥의 겉넓이와 부피

① 구멍이 뚫린 기둥의 겉넓이
   (밑넓이)=(큰 기둥의 밑넓이)
   　　　　　－(작은 기둥의 밑넓이)
   ⇨ (겉넓이)=(밑넓이)×2
   　　　　　　＋(큰 기둥의 옆넓이)
   　　　　　　＋(작은 기둥의 옆넓이)

② 구멍이 뚫린 기둥의 부피
   (부피)=(큰 기둥의 부피)
   　　　　－(작은 기둥의 부피)

확인	공부한 날	self-check	
		174-1	174-2
	/	O X	O X

8 원기둥의 겉넓이와 부피

(1) **원기둥의 겉넓이** : 밑면의 반지름의 길이가 r, 높이가 h인 원기둥의 겉넓이를 S라 하면

$$S=(밑넓이)\times2+(옆넓이)=2\pi r^2+2\pi rh$$

(2) **원기둥의 부피** : 밑면의 반지름의 길이가 r, 높이가 h인 원기둥의 부피를 V라 하면

$$V=(밑넓이)\times(높이)=\pi r^2h$$

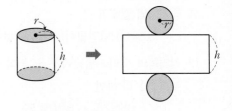

● 개념
Plus⁺

밑면의 반지름의 길이가 r, 높이가 h인 원기둥의 겉넓이를 S, 부피를 V라 하면

① $S=(밑넓이)\times2+(옆넓이)=\pi r^2\times2+2\pi r\times h=2\pi r^2+2\pi rh$

② $V=(밑넓이)\times(높이)=\pi r^2\times h=\pi r^2h$

---

175 1 아래 그림은 원기둥과 그 전개도이다. 다음을 구하여라.

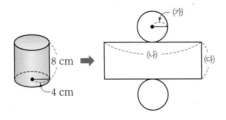

원기둥의 전개도에서 밑면인 원의 둘레의 길이와 옆면인 직사각형의 가로의 길이는 같아 ~

(1) (가), (나), (다)의 길이

(2) 밑넓이

(3) 옆넓이

(4) 겉넓이

(5) 부피

---

175 2 오른쪽 그림은 밑면이 부채꼴인 입체도형이다. 다음을 구하여라.

(1) 밑면인 부채꼴의 넓이

(2) 옆넓이

(3) 겉넓이

(4) 부피

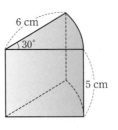

절대개념 Focus

밑면이 부채꼴인 입체도형의 겉넓이와 부피

① (겉넓이)
  =(밑넓이) ×2+(옆넓이)
  =(부채꼴의 넓이) ×2
    +(부채꼴의 둘레의 길이)×(높이)

② (부피)
  =(밑넓이) ×(높이)
  =(부채꼴의 넓이)×(높이)

확인	공부한 날	self-check	
	/	175-1	175-2
		O X	O X

개념 **176** 각뿔의 겉넓이와 부피

9 각뿔의 겉넓이와 부피

(1) 각뿔의 겉넓이

$$(겉넓이) = (밑넓이) + (옆넓이)$$

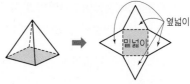

(2) 각뿔의 부피 : 밑넓이가 S, 높이가 h인 각뿔의 부피를 V라 하면

$$V = \frac{1}{3} \times (밑넓이) \times (높이) = \frac{1}{3}Sh$$

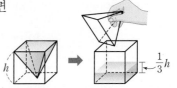

> 참고 각뿔의 부피는 밑넓이와 높이가 같은 각기둥의 부피의 $\frac{1}{3}$이다.

---

176 1 오른쪽 그림은 밑면이 정사각형이고 옆면은 모두 합동인 이등변삼각형으로 이루어진 정사각뿔과 그 전개도이다. 다음을 구하여라.

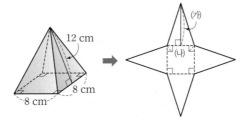

(1) (개), (내)의 길이

(2) 밑넓이   (3) 옆넓이   (4) 겉넓이

---

176 2 다음 그림과 같은 각뿔의 밑넓이와 부피를 각각 구하여라.

(1)

(2)
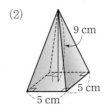

절대개념 Focus

각뿔대의 겉넓이와 부피

①

(각뿔대의 겉넓이)
=(두 밑면의 넓이)+(옆넓이)

②
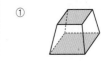

(각뿔대의 부피)
=(큰 각뿔의 부피)
　−(작은 각뿔의 부피)

---

176 3 오른쪽 그림과 같은 사각뿔대의 부피를 구하여라.

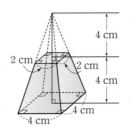

확인	공부한 날	self-check		
	/	176-1	176-2	176-3
		O X	O X	O X

10 원뿔의 겉넓이와 부피

(1) 원뿔의 겉넓이 : 밑면의 반지름의 길이가 r, 모선의 길이가 l인 원뿔의 겉넓이를 S라 하면

$$S = (밑넓이) + (옆넓이) = \pi r^2 + \pi r l$$

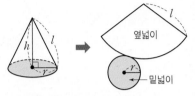

(2) 원뿔의 부피 : 밑면의 반지름의 길이가 r, 높이가 h인 원뿔의 부피를 V라 하면

$$V = \frac{1}{3} \times (밑넓이) \times (높이) = \frac{1}{3} \pi r^2 h$$

개념
Plus⁺

밑면의 반지름의 길이가 r, 모선의 길이가 l, 높이가 h인 원뿔의 겉넓이를 S, 부피를 V라 하면

① $S = (밑넓이) + (옆넓이) = \pi r^2 + \frac{1}{2} \times l \times 2\pi r = \pi r^2 + \pi r l$ ② $V = \frac{1}{3} \times (밑넓이) \times (높이) = \frac{1}{3} \times \pi r^2 \times h = \frac{1}{3} \pi r^2 h$

 177 1 다음 그림과 같은 원뿔의 겉넓이를 구하여라.

(1)

10 cm
4 cm

(2)

12 cm
7 cm

177 2 다음 그림과 같은 원뿔의 부피를 구하여라.

(1)

9 cm
4 cm

(2)

12 cm
5 cm

177 3 오른쪽 그림과 같은 원뿔대의 겉넓이와 부피를 각각 구하여라.

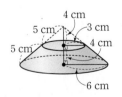
4 cm
5 cm
3 cm
4 cm
5 cm
5 cm
6 cm

확인	공부한 날	self-check		
		177-1	177-2	177-3
	/	O X	O X	O X

개념 178 구의 겉넓이와 부피

11 구의 겉넓이와 부피

(1) **구의 겉넓이** : 반지름의 길이가 r인 구의 겉넓이를 S라 하면
$$S = \pi \times (2r)^2 = 4\pi r^2$$

(2) **구의 부피** : 반지름의 길이가 r인 구의 부피를 V라 하면
$$V = \frac{2}{3} \times (\text{원기둥의 부피})$$
$$= \frac{2}{3} \times \pi r^2 \times 2r = \frac{4}{3}\pi r^3$$

참고 구의 부피는 넘쳐 흐른 물의 부피와 같으므로 구의 부피는 원기둥의 부피의 $\frac{2}{3}$이다.

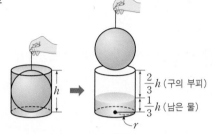

h → $\frac{2}{3}h$ (구의 부피) / $\frac{1}{3}h$ (남은 물) / r

---

178 1 다음 그림과 같은 구의 겉넓이와 부피를 각각 구하여라.

(1)

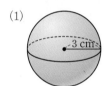

3 cm

(2)

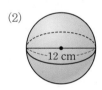

12 cm

178 2 오른쪽 그림과 같은 반구의 겉넓이와 부피를 각각 구하여라.

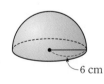

6 cm

178 3 겉넓이가 $64\pi \text{ cm}^2$인 구의 부피를 구하여라.

절대개념 Focus

원뿔, 구, 원기둥의 부피

다음 그림과 같이 원뿔과 구가 원기둥에 꼭 맞게 들어 있을 때,

r

(원뿔의 부피) : (구의 부피)
 : (원기둥의 부피)
$$= \left(\frac{1}{3} \times \pi r^2 \times 2r\right) : \frac{4}{3}\pi r^3 : (\pi r^2 \times 2r)$$
$$= \frac{2}{3}\pi r^3 : \frac{4}{3}\pi r^3 : 2\pi r^3$$
$$= 1 : 2 : 3$$

기
하
1학년
2학년
3학년

04. 입체도형의 성질

확인	공부한 날	self-check		
		178-1	178-2	178-3
	/	O X	O X	O X

탄탄한 중단원 문제

01 다음 조건을 모두 만족하는 입체도형의 이름을 말하여라.

개념 169

(가) 십이면체이다.
(나) 두 밑면이 서로 평행하고 그 모양은 같지만 크기는 다르다.
(다) 옆면의 모양은 사다리꼴이다.

02 다음 중 입체도형과 옆면의 모양이 바르게 짝지어진 것은?

개념 169

① 사각뿔 – 삼각형 ② 육각뿔 – 사다리꼴 ③ 삼각기둥 – 삼각형
④ 육각기둥 – 육각형 ⑤ 오각뿔대 – 직사각형

다면체	옆면의 모양
각기둥	직사각형
각뿔	삼각형
각뿔대	사다리꼴

03 다음 중 오른쪽 그림과 같은 정다면체에 대한 설명으로 옳지 <u>않은</u> 것은?

개념 170

① 정십이면체이다.
② 면의 모양은 정오각형이다.
③ 꼭짓점의 개수는 12개이다.
④ 모서리의 개수는 30개이다.
⑤ 한 꼭짓점에 모인 면의 개수는 3개이다.

04 다음은 평면도형을 한 직선을 회전축으로 하여 1회전시킬 때 생기는 입체도형을 짝지은 것이다. 옳지 <u>않은</u> 것은?

개념 171
평면도형이 회전축과 떨어져 있으면 회전체의 겨냥도는 가운데가 뚫린 모양이다.

①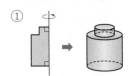

②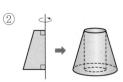

③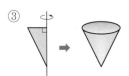

④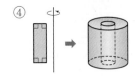

⑤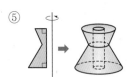

05 원뿔을 회전축에 수직인 평면으로 자른 단면의 모양과 회전축을 포함하는 평면으로 자른 단면의 모양을 차례로 구하여라.

개념 172

확인	공부한 날	self-check				
	/	01	02	03	04	05
		O X	O X	O X	O X	O X

▶ 정답 및 풀이 85쪽

06 오른쪽 그림과 같은 전개도로 만들어지는 입체도형의 부피는?

개념 174

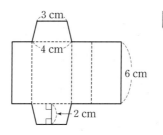

① 36 cm³   ② 38 cm³   ③ 40 cm³
④ 42 cm³   ⑤ 44 cm³

07 오른쪽 그림과 같이 속이 빈 원기둥의 겉넓이를 구하여라.

개념 175

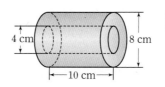

(겉넓이)
=(밑넓이)×2
  +(큰 원기둥의 옆넓이)
  +(작은 원기둥의 옆넓이)

08 오른쪽 그림과 같이 한 모서리의 길이가 6 cm인 정육면체를 잘라 만든 삼각뿔 C−BGD의 부피는?

개념 176

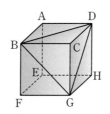

(각뿔의 부피)
$=\dfrac{1}{3} \times$(밑넓이)×(높이)
임을 이용한다.

① 24 cm³   ② 36 cm³   ③ 48 cm³
④ 72 cm³   ⑤ 108 cm³

09 오른쪽 그림과 같은 전개도로 만들어지는 원뿔의 겉넓이는?

개념 177

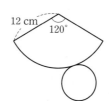

(부채꼴의 호의 길이)
=(밑면인 원의 둘레의 길이)
임을 이용하여 밑면인 원의 반지름의 길이를 구한다.

① 60π cm²   ② 64π cm²   ③ 68π cm²
④ 72π cm²   ⑤ 76π cm²

10 오른쪽 그림과 같이 원기둥에 꼭 맞게 들어가는 구가 있다. 원기둥의 부피가 54π cm³일 때, 구의 부피를 구하여라.

개념 178

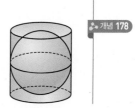

확인	공부한 날	self-check				
	/	06	07	08	09	10
		O X	O X	O X	O X	O X

기
하

1학년
2학년
3학년

04. 입체도형의 성질

개념 179 이등변삼각형

1 이등변삼각형

(1) 이등변삼각형 : 두 변의 길이가 같은 삼각형 ⇨ $\overline{AB}=\overline{AC}$

(2) 이등변삼각형의 구성 요소

① 꼭지각 : 길이가 같은 두 변이 이루는 각

② 밑변 : 꼭지각의 대변

③ 밑각 : 밑변의 양 끝각

2 이등변삼각형의 성질

(1) 이등변삼각형의 두 밑각의 크기는 서로 같다.

⇨ △ABC에서 $\overline{AB}=\overline{AC}$이면 ∠B=∠C이다.

(2) 이등변삼각형의 꼭지각의 이등분선은 밑변을 수직이등분한다.

⇨ △ABC에서 $\overline{AB}=\overline{AC}$, ∠BAD=∠CAD이면 $\overline{AD}\perp\overline{BC}$, $\overline{BD}=\overline{CD}$이다.

개념 Plus⁺

꼭지각이 ∠A인 이등변삼각형에서 다음은 모두 일치한다.

① 꼭지각의 이등분선 ② 밑변의 수직이등분선 ③ 꼭짓점 A와 밑변의 중점을 잇는 선분 ④ 꼭짓점 A에서 밑변에 내린 수선

---

179 1 다음 그림에서 △ABC는 $\overline{AB}=\overline{AC}$인 이등변삼각형일 때, ∠$x$의 크기를 구하여라.

(1)
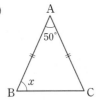

(2)

179 2 다음 그림에서 △ABC는 $\overline{AB}=\overline{AC}$인 이등변삼각형이다. ∠A의 이등분선과 $\overline{BC}$의 교점을 D라 할 때, x, y의 값을 각각 구하여라.

(1)
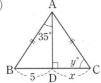

(2)

확인	공부한 날	self-check	
		179-1	179-2
	/	O X	O X

개념 180 이등변삼각형이 되는 조건

3 이등변삼각형이 되는 조건

두 내각의 크기가 같은 삼각형은 이등변삼각형이다.

⇨ △ABC에서 ∠B=∠C이면 $\overline{AB}=\overline{AC}$이다.

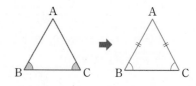

개념 Plus⁺

폭이 일정한 종이 접기

∠BAC=∠DAC (접은 각), ∠DAC=∠BCA (엇각)이므로

　　　　∠BCA=∠BAC

따라서 △ABC는 $\overline{AB}=\overline{BC}$인 이등변삼각형이다.

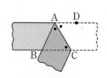

---

180 1 다음 그림의 △ABC에서 x의 값을 구하여라.

(1)

(2)
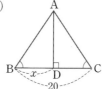

두 변의 길이가 같거나 두 내각의 크기가 같으면 이등변삼각형이야 ～

---

180 2 오른쪽 그림과 같이 ∠C=90°인 직각삼각형 ABC에서 $\overline{AD}=\overline{CD}$, ∠B=30°일 때, $\overline{AB}$의 길이를 구하여라.

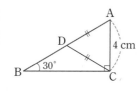

절대개념 Focus

이등변삼각형이 되는 조건

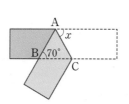

두 내각의 크기가 같으면 이등변삼각형이다.

---

180 3 직사각형 모양의 종이를 오른쪽 그림과 같이 접었더니 ∠ABC=70°가 되었다. 이때 ∠x의 크기를 구하여라.

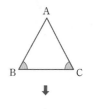

확인	공부한 날	self-check		
		180-1	180-2	180-3
	/	O X	O X	O X

4 직각삼각형의 합동조건

RHA 합동	RHS 합동
빗변의 길이와 한 예각의 크기가 각각 같은 두 직각삼각형은 합동이다.	빗변의 길이와 한 변의 길이가 각각 같은 두 직각삼각형은 합동이다.

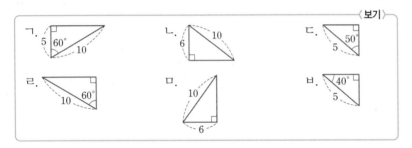

$\triangle ABC \equiv \triangle DEF$(**RHA** 합동) $\triangle ABC \equiv \triangle DEF$(**RHS** 합동)

참고 R(Right angle) : 직각, H(Hypotenuse) : 빗변, A(Angle) : 각, S(Side) : 변

---

181 1 다음 〈보기〉 중 서로 합동인 직각삼각형을 모두 찾고, 그때의 직각삼각형의 합동조건을 말하여라.

〈보기〉

ㄱ. 5, 60°, 10   ㄴ. 10, 6   ㄷ. 5, 50°

ㄹ. 10, 60°   ㅁ. 10, 6   ㅂ. 40°, 5

---

181 2 오른쪽 그림과 같은 직각삼각형 ABC에서 $\overline{AC}=\overline{AD}$일 때, 물음에 답하여라.

(1) $\overline{DE}$의 길이를 구하여라.

(2) $\angle BED$의 크기를 구하여라.

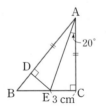

절대개념 Focus

직각삼각형의 합동조건

①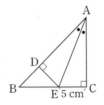

RHA 합동

②

RHS 합동

---

181 3 오른쪽 그림과 같이 $\overline{AC}=\overline{BC}$인 직각이등변삼각형 ABC에서 $\overline{AE}$가 $\angle A$의 이등분선이고, 점 E에서 $\overline{AB}$에 내린 수선의 발을 D라 하자. $\overline{EC}=5\,cm$일 때, $\overline{BD}$의 길이를 구하여라.

확인	공부한 날	self-check		
		181-1	181-2	181-3
	/	O X	O X	O X

외심의 뜻과 성질

5 외심의 뜻과 성질

(1) **외접원과 외심** : 한 다각형의 모든 꼭짓점이 한 원 위에 있을 때, 이 원을 외접
원이라 하고 외접원의 중심을 외심이라 한다.

(2) **삼각형의 외심** : 삼각형의 세 변의 수직이등분선의 교점

(3) **삼각형의 외심의 성질** : 외심에서 세 꼭짓점에 이르는 거리가 모두 같다.
⇨ $\overline{OA}=\overline{OB}=\overline{OC}$ (외접원의 반지름의 길이)

(4) **삼각형의 외심의 위치**
① 예각삼각형 : 삼각형의 내부
② 둔각삼각형 : 삼각형의 외부
③ 직각삼각형 : 빗변의 중점

외심
외접원

참고 직각삼각형에서 빗변의 중점이 외심이므로
(외접원의 반지름의 길이)
$=\left(빗변의 \ 길이의 \ \dfrac{1}{2}\right)$

예각삼각형   둔각삼각형   직각삼각형

---

182 **1** 다음 그림에서 점 O가 △ABC의 외심일 때, x, y의 값을 각각 구
하여라.

(1)

(2)

---

182 **2** 다음 그림에서 점 O가 직각삼각형 ABC의 외심일 때, x의 값을 구
하여라.

(1)
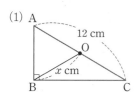

(2)
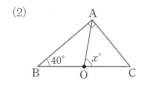

절대개념 Focus

삼각형의 외심

외심
외접원

① 삼각형의 세 변의 수직이등분선은
한 점(외심)에서 만난다.
② 외심에서 세 꼭짓점에 이르는 거
리는 같다.
③ △OAD≡△OBD,
△OBE≡△OCE,
△OCF≡△OAF

확인	공부한 날	self-check	
		182-1	182-2
	/	O X	O X

6 삼각형의 외심의 활용

점 O가 삼각형 ABC의 외심일 때

(1) $\angle x + \angle y + \angle z = 90°$

(2) $\angle BOC = 2\angle A$

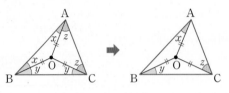

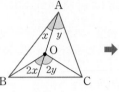

참고 점 O가 △ABC의 외심이면 $\overline{OA}=\overline{OB}=\overline{OC}$이므로

$2\angle x + 2\angle y + 2\angle z = 180°$

$\therefore \angle x + \angle y + \angle z = 90°$

참고 $\angle BOC = 2\angle x + 2\angle y = 2(\angle x + \angle y)$

$= 2\angle A$

개념
Plus⁺

△ABC의 외심 O를 활용할 때는 다음의 성질을 이용한다.

① $\overline{OA}=\overline{OB}=\overline{OC}$ (외접원의 반지름)

② △OAB, △OBC, △OCA는 모두 이등변삼각형이다. ⇨ 각각 두 밑각의 크기가 같다.

---

183 **1** 다음 그림에서 점 O가 △ABC의 외심일 때, $\angle x$의 크기를 구하여라.

(1)

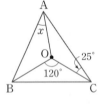

(2)

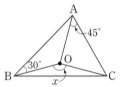

(3)

(4)

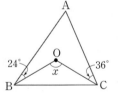

183 **2** 오른쪽 그림에서 점 O는 △ABC의 외심이고,

$\angle AOB : \angle BOC : \angle COA = 2 : 3 : 4$

일 때, $\angle BAC$의 크기를 구하여라.

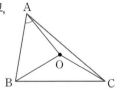

확인	공부한 날	self-check	
	/	183-1	183-2
		O X	O X

개념 184 내심의 뜻과 성질

7 원의 접선

(1) 접선과 접점 : 직선 l이 원 O와 한 점에서 만날 때, 직선 l은 원 O에 접한다고 하고 직선 l을 원 O의 접선, 만나는 점 T를 접점이라 한다.

(2) 원의 접선과 반지름의 관계

원의 접선은 그 접점을 지나는 반지름에 수직이다. [기호] $\overline{OT} \perp l$

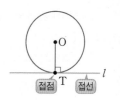
접점 T 접선

8 내심의 뜻과 성질

(1) 내접원과 내심 : 한 원이 다각형의 모든 변에 접할 때, 이 원을 그 다각형의 내접원이라 하고, 내접원의 중심을 내심이라 한다.

(2) 삼각형의 내심 : 삼각형의 세 내각의 이등분선의 교점

(3) 삼각형의 내심의 성질 : 내심에서 세 변에 이르는 거리가 모두 같다.

⇨ $\overline{ID} = \overline{IE} = \overline{IF}$ (내접원의 반지름의 길이)

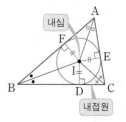
내심
내접원

[참고] 삼각형에서의 내심의 위치

① 삼각형의 종류와 모양에 상관없이 내심의 위치는 항상 내부이다.

② 이등변삼각형의 내심의 위치는 꼭지각의 이등분선 위에 있다.

③ 정삼각형의 내심과 외심의 위치는 동일하다.

---

184 1 다음 그림에서 점 I가 △ABC의 내심일 때, x의 값을 구하여라.

(1)

(2)

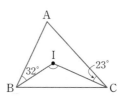

---

184 2 오른쪽 그림에서 점 I는 △ABC의 내심이다. ∠ABI=32°, ∠ACI=23°일 때, ∠BIC의 크기를 구하여라.

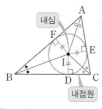

기
하
1학년
2학년
3학년

05. 삼각형의 성질

확인	공부한 날	self-check	
	/	184-1	184-2
		O X	O X

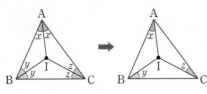
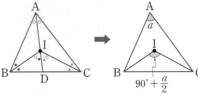

185 삼각형의 내심의 활용

9 삼각형의 내심의 활용

점 I가 삼각형 ABC의 내심일 때

(1) $\angle x + \angle y + \angle z = 90°$

(2) $\angle BIC = 90° + \dfrac{1}{2}\angle A$

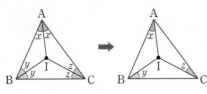

참고 △ABC에서 $2\angle x + 2\angle y + 2\angle z = 180°$이므로
$\angle x + \angle y + \angle z = 90°$

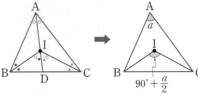

참고 $\angle BIC = \angle BID + \angle CID$
$= (○ + ●) + (▲ + ○)$
$= (○ + ● + ▲) + ○$
$= 90° + \dfrac{1}{2}\angle A$

개념 Plus⁺

△ABC의 내심 I를 활용할 때는 다음의 성질을 이용한다.
① 점 I에서 세 변에 이르는 거리(내접원의 반지름)는 모두 같다.
② $\overline{AI}$, $\overline{BI}$, $\overline{CI}$는 각각 $\angle A$, $\angle B$, $\angle C$의 이등분선이다.

---

185 1 다음 그림에서 점 I가 △ABC의 내심일 때, $\angle x$의 크기를 구하여라.

(1)
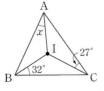

(2)
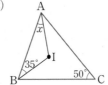

185 2 다음 그림에서 점 I가 △ABC의 내심일 때, $\angle x$의 크기를 구하여라.

(1)
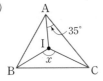

(2)
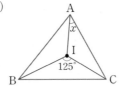

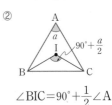

확인	공부한 날	self-check	
		185-1	185-2
	/	O X	O X

▶ 정답 및 풀이 88쪽

개념 186 삼각형의 내심과 평행선

10 삼각형의 내심과 평행선

점 I가 △ABC의 내심이고 $\overline{DE} /\!/ \overline{BC}$일 때,

(1) △DBI, △EIC는 이등변삼각형이다.

   즉, $\overline{DB}=\overline{DI}$, $\overline{EI}=\overline{EC}$

(2) $\overline{DE}=\overline{DI}+\overline{EI}=\overline{DB}+\overline{EC}$이므로

   (△ADE의 둘레의 길이)$=\overline{AB}+\overline{AC}$

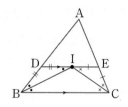

186 1 다음 그림에서 점 I가 △ABC의 내심이고 $\overline{DE} /\!/ \overline{BC}$일 때, x의 값을 구하여라.

(1)
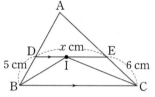

(2)
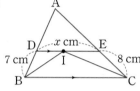

(3)
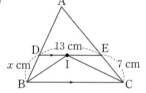

(4)
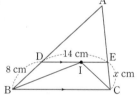

186 2 오른쪽 그림에서 점 I는 $\overline{AB}=\overline{AC}$인 이등변삼각형 ABC의 내심이다. $\overline{DE} /\!/ \overline{BC}$이고 △ADE의 둘레의 길이가 24 cm일 때, $\overline{AB}$의 길이를 구하여라.

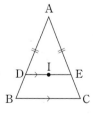

기
하
1학년
2학년
3학년

절대개념 Focus

삼각형의 내심과 평행선

△ABC에서 점 I는 내심이고
$\overline{DE} /\!/ \overline{BC}$이면

① △DBI, △EIC는 이등변각형
   이다.

② (△ADE의 둘레의 길이)
   $=\overline{AB}+\overline{AC}$

확인	공부한 날	self-check	
	/	186-1	186-2
		O X	O X

11 삼각형의 내접원의 활용

점 I가 삼각형 ABC의 내심일 때

(1) 삼각형의 내접원의 반지름의 길이

$\triangle ABC$의 내접원의 반지름의 길이를 r라 하면

$$\triangle ABC = \frac{1}{2}r(a+b+c)$$

참고 $\triangle ABC = \triangle IBC + \triangle ICA + \triangle IAB$

$= \frac{1}{2}ar + \frac{1}{2}br + \frac{1}{2}cr = \frac{1}{2}r(a+b+c)$

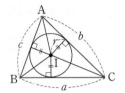

(2) 삼각형의 내접원과 접선의 길이

$\triangle ABC$의 내접원과 $\overline{AB}$, $\overline{BC}$, $\overline{CA}$의 접점을 각각 D, E, F라 하면

$\overline{AD} = \overline{AF}, \ \overline{BD} = \overline{BE}, \ \overline{CE} = \overline{CF}$

참고 $\triangle ADI \equiv \triangle AFI$(RHA 합동), $\triangle BDI \equiv \triangle BEI$(RHA 합동),

$\triangle CEI \equiv \triangle CFI$(RHA 합동)이므로

$\overline{AD} = \overline{AF}, \ \overline{BD} = \overline{BE}, \ \overline{CE} = \overline{CF}$

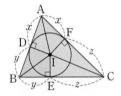

187 1 오른쪽 그림에서 점 I가 $\triangle ABC$의 내심일 때, 다음을 구하여라.

(1) $\triangle ABC$의 넓이

(2) 원 I의 반지름의 길이

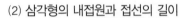

187 2 오른쪽 그림에서 점 I가 $\triangle ABC$의 내심일 때, 다음을 구하여라.

(1) $\overline{BD}$의 길이

(2) $\overline{DC}$의 길이

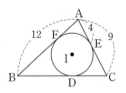

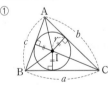
확인	공부한 날	self-check	
		187-1	187-2
	/	O X	O X

▶ 정답 및 풀이 **88**쪽

탄탄한 중단원 문제

01 오른쪽 그림에서 $\overline{AB}=\overline{AC}=\overline{CD}$이고 ∠ABC=24°일 때, ∠$x$의 크기를 구하여라.

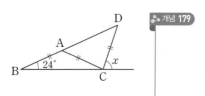

개념 179

02 오른쪽 그림과 같이 $\overline{AB}=\overline{AC}$인 △ABC에서 $\overline{AD}=\overline{BD}=\overline{BC}$일 때, ∠A의 크기는?

① 36°　　　　② 37°　　　　③ 38°
④ 39°　　　　⑤ 40°

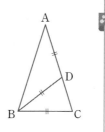

개념 179

03 오른쪽 그림과 같은 직각삼각형 ABC에서 $\overline{AD}=\overline{DE}=\overline{EC}$일 때, ∠ABE의 크기는?

① 20°　　　　② 22.5°　　　　③ 24°
④ 25°　　　　⑤ 27.5°

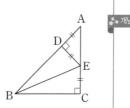

개념 181

04 오른쪽 그림과 같이 $\overline{AB}=\overline{AC}$인 직각이등변삼각형 ABC의 꼭짓점 B, C에서 점 A를 지나는 직선 l에 내린 수선의 발을 각각 D, E라 하자. $\overline{BD}=3\,cm$, $\overline{ED}=9\,cm$일 때, $\overline{CE}$의 길이를 구하여라.

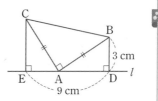

개념 181

05 오른쪽 그림과 같이 세 변의 길이가 6 cm, 8 cm, 10 cm인 직각삼각형의 외접원의 넓이는?

① $8\pi\,cm^2$　　　　② $10\pi\,cm^2$　　　　③ $12.5\pi\,cm^2$
④ $20\pi\,cm^2$　　　　⑤ $25\pi\,cm^2$

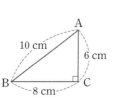

개념 182

직각삼각형에서
(외접원의 반지름의 길이)
=(빗변의 길이)×$\frac{1}{2}$

기

하

1학년

2학년

3학년

05. 삼각형의 성질

확인	공부한 날	self-check				
		01	02	03	04	05
	/	O X	O X	O X	O X	O X

06 오른쪽 그림에서 점 O는 △ABC의 외심이다.
∠OAB=28°, ∠OAC=30°일 때, ∠ACB의 크기는?

① 54°   ② 56°   ③ 58°
④ 60°   ⑤ 62°

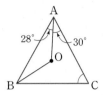

개념 183

외심은 세 변의 수직이등분선의 교점이며 외심에서 세 꼭짓점에 이르는 거리는 같다.

07 오른쪽 그림에서 점 I는 △ABC의 내심이다.
∠A=68°, ∠IBC=27°일 때, ∠x의 크기를 구하여라.

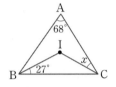

개념 185

내심은 세 내각의 이등분선의 교점이며 세 변에 이르는 거리는 같다.

08 오른쪽 그림에서 점 I와 점 O는 각각 $\overline{AB}=\overline{AC}$인 이등변삼각형 ABC의 내심과 외심이다. ∠A=44°일 때, ∠OBI의 크기는?

① 11°   ② 12°   ③ 13°
④ 14°   ⑤ 15°

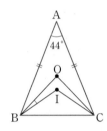

개념 183+185

09 오른쪽 그림에서 점 I는 △ABC의 내심이다.
$\overline{DE}/\!/\overline{BC}$이고 $\overline{AB}=10\,cm$, $\overline{BC}=9\,cm$, $\overline{AC}=8\,cm$일 때, △ADE의 둘레의 길이를 구하여라.

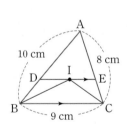

개념 186

△DBI, △ECI는 이등변삼각형이므로
$\overline{DE}=\overline{DB}+\overline{EC}$

10 오른쪽 그림에서 점 I는 △ABC의 내심이다. 내접원의 반지름의 길이가 2 cm이고 $\overline{AB}=12\,cm$, $\overline{CR}=6\,cm$, $\overline{AR}=4\,cm$일 때, △ABC의 넓이는?

① 36 cm²   ② 38 cm²   ③ 40 cm²
④ 42 cm²   ⑤ 44 cm²

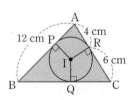

개념 187

확인	공부한 날	self-check				
		06	07	08	09	10
	/	O X	O X	O X	O X	O X

1 평행사변형

(1) 평행사변형 : 두 쌍의 대변이 각각 평행한 사각형

⇨ $\overline{AB} /\!/ \overline{DC}$, $\overline{AD} /\!/ \overline{BC}$

(2) 평행사변형의 성질

① 두 쌍의 대변의 길이가 각각 같다. ⇨ $\overline{AB}=\overline{DC}$, $\overline{AD}=\overline{BC}$

② 두 쌍의 대각의 크기가 각각 같다. ⇨ $\angle A = \angle C$, $\angle B = \angle D$

③ 두 대각선은 서로 다른 것을 이등분한다. ⇨ $\overline{OA}=\overline{OC}$, $\overline{OB}=\overline{OD}$

개념
Plus⁺

• 평행사변형의 이웃하는 두 내각의 크기의 합은 180°이다.

• 평행사변형의 두 대각선은 각각 중점에서 만난다.

---

188 1 다음 그림과 같은 □ABCD가 평행사변형일 때, x, y의 값을 각각 구하여라.

(1)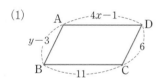

(2)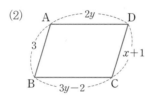

188 2 다음 평행사변형 ABCD에서 $\angle x$, $\angle y$의 크기를 각각 구하여라.

(1)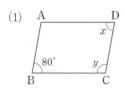

(2)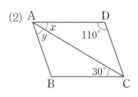

절대개념 Focus

평행사변형

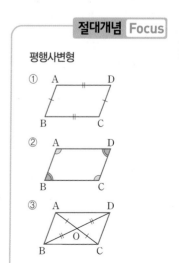

188 3 오른쪽 그림과 같은 평행사변형 ABCD에서 $\overline{OB}=8\,cm$, $\overline{AC}=12\,cm$일 때, $\overline{OA}$, $\overline{OD}$의 길이를 각각 구하여라.

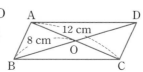

확인	공부한 날	self-check		
	/	188-1	188-2	188-3
		O X	O X	O X

2 평행사변형이 되는 조건

다음 중 어느 하나를 만족하는 사각형은 평행사변형이다.

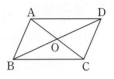

① 두 쌍의 대변이 각각 평행하다. ⇨ $\overline{AB} /\!/ \overline{DC}$, $\overline{AD} /\!/ \overline{BC}$

② 두 쌍의 대변의 길이가 각각 같다. ⇨ $\overline{AB} = \overline{DC}$, $\overline{AD} = \overline{BC}$

③ 두 쌍의 대각의 크기가 각각 같다. ⇨ $\angle A = \angle C$, $\angle B = \angle D$

④ 두 대각선이 서로 다른 것을 이등분한다. ⇨ $\overline{OA} = \overline{OC}$, $\overline{OB} = \overline{OD}$

⑤ 한 쌍의 대변이 서로 평행하고, 그 길이가 같다.

   ⇨ $\overline{AD} /\!/ \overline{BC}$, $\overline{AD} = \overline{BC}$ (또는 $\overline{AB} /\!/ \overline{DC}$, $\overline{AB} = \overline{DC}$)

개념 Plus⁺ 위의 평행사변형이 되는 조건 ⑤에서 반드시 평행한 대변의 길이가 같아야 평행사변형이 될 수 있다.

예 $\overline{AD} /\!/ \overline{BC}$, $\overline{AB} = \overline{DC}$라 하면 ⇨ 등변사다리꼴

---

189 1 다음 그림의 □ABCD가 평행사변형이 되기 위한 x, y의 값을 각각 구하여라.

(1)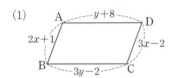

(2)

189 2 다음 그림의 □ABCD가 평행사변형이 되기 위한 x, y의 값을 각각 구하여라.

(1)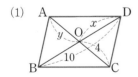

(2)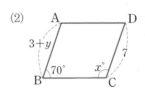

 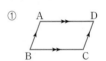
확인	공부한 날	self-check	
		189-1	189-2
	/	O X	O X

개념
190 평행사변형과 넓이

3 평행사변형과 넓이(1)

평행사변형 ABCD에서

(1) 평행사변형의 넓이는 한 대각선에 의하여 이등분된다.

평행사변형 ABCD에서 두 대각선의 교점이 O일 때,

$$\triangle ABC = \triangle BCD = \triangle CDA = \triangle DAB = \frac{1}{2} \square ABCD$$

(2) 평행사변형의 넓이는 두 대각선에 의하여 사등분된다.

$$\triangle ABO = \triangle BCO = \triangle CDO = \triangle DAO = \frac{1}{4} \square ABCD$$

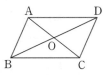

4 평행사변형과 넓이(2)

평행사변형 ABCD의 내부의 한 점 P에 대하여

$$\triangle PAB + \triangle PCD = \triangle PDA + \triangle PBC = \frac{1}{2} \square ABCD$$

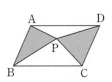

---

190 1 오른쪽 그림과 같은 평행사변형 ABCD에서 △OAB의 넓이가 $3\,\text{cm}^2$일 때, 다음 도형의 넓이를 구하여라. (단, 점 O는 두 대각선의 교점이다.)

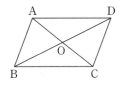

(1) △OBC   (2) △OCD

(3) △ABD   (4) □ABCD

190 2 오른쪽 그림과 같은 평행사변형 ABCD의 넓이는 $60\,\text{cm}^2$이다. □ABCD의 내부의 한 점 P를 잡을 때, △PAB와 △PCD의 넓이의 합을 구하여라.

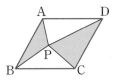

절대개념 Focus

평행사변형과 넓이

(1) 평행사변형 ABCD에서

① $\triangle ABC = \triangle CDA$
   $= \triangle BCD = \triangle DAB$
   $= \frac{1}{2} \square ABCD$

② $\triangle ABO = \triangle BCO$
   $= \triangle CDO = \triangle DAO$
   $= \frac{1}{4} \square ABCD$

(2) 평행사변형 ABCD의 내부의 한 점 P에 대하여

$\triangle PAB + \triangle PCD$
$= \triangle PAD + \triangle PBC$
$= \frac{1}{2} \square ABCD$

확인	공부한 날	self-check	
	/	190-1	190-2
		O X	O X

5 직사각형

(1) **직사각형** : 네 내각의 크기가 모두 같은 사각형

$\Rightarrow \angle A = \angle B = \angle C = \angle D = 90°$

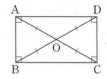

> 참고 네 내각의 크기가 모두 같으므로 두 쌍의 대각의 크기가 각각 같다.
> 따라서 직사각형은 평행사변형이다.

(2) **직사각형의 성질** : 두 대각선의 길이가 같고, 서로 다른 것을 이등분한다.

$\Rightarrow \overline{AC} = \overline{BD}, \ \overline{OA} = \overline{OB} = \overline{OC} = \overline{OD}$

(3) **평행사변형이 직사각형이 되는 조건**

평행사변형이 다음 중 어느 한 조건을 만족시키면 직사각형이 된다.

① 한 내각의 크기가 직각이다.

② 두 대각선의 길이가 같다.

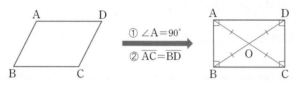

---

191 1 오른쪽 그림의 □ABCD가 직사각형일 때, x, y의 값을 각각 구하여라.

(단, 점 O는 두 대각선의 교점이다.)

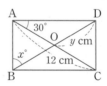

---

191 2 오른쪽 그림과 같은 직사각형 ABCD에서 $\overline{BO} = 2x - 3$, $\overline{DO} = 3x - 6$일 때, 대각선 AC의 길이를 구하여라.

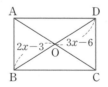

확인	공부한 날	self-check	
		191-1	191-2
	/	O X	O X

개념 192 마름모

6 마름모

(1) **마름모** : 네 변의 길이가 모두 같은 사각형

⇨ $\overline{AB}=\overline{BC}=\overline{CD}=\overline{DA}$

> 참고 네 변의 길이가 모두 같으므로 두 쌍의 대변의 길이가 각각 같다.
> 따라서 마름모는 평행사변형이다.

(2) **마름모의 성질** : 두 대각선은 서로 다른 것을 수직이등분한다.

⇨ $\overline{AC}\perp\overline{BD}$, $\overline{AO}=\overline{CO}$, $\overline{BO}=\overline{DO}$

(3) **평행사변형이 마름모가 되는 조건**

평행사변형이 다음 중 어느 한 조건을 만족시키면 마름모가 된다.

① 이웃하는 두 변의 길이가 같다.

② 두 대각선이 서로 직교한다.

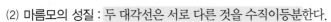

---

192 1 다음 그림의 □ABCD가 마름모일 때, x, y의 값을 각각 구하여라.

(1)

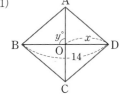

(2)

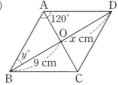

> 마름모는 두 대각선에 의해 합동인 4개의 삼각형으로 나뉘어져~

---

192 2 오른쪽 그림과 같은 직사각형 ABCD에서 대각선 BD의 수직이등분선을 $\overline{EF}$라 할 때, □EBFD의 둘레의 길이를 구하여라.

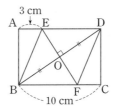

절대개념 Focus

마름모

① 마름모는 네 변의 길이가 모두 같은 사각형이다.
② 마름모의 두 대각선은 서로 다른 것을 수직이등분한다.

7 정사각형

(1) **정사각형** : 네 변의 길이가 모두 같고, 네 내각의 크기가 모두 같은 사각형
　⇨ $\overline{AB}=\overline{BC}=\overline{CD}=\overline{DA}$, $\angle A=\angle B=\angle C=\angle D$

> 참고　네 변의 길이가 모두 같으므로 마름모이고 네 내각의 크기가 모두 같으므로 직사각형이다.
> 따라서 정사각형은 마름모이면서 동시에 직사각형이다.

(2) **정사각형의 성질** : 두 대각선의 길이가 같고, 서로 다른 것을 수직이등분한다.
　⇨ $\overline{AC}=\overline{BD}$, $\overline{AC}\perp\overline{BD}$, $\overline{AO}=\overline{BO}=\overline{CO}=\overline{DO}$

(3) **직사각형이 정사각형이 되는 조건**
　직사각형이 다음 중 어느 한 조건을 만족시키면
　정사각형이 된다.
　① 이웃하는 두 변의 길이가 같다.
　② 두 대각선이 서로 직교한다.

(4) **마름모가 정사각형이 되는 조건**
　마름모가 다음 중 어느 한 조건을 만족시키면
　정사각형이 된다.
　① 한 내각의 크기가 직각이다.
　② 두 대각선의 길이가 같다.

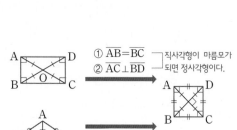

① $\overline{AB}=\overline{BC}$　┐직사각형이 마름모가
② $\overline{AC}\perp\overline{BD}$　┘되면 정사각형이다.

① $\angle A=90°$　┐마름모가 직사각형이
② $\overline{AC}=\overline{BD}$　┘되면 정사각형이다.

---

193 1 다음 그림의 □ABCD가 정사각형일 때, x, y의 값을 각각 구하여라.

(1)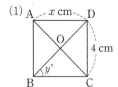

(2)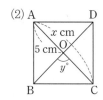

193 2 다음 중 오른쪽 그림과 같은 직사각형 ABCD
가 정사각형이 되는 조건을 모두 고르면? (정답 2개)

① $\overline{AB}=\overline{BD}$　　② $\overline{AO}=\overline{BO}$

③ $\overline{BC}=\overline{CD}$　　④ $\overline{BC}\perp\overline{CD}$

⑤ $\angle BOC=90°$

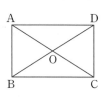

개념 194 사다리꼴과 등변사다리꼴

8 사다리꼴과 등변사다리꼴

(1) **사다리꼴** : 한 쌍의 대변이 평행한 사각형

⇨ $\overline{AD} /\!/ \overline{BC}$

참고 나머지 한 쌍의 대변도 평행한 사다리꼴은 평행사변형이다.

(2) **등변사다리꼴** : 아랫변의 양 끝각의 크기가 같은 사다리꼴

⇨ $\overline{AD} /\!/ \overline{BC}$, $\angle B = \angle C$

(3) 등변사다리꼴의 성질

① 평행하지 않은 한 쌍의 대변의 길이가 같다. ⇨ $\overline{AB} = \overline{DC}$

② 두 대각선의 길이가 같다. ⇨ $\overline{AC} = \overline{BD}$

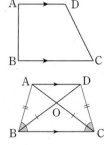

개념 Plus⁺

$\overline{AD} /\!/ \overline{BC}$인 등변사다리꼴 ABCD에서

① $\angle A = \angle D$, $\angle B = \angle C$ ② $\overline{AC} = \overline{BD}$

③ $\overline{AO} = \overline{DO}$, $\overline{BO} = \overline{CO}$ ④ $\angle A + \angle C = \angle B + \angle D = 180°$

---

194 1 다음 그림의 □ABCD가 $\overline{AD} /\!/ \overline{BC}$인 등변사다리꼴일 때, x, y의 값을 각각 구하여라.

(1)
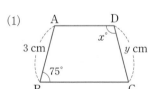

(2)
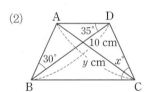

194 2 오른쪽 그림과 같이 $\overline{AD} /\!/ \overline{BC}$인 등변사다리꼴 ABCD에서 $\overline{AD} = 4\,cm$, $\overline{BC} = 10\,cm$일 때, $\overline{BE}$의 길이를 구하여라.

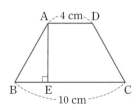

절대개념 Focus

등변사다리꼴과 보조선

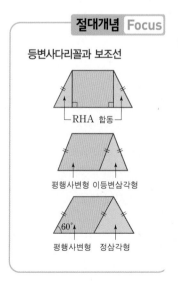

RHA 합동

평행사변형 이등변삼각형

평행사변형 정삼각형

194 3 오른쪽 그림과 같이 $\overline{AD} /\!/ \overline{BC}$인 등변사다리꼴 ABCD에서 $\overline{AB} = 10\,cm$, $\overline{AD} = 5\,cm$, $\angle A = 120°$이고 $\overline{AB} /\!/ \overline{DE}$일 때, $\overline{BC}$의 길이를 구하여라.

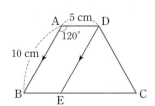

확인	공부한 날	self-check		
	/	194-1	194-2	194-3
		O X	O X	O X

기

하

1학년
2학년
3학년

06. 사각형의 성질

9 여러 가지 사각형 사이의 관계

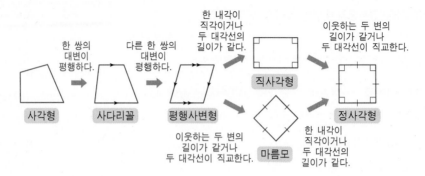

10 사각형의 각 변의 중점을 연결하여 만든 사각형

사각형의 각 변의 중점을 차례대로 연결하여 만든 사각형은 다음과 같다.

(1) 평행사변형 ⇨ 평행사변형　(2) 직사각형 ⇨ 마름모　(3) 마름모 ⇨ 직사각형

(4) 정사각형 ⇨ 정사각형　(5) 등변사다리꼴 ⇨ 마름모　(6) 사각형 ⇨ 평행사변형

개념
Plus⁺

- 두 대각선의 길이가 같은 사각형 : 직사각형, 정사각형, 등변사다리꼴
- 두 대각선이 서로 직교하는 사각형 : 마름모, 정사각형

---

195 1 오른쪽 그림과 같은 평행사변형 ABCD가
다음 조건을 만족하면 어떤 사각형이 되는지 말하여라.

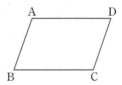

(1) $\overline{AB}=\overline{BC}$

(2) $\angle C=90°$

(3) $\angle D=90°$, $\overline{AD}=\overline{CD}$

---

195 2 다음은 사각형의 각 변의 중점을 차례로 연결하였을 때 생긴 사각형
이다. 옳게 짝지어진 것은?

① 직사각형 ⇨ 정사각형　　② 마름모 ⇨ 정사각형

③ 정사각형 ⇨ 정사각형　　④ 평행사변형 ⇨ 마름모

⑤ 등변사다리꼴 ⇨ 직사각형

절대개념 Focus

여러 가지 사각형 사이의 관계

평행사변형이 직사각형이 되는 조건	마름모가 정사각형이 되는 조건

⇨ 한 내각이 직각이다.
　또는 두 대각선의 길이가 같다.

평행사변형이 마름모가 되는 조건	직사각형이 정사각형이 되는 조건

⇨ 이웃하는 두 변의 길이가 같다.
　또는 두 대각선이 직교한다.

확 인	공부한 날	self-check	
	/	195-1	195-2
		O X	O X

개념 196 평행선과 삼각형의 넓이

11 평행선과 삼각형의 넓이

(1) 평행선과 삼각형의 넓이

두 직선 l, m이 평행할 때, △ABC와 △DBC는 밑변 BC가 공통이고
높이가 h로 같으므로 두 삼각형의 넓이는 같다.

⇨ $l /\!/ m$일 때, $\triangle ABC = \triangle DBC = \dfrac{1}{2}ah$

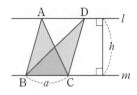

(2) 평행선과 삼각형의 넓이의 활용

① $\overline{AD} /\!/ \overline{BC}$인 사다리꼴 ABCD에서

$\triangle ABC = \triangle DBC$이므로

$\triangle ABO = \triangle DCO$

참고 $\triangle ABO = \triangle ABC - \triangle OBC = \triangle DBC - \triangle OBC = \triangle DCO$

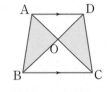

② $\overline{AC} /\!/ \overline{DE}$일 때, $\triangle ACD = \triangle ACE$이므로

$\square ABCD = \triangle ABE$

참고 $\square ABCD = \triangle ABC + \triangle ACD = \triangle ABC + \triangle ACE = \triangle ABE$

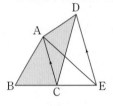

---

196 1 오른쪽 그림에서 $\overline{AE} /\!/ \overline{BD}$일 때, 다음 삼각형과 넓이가 같은 삼각형을 찾아라.

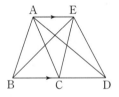

(1) △ABC

(2) △ECD

(3) △ABD

기

하

1학년

2학년

3학년

---

196 2 오른쪽 그림에서 $\overline{AC} /\!/ \overline{DE}$이고 △ABE의 넓이가 45 cm²일 때, $\square$ABCD의 넓이를 구하여라.

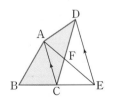

절대개념 Focus

평행선과 넓이

$\overline{AD} /\!/ \overline{BC}$인 사다리꼴 ABCD에서

① $\triangle ABC = \triangle DBC$

② $\triangle ABD = \triangle ACD$

③ $\triangle OAB = \triangle OCD$

확인	공부한 날	self-check	
		196-1	196-2
	/	O X	O X

12 높이가 같은 두 삼각형의 넓이의 비

높이가 같은 두 삼각형의 넓이의 비는 밑변의 길이의 비와 같다.

⇨ $\triangle ABC : \triangle ACD = m : n$

이때 점 C가 $\overline{BD}$의 중점, 즉 $m=n$이면 $\triangle ABC : \triangle ACD = 1 : 1$

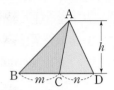

참고 사다리꼴 ABCD의 두 대각선의 교점이 O일 때

① $\triangle OAB : \triangle OBC = \triangle OAD : \triangle OCD = \overline{OA} : \overline{OC}$

② $\triangle OAD : \triangle OAB = \triangle OCD : \triangle OBC = \overline{OD} : \overline{OB}$

---

197 1 오른쪽 그림과 같은 평행사변형 ABCD의 넓이가 24 cm²이고 $\overline{BC}$ 위의 한 점 P에 대하여 $\overline{BP} : \overline{PC} = 2 : 1$일 때, 다음 도형의 넓이를 구하여라.

(1) $\triangle ABC$

(2) $\triangle ABP$

---

197 2 오른쪽 그림과 같이 $\overline{AD} \mathbin{/\mkern-5mu/} \overline{BC}$인 사다리꼴 ABCD에서 $\triangle OAD$의 넓이가 2 cm²이고 $\overline{OB} : \overline{OD} = 3 : 1$일 때, 다음을 구하여라.

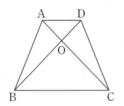

(1) $\triangle OAB$의 넓이

(2) $\triangle OCD$의 넓이

(3) $\triangle OBC$의 넓이

(4) $\square ABCD$의 넓이

절대개념 Focus

높이가 같은 두 삼각형의 넓이의 비

높이가 같은 두 삼각형의 넓이의 비는 밑변의 길이의 비와 같다.

⇨ $\triangle ABC : \triangle ACD = m : n$

---

197 3 오른쪽 그림과 같은 $\triangle ABC$의 넓이가 48 cm²이고 $\overline{BC}$ 위의 한 점 D에 대하여 $\overline{BD} : \overline{DC} = 3 : 1$일 때, $\triangle ADC$의 넓이를 구하여라.

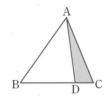

확인	공부한 날	self-check		
	/	197-1	197-2	197-3
		O X	O X	O X

탄탄한 중단원 문제

01 오른쪽 그림과 같은 평행사변형 ABCD에서 $\overline{BE}=\overline{EC}$이고 $\overline{AE}$의 연장선과 $\overline{DC}$의 연장선의 교점이 F이다. $\overline{AB}=6\,cm$, $\overline{AD}=9\,cm$일 때, $\overline{DF}$의 길이를 구하여라.

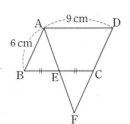

개념 188
△ABE≡△FCE임을 이해한다.

02 오른쪽 그림의 □ABCD가 다음 조건을 만족시킬 때, 평행사변형이 될 수 있는 것은?

(단, 점 O는 두 대각선의 교점이다.)

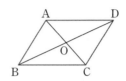

개념 189

① $\overline{AD}\,/\!/\,\overline{BC}$, $\overline{AB}=\overline{DC}$

② $\angle A=\angle B$, $\angle C=\angle D$　　③ $\overline{OA}=\overline{OB}$, $\overline{OC}=\overline{OD}$

④ $\overline{AB}=\overline{BC}$, $\overline{CD}=\overline{DA}$　　⑤ $\overline{AB}\,/\!/\,\overline{CD}$, $\overline{AB}=\overline{CD}$

03 오른쪽 그림과 같이 평행사변형 ABCD의 내부의 한 점 P에 대하여 $\triangle PAB=14\,cm^2$, $\triangle PBC=20\,cm^2$, $\triangle PDA=12\,cm^2$일 때, $\triangle PCD$의 넓이를 구하여라.

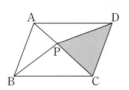

개념 190

04 다음 중 오른쪽 그림과 같은 평행사변형 ABCD가 직사각형이 되는 조건이 <u>아닌</u> 것은?

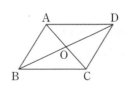

개념 191
평행사변형이 직사각형이 되는 조건
① 한 내각이 직각이다.
② 두 대각선의 길이가 같다.

① $\angle BAD=90°$　　② $\angle BAD=\angle ABC$

③ $\overline{AB}=\overline{AD}$　　④ $\overline{AC}=\overline{BD}$

⑤ $\overline{CO}=\overline{DO}$

05 오른쪽 그림과 같은 평행사변형 ABCD에서 두 대각선의 교점이 O이고 $\angle DBC=24°$, $\angle CAD=66°$일 때, $\angle ABD$의 크기를 구하여라.

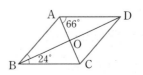

개념 192

확인	공부한 날	self-check				
	/	01	02	03	04	05
		O X	O X	O X	O X	O X

▶ 정답 및 풀이 91쪽

06 오른쪽 그림과 같은 정사각형 ABCD에서 $\overline{BE}=\overline{CF}$이고 ∠AEC=110°일 때, ∠CBF의 크기는?

① 20°   ② 22°   ③ 24°

④ 26°   ⑤ 28°

개념 193

07 오른쪽 그림과 같이 $\overline{AD} /\!/ \overline{BC}$인 등변사다리꼴 ABCD에서 ∠ABC=75°, ∠ACB=35°일 때, ∠BDC의 크기를 구하여라.

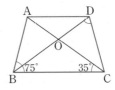

개념 194

등변사다리꼴은 아랫변의 양 끝각의 크기가 같다.

08 다음 〈보기〉 중 평행사변형 ABCD에 대한 설명으로 옳은 것을 모두 골라라.

개념 194

〈보기〉

ㄱ. $\overline{AC}=\overline{BD}$이면 마름모이다.
ㄴ. $\overline{AB}=\overline{BC}$이면 정사각형이다.
ㄷ. ∠A=90°이면 직사각형이다.
ㄹ. $\overline{AC}\perp\overline{BD}$이면 마름모이다.
ㅁ. ∠A=90°, $\overline{AC}\perp\overline{BD}$이면 정사각형이다.

09 오른쪽 그림과 같은 □ABCD에서 꼭짓점 D를 지나고 $\overline{AC}$와 평행한 직선이 $\overline{BC}$의 연장선과 만나는 점을 E라 하자. △ABC=24 cm², △ACE=16 cm²일 때, □ABCD의 넓이를 구하여라.

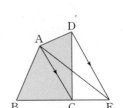

개념 196

밑변의 길이와 높이가 같으면 모양은 달라도 넓이는 모두 같다.

10 오른쪽 그림의 △ABC에서 $\overline{BE} : \overline{EC}=3 : 2$, $\overline{AD} : \overline{DE}=2 : 1$이다. △ABC=25 cm²일 때, △ABD의 넓이를 구하여라.

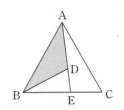

개념 197

확인	공부한 날	self-check				
		06	07	08	09	10
	/	O X	O X	O X	O X	O X

개념 198 닮은 도형

1 닮음의 뜻

(1) 닮음 : 한 도형을 일정한 비율로 확대 또는 축소하여 다른 도형과
합동이 될 때, 이 두 도형은 서로 닮았다 또는 닮음인 관계에 있다
고 한다.

(2) 닮은 도형 : 서로 닮음인 관계에 있는 두 도형을 닮은 도형이라 한
다. 기호 △ABC∽△DEF

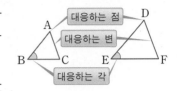

2 도형에서의 닮음의 성질

(1) 평면도형에서의 닮음의 성질 : 두 닮은 평면도형에서

① 대응하는 변의 길이의 비는 일정하다.

② 대응하는 각의 크기는 서로 같다.

③ 닮은 두 평면도형에서 닮음비는 대응하는 변의 길이의 비이다.

(2) 입체도형에서의 닮음의 성질 : 두 닮은 입체도형에서

① 대응하는 모서리의 길이의 비는 일정하다.

② 대응하는 면은 닮은 도형이다.

③ 닮은 두 입체도형에서 닮음비는 대응하는 모서리의 길이의 비이다.

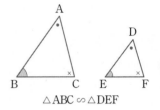

$$\triangle ABC \backsim \triangle DEF$$

---

198 1 오른쪽 그림에서
□ABCD∽□A′B′C′D′일 때, 다음을 구
하여라.

(1) □ABCD와 □A′B′C′D′의 닮음비

(2) $\overline{AB}$의 길이   (3) ∠D의 크기

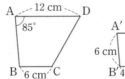

닮음비 는 가장 간단한
자연수 의 비로 나타내~

198 2 오른쪽 그림에서 두 삼각기둥이 서
로 닮은 도형일 때, 다음을 구하여라.

(1) 두 삼각기둥의 닮음비

(2) x, y, z의 값

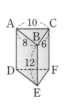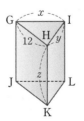

절대개념 Focus

닮은 도형

$$\triangle ABC \backsim \triangle DEF$$

닮음의 기호를 쓸 때에는 대응하는
꼭짓점의 순서를 맞추어 쓴다.

① 대응하는 변
$$\overline{AB} : \overline{DE} = \overline{BC} : \overline{EF}$$
$$= \overline{CA} : \overline{FD}$$

② 대응하는 각
∠A=∠D, ∠B=∠E,
∠C=∠F

확인	공부한 날	self-check	
	/	198-1	198-2
		O X	O X

3 **삼각형의 닮음조건** : 두 삼각형은 다음 각 경우에 서로 닮은 도형이다.

(1) SSS 닮음 : 세 쌍의 대응하는 변의 길이의 비가 같다.

⇨ $a : a' = b : b' = c : c'$

(2) SAS 닮음 : 두 쌍의 대응하는 변의 길이의 비가 같고, 그 끼인 각의 크기가 같다.

⇨ $a : a' = c : c'$, $\angle B = \angle B'$

(3) AA 닮음 : 두 쌍의 대응하는 각의 크기가 각각 같다.

⇨ $\angle A = \angle A'$, $\angle B = \angle B'$

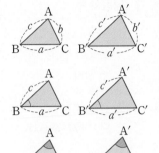

199 1 다음 〈보기〉 중 서로 닮은 삼각형을 찾아 기호로 나타내고, 닮음조건을 말하여라.

─〈보기〉

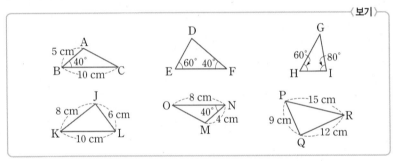

199 2 다음 그림에서 x의 값을 구하여라.

(1)
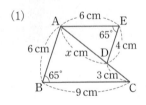

(2)
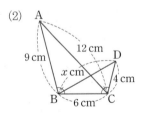

(3)
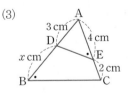

(4)
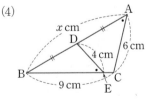

절대개념 Focus

삼각형의 닮음조건

① SSS 닮음 (△ABD ∽ △DBC)

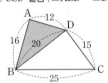

② SAS 닮음 (△ABC ∽ △EBD)

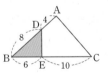

③ AA 닮음 (△ABC ∽ △EDC)

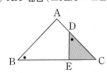

확인	공부한 날	self-check	
		199-1	199-2
	/	O X	O X

개념 200 직각삼각형에서의 닮음

4 직각삼각형에서의 닮음

$\angle A = 90°$인 직각삼각형 ABC의 꼭짓점 A에서 빗변 BC에 내린 수선의 발을 H라 하면

$$\triangle ABC \backsim \triangle HBA \backsim \triangle HAC \text{(AA 닮음)}$$

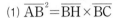

(1) $\overline{AB}^2 = \overline{BH} \times \overline{BC}$

(2) $\overline{AC}^2 = \overline{CH} \times \overline{CB}$

(3) $\overline{AH}^2 = \overline{HB} \times \overline{HC}$

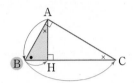

$\triangle ABC \backsim \triangle HBA$(AA 닮음)이므로
$\overline{AB} : \overline{HB} = \overline{BC} : \overline{BA}$

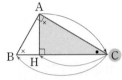

$\triangle ABC \backsim \triangle HAC$(AA 닮음)이므로
$\overline{AC} : \overline{HC} = \overline{BC} : \overline{AC}$

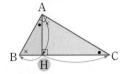

$\triangle HBA \backsim \triangle HAC$(AA 닮음)이므로
$\overline{AH} : \overline{CH} = \overline{BH} : \overline{AH}$

참고 직각삼각형 ABC의 넓이에서

$\triangle ABC = \dfrac{1}{2} \times \overline{AB} \times \overline{AC} = \dfrac{1}{2} \times \overline{AH} \times \overline{BC}$이므로 $\overline{AB} \times \overline{AC} = \overline{AH} \times \overline{BC}$

---

200 1 다음 그림과 같은 직각삼각형 ABC에서 x의 값을 구하여라.

(1)
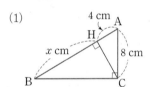

(2)
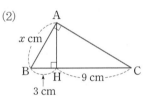

(3)
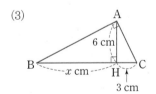

(4)
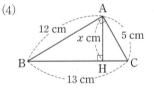

직각삼각형에서의 닮음은 고등 수학에서 많이 활용 되므로 꼭 기억해 둬~

200 2 오른쪽 그림과 같은 직각삼각형 ABC 에서 다음을 구하여라.

(1) $\overline{BH}$의 길이

(2) $\overline{CH}$의 길이

(3) $\overline{AH}$의 길이

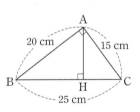

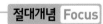
절대개념 Focus

직각삼각형에서의 닮음

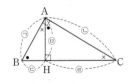

$ⓐ^2 = ⓒ \times (ⓒ + ⓓ)$
$ⓑ^2 = ⓓ \times (ⓒ + ⓓ)$
$ⓔ^2 = ⓒ \times ⓓ$

확인	공부한 날	self-check	
		200-1	200-2
	/	O X	O X

5 삼각형에서의 평행선

(1) 삼각형에서의 평행선과 선분의 길이의 비(Ⅰ)

△ABC에서 점 D, E가 각각 $\overline{AB}$, $\overline{AC}$ 또는 그 연장선 위의 점일 때

① $\overline{BC} /\!/ \overline{DE}$이면

$\overline{AB} : \overline{AD} = \overline{AC} : \overline{AE} = \overline{BC} : \overline{DE}$

② $\overline{BC} /\!/ \overline{DE}$이면

$\overline{AD} : \overline{DB} = \overline{AE} : \overline{EC}$

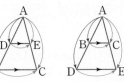

(2) 삼각형에서의 평행선과 선분의 길이의 비(Ⅱ)

△ABC에서 점 D, E가 각각 $\overline{AB}$, $\overline{AC}$ 또는 그 연장선 위의 점일 때

① $\overline{AB} : \overline{AD} = \overline{AC} : \overline{AE}$이면 $\overline{BC} /\!/ \overline{DE}$

② $\overline{AD} : \overline{DB} = \overline{AE} : \overline{EC}$이면 $\overline{BC} /\!/ \overline{DE}$

201 1 다음 그림에서 $\overline{BC} /\!/ \overline{DE}$일 때, x, y의 값을 각각 구하여라.

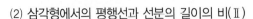

(1)
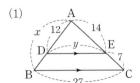

(2)
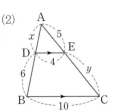

(3)
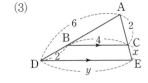

(4)
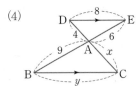

$\overline{AD} : \overline{DB}$
$= \overline{AE} : \overline{EC} \neq \overline{DE} : \overline{BC}$
임에 주의해~

절대개념 **Focus**

삼각형에서의 평행선과 선분의 길이의 비의 응용

①

$\overline{BC} /\!/ \overline{DE}$일 때,
$a : b = c : d = e : f$

②

$\overline{BC} /\!/ \overline{DE}$, $\overline{BE} /\!/ \overline{DF}$일 때,
$c : d = a : b = e : f$

201 2 다음 〈보기〉 중 $\overline{DE} /\!/ \overline{BC}$인 것을 골라라.

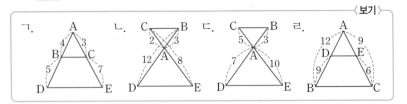

─〈보기〉─

개념 202 삼각형의 내각과 외각의 이등분선

6 **삼각형의 내각의 이등분선** : △ABC에서 ∠A의 이등분선이 $\overline{BC}$와 만나는 점을 D라 하면

$$\overline{AB} : \overline{AC} = \overline{BD} : \overline{CD}$$

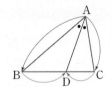

참고 내각의 이등분선과 삼각형의 넓이의 비

△ABD와 △ACD의 높이가 같으므로 넓이의 비는 밑변의 길이의 비와 같다.

즉, △ABD : △ACD = $\overline{BD} : \overline{CD} = \overline{AB} : \overline{AC}$

7 **삼각형의 외각의 이등분선** : △ABC에서 ∠A의 외각의 이등분선이 $\overline{BC}$의 연장선과 만나는 점을 D라 하면

$$\overline{AB} : \overline{AC} = \overline{BD} : \overline{CD}$$

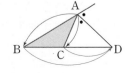

주의 $\overline{AB} : \overline{AC} = \overline{BC} : \overline{CD}$로 생각하지 않게 주의한다.

---

202 1 다음 그림과 같은 △ABC에서 $\overline{AD}$가 ∠A의 이등분선일 때, x의 값을 구하여라.

(1)
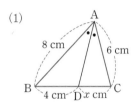

(2)
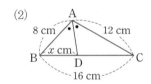

202 2 오른쪽 그림과 같은 △ABC에서 ∠BAD=∠DAC일 때, △ABD와 △ACD의 넓이의 비를 구하여라.

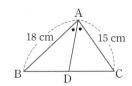

202 3 다음 그림과 같은 △ABC에서 $\overline{AD}$가 ∠A의 외각의 이등분선일 때, x의 값을 구하여라.

(1)
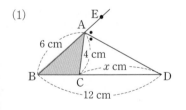

(2)
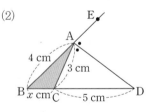

절대개념 **Focus**

삼각형의 내각과 외각의 이등분선

①:②=③:④

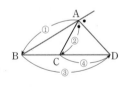

기

하

1학년

2학년

3학년

07. 도형의 닮음

8 평행선 사이의 선분의 길이의 비

세 개 이상의 평행선이 다른 두 직선과 만날 때,
평행선에 의해 두 직선은 일정한 비로 나눠진다.
즉, 잘린 선분의 길이의 비가 일정하다.
오른쪽 그림에서 $l /\!/ m /\!/ n$이면

$$a : b = c : d \ \text{또는} \ a : c = b : d$$

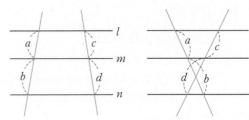

개념
Plus⁺

평행선 사이의 선분의 길이의 비
① 하나의 직선을 평행이동한 후, 삼각형에서 평행선과 선분의 길이의 비로 해결한다.
② 이 정리는 평행선이 네 개 이상일 때도 성립한다.

---

203 1 다음 그림에서 $l /\!/ m /\!/ n$일 때, x의 값을 구하여라.

(1)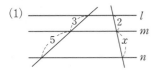

(2)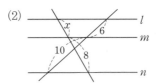

(3)

(4)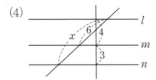

두 직선이 서로 만나는 것에
관계없이 이 평행선에 의해 생
기는 선분의 길이의 비를 구
해봐 ～

203 2 다음 그림에서 $k /\!/ l /\!/ m /\!/ n$일 때, x, y의 값을 각각 구하여라.

(1)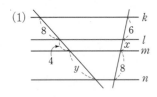

(2)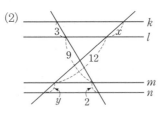

절대개념 Focus

평행선 사이의 선분의 길이의 비

$l /\!/ m /\!/ n$일 때

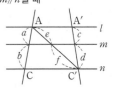

$\triangle \mathrm{ACC'}$에서 $a : b = e : f$
$\triangle \mathrm{AC'A'}$에서 $e : f = c : d$
  $\therefore \ a : b = c : d$

확인	공부한 날	self-check	
	/	203-1	203-2
		O X	O X

개념 204 사다리꼴에서 평행선과 선분의 길이의 비

9 사다리꼴에서 평행선과 선분의 길이의 비

$\overline{AD} /\!/ \overline{BC}$인 사다리꼴 ABCD에서 $\overline{AD} /\!/ \overline{EF} /\!/ \overline{BC}$일 때, $\overline{EF} = \dfrac{mb+na}{m+n}$

[방법 1] 평행선을 이용하는 방법

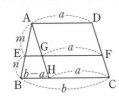

$\overline{DC}$와 평행한 선분 AH를 그으면

$\overline{EG} : \overline{BH} = \overline{EG} : (b-a) = m : (m+n)$

$\therefore \overline{EG} = \dfrac{m(b-a)}{m+n}$

$\overline{GF} = \overline{AD} = \overline{HC} = a$

$\therefore \overline{EF} = \overline{EG} + \overline{GF} = \dfrac{m(b-a)}{m+n} + a = \dfrac{mb+na}{m+n}$

[방법 2] 대각선을 이용하는 방법

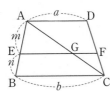

$\overline{AC}$를 그으면

$\triangle ABC$에서 $\overline{EG} : b = m : (m+n)$ $\therefore \overline{EG} = \dfrac{mb}{m+n}$

$\triangle CDA$에서 $\overline{GF} : a = n : (m+n)$ $\therefore \overline{GF} = \dfrac{na}{m+n}$

$\therefore \overline{EF} = \overline{EG} + \overline{GF} = \dfrac{mb+na}{m+n}$

---

204 1 다음 그림과 같이 $\overline{AD} /\!/ \overline{BC}$인 사다리꼴 ABCD에서 $\overline{EF} /\!/ \overline{BC}$일 때, x의 값을 구하여라.

(1)
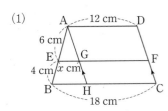

(2)
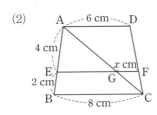

204 2 다음 그림과 같이 $\overline{AD} /\!/ \overline{EF} /\!/ \overline{BC}$인 사다리꼴 ABCD에서 x, y의 값을 각각 구하여라.

(1)
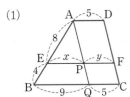

(2)
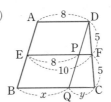

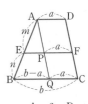

기 하
1학년
2학년
3학년

07. 도형의 닮음

평행선과 선분의 길이의 비의 응용

10 평행선과 선분의 길이의 비의 응용

$\overline{AC}$와 $\overline{BD}$의 교점을 E라 하고 $\overline{AB} /\!/ \overline{EF} /\!/ \overline{DC}$일 때

(1) $\overline{AE} : \overline{EC} = \overline{BE} : \overline{ED} = \overline{BF} : \overline{FC} = a : b$

(2) $\overline{EF} = \dfrac{ab}{a+b}$

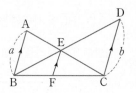

205 1 다음 그림에서 $\overline{AB} /\!/ \overline{EF} /\!/ \overline{DC}$일 때, $\overline{EF}$의 길이를 구하여라.

(1)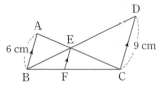

(2)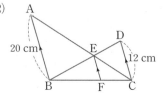

205 2 오른쪽 그림에서 $\overline{AB}$, $\overline{EF}$, $\overline{DC}$가 모두 $\overline{BC}$에 수직일 때, 다음을 구하여라.

(1) $\overline{BF} : \overline{BC}$

(2) $\overline{EF}$의 길이

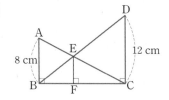

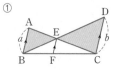

절대개념 Focus

평행선과 선분의 길이의 비의 응용

①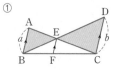

$\triangle ABE \backsim \triangle CDE \Rightarrow a : b$

②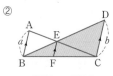

$\triangle BEF \backsim \triangle BDC \Rightarrow a : (a+b)$

③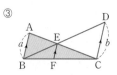

$\triangle CEF \backsim \triangle CAB \Rightarrow b : (a+b)$

205 3 오른쪽 그림에서 $\overline{AD} /\!/ \overline{EF} /\!/ \overline{BC}$일 때, $\overline{EF}$의 길이를 구하여라.

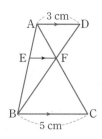

확인	공부한 날	self-check		
	/	205-1	205-2	205-3
		O X	O X	O X

개념 206 삼각형의 두 변의 중점을 연결한 선분의 성질

11 삼각형의 두 변의 중점을 연결한 선분의 성질(Ⅰ)

삼각형의 두 변의 중점을 연결한 선분은 나머지 한 변과 평행하고, 그 길이는 나머지 한 변의 길이의 $\frac{1}{2}$이다. 즉,

△ABC에서 $\overline{AM}=\overline{MB}$, $\overline{AN}=\overline{NC}$이면

$$\overline{MN} /\!/ \overline{BC}, \ \overline{MN}=\frac{1}{2}\overline{BC}$$

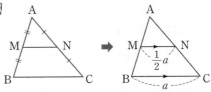

12 삼각형의 두 변의 중점을 연결한 선분의 성질(Ⅱ)

삼각형의 한 변의 중점을 지나 다른 한 변에 평행한 직선은 나머지 한 변의 중점을 지난다. 즉,

△ABC에서 $\overline{AM}=\overline{BM}$, $\overline{MN} /\!/ \overline{BC}$이면

$$\overline{AN}=\overline{NC}, \ \overline{MN}=\frac{1}{2}\overline{BC}$$

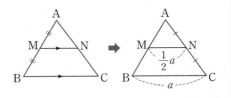

206 1 다음 그림의 △ABC에서 점 M, N이 각각 $\overline{AB}$, $\overline{AC}$의 중점일 때, x, y의 값을 각각 구하여라.

(1)
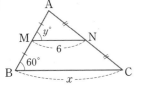

(2)
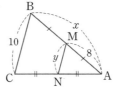

206 2 다음 그림의 △ABC에서 $\overline{AM}=\overline{MB}$, $\overline{MN} /\!/ \overline{BC}$일 때, x, y의 값을 각각 구하여라.

(1)
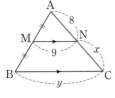

(2)
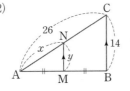

절대개념 Focus

삼각형의 두 변의 중점을 연결한 선분의 성질

① ⇨

$\overline{AM} : \overline{AB}=\overline{AN} : \overline{AC}=1 : 2$
이므로 $\overline{MN} /\!/ \overline{BC}$
또, $\overline{MN} : \overline{BC}=\overline{AM} : \overline{AB}=1 : 2$
이므로 $\overline{MN} =\frac{1}{2}\overline{BC}$

② ⇨

$\overline{MN} /\!/ \overline{BC}$이므로
$\overline{AM} : \overline{MB}=\overline{AN} : \overline{NC}=1 : 1$
∴ $\overline{AN}=\overline{NC}$

개념 207 사다리꼴의 중점을 연결한 선분의 성질

13 사다리꼴의 중점을 연결한 선분의 성질

$\overline{AD} /\!/ \overline{BC}$인 사다리꼴 ABCD에서
$\overline{AM}=\overline{MB}$, $\overline{DN}=\overline{NC}$일 때,

(1) $\overline{AD} /\!/ \overline{MN} /\!/ \overline{BC}$

(2) $\overline{MN}=\overline{MQ}+\overline{QN}=\dfrac{1}{2}(\overline{BC}+\overline{AD})$

(3) $\overline{PQ}=\overline{MQ}-\overline{MP}=\dfrac{1}{2}(\overline{BC}-\overline{AD})$ (단, $\overline{BC}>\overline{AD}$)

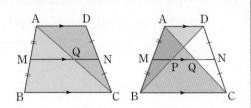

> 참고 △ABD와 △ACD에서 $\overline{MP}=\overline{QN}=\dfrac{1}{2}\overline{AD}$
>
> △ABC와 △DBC에서 $\overline{MQ}=\overline{PN}=\dfrac{1}{2}\overline{BC}$

207 1 다음 그림과 같이 $\overline{AD} /\!/ \overline{BC}$인 사다리꼴 ABCD에서 $\overline{AM}=\overline{MB}$, $\overline{DN}=\overline{NC}$일 때, x의 값을 구하여라.

(1)
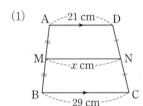

(2)
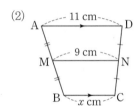

207 2 오른쪽 그림과 같이 $\overline{AD} /\!/ \overline{MN} /\!/ \overline{BC}$인 사다리꼴 ABCD에 대하여 $\overline{AB} : \overline{AM}=2 : 1$이고 $\overline{AD}=18$, $\overline{BC}=28$일 때, $x-y$의 값을 구하여라.

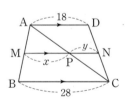

207 3 오른쪽 그림과 같이 $\overline{AD} /\!/ \overline{BC}$인 사다리꼴 ABCD에 대하여 $\overline{AM}=\overline{MB}$, $\overline{DN}=\overline{NC}$이고 $\overline{AD}=15$, $\overline{BC}=21$일 때, x의 값을 구하여라.

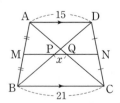

절대개념 Focus

사다리꼴의 중점을 연결한 선분의 성질

① $\overline{MN}=\overline{MQ}+\overline{QN}$

   $=\dfrac{1}{2}\overline{BC}+\dfrac{1}{2}\overline{AD}$

   $=\dfrac{1}{2}(\overline{BC}+\overline{AD})$

② $\overline{PQ}=\overline{MQ}-\overline{MP}$

   $=\dfrac{1}{2}\overline{BC}-\dfrac{1}{2}\overline{AD}$

   $=\dfrac{1}{2}(\overline{BC}-\overline{AD})$

확인	공부한 날	self-check		
	/	207-1	207-2	207-3
		O X	O X	O X

14 삼각형의 중선과 무게중심

(1) 삼각형의 중선 : 삼각형에서 한 꼭짓점과 그 대변의 중점을 이은 선분

(2) 삼각형의 무게중심 : 삼각형의 세 중선은 한 점에서 만나고, 이 교점을 무게중심이라 한다.

(3) 무게중심의 성질 : 삼각형의 무게중심은 세 중선의 길이를 각 꼭짓점으로부터 각각 $2:1$로 나눈다.
⇨ $\triangle ABC$의 무게중심이 G일 때, $\overline{AG}:\overline{GD}=\overline{BG}:\overline{GE}=\overline{CG}:\overline{GF}=2:1$

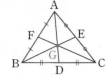

15 삼각형의 무게중심의 응용

평행사변형 ABCD에서

(1) 점 P는 $\triangle ABC$의 무게중심 ⇨ $\overline{BP}:\overline{PO}=2:1$

(2) 점 Q는 $\triangle ACD$의 무게중심 ⇨ $\overline{DQ}:\overline{QO}=2:1$

(3) $\overline{BP}=\overline{PQ}=\overline{QD}$ ← $\overline{BP}:\overline{PQ}:\overline{QD}=1:1:1$

(4) $\overline{MN}=\dfrac{1}{2}\overline{BD}$ ← $\triangle CDB$에서 $\overline{BM}=\overline{CM}$, $\overline{DN}=\overline{CN}$

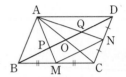

208 **1** 다음 그림에서 점 G가 $\triangle ABC$의 무게중심일 때, x, y의 값을 각각 구하여라.

(1)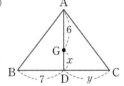

(2)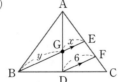

208 **2** 오른쪽 그림과 같은 평행사변형 ABCD에서 두 점 M, N은 각각 $\overline{BC}$, $\overline{CD}$의 중점이다. $\overline{PO}=3\,\text{cm}$일 때, 다음을 구하여라.

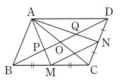

(1) $\overline{BP}$의 길이 (2) $\overline{PQ}$의 길이

(3) $\overline{BD}$의 길이 (4) $\overline{MN}$의 길이

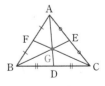
기
하
1학년
2학년
3학년

07. 도형의 닮음

확인	공부한 날	self-check	
	/	208-1	208-2
		O X	O X

삼각형의 무게중심과 넓이

16 삼각형의 무게중심과 넓이

(1) 삼각형의 중선과 넓이 : 삼각형의 중선은 그 삼각형의 넓이를 이등분한다.

⇨ $\overline{AD}$가 △ABC의 중선일 때, △ABD = △ACD = $\frac{1}{2}$△ABC

(2) 삼각형의 무게중심과 넓이 : 점 G가 △ABC의 무게중심일 때, 세 중선에 의하여 나누어지는 6개의 삼각형의 넓이는 모두 같다.

① △AFG = △BFG = △BDG = △CDG

    = △CEG = △AEG = $\frac{1}{6}$△ABC

② △ABG = △BCG = △CAG = $\frac{1}{3}$△ABC

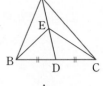

---

209 1 다음 그림에서 점 G가 △ABC의 무게중심이고 △ABC의 넓이가 36 cm²일 때, 색칠한 부분의 넓이를 구하여라.

(1)
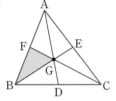

(2)
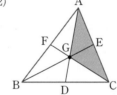

209 2 오른쪽 그림에서 $\overline{AD}$는 △ABC의 중선이고, $\overline{AE}$는 △ADC의 중선이다. △ACE = 12 cm²일 때, △ABE의 넓이를 구하여라.

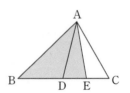

209 3 오른쪽 그림에서 점 G는 △ABC의 무게중심이다. △ABC의 넓이가 54 cm²이고 점 E는 $\overline{AG}$의 중점일 때, △ABE의 넓이를 구하여라.

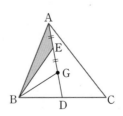

절대개념 Focus

삼각형의 중선과 넓이

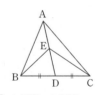

① △ABD = △ACD
② △EBD = △ECD
③ △ABE = △ACE

삼각형의 무게중심과 넓이

① △AFG = $\frac{1}{6}$△ABC

② △ABG = $\frac{1}{3}$△ABC

확인	공부한 날	self−check		
	/	209−1	209−2	209−3
		O X	O X	O X

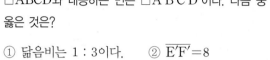

탄탄한 중단원 문제

01 오른쪽 그림의 두 직육면체는 닮은 도형이고, □ABCD와 대응하는 면은 □A′B′C′D′이다. 다음 중 옳은 것은?

 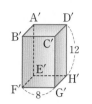

① 닮음비는 1 : 3이다.　　② $\overline{E'F'}=8$

③ $\overline{DH}=9$　　　　　④ □EFGH∽□A′B′F′E′

⑤ □ABFE∽□A′D′H′E′

> 개념 **198**
>
> 대응하는 모서리의 길이의 비는 일정하다.

02 오른쪽 그림과 같이 직사각형 ABCD에서 점 B가 $\overline{AD}$ 위의 점 F에 오도록 접었다. 이때 $\overline{BC}$의 길이를 구하여라.

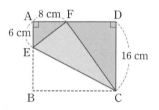

> 개념 **199**

03 오른쪽 그림과 같이 ∠A=90°인 직각삼각형 ABC에서 $\overline{AH}\perp\overline{BC}$일 때, △ABC의 넓이는?

① $36\,cm^2$　　② $37\,cm^2$　　③ $38\,cm^2$

④ $39\,cm^2$　　⑤ $40\,cm^2$

> 개념 **200**

04 오른쪽 그림에서 $\overline{DE}/\!/\overline{BC}$, $\overline{FE}/\!/\overline{DC}$일 때, $\overline{AF}$의 길이를 구하여라.

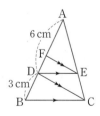

> 개념 **201**

05 오른쪽 그림에서 $l/\!/m/\!/n$일 때, $x+y$의 값은?

① 22　　② 23　　③ 24

④ 25　　⑤ 26

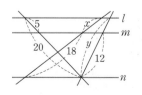

> 개념 **203**
>
> 세 개의 평행선이 다른 두 직선과 만나서 생긴 선분의 길이의 비는 같다.

기

하

1학년

2학년

3학년

확인	공부한 날	self-check				
		01	02	03	04	05
	/	O X	O X	O X	O X	O X

06 오른쪽 그림에서 $\overline{AD} /\!/ \overline{EF} /\!/ \overline{BC}$일 때, $a+b$의 값을 구하여라.

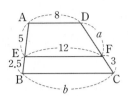

개념 **204**

07 오른쪽 그림에서 $\overline{AB} /\!/ \overline{EF} /\!/ \overline{DC}$이고 $\overline{AB}=4$ cm, $\overline{BC}=24$ cm, $\overline{DC}=12$ cm일 때, $\overline{EF}$의 길이와 $\overline{BF}$의 길이의 합을 구하여라.

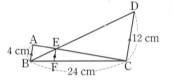

개념 **205**

08 오른쪽 그림과 같은 □ABCD의 네 변의 중점을 각각 E, F, G, H라 하자. $\overline{AC}=18$ cm, $\overline{BD}=22$ cm일 때, □EFGH의 둘레의 길이는?

① 37 cm   ② 38 cm   ③ 39 cm
④ 40 cm   ⑤ 41 cm

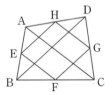

개념 **206**

$\overline{EH}=\overline{FG}=\dfrac{1}{2}\overline{BD}$,

$\overline{HG}=\overline{EF}=\dfrac{1}{2}\overline{AC}$

임을 이용한다.

[**09~10**] 오른쪽 그림과 같은 평행사변형 ABCD에서 두 점 M, N은 각각 $\overline{BC}$, $\overline{CD}$의 중점이고, 두 점 P, Q는 각각 $\overline{BD}$와 $\overline{AM}$, $\overline{AN}$의 교점이다. 다음 물음에 답하여라.

09 $\overline{QD}=4$ cm일 때, $\overline{MN}$의 길이를 구하여라.

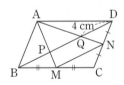

개념 **208+209**

삼각형의 무게중심은 세 중선의 길이를 각 꼭짓점으로부터 각각 2 : 1로 나눈다.

10 □ABCD의 넓이가 30 cm²일 때, △APQ의 넓이는?

① 4 cm²   ② 5 cm²   ③ 6 cm²   ④ 7 cm²   ⑤ 8 cm²

확인	공부한 날	self-check				
		06	07	08	09	10
	/	O X	O X	O X	O X	O X

개념 210 피타고라스 정리

1 피타고라스 정리

(1) **피타고라스 정리**

직각삼각형에서 직각을 끼고 있는 두 변의 길이를 각각 a, b라 하고, 빗변의 길이를 c라 하면

$$a^2+b^2=c^2$$

주의 a, b, c는 변의 길이이므로 항상 양수이다.

(2) **직각삼각형의 변의 길이**

직각삼각형에서 직각을 낀 두 변의 길이를 각각 a, b라 하고, 빗변의 길이를 c라 하면

$$c^2=a^2+b^2, \ a^2=c^2-b^2, \ b^2=c^2-a^2$$

210 1 오른쪽 그림과 같은 △ABC에서 $\overline{AC}=3$ cm, $\overline{BC}=4$ cm이고 ∠C=90°일 때, $\overline{AB}$의 길이를 구하여라.

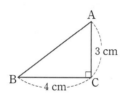

피타고라스 정리는 직각삼각형에서만 적용할 수 있어~

210 2 다음 직각삼각형 ABC에서 x의 값을 구하여라.

(1)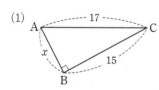

(2)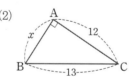

기
하
1학년
2학년
3학년

210 3 오른쪽 그림과 같이 ∠C=90°인 직각삼각형 ABC에서 $\overline{AD}=13$ cm, $\overline{BC}=9$ cm, $\overline{BD}=4$ cm일 때, $x+y$의 값을 구하여라.

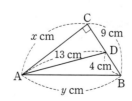

절대개념 Focus

피타고라스 정리

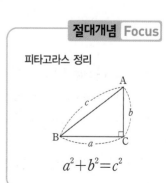

$$a^2+b^2=c^2$$

확인	공부한 날	self-check		
	/	210-1	210-2	210-3
		O X	O X	O X

피타고라스 정리의 설명 방법 (1) – 유클리드

2 피타고라스 정리의 설명 방법 (1) – 유클리드

오른쪽 그림과 같이 직각삼각형 ABC의 각 변을 한 변으로 하는 정사각형 ACDE, AFGB, BHIC를 그리면

(1) □ACDE=□AFML, □BHIC=□LMGB

(2) □AFGB=□ACDE+□BHIC이므로

$$c^2=a^2+b^2$$

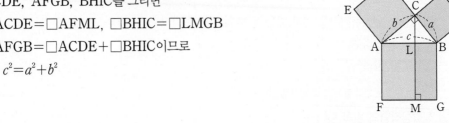

211 **1** 오른쪽 그림은 직각삼각형 ABC의 각 변을 한 변으로 하는 정사각형을 그린 것이다.
□ADEB=64 cm², □BFGC=100 cm²일 때, 다음을 구하여라.

(1) □CHIA의 넓이

(2) $\overline{AC}$, $\overline{AB}$ 각각의 길이

(3) △ABC의 넓이

211 **2** 오른쪽 그림은 직각삼각형 ABC의 각 변을 한 변으로 하는 정사각형을 그린 것이다.
$\overline{AC}$=4 cm, $\overline{BC}$=3 cm일 때, 다음을 구하여라.

(1) □AFML의 넓이

(2) □AFGB의 넓이

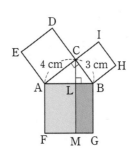

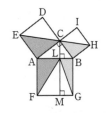

개념
212 피타고라스 정리의 설명 방법 (2), (3) – 피타고라스, 바스카라

3 피타고라스 정리의 설명 방법 (2) – 피타고라스

오른쪽 그림과 같이 직각삼각형 ABC에서 한 변의 길이가 $a+b$인 정사각형 CDFH를 그리면

(1) $\triangle$ABC≡$\triangle$EAD≡$\triangle$GEF≡$\triangle$BGH(SAS 합동)

(2) $\square$AEGB는 한 변의 길이가 c인 정사각형이다.

(3) $\square$CDFH=$\square$AEGB+4$\triangle$ABC이므로

$$(a+b)^2=c^2+4\times\frac{1}{2}ab \qquad \therefore\ c^2=a^2+b^2$$

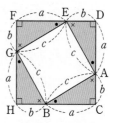

4 피타고라스 정리의 설명 방법 (3) – 바스카라

오른쪽 그림과 같이 직각삼각형 ABC와 합동인 삼각형 4개를 붙여 정사각형 ABDE를 만들면

(1) $\square$CFGH는 한 변의 길이가 $a-b$인 정사각형이다.

(2) $\square$ABDE=$\square$CFGH+4$\triangle$ABC이므로

$$c^2=(a-b)^2+4\times\frac{1}{2}ab \qquad \therefore\ c^2=a^2+b^2$$

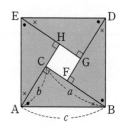

---

212 1 오른쪽 그림은 직각삼각형 AEH와 이와 합동인 세 개의 삼각형을 붙여 정사각형 ABCD를 만든 것이다. 다음을 구하여라.

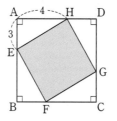

(1) $\overline{AD}$의 길이　　(2) $\overline{EH}$의 길이

(3) $\square$EFGH의 넓이

212 2 오른쪽 그림의 $\square$ABCD는 한 변의 길이가 13인 정사각형이다. $\overline{AG}=\overline{BH}=\overline{CE}=\overline{DF}=5$일 때, 다음을 구하여라.

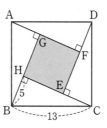

(1) $\overline{GB}$의 길이　　(2) $\overline{GH}$의 길이

(3) $\square$GHEF의 넓이

기

하

1학년
2학년
3학년

절대개념 Focus

피타고라스 정리의 설명 방법
– 피타고라스

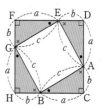

$\square$AEGB는 네 변의 길이가 같고
•+×=90°이므로 네 각의 크기가 90°로 모두 같다.

따라서 $\square$AEGB는 정사각형이다.

확인	공부한 날	self-check	
		212-1	212-2
	/	O X	O X

직각삼각형이 될 조건

5 직각삼각형이 될 조건

세 변의 길이가 각각 a, b, c인 삼각형 ABC에서 $a^2+b^2=c^2$인 관계가 성립하면 이 삼각형은 빗변의 길이가 c인 직각삼각형이다. 즉,

$$a^2+b^2=c^2 \text{이면 } \angle C=90°$$

예 세 변의 길이가 각각 8, 15, 17인 삼각형은 $8^2+15^2=17^2$이므로 빗변의 길이가 17인 직각삼각형이다.

한편 세 변의 길이가 각각 5, 6, 7인 삼각형은 $5^2+6^2\neq7^2$이므로 직각삼각형이 아니다.

참고 직각삼각형의 세 변의 길이가 될 수 있는 세 자연수의 순서쌍은 (3, 4, 5), (5, 12, 13), (6, 8, 10), …

이와 같이 세 자연수 a, b, c 사이에 $a^2+b^2=c^2$인 관계가 성립하는 세 자연수 a, b, c를 피타고라스의 수라 한다.

개념
Plus⁺

△ABC에서 $\overline{AB}=c$, $\overline{BC}=a$, $\overline{CA}=b$이고 가장 긴 변의 길이가 c일 때,
$a^2+b^2>c^2$이면 $\angle C$는 예각이고, $a^2+b^2<c^2$이면 $\angle C$는 둔각이다.

213 1 삼각형의 세 변의 길이가 다음 《보기》와 같을 때, 직각삼각형인 것을 모두 골라라.

〈보기〉

ㄱ. 3, 6, 8 ㄴ. 6, 7, 11 ㄷ. 12, 16, 20

ㄹ. 5, 6, 10 ㅁ. 3, 5, 7 ㅂ. 10, 24, 26

가장 긴 변의 길이의 제곱과 나머지 두 변의 길이의 제곱의 합을 비교해 봐~

213 2 오른쪽 그림의 삼각형 ABC에서 $\angle C=90°$일 때, x의 값을 구하여라.

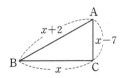

절대개념 Focus

직각삼각형이 될 조건

세 변 중 길이가 가장 긴 변 찾기

↓

가장 긴 변의 길이의 제곱과 나머지 두 변의 길이의 제곱의 합 비교하기

같은 경우 → 직각삼각형이다.

다른 경우 → 직각삼각형이 아니다.

213 3 세 변의 길이가 각각 $x+1$, $x+2$, $x+3$인 삼각형이 직각삼각형이 되기 위한 x의 값을 구하여라.

확인	공부한 날	self-check		
		213-1	213-2	213-3
	/	O X	O X	O X

탄탄한 중단원 문제

01 다음 직각삼각형 중 x의 값이 가장 큰 것은?

① 8, 15, x

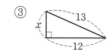
② x, 6, 8

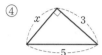
③ x, 13, 12

④ x, 3, 5

⑤ x, 9, 12

> **개념 210**
> (가장 긴 변의 길이의 제곱)
> =(나머지 두 변의 길이의 제곱의 합)
> 이면 직각삼각형이다.

02 오른쪽 그림과 같은 직각삼각형 ABC에서 점 O가 $\overline{AC}$의 중점일 때, $\overline{OB}$의 길이는?

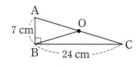

① 11 cm   ② $\dfrac{23}{2}$ cm   ③ 12 cm

④ $\dfrac{25}{2}$ cm   ⑤ 13 cm

> **개념 210**

03 오른쪽 그림과 같은 사각형 ABCD에서 $\overline{AB}=\overline{AD}=5$, $\overline{BC}=8$일 때, △BCD의 넓이는?

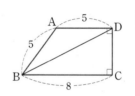

① 10   ② 12   ③ 14

④ 16   ⑤ 18

> **개념 210**
> 점 A에서 보조선을 그어
> △BCD의 높이를 구해본다.

04 오른쪽 그림과 같이 직사각형 ABCD를 $\overline{BQ}$를 접는 선으로 하여 점 C가 점 P에 오도록 접었을 때, $\overline{PQ}$의 길이를 구하여라.

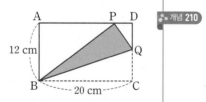

> **개념 210**

05 오른쪽 그림은 직각삼각형 ABC의 각 변을 한 변으로 하는 정사각형을 그린 것이다. 두 변 AC, BC를 각각 한 변으로 하는 정사각형의 넓이가 144 cm², 81 cm²일 때, 정사각형 $\overline{AB}$의 길이를 구하여라.

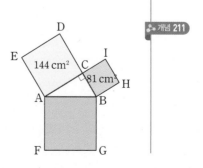

> **개념 211**

확인	공부한 날	self-check				
	/	01	02	03	04	05
		O X	O X	O X	O X	O X

---

06 오른쪽 그림은 ∠A=90°인 직각삼각형 ABC의 세 변을 각각 한 변으로 하는 정사각형을 그린 것이다. 다음 중 옳지 **않은** 것은?

① △GCA=△GCL   ② △ACH=△LGC

③ △EBC≡△ABF   ④ □ACHI=□BFGC

⑤ △ADB=$\frac{1}{2}$□BFML

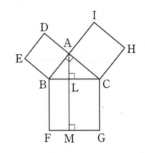

개념 211

밑변의 길이와 높이가 같은 두 삼각형의 넓이는 서로 같다.

07 오른쪽 그림에서 □ABCD는 한 변의 길이가 14 cm인 정사각형이고 $\overline{AH}=\overline{BE}=\overline{CF}=\overline{DG}=8$ cm일 때, □EFGH의 넓이를 구하여라.

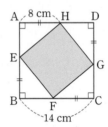

개념 212

08 오른쪽 그림과 같이 한 변의 길이가 10인 정사각형 ABCD에서 $\overline{AE}=\overline{BF}=\overline{CG}=\overline{DH}=6$일 때, □EFGH의 넓이는?

① 3   ② 4   ③ 5

④ 6   ⑤ 7

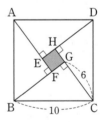

개념 212

09 세 변의 길이가 다음과 같은 삼각형 중에서 직각삼각형인 것은?

① 4 cm, 5 cm, 6 cm   ② 3 cm, 5 cm, 7 cm

③ 2 cm, 3 cm, 4 cm   ④ 5 cm, 12 cm, 14 cm

⑤ 8 cm, 15 cm, 17 cm

개념 213

가장 긴 변의 길이의 제곱과 나머지 두 변의 길이의 제곱의 합을 비교한다.

10 세 변의 길이가 각각 $x-3$, $x-1$, $x+1$인 삼각형이 직각삼각형이 되기 위한 x의 값을 구하여라.

개념 213

확인	공부한 날	self-check				
	/	06	07	08	09	10
		O X	O X	O X	O X	O X

삼각비

1 삼각비

(1) 삼각비 : 직각삼각형에서 두 변의 길이의 비

(2) $\angle B = 90°$인 직각삼각형 ABC에서 $\angle A$의 삼각비

① $\sin A = \dfrac{(높이)}{(빗변의\ 길이)} = \dfrac{a}{b}$

② $\cos A = \dfrac{(밑변의\ 길이)}{(빗변의\ 길이)} = \dfrac{c}{b}$

③ $\tan A = \dfrac{(높이)}{(밑변의\ 길이)} = \dfrac{a}{c}$

개념
Plus⁺

  하나의 삼각형에서도 기준각에 따라 높이와 밑변이 달라질 수 있다.

---

214 1 오른쪽 그림과 같이 $\angle B = 90°$인 직각삼각형

ABC에서 $\overline{BC} = 9$, $\sin A = \dfrac{3}{5}$일 때, 다음을 구하여라.

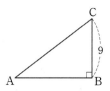

(1) $\overline{AC}$의 길이   (2) $\overline{AB}$의 길이

(3) $\cos A$ (4) $\tan A$

214 2 오른쪽 그림과 같은 직각삼각형 ABC에서 다음 삼각비의 값을 구하여라.

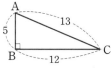

(1) $\sin A$ (2) $\cos A$

(3) $\tan A$

기

하

1학년
2학년
3학년

절대개념 **Focus**

삼각비

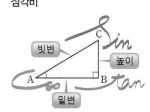

한 직각삼각형에서도 기준각에 따라 높이와 밑변이 달라질 수 있다. 즉, 기준각의 대변이 높이이다.

확인	공부한 날	self-check	
	/	214-1	214-2
		O X	O X

2 특수각의 삼각비

삼각비 $\diagdown$ A	30°	45°	60°	
$\sin A$	$\dfrac{1}{2}$	$\dfrac{\sqrt{2}}{2}$	$\dfrac{\sqrt{3}}{2}$	→ 커진다.
$\cos A$	$\dfrac{\sqrt{3}}{2}$	$\dfrac{\sqrt{2}}{2}$	$\dfrac{1}{2}$	→ 작아진다.
$\tan A$	$\dfrac{\sqrt{3}}{3}$	1	$\sqrt{3}$	→ 커진다.

역수

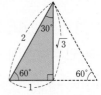

215 1 다음을 계산하여라.

(1) $\sin 30° \times \cos 60°$

(2) $\sin 60° - \cos 60°$

(3) $\tan 45° + \cos 45° \times \sin 45°$

(4) $\sin^2 30° + \cos^2 45°$

215 2 다음 직각삼각형 ABC에서 x, y의 값을 각각 구하여라.

(1)

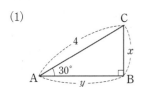

(2)

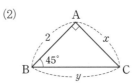

(3)

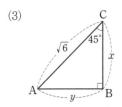

(4)

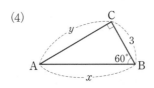

확인	공부한 날	self-check	
	/	215-1	215-2
		O X	O X

개념 216 삼각비의 값

3 삼각비의 값

(1) 예각의 삼각비의 값 : 반지름의 길이가 1인 사분원에서 임의의 예각을 x라 하면

① $\sin x = \dfrac{\overline{AB}}{\overline{OA}} = \dfrac{\overline{AB}}{1} = \overline{AB}$

② $\cos x = \dfrac{\overline{OB}}{\overline{OA}} = \dfrac{\overline{OB}}{1} = \overline{OB}$

③ $\tan x = \dfrac{\overline{CD}}{\overline{OD}} = \dfrac{\overline{CD}}{1} = \overline{CD}$

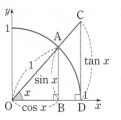

(2) 0°의 삼각비의 값 : ∠x가 0°에 가까워지면 $\overline{AB}$, $\overline{OB}$, $\overline{CD}$의 길이는 각각 0, 1, 0에 가까워진다.

⇨ $\sin 0° = 0$, $\cos 0° = 1$, $\tan 0° = 0$

(3) 90°의 삼각비의 값 : ∠x가 90°에 가까워지면 $\overline{AB}$, $\overline{OB}$의 길이는 각각 1, 0에 가까워지고 $\overline{CD}$의 길이는 무한히 커진다.

⇨ $\sin 90° = 1$, $\cos 90° = 0$, $\tan 90°$의 값은 정할 수 없다.

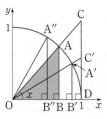

---

216 1 오른쪽 그림과 같이 반지름의 길이가 1인 사분원에서 다음을 나타내는 선분을 구하여라.

(1) $\sin x$ (2) $\cos x$

(3) $\tan x$

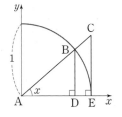

216 2 오른쪽 그림과 같이 반지름의 길이가 1인 사분원에서 다음 삼각비의 값을 구하여라.

(1) $\sin 50°$ (2) $\cos 50°$

(3) $\tan 50°$

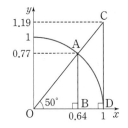

216 3 다음을 계산하여라.

(1) $\sin 0° + \tan 0° \times \cos 90°$ (2) $\cos 0° \times \sin 90° + \cos 90°$

확인	공부한 날	self-check		
	/	216-1	216-2	216-3
		O X	O X	O X

4 삼각비의 표

(1) **삼각비의 표** : 0°에서 90°까지의 각을 1° 단위로 나누어서 이들의 삼각비의 값을 소수점 아래 다섯 번째 자리에서 반올림한 값을 나타낸 표

(2) **삼각비의 표를 읽는 방법** : 삼각비의 표에서 가로줄과 세로줄이 만나는 곳의 수가 해당 삼각비의 값이다.

각도	sin	cos	tan
33°	0.5446	0.8387	0.6494
34°	0.5592	0.8290	0.6745
35°	0.5736	0.8192	0.7002

예 위의 삼각비의 표에서

$\sin 33° = 0.5446$, $\cos 34° = 0.8290$, $\tan 35° = 0.7002$

---

217 1 오른쪽 삼각비의 표를 이용하여 다음 삼각비의 값을 구하여라.

(1) $\sin 23°$

(2) $\cos 25°$

(3) $\tan 26°$

각도	sin	cos	tan
23°	0.3907	0.9205	0.4245
24°	0.4067	0.9135	0.4452
25°	0.4226	0.9063	0.4663
26°	0.4384	0.8988	0.4877

---

217 2 오른쪽 삼각비의 표를 이용하여 $\angle x$의 크기를 구하여라.

(1) $\sin x = 0.3090$

(2) $\cos x = 0.9563$

(3) $\tan x = 0.2679$

각도	sin	cos	tan
15°	0.2588	0.9659	0.2679
16°	0.2756	0.9613	0.2867
17°	0.2924	0.9563	0.3057
18°	0.3090	0.9511	0.3249

---

217 3 오른쪽 삼각비의 표를 이용하여 다음 ☐ 안에 알맞은 부등호를 써넣어라.

(1) $\sin 35°$ ☐ $\sin 36°$ ☐ $\sin 37°$

(2) $\cos 35°$ ☐ $\cos 36°$ ☐ $\cos 37°$

(3) $\tan 35°$ ☐ $\tan 36°$ ☐ $\tan 37°$

각도	sin	cos	tan
35°	0.5736	0.8192	0.7002
36°	0.5878	0.8090	0.7265
37°	0.6018	0.7986	0.7536

절대개념 Focus

삼각비의 표

각도	sin	cos	tan
⋮	⋮	⋮	⋮
21°	0.3420	0.9397	0.3640

$\sin 21°$ $\cos 21°$ $\tan 21°$

확인	공부한 날	self-check		
	/	217-1	217-2	217-3
		O X	O X	O X

개념 218 직각삼각형의 변의 길이

5 직각삼각형의 변의 길이

∠B=90°인 직각삼각형 ABC에서

(1) ∠A의 크기와 빗변의 길이 b를 알 때

$$\sin A = \frac{a}{b} \Rightarrow a = b \sin A, \quad \cos A = \frac{c}{b} \Rightarrow c = b \cos A$$

(2) ∠A의 크기와 밑변의 길이 c를 알 때

$$\tan A = \frac{a}{c} \Rightarrow a = c \tan A, \quad \cos A = \frac{c}{b} \Rightarrow b = \frac{c}{\cos A}$$

(3) ∠A의 크기와 높이 a를 알 때

$$\sin A = \frac{a}{b} \Rightarrow b = \frac{a}{\sin A}, \quad \tan A = \frac{a}{c} \Rightarrow c = \frac{a}{\tan A}$$

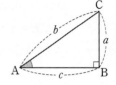

예 오른쪽 그림의 직각삼각형 ABC에서

$$\sin 30° = \frac{b}{6} \qquad \therefore b = 6 \sin 30° = 3$$

$$\cos 30° = \frac{a}{6} \qquad \therefore a = 6 \cos 30° = 3\sqrt{3}$$

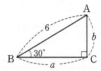

218 1 오른쪽 그림과 같이 ∠C=90°인 직각삼각형 ABC에서 ∠B=23°, $\overline{AB}$=10일 때, 다음을 구하여라. (단, sin 23°=0.39, cos 23°=0.92, tan 23°=0.42 로 계산한다.)

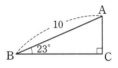

(1) $\overline{AC}$의 길이   (2) $\overline{BC}$의 길이

218 2 오른쪽 그림과 같이 ∠C=90°인 직각삼각형 ABC에서 ∠B=32°, $\overline{BC}$=5일 때, $\overline{AC}$의 길이를 구하여라. (단, sin 32°=0.53, cos 32°=0.85, tan 32°=0.62로 계산한다.)

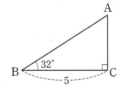

절대개념 Focus

직각삼각형의 변의 길이

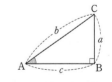

기준각 ∠A에 대하여 주어진 변과 구하는 변이 각각
① 빗변, 높이 ⇨ sin 이용
② 빗변, 밑변 ⇨ cos 이용
③ 밑변, 높이 ⇨ tan 이용

218 3 오른쪽 그림과 같이 ∠A=90°인 직각삼각형 ABC에서 ∠B=55°, $\overline{BC}$=10일 때, x, y의 값을 구하여라. (단, sin 55°=0.82, cos 55°=0.57, tan 55°=1.43 으로 계산한다.)

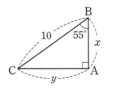

확인	공부한 날	self-check		
	/	218-1	218-2	218-3
		O X	O X	O X

6 일반 삼각형의 변의 길이

(1) 두 변의 길이 a, c와 그 끼인 각 $\angle B$의 크기를 알 때

$\overline{AH}=c \sin B$, $\overline{BH}=c \cos B$에서

$\overline{CH}=a-c \cos B$

$\therefore \overline{AC}=\sqrt{(c \sin B)^2+(a-c \cos B)^2}$

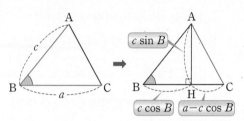

(2) 한 변의 길이 a와 그 양 끝각 $\angle B$, $\angle C$의 크기를 알 때

$\overline{BH}=\overline{AB} \sin A=a \sin C$

$\therefore \overline{AB}=\dfrac{a \sin C}{\sin A}$

$\overline{CH'}=\overline{AC} \sin A=a \sin B$

$\therefore \overline{AC}=\dfrac{a \sin B}{\sin A}$

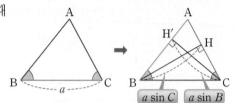

참고 일반 삼각형의 변의 길이를 구할 때에는 특수각($30°$, $45°$, $60°$)의 삼각비를 이용할 수 있도록 보조선을 그어 직각삼각형 2개로 나눈다.

---

219 1 오른쪽 그림과 같은 △ABC에서 다음을 구하여라.

(1) $\overline{AH}$의 길이   (2) $\overline{BH}$의 길이

(3) $\overline{CH}$의 길이   (4) $\overline{AC}$의 길이

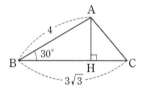

219 2 오른쪽 그림과 같은 △ABC에서 $\angle A=75°$, $\angle B=45°$, $\overline{AB}=30$ cm일 때, 다음을 구하여라.

(1) $\overline{AH}$의 길이   (2) $\angle C$의 크기

(3) $\overline{AC}$의 길이

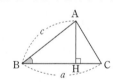

절대개념 Focus

두 변의 길이와 그 끼인 각의 크기를 알 때 변의 길이 구하기

① $\overline{AH}$를 긋는다.
② △ABH에서 $\overline{AH}$, $\overline{BH}$의 길이를 구한다.
③ $\overline{CH}$의 길이를 구한다.
④ △AHC에서 $\overline{AC}$의 길이를 구한다.

한 변의 길이와 그 양 끝각의 크기를 알 때 변의 길이 구하기

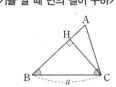

① $\overline{CH}$를 긋는다.
② △ABC에서 $\angle A$의 크기를 구하고 △HBC에서 $\overline{CH}$의 길이를 구한다.
③ △AHC에서 $\overline{AC}$의 길이를 구한다.

확인	공부한 날	self-check	
		219-1	219-2
	/	O X	O X

7 삼각형의 높이

삼각형 ABC에서 한 변의 길이 a와 그 양 끝각 ∠B, ∠C의 크기를 알 때

(1) 예각삼각형인 경우

$a = h\tan x + h\tan y$이므로 ← $x = 90° - ∠B$,
$\qquad\qquad\qquad\qquad\qquad\quad y = 90° - ∠C$

$$h = \frac{a}{\tan x + \tan y}$$

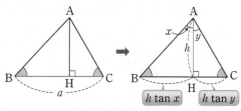

(2) 둔각삼각형인 경우

$a = h\tan x - h\tan y$이므로 ← $x = 90° - α$,
$\qquad\qquad\qquad\qquad\qquad\quad y = 90° - β$

$$h = \frac{a}{\tan x - \tan y}$$

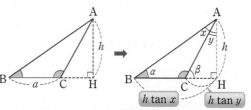

---

220 **1** 오른쪽 그림과 같은 △ABC에서 $\overline{AH} = h$
일 때, 물음에 답하여라.

(1) $\overline{BH}$의 길이를 h를 이용하여 나타내어라.

(2) $\overline{CH}$의 길이를 h를 이용하여 나타내어라.

(3) $\overline{BC} = 10$일 때, 높이 h를 구하여라.

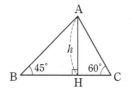

220 **2** 오른쪽 그림과 같은 △ABC에서
$\overline{AH} = h$일 때, 물음에 답하여라.

(1) $\overline{BH}$의 길이를 h를 이용하여 나타내어라.

(2) $\overline{CH}$의 길이를 h를 이용하여 나타내어라.

(3) $\overline{BC} = 8$일 때, 높이 h를 구하여라.

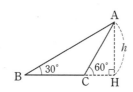

절대개념 Focus

한 변의 길이와 그 양 끝각의 크
기를 알 때 예각삼각형에서 높이
구하기

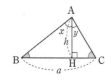

① △ABH에서 $\overline{BH}$, △AHC에서
$\overline{CH}$의 길이를 구한다.

② $\overline{BC} = \overline{BH} + \overline{CH}$임을 이용하여
$\overline{AH}$의 길이를 구한다.

한 변의 길이와 그 양 끝각의 크
기를 알 때 둔각삼각형에서 높이
구하기

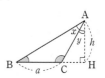

① △ABH에서 $\overline{BH}$, △AHC에서
$\overline{CH}$의 길이를 구한다.

② $\overline{BC} = \overline{BH} - \overline{CH}$임을 이용하여
$\overline{AH}$의 길이를 구한다.

기

하

1학년

2학년

3학년

확인	공부한 날	self-check	
	/	220-1	220-2
		O X	O X

8 삼각형의 넓이

두 변의 길이 a, c와 그 끼인 각 $\angle B$의 크기를 알 때, 삼각형 ABC의 넓이를 S라 하면

(1) $\angle B$가 예각인 경우

(2) $\angle B$가 둔각인 경우

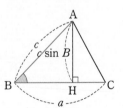

$$S=\frac{1}{2}ac\sin B$$

$$S=\frac{1}{2}ac\sin(180°-B)$$

221 1 다음 그림과 같은 $\triangle$ABC의 넓이를 구하여라.

(1)
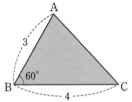

(2)
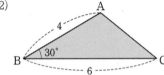

(3)
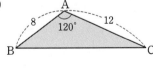

(4)
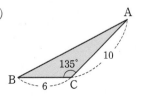

221 2 오른쪽 그림과 같은 삼각형 ABC의 넓이가 $15\sqrt{3}$일 때, $\angle B$의 크기를 구하여라.
(단, $\angle B$는 예각이다.)

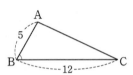

절대개념 Focus

예각삼각형의 넓이

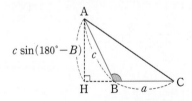
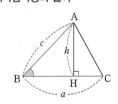

$h=c\sin B$이므로
$\triangle$ABC$=\frac{1}{2}ah=\frac{1}{2}ac\sin B$

둔각삼각형의 넓이

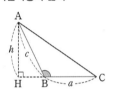

$h=c\sin(180°-B)$이므로
$\triangle$ABC$=\frac{1}{2}ah$
$=\frac{1}{2}ac\sin(180°-B)$

확인	공부한 날	self-check	
	/	221-1	221-2
		O X	O X

개념 222 사각형의 넓이

9 사각형의 넓이

(1) **평행사변형의 넓이** : 이웃하는 두 변의 길이가 a, b이고 그 끼인 각 x가 예각일 때, 평행사변형 ABCD의 넓이를 S라 하면

$$S = ab \sin x$$

참고 x가 둔각이면 평행사변형 ABCD의 넓이는 $S = ab \sin(180° - x)$

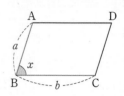

(2) **사각형의 넓이** : 두 대각선의 길이가 a, b이고 두 대각선이 이루는 각 x가 예각일 때, 사각형 ABCD의 넓이를 S라 하면

$$S = \frac{1}{2} ab \sin x$$

참고 x가 둔각이면 사각형 ABCD의 넓이는 $S = \frac{1}{2} ab \sin(180° - x)$

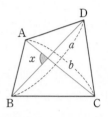

---

 222 1 다음 사각형 ABCD의 넓이를 구하여라.

(1)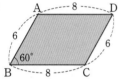

(2)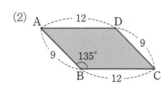

---

 222 2 다음 사각형 ABCD의 넓이를 구하여라.

(1)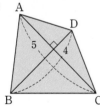

(2)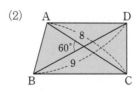

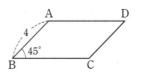 **222 3** 오른쪽 그림과 같은 평행사변형 ABCD의 넓이가 $12\sqrt{2}$일 때, $\overline{BC}$의 길이를 구하여라.

절대개념 Focus

평행사변형의 넓이

대각선 AC를 그으면

$$\square ABCD = 2 \triangle ABC$$
$$= 2 \times \frac{1}{2} ab \sin x$$
$$= ab \sin x$$

사각형의 넓이

네 점 A, B, C, D를 지나고 대각선 AC, BD에 평행한 직선을 그어 이들이 만나는 점을 E, F, G, H라 하면

$$\square ABCD = \frac{1}{2} \square EFGH$$
$$= \frac{1}{2} ab \sin x$$

기

하

1 학년

2 학년

3 학년

09. 삼각비

확인	공부한 날	self-check		
		222-1	222-2	222-3
	/	O X	O X	O X

01 오른쪽 그림에서 $\overline{AC}=6$, $\sin B=\dfrac{2}{5}$일 때, $\overline{BC}$의 길이는?

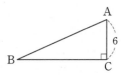

① $\sqrt{21}$ ② $2\sqrt{21}$ ③ $3\sqrt{21}$
④ $4\sqrt{21}$ ⑤ $5\sqrt{21}$

개념 214

$\sin B$를 이용하여 $\overline{AB}$의 길이를 구하고 피타고라스 정리를 이용하여 $\overline{BC}$의 길이를 구한다.

02 오른쪽 그림과 같은 삼각형 ABC에서 $\overline{AB}=4$이고 $\angle B=30°$, $\angle C=45°$일 때, $\overline{AC}$의 길이를 구하여라.

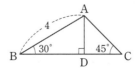

개념 215

03 오른쪽 그림은 반지름의 길이가 1인 사분원이다. 다음 중 옳지 <u>않은</u> 것은?

① $\sin x=\overline{BC}$ ② $\cos x=\overline{AB}$
③ $\tan x=\overline{DE}$ ④ $\sin y=\overline{AB}$
⑤ $\cos y=\overline{AD}$

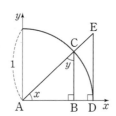

개념 216

두 변의 길이의 비에서 분모가 되는 변의 길이가 1이 되도록 변형한다.

04 오른쪽 삼각비의 표를 이용하여
$\sin 38°+\cos 40°-\tan 39°$
의 값을 구하여라.

각도	sin	cos	tan
38°	0.62	0.79	0.78
39°	0.63	0.78	0.81
40°	0.64	0.77	0.84

개념 217

05 오른쪽 그림과 같이 나무로부터 5 m 떨어진 지점에서 나무 꼭대기 C를 올려다 본 각의 크기가 40°이다. 이 사람의 눈높이가 1.5 m일 때, 나무의 높이를 구하여라. (단, $\sin 40°=0.64$, $\cos 40°=0.77$, $\tan 40°=0.84$로 계산한다.)

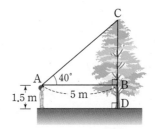

개념 218

주어진 각의 크기를 이용하여 길이가 주어진 변과 구하려는 변에 대한 삼각비를 구한다.

확인	공부한 날	self-check				
		01	02	03	04	05
	/	O X	O X	O X	O X	O X

06 오른쪽 그림과 같은 삼각형 ABC에서 $\overline{AB}=4\sqrt{2}$, $\overline{BC}=6$, $\angle B=45°$일 때, $\overline{AC}$의 길이는?

① $2\sqrt{3}$ ② $2\sqrt{5}$ ③ $2\sqrt{6}$
④ $4\sqrt{2}$ ⑤ $3\sqrt{5}$

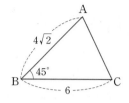

> 개념 219
> 특수한 삼각비의 값을 이용할 수 있도록 보조선을 그어 본다.

07 오른쪽 그림과 같이 30 m 떨어진 두 지점 B, C에서 기구를 올려다 본 각의 크기가 각각 30°, 45°일 때, 땅에서 기구까지의 높이는?

① $5(\sqrt{3}-1)$ m ② $5(\sqrt{3}+1)$ m
③ $10(\sqrt{3}-1)$ m ④ $10(\sqrt{3}+1)$ m
⑤ $15(\sqrt{3}-1)$ m

> 개념 220

08 오른쪽 그림과 같은 $\triangle ABC$에서 $\overline{BC}=2$이고, $\angle ABC=45°$, $\angle ACB=120°$일 때, 높이 h를 구하여라.

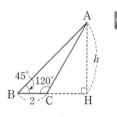

> 개념 220

09 오른쪽 그림과 같은 사각형 ABCD의 넓이는?

① 70 ② $75\sqrt{2}$ ③ $75\sqrt{3}$
④ 80 ⑤ $85\sqrt{3}$

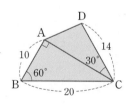

> 개념 221
> 다각형의 넓이를 구할 때는 보조선을 그어 여러 개의 삼각형으로 나눈 후 삼각형의 넓이의 합을 구한다.

10 오른쪽 그림과 같이 두 대각선이 이루는 각의 크기가 135°인 등변사다리꼴 ABCD의 넓이가 $16\sqrt{2}$일 때, $\overline{AC}$의 길이를 구하여라.

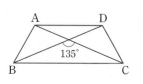

> 개념 222
> 등변사다리꼴은 두 대각선의 길이가 같다.

기
하

1학년
2학년
3학년

09. 삼각비

확인	공부한 날	self-check				
		06	07	08	09	10
	/	O X	O X	O X	O X	O X

현의 수직이등분선

1 중심각에 대한 호와 현

한 원 또는 합동인 두 원에서

(1) 크기가 같은 두 중심각에 대한 호의 길이와 현의 길이는 각각 같다.

$\angle AOB = \angle COD$이면 $\overparen{AB} = \overparen{CD}$, $\overline{AB} = \overline{CD}$

(2) 길이가 같은 두 호 또는 두 현에 대한 중심각의 크기가 같다.

$\overparen{AB} = \overparen{CD}$ 또는 $\overline{AB} = \overline{CD}$이면 $\angle AOB = \angle COD$

(3) 중심각의 크기와 호의 길이는 정비례한다.

그러나 중심각의 크기와 현의 길이는 정비례하지 않는다.

> 참고 오른쪽 그림에서 $\angle AOC = \angle BOC$, 즉 $\angle AOB = 2\angle AOC$일 때,
> $\overparen{AB} = 2\overparen{AC}$이지만 $\overline{AB} \neq 2\overline{AC}$이다.

2 현의 수직이등분선

(1) 원의 중심에서 현에 내린 수선은 그 현을 이등분한다.

⇨ $\overline{OH} \perp \overline{AB}$이면 $\overline{AH} = \overline{BH}$

(2) 원에서 현의 수직이등분선은 그 원의 중심을 지난다.

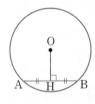

> 참고 △OAH와 △OBH에서 $\angle OHA = \angle OHB = 90°$, $\overline{OA} = \overline{OB}$(반지름), $\overline{OH}$는 공통이므로
> △OAH ≡ △OBH (RHS 합동) ∴ $\overline{AH} = \overline{BH}$

---

223 1 다음 그림에서 x의 값을 구하여라.

(1)
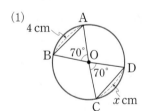

(2)
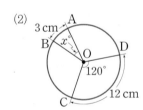

223 2 다음 그림에서 x의 값을 구하여라.

(1)
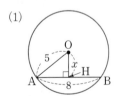

(2)
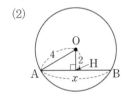

확인	공부한 날	self-check	
		223-1	223-2
	/	O X	O X

개념
224 현의 길이

3 현의 길이

한 원 또는 합동인 두 원에서

(1) 원의 중심으로부터 같은 거리에 있는 두 현의 길이는 서로 같다.

⇨ $\overline{OM}=\overline{ON}$이면 $\overline{AB}=\overline{CD}$

참고 △OMA와 △OND에서 ∠OMA=∠OND=90°, $\overline{OM}=\overline{ON}$, $\overline{OA}=\overline{OD}$(반지름)

이므로 △OMA≡△OND(RHS 합동)   ∴ $\overline{AM}=\overline{DN}$

∴ $\overline{AB}=2\overline{AM}=2\overline{DN}=\overline{CD}$

(2) 길이가 같은 두 현은 원의 중심으로부터 같은 거리에 있다.

⇨ $\overline{AB}=\overline{CD}$이면 $\overline{OM}=\overline{ON}$

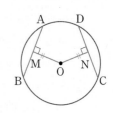

224 1 다음 그림에서 x의 값을 구하여라.

(1)

(2)

224 2 오른쪽 그림의 원 O에서 $\overline{AB}\perp\overline{OM}$, $\overline{CD}\perp\overline{ON}$이고 $\overline{OM}=\overline{ON}=3$, $\overline{AB}=8$일 때, $\overline{OC}$의 길이를 구하여라.

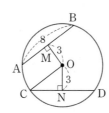

기

하

1학년

2학년

3학년

224 3 오른쪽 그림과 같은 원 O의 중심에서 두 현 AB, AC에 내린 수선의 발을 각각 D, E라 하고 $\overline{OD}=\overline{OE}$, ∠BAC=50°일 때, ∠ABC의 크기를 구하여라.

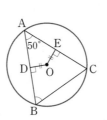

절대개념 Focus

원의 중심과 현의 길이

① $\overline{OM}=\overline{ON}$이면 $\overline{AB}=\overline{CD}$
② $\overline{AB}=\overline{CD}$이면 $\overline{OM}=\overline{ON}$

확인	공부한 날	self-check		
	/	224-1	224-2	224-3
		O X	O X	O X

4 원의 접선의 길이

(1) 접선의 길이 : 원 밖의 한 점 P에서 원 O에 그은 접점을 각각 A, B라 할 때, $\overline{PA}$, $\overline{PB}$의 길이가 점 P에서 원 O에 그은 접선의 길이이다.

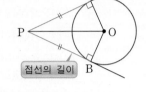

참고 원 밖의 한 점 P에서 원에 그을 수 있는 접선은 2개이다.

(2) 원 밖의 한 점 P에서 원 O에 그은 두 접선의 길이는 서로 같다.

⇨ $\overline{PA}=\overline{PB}$

참고 △POA와 △POB에서
$\overline{OA}=\overline{OB}$ (반지름), ∠PAO=∠PBO=90°, $\overline{OP}$는 공통이므로
△POA≡△POB(RHS 합동) ∴ $\overline{PA}=\overline{PB}$

개념
Plus⁺

① 원의 접선은 그 접점을 지나는 원의 반지름과 서로 수직이다. ⇨ $\overline{OT}\perp l$
② 원 위의 한 점을 지나고 그 점을 지나는 원의 반지름에 수직인 직선은 그 원의 접선이다.
⇨ $\overline{OT}\perp l$이면 직선 l은 원 O의 접선이다.

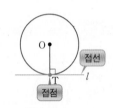

---

225 1 다음 그림에서 $\overline{PA}$, $\overline{PB}$가 원 O의 접선일 때, $\overline{PA}+\overline{PB}$의 값을 구하여라.

(1)
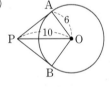

(2)
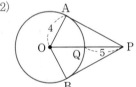

225 2 오른쪽 그림에서 $\overrightarrow{PA}$, $\overrightarrow{PB}$는 반지름의 길이가 6 cm인 원 O의 접선이다. ∠APB=60°일 때, 부채꼴 OAB의 넓이를 구하여라.

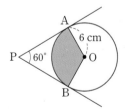

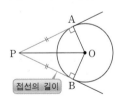

원의 접선의 길이의 성질

① $\overline{PA}=\overline{PB}$
② △PAO≡△PBO
③ ∠APB+∠AOB=180°
④ ∠PAB=∠PBA

확인	공부한 날	self-check	
	/	225-1	225-2
		O X	O X

삼각형의 내접원

5 삼각형의 내접원

원 O가 △ABC에 내접하고 내접원의 반지름의 길이가 r일 때,

(1) $\overline{AD}=\overline{AF}$, $\overline{BD}=\overline{BE}$, $\overline{CE}=\overline{CF}$

(2) △ABC의 둘레의 길이 : $a+b+c=2(x+y+z)$

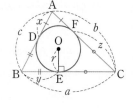

참고 $\overline{AD}=\overline{AF}=x$, $\overline{BD}=\overline{BE}=y$, $\overline{CE}=\overline{CF}=z$이므로

(△ABC의 둘레의 길이)$=a+b+c$
$$=(y+z)+(z+x)+(x+y)=2(x+y+z)$$

(3) △ABC의 넓이 : $\triangle ABC=\dfrac{1}{2}(a+b+c)r$

참고 $\triangle ABC=\triangle OBC+\triangle OCA+\triangle OAB$
$$=\dfrac{1}{2}ar+\dfrac{1}{2}br+\dfrac{1}{2}cr=\dfrac{1}{2}r(a+b+c)$$

개념
Plus⁺

원 O가 직각삼각형 ABC에 내접하고 원 O의 반지름의 길이가 r일 때,

① □OECF는 한 변의 길이가 r인 정사각형이다.

② $\triangle ABC=\dfrac{1}{2}r(a+b+c)=\dfrac{1}{2}ab$임을 이용하여 r의 값을 구할 수 있다.

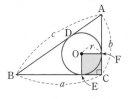

---

226 1 오른쪽 그림과 같이 △ABC의 내접원이 세 점 P, Q, R에서 접할 때, 다음을 구하여라.

(1) $\overline{AP}+\overline{BQ}+\overline{CR}$의 길이

(2) $\overline{BQ}$의 길이

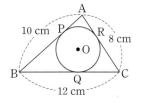

226 2 오른쪽 그림과 같이 ∠C=90°이고 $\overline{AB}=17$ cm, $\overline{AC}=15$ cm인 직각삼각형 ABC에 원 O가 내접할 때, 원 O의 반지름의 길이를 구하여라.

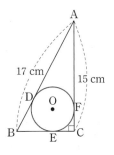

절대개념 Focus

삼각형의 내접원에서 접선의 성질

① 원 밖의 한 점에서 그은 두 접선의 길이는 서로 같다.

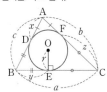

$\overline{AD}=\overline{AF}$, $\overline{BD}=\overline{BE}$, $\overline{CE}=\overline{CF}$

② $a=y+z$, $b=z+x$, $c=x+y$이므로
$$x=\dfrac{b+c-a}{2},\ y=\dfrac{c+a-b}{2}$$
$$z=\dfrac{a+b-c}{2}$$

확인	공부한 날	self-check	
	/	226-1	226-2
		O X	O X

개념 227 원에 외접하는 사각형의 성질

6 원에 외접하는 사각형의 성질

(1) 원에 외접하는 사각형에서 두 쌍의 대변의 길이의 합은 서로 같다.
⇨ $\overline{AB}+\overline{CD}=\overline{AD}+\overline{BC}$

(2) 두 쌍의 대변의 길이의 합이 서로 같은 사각형은 원에 외접한다.

> 주의 원에 외접하는 사각형의 성질에서 '이웃하는 변의 길이의 합'이 아니라 '대변의 길이의 합'임을 주의한다.

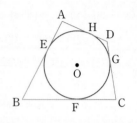

---

227 1 다음 그림과 같이 □ABCD가 원 O에 외접할 때, x의 값을 구하여라.

(1)
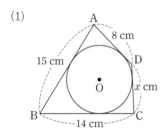

(2)
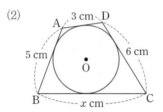

---

227 2 오른쪽 그림과 같이 □ABCD는 원 O에 외접하고 점 E, F, G, H는 접점이다. $\overline{AB}=9$ cm, $\overline{HD}=2$ cm, $\overline{GC}=4$ cm일 때, 다음을 구하여라.

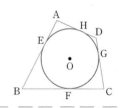

(1) $\overline{CD}$의 길이

(2) □ABCD의 둘레의 길이

> **절대개념 Focus**
>
> **원에 외접하는 사각형의 성질**
>
> $\overline{AE}=\overline{AH}$, $\overline{BE}=\overline{BF}$, $\overline{CF}=\overline{CG}$, $\overline{DG}=\overline{DH}$이므로
> $$\overline{AB}+\overline{CD}$$
> $$=(\overline{AE}+\overline{BE})+(\overline{CG}+\overline{DG})$$
> $$=\overline{AH}+\overline{BF}+\overline{CF}+\overline{DH}$$
> $$=(\overline{AH}+\overline{DH})+(\overline{BF}+\overline{CF})$$
> $$=\overline{AD}+\overline{BC}$$

---

227 3 오른쪽 그림과 같이 사다리꼴 ABCD가 원 O에 외접한다. $\overline{AD}=6$ cm, $\overline{BC}=3$ cm, $\overline{CD}=5$ cm일 때, 원 O의 반지름의 길이를 구하여라.

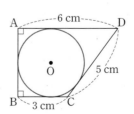

확인	공부한 날	self-check		
		227-1	227-2	227-3
	/	O X	O X	O X

▶ 정답 및 풀이 102쪽

개념 228 원주각과 중심각

7 원주각과 중심각

(1) 원주각 : 원 O에서 $\overset{\frown}{AB}$ 위에 있지 않은 점 P에 대하여 $\angle APB$를 $\overset{\frown}{AB}$에 대한 원주각이라 한다.

(2) 원주각과 중심각의 크기 : 한 원에서 한 호에 대한 원주각의 크기는 그 호에 대한 중심각의 크기의 $\dfrac{1}{2}$이다. ⇨ $\angle APB = \dfrac{1}{2}\angle AOB$

8 원주각의 성질

(1) 한 원에서 한 호에 대한 원주각의 크기는 모두 같다.
⇨ $\angle APB = \angle AQB = \angle ARB$

(2) 반원에 대한 원주각의 크기는 90°이다.
⇨ 즉, $\overline{AB}$가 원 O의 지름이면 $\angle APB = 90°$

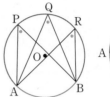
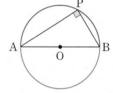

---

228 1 다음 그림에서 $\angle x$의 크기를 구하여라.

(1)

(2)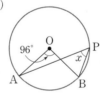

228 2 다음 그림에서 $\angle x$, $\angle y$의 크기를 각각 구하여라.

(1)

(2)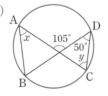

(3)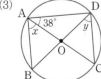

(4)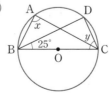

절대개념 Focus

원주각과 중심각

① (원주각의 크기)
$= \dfrac{1}{2} \times$ (중심각의 크기)

$\angle AOB = \angle AOQ + \angle BOQ$
$\qquad = 2(\angle APO + \angle BPO)$
$\qquad = 2\angle APB$

∴ $\angle APB = \dfrac{1}{2}\angle AOB$

② 한 호에 대한 원주각의 크기는 모두 같다.

$\angle APB = \angle AQB = \angle ARB$
$\qquad = \dfrac{1}{2}\angle AOB$

기
하

1학년
2학년
3학년

확인	공부한 날	self-check	
		228-1	228-2
	/	O X	O X

9 원주각의 크기와 호의 길이

한 원 또는 합동인 두 원에서

(1) 길이가 같은 호에 대한 원주각의 크기는 서로 같다.
 ⇨ $\widehat{AB}=\widehat{CD}$이면 $\angle APB=\angle CQD$

(2) 크기가 같은 원주각에 대한 호의 길이는 서로 같다.
 ⇨ $\angle APB=\angle CQD$이면 $\widehat{AB}=\widehat{CD}$

(3) 원주각의 크기와 호의 길이는 정비례한다.

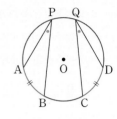

개념 Plus⁺

한 원 또는 합동인 두 원에서

① 중심각의 크기 ② 원주각의 크기 ③ 부채꼴의 호의 길이 ④ 부채꼴의 넓이

는 서로 정비례한다.

---

229 1 다음 그림에서 x의 값을 구하여라.

(1)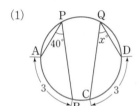

(2)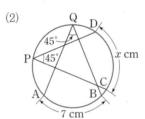

(3)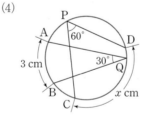

(4)

> 한 원에서 원주각의 크기와 호의 길이는 정비례해~

229 2 오른쪽 그림의 원 O에서

$\widehat{AB} : \widehat{BC} : \widehat{CA}=3 : 4 : 5$

일 때, 다음 각의 크기를 구하여라.

(1) $\angle ACB$ (2) $\angle BAC$

(3) $\angle CBA$

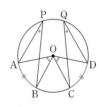

절대개념 Focus

원주각의 크기와 호의 길이

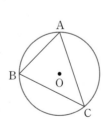

$\angle APB=\dfrac{1}{2}\angle AOB,$

$\angle CQD=\dfrac{1}{2}\angle COD$

$\widehat{AB}=\widehat{CD}$이므로
 $\angle AOB=\angle COD$
 ∴ $\angle APB=\angle CQD$

확인	공부한 날	self-check	
	/	229-1	229-2
		O X	O X

개념 230 네 점이 한 원 위에 있을 조건–원주각

10 네 점이 한 원 위에 있을 조건–원주각

두 점 C, D가 직선 AB에 대하여 같은 쪽에 있을 때
$$\angle ACB = \angle ADB$$
이면 네 점 A, B, C, D는 한 원 위에 있다.

참고 네 점 A, B, C, D가 한 원 위에 있으면 ∠ACB=∠ADB이다.

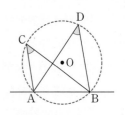

230 1 다음 〈보기〉 중 네 점 A, B, C, D가 한 원 위에 있는 것을 모두 골라라.

〈보기〉

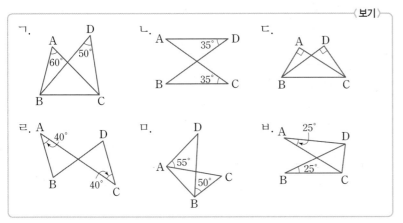

직선에 대하여 다른 쪽에 있는 두 각의 크기가 같으면 네 점이 한 원 위에 있다고 말할 수 없어!

230 2 다음 그림에서 네 점 A, B, C, D가 한 원 위에 있을 때, ∠x의 크기를 구하여라.

(1)
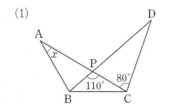

(2)
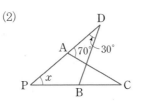

절대개념 Focus

네 점이 한 원 위에 있을 조건
–원주각

네 점이 한 원 위에 있는지 알아보려면 한 직선에 대하여 같은 쪽에 있는 두 점으로 만들어진 각의 크기가 같은지 확인한다.
즉, 네 점 A, B, C, D가 한 원 위에 있을 조건은 ∠ACB=∠ADB이다.

기 하 1학년 2학년 3학년

10. 원의 성질

확인	공부한 날	self-check
	/	230-1 / 230-2
		O X / O X

11 원에 내접하는 사각형의 성질

(1) 원에 내접하는 사각형에서 한 쌍의 대각의 크기의 합은 180°이다.

⇨ $\angle A + \angle C = \angle B + \angle D = 180°$

(2) 원에 내접하는 사각형의 한 외각의 크기는 그 내대각의 크기와 같다.

⇨ $\angle DCE = \angle A$

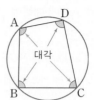
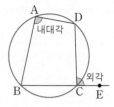

---

231 1 다음 그림에서 $\angle x$, $\angle y$의 크기를 각각 구하여라.

(1)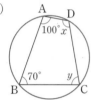

(2)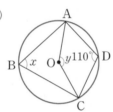

(3)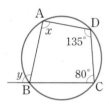

(4)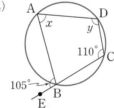

231 2 오른쪽 그림에서 $\overline{AD}$는 원 O의 지름이고 $\angle DAC = 25°$, $\angle DCE = 60°$일 때, $\angle y - \angle x$의 크기를 구하여라.

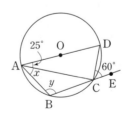

절대개념 Focus

원에 내접하는 사각형의 성질

① 한 쌍의 대각의 크기의 합은 180°이다.

$\angle A = \dfrac{1}{2}\angle a$, $\angle C = \dfrac{1}{2}\angle b$이므로

$\angle A + \angle C = \dfrac{1}{2}(\angle a + \angle b)$

$= \dfrac{1}{2} \times 360° = 180°$

② 한 외각의 크기는 그 내대각의 크기와 같다.

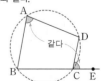

$\angle A + \angle BCD = 180°$이고
$\angle BCD + \angle DCE = 180°$이므로
$\angle A = \angle DCE$

확인	공부한 날	self-check	
	/	231-1	231-2
		O X	O X

사각형이 원에 내접하기 위한 조건

12 사각형이 원에 내접하기 위한 조건

(1) 한 쌍의 대각의 크기의 합이 180°인 사각형은 원에 내접한다.

(2) 한 외각의 크기가 그 내대각의 크기와 같은 사각형은 원에 내접한다.

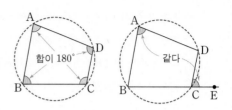

참고 정사각형, 직사각형, 등변사다리꼴은 모두 대각의 크기의 합이 180°이므로 항상 원에 내접한다.

개념 Plus⁺   원에 내접하는 사각형과 외접하는 사각형의 비교

외접하는 사각형	외접하는 사각형
네 변이 모두 접선이다.	네 각이 모두 원주각이다.
대변의 길이의 합은 같다.	대각의 크기의 합은 같다.

232 1 다음 그림에서 사각형 ABCD가 한 원에 내접할 때, ∠x, ∠y의 크기를 각각 구하여라.

(1)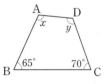

(2)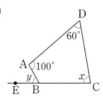

(3)

(4)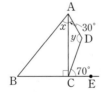

232 2 다음 〈보기〉 중 □ABCD가 원에 내접하는 것을 모두 골라라.

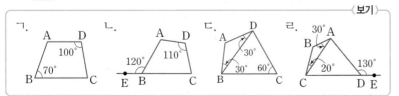

절대개념 Focus

사각형이 원에 내접하기 위한 조건

(1) 한 쌍의 대각의 크기의 합이 180° 인 사각형은 원에 내접한다.

(2) 한 외각의 크기가 그와 이웃한 내각에 대한 대각의 크기와 같은 사각형은 원에 내접한다.

기 하
1학년 2학년 **3학년**

확인	공부한 날	self-check	
	/	232-1	232-2
		O X	O X

접선과 현이 이루는 각

13 접선과 현이 이루는 각

(1) **접선과 현이 이루는 각** : 원의 접선과 그 접점을 지나는 현이 이루는 각의 크기는 그 각의 내부에 있는 호에 대한 원주각의 크기와 같다.

⇨ $\overleftrightarrow{\mathrm{AT}}$가 원 O의 접선이면 $\angle\mathrm{BAT}=\angle\mathrm{BCA}$

(2) **접선이 되기 위한 조건** : 원 O에서 $\angle\mathrm{BAT}=\angle\mathrm{BCA}$이면 $\overleftrightarrow{\mathrm{AT}}$는 원 O의 접선이다.

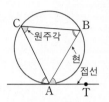

---

233 1 다음 그림에서 직선 AT가 원 O의 접선일 때, $\angle x$의 크기를 구하여라.

(1)
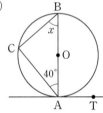

(2)
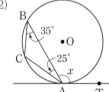

(3)
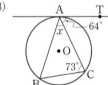

(4)
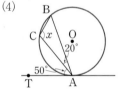

---

233 2 오른쪽 그림에서 직선 AT가 원의 접선일 때, $\angle x$, $\angle y$의 크기를 각각 구하여라.

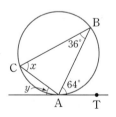

절대개념 Focus

접선과 현이 이루는 각

$\overleftrightarrow{\mathrm{AT}}$가 원 O의 접선이면

① $\angle\mathrm{BAT}$가 예각인 경우

$\angle\mathrm{BAT}=90°-\angle\mathrm{DAB}$
$\quad\quad\quad=90°-\angle\mathrm{DCB}$
$\quad\quad\quad=\angle\mathrm{BCA}$

② $\angle\mathrm{BAT}$가 둔각인 경우

$\angle\mathrm{BAT}=90°+\angle\mathrm{BAD}$
$\quad\quad\quad=90°+\angle\mathrm{BCD}$
$\quad\quad\quad=\angle\mathrm{BCA}$

확인	공부한 날	self-check
	/	233-1 | 233-2
		O X | O X

개념
234 **두 원에서 접선과 현이 이루는 각**

14 두 원에서 접선과 현이 이루는 각

$\overleftrightarrow{PQ}$가 두 원의 공통인 접선이고 점 T가 그 접점일 때, 다음의 각 경우에 대하여 $\overline{AB}/\!/\overline{CD}$가 성립한다.

(1)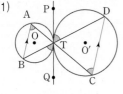

① $\angle BAT = \angle BTQ$
   $= \angle DTP$
   $= \angle DCT$

② $\overline{AB}/\!/\overline{CD}$ (엇각의 크기가 같다.)

(2)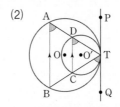

① $\angle BAT = \angle BTQ$
   $= \angle CDT$

② $\overline{AB}/\!/\overline{CD}$ (동위각의 크기가 같다.)

---

234 1 오른쪽 그림에서 직선 PQ는 두 원의 공통인 접선이다. 다음 물음에 답하여라.

(1) $\angle TAB$의 크기를 구하여라.

(2) $\angle TCD$의 크기를 구하여라.

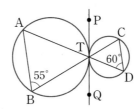

---

234 2 오른쪽 그림에서 직선 PQ는 두 원의 공통인 접선이다. 다음 물음에 답하여라.

(1) $\angle TDC$의 크기를 구하여라.

(2) $\angle ABT$의 크기를 구하여라.

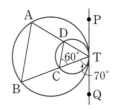

절대개념 Focus

두 원에서 접선과 현이 이루는 각

두 원의 교점 T에서의 접선 PQ가 다음 그림과 같이 그어져 있을 때, 각 경우에 대하여

$$\overline{AB}/\!/\overline{CD}$$

(1)

(2)

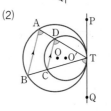

기
하
1학년
2학년
3학년

10. 원의 성질

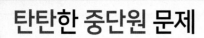

01 오른쪽 그림의 원 O에서 $\overline{AB} \perp \overline{OC}$이고 $\overline{AB}=12\,cm$, $\overline{CM}=4\,cm$일 때, 원 O의 반지름의 길이를 구하여라.

개념 223

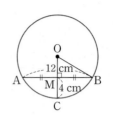

02 오른쪽 그림에서 $\overrightarrow{PA}$, $\overrightarrow{PB}$가 원 O의 접선이고, $\angle APB=60°$, $\overline{PA}=3\,cm$일 때, $\overline{AB}$의 길이는?

① 2 cm   ② 2.5 cm   ③ 3 cm

④ 3.5 cm   ⑤ 4 cm

개념 225

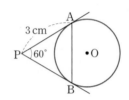

03 오른쪽 그림과 같이 원 O가 직사각형 ABCD의 세 변에 접하고 $\overline{CE}$는 원 O의 접선이다. $\overline{CD}=8\,cm$, $\overline{CE}=10\,cm$일 때, $\overline{AE}$의 길이를 구하여라.

개념 227

□ABCE는 원 O에 외접하는 사각형이므로
$\overline{AB}+\overline{CE}=\overline{AE}+\overline{BC}$이다.

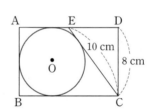

04 오른쪽 그림에서 $\angle APB=40°$, $\angle DQC=110°$일 때, $\angle x$의 크기는?

① 25°   ② 30°   ③ 35°

④ 40°   ⑤ 45°

개념 228

$\angle x$는 $\stackrel{\frown}{AB}$에 대한 원주각이다.

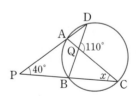

05 오른쪽 그림과 같이 □ABCD가 원 O에 내접하고 $\angle ADB=20°$, $\angle OCB=40°$일 때, $\angle x$의 크기는?

① 50°   ② 55°   ③ 60°

④ 65°   ⑤ 70°

개념 228+230

원주각과 중심각의 크기에 의해 $\angle BDC=\dfrac{1}{2}\angle BOC$임을 이용한다.

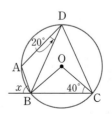

확인	공부한 날	self-check				
		01	02	03	04	05
	/	O X	O X	O X	O X	O X

❯ 정답 및 풀이 **104**쪽

06 다음 중 네 점 A, B, C, D가 한 원 위에 있는 것은?

개념 **230**

한 현에 대한 원주각의 크기
가 같은지 확인한다.

①

②

③

④

⑤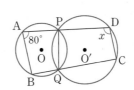

07 오른쪽 그림에서 두 원 O, O′이 두 점 P, Q에서 만
나고 ∠PAB=80°일 때, ∠x의 크기를 구하여라.

개념 **231**

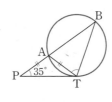

08 오른쪽 그림에서 $\overline{PT}$는 원의 접선이고, 점 T는 접점이다.
∠APT=35°, $\overline{AP}=\overline{AT}$일 때, ∠ATB의 크기는?

개념 **233**

① 65°   ② 70°   ③ 75°

④ 80°   ⑤ 85°

09 오른쪽 그림에서 직선 PQ는 두 원의 공통인 접선이고 점
T는 두 원의 접점이다. ∠ATB=50°, ∠CDT=60°일 때,
∠y−∠x의 크기는?

개념 **234**

접선과 현이 이루는 각의 성
질을 이용하여 크기가 같은
각을 찾는다.

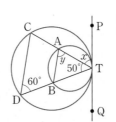

① 5°   ② 10°   ③ 15°

④ 20°   ⑤ 25°

기

하

1학년
2학년
3학년

10. 원의 성질

확인	공부한 날	self-check			
		06	07	08	09
	/	O X	O X	O X	O X

삼각비의 표

각도	사인(sin)	코사인(cos)	탄젠트(tan)	각도	사인(sin)	코사인(cos)	탄젠트(tan)
0°	0.0000	1.0000	0.0000	45°	0.7071	0.7071	1.0000
1°	0.0175	0.9998	0.0175	46°	0.7193	0.6947	1.0355
2°	0.0349	0.9994	0.0349	47°	0.7314	0.6820	1.0724
3°	0.0523	0.9986	0.0524	48°	0.7431	0.6691	1.1106
4°	0.0698	0.9976	0.0699	49°	0.7547	0.6561	1.1504
5°	0.0872	0.9962	0.0875	50°	0.7660	0.6428	1.1918
6°	0.1045	0.9945	0.1051	51°	0.7771	0.6293	1.2349
7°	0.1219	0.9925	0.1228	52°	0.7880	0.6157	1.2799
8°	0.1392	0.9903	0.1405	53°	0.7986	0.6018	1.3270
9°	0.1564	0.9877	0.1584	54°	0.8090	0.5878	1.3764
10°	0.1736	0.9848	0.1763	55°	0.8192	0.5736	1.4281
11°	0.1908	0.9816	0.1944	56°	0.8290	0.5592	1.4826
12°	0.2079	0.9781	0.2126	57°	0.8387	0.5446	1.5399
13°	0.2250	0.9744	0.2309	58°	0.8480	0.5299	1.6003
14°	0.2419	0.9703	0.2493	59°	0.8572	0.5150	1.6643
15°	0.2588	0.9659	0.2679	60°	0.8660	0.5000	1.7321
16°	0.2756	0.9613	0.2867	61°	0.8746	0.4848	1.8040
17°	0.2924	0.9563	0.3057	62°	0.8829	0.4695	1.8807
18°	0.3090	0.9511	0.3249	63°	0.8910	0.4540	1.9626
19°	0.3256	0.9455	0.3443	64°	0.8988	0.4384	2.0503
20°	0.3420	0.9397	0.3640	65°	0.9063	0.4226	2.1445
21°	0.3584	0.9336	0.3839	66°	0.9135	0.4067	2.2460
22°	0.3746	0.9272	0.4040	67°	0.9205	0.3907	2.3559
23°	0.3907	0.9205	0.4245	68°	0.9272	0.3746	2.4751
24°	0.4067	0.9135	0.4452	69°	0.9336	0.3584	2.6051
25°	0.4226	0.9063	0.4663	70°	0.9397	0.3420	2.7475
26°	0.4384	0.8988	0.4877	71°	0.9455	0.3256	2.9042
27°	0.4540	0.8910	0.5095	72°	0.9511	0.3090	3.0777
28°	0.4695	0.8829	0.5317	73°	0.9563	0.2924	3.2709
29°	0.4848	0.8746	0.5543	74°	0.9613	0.2756	3.4874
30°	0.5000	0.8660	0.5774	75°	0.9659	0.2588	3.7321
31°	0.5150	0.8572	0.6009	76°	0.9703	0.2419	4.0108
32°	0.5299	0.8480	0.6249	77°	0.9744	0.2250	4.3315
33°	0.5446	0.8387	0.6494	78°	0.9781	0.2079	4.7046
34°	0.5592	0.8290	0.6745	79°	0.9816	0.1908	5.1446
35°	0.5736	0.8192	0.7002	80°	0.9848	0.1736	5.6713
36°	0.5878	0.8090	0.7265	81°	0.9877	0.1564	6.3138
37°	0.6018	0.7986	0.7536	82°	0.9903	0.1392	7.1154
38°	0.6157	0.7880	0.7813	83°	0.9925	0.1219	8.1443
39°	0.6293	0.7771	0.8098	84°	0.9945	0.1045	9.5144
40°	0.6428	0.7660	0.8391	85°	0.9962	0.0872	11.4301
41°	0.6561	0.7547	0.8693	86°	0.9976	0.0698	14.3007
42°	0.6691	0.7431	0.9004	87°	0.9986	0.0523	19.0811
43°	0.6820	0.7314	0.9325	88°	0.9994	0.0349	28.6363
44°	0.6947	0.7193	0.9657	89°	0.9998	0.0175	57.2900
45°	0.7071	0.7071	1.0000	90°	1.0000	0.0000	

중학 국어
일등급
독해력

독해력을 키우는 단 계 별 · 수 준 별 맞춤 훈련

- 독해의 원리와 방법을 알려 주는 6가지 비법
- 세상을 바라보는 눈을 키워 주는 48개의 지문
- 수능의 출제 원리를 반영한 수준 높은 문제
- 어휘력을 기를 수 있는 다양한 어휘 학습 장치
- 전 지문과 문제를 재수록해 꼼꼼하게 분석한 해설

대표 **문학 작품** 감상 & **문제 해결** 훈련

꿈틀 중학 문학 (전 3권)

필수 개념 학습	→	대표 작품 학습	→	문제 풀며 훈련
문학 갈래별 **주요 개념 익히기**		교과서 수록 빈도 높은 **문학 작품 감상하기**		시험에 출제되는 **문제 유형 적응하기**

중학교 국어 **실력 향상**의 지름길

꿈틀 중학 국어 (전 3권)

이런 학생들에게 추천합니다!

❶ 중학생이 알아야 할 국어의 필수 개념을 총정리하고 싶어요.

❷ 대표적인 문학 작품과 여러 종류의 글을 읽으며 독해력을 다지고 싶어요.

❸ 다양한 문제를 풀어 보며 문제 유형을 익히고 학교 시험에 대비하고 싶어요.

중등수학 전과정
절대개념
234

영역별 개념 총정리

[정답 및 풀이]

꿈을담는틀
Dream Matrix

중등수학 전과정

절대개념

234

영역별 개념 총정리

[정답 및 풀이]

빠른 정답

[8쪽~15쪽] **001-1** (1) ◦ (2) × (3) × (4) ◦ (5) ◦
(6) × **001-2** (1) × (2) × (3) × (4) ◦ (5) ×
(6) ◦ (7) ◦ (8) ◦ **001-3** 27개
002-1 (1) 2, 9, 3, 2, 2^3 (2) 2, 15, 5, 2, 3^2, 5
(3) 27, 9, 3, 3^4 (4) 50, 25, 5, 2^2, 5^2
002-2 (1) $36=2^2\times3^2$, 2, 3 (2) $64=2^6$, 2
(3) $84=2^2\times3\times7$, 2, 3, 7 (4) $120=2^3\times3\times5$, 2, 3, 5
003-1 (1) 약수 : 1, 3, 5, 15, 25, 75
(2) 약수 : 1, 3, 7, 9, 21, 63 **003-2** ㄱ, ㄴ, ㅁ
003-3 (1) 9개 (2) 20개 (3) 10개 (4) 16개
004-1 (1) 24의 약수 : 1, 2, 3, 4, 6, 8, 12, 24, 36의 약수 :
1, 2, 3, 4, 6, 9, 12, 18, 36 (2) 1, 2, 3, 4, 6, 12 (3) 12
004-2 (1) ◦ (2) × **004-3** (1) 12 (2) 6 (3) 35
(4) 18 **005-1** (1) 최대공약수, 18 (2) 5, 7 (3) 35
005-2 12개 **005-3** 88, 120, 88, 120, 8 **006-1** (1) 6의
배수 : 6, 12, 18, …, 9의 배수 : 9, 18, 27, … (2) 18, 36,
54, … (3) 18 **006-2** (1) 441 (2) 120 (3) 300
(4) 504 **006-3** 4개 **007-1** (1) 24 cm (2) 12개
007-2 1분 48초 **007-3** (1) 8, 1 (2) 18, 1
(3) 20, 1 (4) 361 **008-1** 12, 5, 5, 60
008-2 12, 6, 5, 7, 5, 7, 최소공배수, 12, 6, 최대공약수, 35, 6

[16쪽~17쪽] **01** ④ **02** 21 **03** ④
04 ⑤ **05** ④ **06** 6개 **07** ③
08 ① **09** ⑤ **10** ③

[18쪽~27쪽] **009-1** (1) $+7000$원, -3000원 (2) $+8$점,
-9점 (3) $+800\,\text{m}$, $-150\,\text{m}$ (4) -2분, $+5$분
009-2 (1) $+8$ (2) -7, $-\dfrac{12}{2}$ (3) $+8$, 0, -7, $-\dfrac{12}{2}$
009-3 A : $+2$, B : -3, C : 0, D : $+3$ **010-1** (1) -4
(2) -4, 0, $+\dfrac{16}{4}$ (3) $+\dfrac{14}{3}$, -3.5, $+1.2$, $-1\dfrac{3}{7}$
(4) $+\dfrac{14}{3}$, -3.5, -4, 0, $+\dfrac{16}{4}$, $+1.2$, $-1\dfrac{3}{7}$
010-2

011-1 (1) 1.5 (2) -9 (3) $+\dfrac{5}{3}$, $-\dfrac{5}{3}$

011-2 $a=-9$, $b=\dfrac{1}{3}$ **011-3** $-8\dfrac{1}{3}$, $+\dfrac{11}{2}$,
$+5.2$, -4, 1.3 **012-1** (1) $\dfrac{7}{5}$ (2) $-\dfrac{9}{4}$ (3) 4.3 (4) -2
012-2 (1) $\geq$ (2) $\geq$ (3) $<$, $\leq$ (4) $<$, $<$ **013-1** (1) -4
(2) -11 (3) $-\dfrac{23}{10}$ (4) $+\dfrac{5}{12}$ (5) $+3.5$ (6) -2.2
013-2 (1) $+2$ (2) $+13$ (3) $+\dfrac{11}{12}$ (4) $-\dfrac{3}{2}$ (5) $+5.9$
(6) $+\dfrac{1}{10}$ **014-1** (1) $+8$, $+8$, $+8$, $+10$, $+9$, 교환법칙,
결합법칙 (2) $+5.7$, $+5.7$, $+9$, $+5$, 교환법칙, 결합법칙
014-2 (1) -11 (2) $\dfrac{1}{8}$ (3) 2.6 (4) $\dfrac{17}{12}$ (5) 2 (6) $-\dfrac{13}{5}$
015-1 (1) 28 (2) 0 (3) $-\dfrac{1}{6}$ (4) $+\dfrac{3}{4}$ (5) -1 (6) $+0.9$
015-2 (1) -60 (2) -120 (3) $+1.8$ (4) $+16$ (5) $+1$
(6) $-\dfrac{1}{5}$ **016-1** (1) $+81$ (2) -81 (3) -81
(4) $+\dfrac{1}{16}$ (5) $-\dfrac{1}{16}$ (6) $-\dfrac{1}{16}$ (7) $-\dfrac{1}{27}$ (8) $-\dfrac{1}{27}$
(9) $+\dfrac{1}{27}$ **016-2** (1) -16 (2) -72 (3) $-\dfrac{4}{3}$
(4) $-\dfrac{15}{7}$ (5) $\dfrac{2}{5}$ (6) $-\dfrac{9}{8}$ **017-1** (1) -17 (2) $+38$
(3) $+1.8$ (4) -0.7 (5) -1.8 (6) $+0.6$
017-2 (1) $+\dfrac{3}{2}$ (2) $+\dfrac{5}{6}$ (3) $-\dfrac{4}{3}$ (4) $-\dfrac{1}{5}$
018-1 (1) $-\dfrac{8}{3}$ (2) $\dfrac{25}{3}$ (3) 1 (4) $\dfrac{5}{3}$
018-2 (1) -30 (2) 20

[28쪽~29쪽] **01** 6 **02** ④ **03** ④
04 ④ **05** ③ **06** ⑤ **07** $\dfrac{8}{3}$
08 ④ **09** ② **10** ②

[30쪽~35쪽] **019-1** $\dfrac{7}{2}$, -5.1, 4.3 **019-2** ㄱ, ㄷ, ㄹ
019-3 (1) 1.2 (유한소수) (2) 0.2666… (무한소수)
(3) $-0.444…$ (무한소수) (4) 1.125 (유한소수)
020-1 (1) 5, 5, 35, 0.35 (2) 5^3, 5^3, 625, 0.625
020-2 ㄴ, ㅁ, ㅂ **020-3** 7
021-1 (1) 7, $0.\dot{7}$ (2) 36, $0.\dot{3}\dot{6}$ (3) 3, $0.8\dot{3}$ (4) 23, $5.0\dot{2}\dot{3}$
(5) 49, $0.1\dot{4}\dot{9}$ (6) 375, $1.\dot{3}7\dot{5}$ **021-2** (1) $0.\dot{2}$ (2) $4.\dot{3}$
(3) $0.3\dot{7}$ (4) $1.\dot{5}$ (5) $1.8\dot{3}$ (6) $0.\dot{2}\dot{4}$

022-1 (1) 100, 99, $\dfrac{41}{99}$ (2) 100, 10, 90, $\dfrac{1}{6}$ **022-2** (1) ㉢

(2) ㉠ (3) ㉣ (4) ㉡ **022-3** (1) $\dfrac{2}{9}$ (2) $\dfrac{38}{11}$ (3) $\dfrac{73}{45}$

(4) $\dfrac{13}{300}$ **023-1** (1) 205 (2) 18, 1, 17 (3) 318, 3, 35

(4) 567, 5, 281 (5) 245, 24, 221 (6) 1235, 1, 1234

023-2 (1) $\dfrac{7}{9}$ (2) $\dfrac{808}{999}$ (3) $\dfrac{152}{99}$ (4) $\dfrac{119}{90}$ (5) $\dfrac{61}{495}$ (6) $\dfrac{2161}{4995}$

024-1 (1) < (2) > (3) > (4) >

024-2 0.65, 0.6$\dot{5}$, 0.$\dot{6}\dot{5}$, 0.$\dot{6}$

024-3 (1) $\dfrac{34}{999}$ (2) $\dfrac{1}{999}$ (3) 0.$\dot{0}0\dot{1}$

[36쪽~37쪽] **01** 8 **02** ③ **03** ②

04 ⑤ **05** ①, ④ **06** 9 **07** ②

08 ⑤ **09** ④ **10** 4, 5

[38쪽~51쪽] **025-1** (1) 8, −8 (2) 0.7, −0.7 (3) 25, 5, −5

025-2 (1) $\sqrt{5}$ (2) $-\sqrt{5}$ (3) $\pm\sqrt{5}$ (4) $\sqrt{5}$ **025-3** (1) 3

(2) −6 (3) $\pm\dfrac{4}{5}$ (4) 0.9 **026-1** (1) 12 (2) 36 (3) 0

(4) −1 **026-2** (1) $2a$ (2) $-2a$ (3) $2a$ (4) $-2a$

(5) $a-2$ (6) $-a+2$ (7) $-2a+6$

027-1 (1) > (2) < (3) > (4) > (5) > (6) <

027-2 (1) 19개 (2) 5개 (3) 2개 (4) 4개 **027-3** 75

028-1 ㄷ, ㅁ, ㅂ **028-2** (1) × (2) × (3) ○ (4) ○

029-1 (1) $3+\sqrt{2}$ (2) $6-\sqrt{2}$ **029-2** (1) 5 (2) $\sqrt{5}$

(3) P($-\sqrt{5}$), Q($\sqrt{5}$) **030-1** (1) ○ (2) ○ (3) ×

(4) ○ (5) ○ **030-2** ② **031-1** $\sqrt{4}$, <, <

031-2 (1) < (2) < (3) > (4) >

031-3 (1) $2<1+\sqrt{3}<\sqrt{5}+1$ (2) $\sqrt{10}+2<\sqrt{10}+\sqrt{5}<\sqrt{5}+4$

032-1 (1) A (2) C (3) D (4) F (5) E (6) B

032-2 ⑤ **033-1** (1) $\sqrt{2}$ (2) $-3\sqrt{6}$ (3) $\sqrt{10}$ (4) −6

033-2 (1) $5\sqrt{2}$ (2) $\dfrac{\sqrt{5}}{3}$ (3) $-6\sqrt{7}$ (4) $-\dfrac{\sqrt{7}}{10}$

033-3 (1) $\sqrt{98}$ (2) $\sqrt{\dfrac{9}{5}}$ (3) $-\sqrt{96}$ (4) $-\sqrt{\dfrac{28}{9}}$

034-1 (1) $\sqrt{3}$, $\sqrt{3}$, $2\sqrt{3}$, $\sqrt{3}$, $2\sqrt{3}$, 3 (2) $\sqrt{7}$, $\sqrt{7}$, $\sqrt{35}$, $\sqrt{7}$, $\sqrt{35}$, 7 (3) $\sqrt{2}$, $\sqrt{2}$, $4\sqrt{2}$, $\sqrt{2}$, $4\sqrt{2}$, 2, $2\sqrt{2}$, 3

034-2 (1) $\dfrac{\sqrt{5}}{5}$ (2) $\dfrac{3\sqrt{7}}{7}$ (3) $-\dfrac{5\sqrt{3}}{3}$ (4) $\dfrac{\sqrt{15}}{5}$ (5) $\dfrac{\sqrt{34}}{17}$

(6) $\dfrac{\sqrt{70}}{10}$ (7) $\dfrac{\sqrt{6}}{8}$ (8) $\dfrac{\sqrt{2}}{6}$ (9) $\dfrac{\sqrt{2}}{7}$

035-1 (1) $9\sqrt{3}$ (2) $12\sqrt{5}$ (3) $-3\sqrt{6}$ (4) $6\sqrt{2}$ (5) $\dfrac{7\sqrt{2}}{5}$

(6) $\dfrac{13\sqrt{5}}{6}$ **035-2** (1) $9\sqrt{2}$ (2) $\dfrac{13\sqrt{5}}{6}$ (3) $4\sqrt{5}$

(4) $\dfrac{\sqrt{3}}{3}$ (5) $3\sqrt{2}$ (6) $4\sqrt{3}$ **035-3** 8

036-1 (1) $\sqrt{10}-\sqrt{6}$ (2) $\sqrt{6}+\sqrt{21}$ (3) $2\sqrt{3}-\sqrt{10}$

(4) $1+\dfrac{\sqrt{6}}{3}$ (5) $\sqrt{5}+\sqrt{3}$ (6) $-\dfrac{1}{2}+\dfrac{\sqrt{10}}{8}$

036-2 (1) $\dfrac{4+3\sqrt{6}}{6}$ (2) $2\sqrt{3}-2$ (3) $3\sqrt{2}+2\sqrt{6}+9$

(4) $\dfrac{2+4\sqrt{6}}{3}$ (5) $4\sqrt{3}-3$ (6) $3-\sqrt{10}$

037-1 (1) 1.769 (2) 1.789 (3) 1.808

037-2 (1) 17.32 (2) 54.77 (3) 0.5477 (4) 6.928

037-3 (1) 정수 부분 : 5, 소수 부분 : $\sqrt{29}-5$

(2) 정수 부분 : 1, 소수 부분 : $2-\sqrt{2}$

(3) 정수 부분 : 1, 소수 부분 : $\sqrt{6}-2$

038-1 (1) $2\sqrt{41}$ (2) $4\sqrt{2}$

038-2 (1) $3\sqrt{3}$ cm (2) $9\sqrt{3}$ cm^2

[52쪽~53쪽] **01** ③ **02** ② **03** ③

04 ④ **05** $3-\sqrt{5}$ **06** ④ **07** $5ab$

08 ③ **09** ② **10** ④

Ⅱ 문자와 식

[56쪽~61쪽] **039-1** (1) $(a+10)$살 (2) $(x\times3)$ g

(3) $(80\times x)$ km (4) $(5000-x\times4)$원

039-2 (1) $-0.1ab$ (2) $5xy^2$ (3) $\dfrac{x}{yz}$ (4) $\dfrac{(a+b)c}{3}$

040-1 (1) 0 (2) 6 (3) −64 (4) 4 **040-2** (1) 9

(2) −12 (3) −5 (4) 4 (5) 10 (6) 11 **040-3** 9

041-1 ㄱ, ㄴ, ㄷ **041-2** ㄴ, ㄹ

042-1 (1) $28a$ (2) $-16a$ (3) $-7y$ (4) $-\dfrac{7}{6}b$

042-2 (1) $-\dfrac{x}{3}+12$ (2) $3x-\dfrac{9}{4}$ (3) $-\dfrac{1}{2}x+9$

(4) $-5a+10$ (5) $-2a+6$ (6) $2a-18$

043-1 ㄱ-ㄷ, ㄴ-ㅂ, ㄹ-ㅁ **043-2** (1) a (2) $-2x+6$

(3) $\dfrac{4}{3}x+6$ (4) $-2a+3$ **043-3** (1) $-5x+3$

(2) $10b-17$ (3) $\dfrac{3}{2}x+1$ (4) $-10x-2$

044-1 (1) $\dfrac{5x-5}{6}$ (2) $\dfrac{11}{4}x$ (3) $\dfrac{3x-1}{2}$

(4) $\dfrac{-11x+29}{12}$ (5) $\dfrac{-x+5}{6}$ (6) $\dfrac{10x-37}{10}$

044-2 (1) $-b-4$ (2) $-9a+4$ (3) $-3x+11$ (4) $-3x-8$

〖 62쪽~63쪽 〗 01 ③ 02 ③ 03 ④

04 $\dfrac{(a+c)b}{2}$, 25 05 ⑤ 06 ③

07 ⑤ 08 ② 09 ② 10 ③

〖 64쪽~69쪽 〗 **045-1** (1) $2(x-3)=16$ (2) $50-4x=2$

(3) $300x+2500=4000$ **045-2** (1) $x=-1$ (2) $x=1$

045-3 ㄱ, ㄹ **046-1** (1) $3b$ (2) $4-2b$

046-2 풀이 29쪽 **046-3** (1) $x=-3$

(2) $x=-6$ (3) $x=4$ (4) $x=20$

047-1 ㄴ, ㄹ, ㅁ **047-2** (1) $x=-3$ (2) $x=8$

(3) $x=-2$ (4) $x=-\dfrac{3}{2}$ (5) $x=-1$ (6) $x=-2$

048-1 (1) $x=5$ (2) $x=-\dfrac{1}{2}$ (3) $x=\dfrac{1}{2}$ (4) $x=-10$

(5) $x=-\dfrac{11}{6}$ (6) $x=-4$ **048-2** (1) $x=-\dfrac{1}{5}$

(2) $x=6$ (3) $x=3$ (4) $x=-2$ **049-1** 48

049-2 (1) 11명 (2) 49개 **049-3** 6 cm

050-1 (1) 풀이 31쪽 (2) $\dfrac{x}{12}+\dfrac{x}{9}=7$ (3) 36 km

050-2 (1) 풀이 31쪽 (2) $\dfrac{8}{100}\times300=\dfrac{5}{100}\times(300+x)$

(3) 180 g

〖 70쪽~71쪽 〗 01 ③ 02 ④ 03 ④, ⑤

04 ① 05 ① 06 ④ 07 ②

08 ⑤ 09 0.5 km

10 (1) 아버지 : $\dfrac{1}{10}$, 우진 : $\dfrac{1}{15}$ (2) 6일

〖 72쪽~78쪽 〗 **051-1** (1) x^{12} (2) y^9 (3) a^8 (4) a^6b^3

051-2 (1) a^{15} (2) a^8 (3) x^8 (4) a^7b^{10} (5) x^{11} (6) $a^{16}b^{13}$

051-3 (1) 2 (2) 5 **052-1** (1) x^7 (2) $\dfrac{1}{a^3}$ (3) x^{11}

052-2 (1) a^4b^6 (2) $-x^3y^9$ (3) $-32x^{10}y^{15}$ (4) $\dfrac{y^9}{x^6}$ (5) $\dfrac{b^8}{a^6}$

(6) $\dfrac{27a^{12}}{b^3}$ **052-3** 1 **053-1** (1) $-20x^2y^3$

(2) $-6a^3b^3$ (3) $-8a^5b$ (4) $16a^{14}b^{12}$ (5) $-\dfrac{9}{2}a^7b^3$

(6) $-108x^4y^3$ **053-2** (1) $-\dfrac{1}{3x^2}$ (2) $-x^4y^3$ (3) $\dfrac{b}{a^2}$

(4) $18x^5$ (5) $\dfrac{1}{ab}$ (6) $-\dfrac{y}{27}$ **054-1** (1) $-3x^5y^5$ (2) $-2b^4$

(3) $-\dfrac{27y^3}{4x}$ (4) $-12a^4b^3$ **054-2** (1) $-8xy$

(2) $-3a^3b^4$ (3) $9x^2y^4$ (4) $-2ab^2$ **054-3** $8a^2$

055-1 (1) $2a+b$ (2) $8a+2b$ (3) $\dfrac{1}{6}x+\dfrac{2}{3}y$

(4) $-\dfrac{1}{6}x-\dfrac{7}{20}y$ (5) $7a-7b$ (6) $2x-2y$

055-2 (1) $5a^2-4$ (2) $2x^2-2x-12$ (3) $5a^2-5a-3$

(4) $\dfrac{1}{6}x^2+\dfrac{19}{6}x-\dfrac{23}{6}$ (5) $-x^2+3x+3$ (6) $-4a^2$

056-1 (1) $-12x^2-15xy$ (2) $8a^2-2ab+14a$

(3) x^2-xy+y^2 (4) $-6b^2+8ab+4b$ (5) $6x^2+10xy-20y^2$

(6) $-5a^2+22ab-13a$ **056-2** (1) $-3a+5$

(2) $2x-3$ (3) $2a+4b$ (4) $-4a+6b+10$ (5) $9xy+\dfrac{3}{x}$

(6) $5x-25y$ **057-1** (1) $3x-6y$ (2) $-a+b$ (3) $-3x+9$

(4) $5b^2-7ab$ **057-2** $7x+13y+3$ **057-3** -19

〖 79쪽~80쪽 〗 01 ⑤ 02 ④ 03 ①

04 ③ 05 ② 06 -2 07 ⑤

08 ⑤ 09 $-y^2+2xy+3$ 10 ③

〖 81쪽~86쪽 〗 **058-1** (1) $3x-5>12$ (2) $15-4x\le6$

(3) $10x\ge500$ **058-2** (1) ○ (2) × (3) × (4) ○

058-3 (1) 1, 2 (2) -2, -1 **059-1** (1) < (2) < (3) <

(4) > **059-2** (1) ≥ (2) ≥ (3) ≤ (4) ≤

059-3 (1) $4x+1<5$ (2) $5-3x>2$

060-1 (1) $x\ge9$ (2) $x<-3$ (3) $x>6$ (4) $x\ge5$

060-2 (1) $x<-1$ (2) $x\ge3$ **060-3** (1) 풀이 37쪽

(2) 풀이 37쪽 **061-1** ㄷ, ㅁ **061-2** (1) $x\le-5$ (2) $x>2$

(3) $x\le\dfrac{7}{3}$ (4) $x<-3$ (5) $x<\dfrac{11}{2}$ (6) $x>1$

061-3 $-\dfrac{4}{5}$ **062-1** (1) $x\ge-8$ (2) $x>\dfrac{9}{4}$ (3) $x\ge-5$

(4) $x>-\dfrac{3}{4}$ **062-2** (1) $x>-2$ (2) $x<-\dfrac{7}{4}$ (3) $x\le12$

(4) $x>-3$ **062-3** (1) $x\le-9$ (2) $x<-15$

(3) $x\le-4$ (4) $x<-2$ **063-1** 7권 **063-2** 3 km

063-3 150 g

[87쪽~88쪽] **01** ② **02** ② **03** ①

04 ③ **05** ③ **06** ③ **07** ③

08 ② **09** ② **10** ③

[89쪽~98쪽] **064-1** (1) ○ (2) × (3) × (4) ○ (5) ○

(6) × **064-2** (1) 10, 8, 6, 4, 2, (1, 10), (2, 8),

(3, 6), (4, 4), (5, 2) (2) 6, $\dfrac{9}{2}$, 3, $\dfrac{3}{2}$, 0, (6, 1),

(3, 3) **065-1** (3, 1), ㉠ 7, 4, 1, −2,

㉡ 3, 2, 1, 0 **065-2** (1) (7, 1) (2) (1, 2) (3) (3, 1)

(4) (1, 4) **065-3** 0 **066-1** 3, 3, 6, 3, −7, −7,

1, 1, 1, 3, 3, 1 **066-2** (1) $x=-1$, $y=6$

(2) $x=3$, $y=3$ (3) $x=10$, $y=5$ (4) $x=1$, $y=-2$

(5) $x=-1$, $y=3$ (6) $x=3$, $y=1$ **067-1** $2y+3$,

$2y+3$, 7, 6, −1, −1, 1, 1, −1

067-2 (1) $x=2$, $y=4$ (2) $x=-3$, $y=1$ (3) $x=1$, $y=-2$

(4) $x=-2$, $y=3$ (5) $x=-3$, $y=2$ (6) $x=2$, $y=\dfrac{3}{2}$

068-1 (1) $x=1$, $y=-1$ (2) $x=\dfrac{3}{2}$, $y=2$

068-2 (1) $x=-2$, $y=-1$ (2) $x=5$, $y=4$

068-3 (1) $x=2$, $y=2$ (2) $x=\dfrac{4}{5}$, $y=4$ **069-1** ③

069-2 $x=3$, $y=-11$ **069-3** (1) $x=3$, $y=2$

(2) $x=7$, $y=7$ (3) $x=1$, $y=-1$ (4) $x=11$, $y=-3$

070-1 (1) 해가 무수히 많다. (2) 해가 없다. (3) 해가 무수히 많다.

(4) 해가 없다. (5) 해가 없다. (6) 해가 무수히 많다.

070-2 (1) 10 (2) 6 **071-1** 37

071-2 아버지 : 44살, 수아 : 17살 **071-3** 6명

072-1 올라간 거리 : 9 km, 내려온 거리 : 10 km

072-2 400 m **072-3** (1) 풀이 44쪽 (2) 4 % : 400 g,

10 % : 200 g **073-1** 360명 **073-2** 12시간 **073-3** 15시간

[99쪽~100쪽] **01** $\dfrac{3}{2}$ **02** ② **03** ②

04 ④ **05** ① **06** 1 **07** 48 cm²

08 9 km **09** $x=5$, $y=10$ **10** ①

[101쪽~111쪽] **074-1** (1) $ac-ad+3bc-3bd$

(2) $2x^2+xy+x+y-1$ (3) $6x^2+2x-4$

(4) $2a^2+ab+a-2b-10$ **074-2** (1) x^2+6x+9

(2) $9a^2-6ab+b^2$ (3) $4x^2+12xy+9y^2$ (4) $4x^2-28x+49$

(5) $16a^2+4a+\dfrac{1}{4}$ (6) $a^2+10ab+25b^2$ **074-3** 5

075-1 (1) 13 (2) 10 (3) 17 (4) 25 (5) 27 **075-2** ②

076-1 (1) a^2-9 (2) $4x^2-9y^2$ (3) $4y^2-x^2$ (4) $\dfrac{1}{16}x^2-25y^2$

076-2 (1) $x^2+10x+24$ (2) $a^2+4a-21$ (3) $x^2-6xy+8y^2$

(4) $a^2-ab-6b^2$ **076-3** (1) $12a^2-2a-2$

(2) $3x^2+11xy+6y^2$ (3) $6x^2-11xy-10y^2$

(4) $-6a^2+19ab-15b^2$ **077-1** (1) 2, 100, 4, 2304

(2) 3, 300, 9, 9409 (3) 1, 1, 1, 2499 (4) 0.2, 0.2, 0.04,

8.96 **077-2** ⑤ **078-1** (1) $7+2\sqrt{10}$

(2) $9-4\sqrt{2}$ (3) 7 (4) 1 (5) $16+5\sqrt{7}$ (6) $8+3\sqrt{5}$

078-2 ③ **078-3** ③ **079-1** (1) $\sqrt{2}-1$

(2) $\dfrac{3\sqrt{5}+3}{4}$ (3) $\dfrac{\sqrt{14}-\sqrt{10}}{2}$ (4) $\dfrac{2\sqrt{6}+3}{5}$

079-2 (1) $4\sqrt{2}$ (2) -5 **079-3** ④ **080-1** (1) $2\sqrt{5}$

(2) 1 (3) 17 **080-2** (1) -2 (2) -1 (3) -4 (4) 7

081-1 (1) x^2+4x (2) $x^2+10x+25$ (3) a^2+a-6

(4) $-3x^2+5x-2$ **081-2** (1) $a(2a+b)$, 인수 :

1, a, $2a+b$, $a(2a+b)$ (2) $(a+3)(xy-2)$, 인수 : 1, $a+3$,

$xy-2$, $(a+3)(xy-2)$ **081-3** (1) $1-3x$ (2) $x-y$

082-1 (1) $(x-2)^2$ (2) $(3a+b)^2$ (3) $(2a-5b)^2$

(4) $(4x+1)^2$ **082-2** (1) $(3x+y)(3x-y)$

(2) $\left(\dfrac{1}{4}x+\dfrac{3}{5}y\right)\left(\dfrac{1}{4}x-\dfrac{3}{5}y\right)$ (3) $2(a+2)(a-2)$

(4) $(x^2+4)(x+2)(x-2)$ **082-3** (1) 16 (2) ±12

083-1 4 **083-2** (1) $(x+4y)(x+5y)$

(2) $(x+y)(x-4y)$ (3) $(x-y)(x-6y)$

(4) $(x-2y)(x-4y)$ **083-3** ① **084-1** -5

084-2 (1) $(x+5y)(5x-y)$ (2) $(x+4y)(2x+3y)$

(3) $(x+y)(11x+2y)$ (4) $(3x-y)(3x-2y)$

084-3 (1) $x-1$ (2) $x-2$

[112쪽~113쪽] **01** ① **02** ④ **03** ①

04 ③ **05** $24\sqrt{2}-8\sqrt{10}$ **06** ①

07 ② **08** ② **09** $2x-8$ **10** ②

[114쪽~121쪽] **085-1** ㄴ, ㄹ **085-2** (1) $x=-2$ 또는 $x=3$

(2) $x=1$ 또는 $x=2$ (3) $x=-2$ 또는 $x=1$

(4) $x=0$ 또는 $x=1$ **085-3** (1) 해이다.

(2) 해가 아니다.   (3) 해이다.   (4) 해가 아니다.

086-1 (1) $x=0$ 또는 $x=3$ (2) $x=-4$ 또는 $x=2$

(3) $x=-\dfrac{1}{2}$ 또는 $x=\dfrac{2}{3}$ **086-2** (1) $x=3$ 또는 $x=4$

(2) $x=-4$ 또는 $x=4$ (3) $x=-\dfrac{8}{3}$ 또는 $x=\dfrac{8}{3}$

(4) $x=-2$ 또는 $x=\dfrac{1}{2}$ (5) $x=-\dfrac{1}{3}$ 또는 $x=4$

(6) $x=-\dfrac{5}{2}$ 또는 $x=\dfrac{3}{2}$ **086-3** ⑤

087-1 (1) $x=6$ (중근)   (2) $x=-\dfrac{1}{2}$ (중근)   (3) $x=\dfrac{2}{5}$ (중근)

(4) $x=-\dfrac{1}{3}$ (중근)   (5) $x=3$ (중근)   (6) $x=-1$ (중근)

087-2 (1) 0 (2) 81 (3) 17 (4) -5 또는 3 **087-3** ④

088-1 (1) $x=\pm\dfrac{1}{2}$ (2) $x=\pm\dfrac{9\sqrt{2}}{2}$ (3) $x=\pm\dfrac{\sqrt{5}}{2}$

(4) $x=-4$ 또는 $x=2$ (5) $x=\dfrac{1\pm2\sqrt{2}}{2}$

(6) $x=\dfrac{5}{3}$ 또는 $x=\dfrac{7}{3}$ **088-2** 11 **088-3** ②

089-1 (1) $a=1$, $b=3$ (2) $a=2$, $b=7$

089-2 (1) $x=3\pm\sqrt{14}$ (2) $x=-1\pm\dfrac{\sqrt{2}}{2}$ (3) $x=-1\pm\sqrt{5}$

(4) $x=-4\pm3\sqrt{2}$ (5) $x=2\pm\sqrt{5}$ (6) $x=-1\pm\sqrt{2}$

089-3 22 **090-1** (1) $x=\dfrac{-3\pm\sqrt{13}}{2}$ (2) $x=\dfrac{1\pm\sqrt{17}}{4}$

(3) $x=2\pm\sqrt{10}$ (4) $x=\dfrac{1\pm\sqrt{7}}{2}$ **090-2** (1)① 9

② 2 (2)① 0 ② 1 (3)① -7 ② 0

090-3 (1) $k<4$ (2) $k=4$ (3) $k>4$

091-1 (1) $x=-\dfrac{3}{2}$ 또는 $x=1$ (2) $x=-3$ 또는 $x=\dfrac{1}{2}$

(3) $x=\dfrac{-1\pm\sqrt{17}}{2}$ (4) $x=\dfrac{-2\pm\sqrt{10}}{2}$

091-2 (1) $x=\dfrac{1\pm\sqrt{17}}{2}$ (2) $x=-\dfrac{1}{4}$ 또는 $x=1$

091-3 (1) $x=-2$ 또는 $x=0$ (2) $x=0$ 또는 $x=\dfrac{3}{2}$

(3) $x=-6$ 또는 $x=2$ (4) $x=1$ 또는 $x=2$ **092-1** 2 m

092-2 (1) 3초 후, 6초 후   (2) 9초 후

[122쪽~123쪽] **01** ③   **02** $x=-3$ 또는 $x=\dfrac{1}{2}$

03 ②   **04** -9 **05** ⑤   **06** ①

07 $-\dfrac{4}{15}$ **08** ③   **09** ③   **10** ④

Ⅲ 함 수

[126쪽~132쪽] **093-1** $A(-3)$, $B\left(-\dfrac{1}{2}\right)$, $C(0)$, $D\left(\dfrac{5}{2}\right)$

093-2

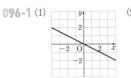

093-3 (1) $(7, 0)$ (2) $(0, -2)$

094-1 (1) 제 4 사분면   (2) 제 3 사분면   (3) 제 1 사분면

(4) 제 2 사분면   **094-2** (1) 제 4 사분면   (2) 제 1 사분면

(3) 제 3 사분면   (4) 제 2 사분면   **094-3** (1) ○   (2) ×

(3) ×   (4) ○   **095-1** $50\ \text{℃}$ **095-2** (1) ○   (2) ○   (3) ×

096-1 (1) (2)

096-2 ㄱ, ㄹ   **097-1** (1) $y=2000x$ (2) 25일

097-2 (1) $y=9x$ (2) $270\ \text{km}$ (3) $12\ \text{L}$

098-1 (1) 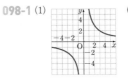 (2)

098-2 ㄱ, ㄷ   **099-1** (1) $y=\dfrac{36}{x}$ (2) 4명

099-2 (1) $y=\dfrac{300}{x}$ (2) 60분   (3) $6\ \text{L}$

[133쪽~134쪽] **01** ③   **02** ②   **03** ⑤

04 ⑤   **05** ②   **06** ①   **07** $-18\ \text{℃}$

08 ⑤   **09** 14일

[135쪽~149쪽] **100-1** ㄱ, ㄴ, ㅁ

100-2 (1) -8 (2) 15 **100-3** (1) -5 (2) -27

101-1 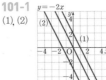   **101-2**
(1), (2)
(1), (2)

101-3 (1) $y=\dfrac{2}{5}x-1$ (2) $y=-3x+\dfrac{2}{7}$ (3) $y=-x-2$

(4) $y=4x+3$ **102-1** (1) x절편 : 4, y절편 : -4

(2) x절편 : 3, y절편 : 6 (3) x절편 : $-\dfrac{1}{3}$, y절편 : 1

(4) x절편 : 2, y절편 : 8 (5) x절편 : -4, y절편 : 2

(6) x절편 : 8, y절편 : 6

102-2 (1) x절편 : 4, y절편 : 3 (2) x절편 : -3, y절편 : 2

103-1 (1) $\dfrac{4}{5}$ (2) $\dfrac{2}{3}$ **103-2** (1) 12 (2) 7

104-1 (1) ㄴ, ㄹ, ㅂ (2) ㄱ, ㄴ, ㄹ

104-2 ㉠ $a>0$, $b<0$ ㉡ $a>0$, $b>0$ ㉢ $a<0$, $b>0$

㉣ $a<0$, $b<0$ **105-1** (1) ㉡ (2) ㉢ (3) ㉠ **105-2** ③

105-3 (1) $a=-1$, $b\neq3$ (2) $a=-1$, $b=3$

106-1 (1), (2)

106-2 (1), (2)

106-3 (1), (2)

107-1 (1) $y=-2x+5$ (2) $y=-\dfrac{1}{3}x-5$ (3) $y=3x+5$

107-2 (1) $y=5x-3$ (2) $y=2x-\dfrac{1}{2}$ (3) $y=-\dfrac{1}{2}x+5$

108-1 (1) $y=3x-8$ (2) $y=-2x+6$ (3) $y=x+3$

108-2 (1) $y=-2x+4$ (2) $y=2x-6$ (3) $y=-2x-2$

109-1 (1) $y=-5x+100$ (2) 20분

109-2 (1) $0.6x$ km (2) $y=-0.6x+12$ (3) 20분

109-3 (1) $y=6x$ (2) 5 cm

110-1 (1)   (2)

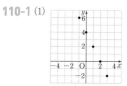

110-2 (1) -1 (2) 3 (3) $-\dfrac{13}{5}$ (4) 2

111-1 (1) $y=3x+2$ (2) $y=-4x+17$ (3) $y=-\dfrac{5}{2}x+5$

(4) $y=6x+18$ **111-2** (1) 기울기 : 1, x절편 : 4, y절편 : -4

(2) 기울기 : $-\dfrac{1}{2}$, x절편 : 8, y절편 : 4 (3) 기울기 : $-\dfrac{2}{3}$,

x절편 : 3, y절편 : 2 (4) 기울기 : $\dfrac{4}{5}$, x절편 : $-\dfrac{1}{2}$,

y절편 : $\dfrac{2}{5}$ **111-3** (1) ㄴ (2) ㄹ (3) ㄱ, ㄷ (4) ㄴ, ㄹ

(5) ㄴ, ㄷ **112-1** (1) ㄱ, ㄹ (2) ㄴ, ㄷ

112-2 (1)~(4)

112-3 (1) $y=3$ (2) $x=3$ (3) $x=-1$ (4) $y=-4$ (5) $y=1$

113-1 (1)

113-1 그래프

(2) $(-2, 2)$

(3) $x=-2$, $y=2$

113-2 $x=1$, $y=-2$ **113-3** $a=5$, $b=4$

114-1 (1) $a=2$, $b=5$ (2) $a=2$, $b\neq5$

114-2 (1) 해가 무수히 많다. (2) 해가 없다.

114-3 (1) $a\neq3$ (2) $a=3$, $b=-2$ (3) $a=3$, $b\neq-2$

[150쪽~151쪽] **01** ④   **02** ⑤   **03** ①

04 $a<0$, $b>0$ **05** 8   **06** -1 **07** 20 L

08 ①   **09** ②   **10** ①

[152쪽~156쪽] **115-1** ㄴ, ㅁ

115-2 (1) $y=4x$, 이차함수가 아니다.

(2) $y=4\pi x^2$, 이차함수이다. (3) $y=15x$, 이차함수가 아니다.

115-3 (1) 2 (2) 5   **116-1** (1) 0, 0 (2) 4

(3) 아래 (4) $x=0$ (5) $x>0$ (6) 1, 2

116-2 (1) 0, 0 (2) -9 (3) 위 (4) $x=0$ (5) $x<0$

(6) 3, 4   **117-1** (1) ㄱ, ㄷ, ㅁ (2) ㄹ (3) ㄱ, ㅂ

117-2 (1) 0, 0 (2) y, 아래 (3) $\geqq$ **117-3** (1) 2

(2) 3 (3) $-\dfrac{1}{3}$ **118-1** (1) y, 3 (2) $(0, 3)$, $x=0$

118-2 풀이 64쪽   **119-1** (1) x, 2

(2) $(2, 0)$, $x=2$ **119-2** 풀이 64쪽

120-1 (1) 1, 2   (2) (1, 2), $x=1$

120-2 풀이 65쪽

121-1 (1) $y=-2(x+1)^2+2$, $(-1, 2)$, $x=-1$

(2) $y=\dfrac{1}{2}(x+3)^2-\dfrac{5}{2}$, $\left(-3, -\dfrac{5}{2}\right)$, $x=-3$

121-2 (1) x축: $(-1, 0)$, $(3, 0)$, y축: $(0, -9)$

(2) x축: $(-1, 0)$, $(5, 0)$, y축: $(0, 5)$

121-3 (1) x절편: -3, 1, y절편: -9

(2) x절편: -1, $\dfrac{5}{2}$, y절편: 10   **122-1** (1) $y=(x-5)^2-14$

(2) $y=-5(x+2)^2+13$ (3) $y=-(x-3)^2+1$

(4) $y=2(x-1)^2+2$ **122-2** (1) $(1, 5)$, $x=1$

(2) $(5, 0)$, $x=5$ (3) $(2, 8)$, $x=2$ (4) $(1, -2)$, $x=1$

123-1 (1) 아래, $>$ (2) 왼, $>$, $>$ (3) 음수, $<$

123-2 (1) $a<0$, $b<0$, $c>0$ (2) $a>0$, $b<0$, $c>0$

(3) $a>0$, $b>0$, $c<0$ (4) $a<0$, $b>0$, $c=0$

124-1 (1) $y=-2x^2+12x-13$ (2) $y=2x^2+8x+6$

(3) $y=3x^2+6x+5$ **124-2** (1) $y=x^2-4x+3$

(2) $y=-x^2-4x+1$ **125-1** (1) $y=-x^2+4x+4$

(2) $y=-2x^2-8x-5$ (3) $y=2x^2-4x+6$

125-2 (1) $y=x^2-6x+5$ (2) $y=-2x^2+4x+6$

126-1 (1) $y=3x^2-2x+4$ (2) $y=2x^2-10x+12$

(3) $y=2x^2-4x+1$ (4) $y=-\dfrac{1}{3}x^2-\dfrac{4}{3}x-1$

126-2 (1) $y=x^2-2x$ (2) $y=-x^2+2x+3$

[164쪽~165쪽]   **01** ②   **02** ④   **03** $\dfrac{7}{2}$

04 ③   **05** ③   **06** ④   **07** ③

08 ②   **09** ④

IV 확률과 통계

[168쪽~173쪽]   **127-1** (1) 풀이 70쪽   (2) 30대   (3) 21살

127-2 (1) 25명   (2) 11명   **128-1** (1) 8   (2) 10점   (3) 9명

(4) 55점   (5) 30 %   (6) 80점 이상 90점 미만

129-1 (1) 계급의 크기 : 5시간, 계급의 개수 : 6개   (2) 55

(3) 200   **129-2** (1) 6명   (2) 40명   (3) 60 %

130-1 (1) 7개   (2) 150회   (3) 600

130-2 (1) 14회   (2) 6명   (3) 70 %

131-1 (1) 풀이 70쪽   (2) 15 mm   (3) 44 %

131-2 $A=0.14$, $B=0.3$, $C=15$, $D=10$, $E=1$

132-1 (1) 풀이 71쪽   (2) 40점 이상 70점 미만, 70점 이상 100점 미만   (3) 여학생

[174쪽~175쪽]   **01** ③   **02** ③   **03** 20명

04 ③   **05** 15   **06** ③   **07** 6명

08 ④   **09** ③, ④

[176쪽~183쪽]   **133-1** 9가지   **133-2** 6가지

134-1 (1) 8가지   (2) 2가지   (3) 3가지

134-2 (1) 6가지   (2) 9가지   **134-3** 3가지

135-1 (1) 120가지 (2) 20가지   **135-2** (1) 24가지 (2) 12가지

(3) 2가지   (4) 12가지   (5) 12가지

136-1 (1) 24가지   (2) 24가지   (3) 12가지

136-2 (1) 9가지   (2) 18가지   **136-3** 10가지

137-1 (1) 12가지   (2) 24가지   (3) 6가지   (4) 4가지

137-2 (1) 10가지   (2) 6가지   **137-3** (1) 10가지   (2) 20가지

138-1 (1) $\dfrac{2}{5}$ (2) 1   (3) 0   **138-2** (1) $\dfrac{2}{5}$ (2) $\dfrac{3}{5}$

139-1 (1) $\dfrac{2}{9}$ (2) $\dfrac{4}{9}$ (3) $\dfrac{2}{3}$ **139-2** (1) $\dfrac{8}{45}$ (2) $\dfrac{2}{9}$

140-1 (1) $\dfrac{4}{49}$ (2) $\dfrac{1}{21}$ **140-2** $\dfrac{1}{12}$

[184쪽~185쪽]   **01** ②   **02** ③   **03** 144개

04 ③   **05** $\dfrac{7}{8}$ **06** $\dfrac{5}{8}$ **07** ④

08 ④   **09** ①   **10** ⑤

[186쪽~189쪽]   **141-1** 12시간   **141-2** 평균 : 5개, 중앙값 : 6개,

최빈값 : 8개   **142-1** (1) -1 (2) 86점

142-2 표 : 풀이 75쪽, 분산 : 6, 표준편차 : $\sqrt{6}$시간

143-1 (1) 6명   (2) 7명   (3) 4명   (4) 70점   (5) 30 %

(6) 4명   **144-1** ㄱ, ㄷ   **144-2** (1) ×   (2) ○

[190쪽~191쪽]   **01** 6   **02** 45   **03** ①

04 4   **05** ②   **06** 5명   **07** 4명

08 20 %   **09** 30점   **10** ③

Ⅴ 기 하

[194쪽~203쪽] **145-1** $\overrightarrow{AB}$와 $\overrightarrow{BA}$, $\overleftrightarrow{AC}$와 $\overleftrightarrow{BA}$, $\overrightarrow{CA}$와 $\overrightarrow{CB}$

145-2 (1) 3개 (2) 6개 (3) 3개 **146-1** (1) $\frac{1}{3}$ (2) $\frac{1}{3}$ (3) 2

(4) 3 **146-2** (1) 10 cm (2) 5 cm (3) 15 cm

146-3 50 cm **147-1** (1) 60° (2) 55° (3) 45° **147-2** (1) 140°

(2) 25° **148-1** (1) 수선 (2) 수선 (3) E (4) BE

148-2 (1) 점 F (2) 4 cm (3) 5 cm **148-3** 6 cm

149-1 (1) $\overrightarrow{BC}$, $\overrightarrow{CD}$, $\overrightarrow{DE}$, $\overrightarrow{FG}$, $\overrightarrow{GH}$, $\overrightarrow{HA}$ (2) $\overrightarrow{GH}$

149-2 (1) 점 A, 점 B (2) $\overrightarrow{BC}$, $\overrightarrow{CD}$ (3) $\overrightarrow{AB}$, $\overrightarrow{CD}$ (4) $\overrightarrow{CD}$

150-1 (1) $\overline{BC}$, $\overline{AC}$, $\overline{BE}$, $\overline{AD}$ (2) $\overline{EF}$ (3) $\overline{AC}$, $\overline{DF}$

150-2 6개 **151-1** (1) 면 ABCD, 면 ABFE

(2) 면 ABFE, 면 CGHD (3) 면 ABCD, 면 CGHD

151-2 4 cm **152-1** (1) 면 DEF (2) 면 ADFC, 면 ABC,

면 DEF (3) 면 ABC, 면 DEF, 면 ABED, 면 BEFC (4) $\overline{EF}$

152-2 2개 **153-1** (1) 60° (2) 70° (3) 120° (4) 70°

153-2 (1) $\angle x=45°$, $\angle y=80°$ (2) $\angle x=65°$, $\angle y=115°$

153-3 (1) 80° (2) 120° **154-1** ㄴ, ㄷ, ㅁ

154-2 $l /\!/ k$ **154-3** ③, ⑤

[204쪽~205쪽] **01** 7 **02** 2 cm **03** ②

04 ③ **05** 8 **06** ② **07** ③

08 $\angle x=60°$, $\angle y=60°$ **09** 45° **10** ①, ⑤

[206쪽~211쪽] **155-1** ㄷ→ㄴ→ㄹ→ㄱ

155-2 ㄱ→ㄷ→ㄴ→ㅁ→ㄹ **156-1** (1) $\angle B$

(2) $\angle C$ (3) $\overline{BC}$ (4) $\overline{AB}$ **156-2** 12, 15 **156-3** 3개

157-1 ① $\overline{BC}$ ② c, b, A ③ A, A

157-2 ① $\angle B$ ② c, a ③ C **157-3** ① $\overline{BC}$ ② $\angle YCB$

③ $\overline{CY}$ **158-1** (1) × (2) × (3) ○ (4) ○

158-2 ㄱ, ㄹ **158-3** ㄱ, ㄴ, ㄹ

159-1 (1) $\triangle ABC \equiv \triangle DFE$ (2) $\overline{FE}$ (3) $\angle F$

159-2 (1) 120° (2) 80° (3) 5 cm (4) 4 cm

160-1 ㄱ과 ㅁ(SSS 합동), ㄴ과 ㅂ(SAS 합동),

ㄷ과 ㄹ(ASA 합동) **160-2** SAS 합동

[212쪽~213쪽] **01** ④ **02** ㄱ, ㄹ **03** ③, ④

04 ④ **05** ④ **06** ② **07** ③

08 ⑤

[214쪽~221쪽] **161-1** ㄴ, ㄹ **161-2** 정오각형

162-1 (1) 8개 (2) 5개 (3) 20개

162-2 (1) 구각형, 27개 (2) 십삼각형, 65개 (3) 십팔각형, 135개

162-3 12개 **163-1** (1) 120° (2) 55° **163-2** 35°

163-3 (1) 62° (2) 60° **164-1** (1) 6개 (2) 1080°

164-2 (1) 110° (2) 115° **164-3** $\angle x=100°$, $\angle y=105°$

165-1 (1) 140° (2) 40° **165-2** 120°, 60°

(2) 135°, 45° (3) 144°, 36° (4) 156°, 24°

165-3 정십이각형 **166-1**

166-2 (1) $\overline{AB}$ (2) $\overparen{CD}$ (3) $\angle AOE$ (4) $\overparen{AB}$

167-1 (1) 120 (2) 24 **167-2** ㄹ, ㅂ

168-1 $l=18\pi$ cm, $S=27\pi$ cm²

168-2 (1) $l=2\pi$ cm, $S=6\pi$ cm² (2) $l=6\pi$ cm, $S=24\pi$ cm²

168-3 (1) 6 (2) 3

[222쪽~223쪽] **01** 정십이각형 **02** ①, ③ **03** 40°

04 ⑤ **05** 정팔각형 **06** 160° **07** ④

08 ③ **09** $(10\pi+20)$cm, 50 cm² **10** 10 cm, 108°

[224쪽~233쪽] **169-1** ㄴ, ㄹ **169-2** 8개

170-1 정이십면체 **170-2** (1) 정팔면체 (2) 4개

(3) 6개 (4) 12개 **171-1** ㄱ, ㄷ, ㄹ

171-2 (1) (2) (3)

172-1 (1)

(2) (3)

172-2 ㄴ, ㄷ, ㄹ **173-1** 32

173-2 (1) 12 cm (2) 12π cm (3) 12π cm

174-1 (1) (개) 3 cm (내) 5 cm (대) 4 cm (래) 6 cm (2) 6 cm²

(3) 72 cm² (4) 84 cm² (5) 36 cm³

174-2 (1) 26 cm² (2) 154 cm² (3) 56 cm² (4) 262 cm²

(5) 182 cm³ **175-1** (1) (개) 4 cm (내) 8π cm (대) 8 cm

(2) 16π cm² (3) 64π cm² (4) 96π cm² (5) 128π cm³

175-2 (1) 3π cm² (2) $(5\pi+60)$ cm² (3) $(11\pi+60)$ cm²

(4) 15π cm³ **176-1** (1) (개) 12 cm (내) 8 cm (2) 64 cm²

(3) 192 cm² (4) 256 cm² **176-2** (1) 밑넓이 : 30 cm²,

부피 : 120 cm³ (2) 밑넓이 : 25 cm², 부피 : 75 cm³

176-3 $\dfrac{112}{3}$ cm³ **177-1** (1) 56π cm²

(2) 133π cm² **177-2** (1) 48π cm³ (2) 100π cm³

177-3 겉넓이 : 90π cm², 부피 : 84π cm³

178-1 (1) 겉넓이 : 36π cm², 부피 : 36π cm³

(2) 겉넓이 : 144π cm², 부피 : 288π cm³

178-2 겉넓이 : 108π cm², 부피 : 144π cm³

178-3 $\dfrac{256}{3}\pi$ cm³

〔234쪽~235쪽〕 **01** 십각뿔대 **02** ① **03** ③

04 ② **05** 원, 이등변삼각형 **06** ④

07 144π cm² **08** ② **09** ② **10** 36π cm³

〔236쪽~244쪽〕 **179-1** (1) 65° (2) 110°

179-2 (1) $x=5$, $y=55$ (2) $x=43$, $y=3$

180-1 (1) 8 (2) 10 **180-2** 8 cm **180-3** 55°

181-1 ㄱ과 ㄹ (RHA 합동), ㄴ과 ㅁ (RHS 합동),

ㄷ과 ㅂ (RHA 합동) **181-2** (1) 3 cm (2) 40°

181-3 5 cm **182-1** (1) $x=5$, $y=100$ (2) $x=6$, $y=65$

182-2 (1) 6 (2) 80 **183-1** (1) 35° (2) 150°

(3) 25° (4) 120° **183-2** 60° **184-1** (1) 35

(2) 3 **184-2** 125° **185-1** (1) 31° (2) 30°

185-2 (1) 125° (2) 35° **186-1** (1) 11 (2) 15 (3) 6

(4) 6 **186-2** 12 cm **187-1** (1) 60 cm² (2) 3 cm

187-2 (1) 8 (2) 5

〔245쪽~246쪽〕 **01** 72° **02** ① **03** ②

04 6 cm **05** ⑤ **06** ⑤ **07** 29°

08 ② **09** 18 cm **10** ①

〔247쪽~256쪽〕 **188-1** (1) $x=3$, $y=9$ (2) $x=2$, $y=2$

188-2 (1) $\angle x=80°$, $\angle y=100°$ (2) $\angle x=30°$, $\angle y=40°$

188-3 $\overline{OA}=6$ cm, $\overline{OD}=8$ cm

189-1 (1) $x=3$, $y=5$ (2) $x=80$, $y=58$

189-2 (1) $x=5$, $y=4$ (2) $x=110$, $y=4$

190-1 (1) 3 cm² (2) 3 cm² (3) 6 cm² (4) 12 cm²

190-2 30 cm² **191-1** $x=60$, $y=6$ **191-2** 6

192-1 (1) $x=7$, $y=90$ (2) $x=9$, $y=30$ **192-2** 28 cm

193-1 (1) $x=4$, $y=45$ (2) $x=10$, $y=90$ **193-2** ③, ⑤

194-1 (1) $x=105$, $y=3$ (2) $x=65$, $y=10$ **194-2** 3 cm

194-3 15 cm **195-1** (1) 마름모 (2) 직사각형 (3) 정사각형

195-2 ③ **196-1** (1) △EBC (2) △ACD (3) △EBD

196-2 45 cm² **197-1** (1) 12 cm² (2) 8 cm²

197-2 (1) 6 cm² (2) 6 cm² (3) 18 cm² (4) 32 cm²

197-3 12 cm²

〔257쪽~258쪽〕 **01** 12 cm **02** ⑤ **03** 18 cm²

04 ③ **05** 24° **06** ① **07** 70°

08 ㄷ, ㄹ, ㅁ **09** 40 cm² **10** 10 cm²

〔259쪽~270쪽〕 **198-1** (1) 3 : 2 (2) 9 cm (3) 60°

198-2 (1) 2 : 3 (2) $x=15$, $y=9$, $z=18$

199-1 △ABC∽△MNO(SAS 닮음),

△DEF∽△IHG(AA 닮음), △JKL∽△QRP(SSS 닮음)

199-2 (1) 6 (2) 8 (3) 5 (4) 12 **200-1** (1) 12

(2) 6 (3) 12 (4) $\dfrac{60}{13}$ **200-2** (1) 16 cm (2) 9 cm

(3) 12 cm **201-1** (1) $x=18$, $y=18$ (2) $x=4$, $y=\dfrac{15}{2}$

(3) $x=1$, $y=6$ (4) $x=6$, $y=12$ **201-2** ㄴ

202-1 (1) 3 (2) $\dfrac{32}{5}$ **202-2** 6 : 5 **202-3** (1) 8

(2) $\dfrac{5}{3}$ **203-1** (1) $\dfrac{10}{3}$ (2) $\dfrac{24}{5}$ (3) $\dfrac{20}{3}$ (4) $\dfrac{21}{2}$

203-2 (1) $x=3$, $y=\dfrac{32}{3}$ (2) $x=4$, $y=\dfrac{8}{3}$

204-1 (1) $\dfrac{18}{5}$ (2) 2   **204-2** (1) $x=6$, $y=5$

(2) $x=8$, $y=4$ **205-1** (1) $\dfrac{18}{5}$ cm (2) $\dfrac{15}{2}$ cm

205-2 (1) $2:5$ (2) $\dfrac{24}{5}$ cm **205-3** $\dfrac{15}{8}$ cm

206-1 (1) $x=12$, $y=60$ (2) $x=16$, $y=5$

206-2 (1) $x=8$, $y=18$ (2) $x=13$, $y=7$ **207-1** (1) 25

(2) 7   **207-2** 5   **207-3** 3

208-1 (1) $x=3$, $y=7$ (2) $x=4$, $y=8$

208-2 (1) 6 cm (2) 6 cm (3) 18 cm (4) 9 cm

209-1 (1) 6 cm² (2) 12 cm² **209-2** 36 cm² **209-3** 9 cm²

[271쪽~272쪽] **01** ③   **02** 20 cm   **03** ④

04 4 cm   **05** ①   **06** 20   **07** 9 cm

08 ④   **09** 6 cm   **10** ②

[273쪽~276쪽] **210-1** 5 cm **210-2** (1) 8 (2) 5

210-3 27   **211-1** (1) 36 cm² (2) $\overline{AC}=6$ cm,

$\overline{AB}=8$ cm (3) 24 cm²   **211-2** (1) 16 cm²

(2) 25 cm² **212-1** (1) 7 (2) 5 (3) 25

212-2 (1) 12 (2) 7 (3) 49 **213-1** ㄷ, ㅂ **213-2** 15

213-3 2

[277쪽~278쪽] **01** ①   **02** ④   **03** ④

04 $\dfrac{20}{3}$ cm **05** 15 cm **06** ④   **07** 100 cm²

08 ②   **09** ⑤   **10** 9

[279쪽~287쪽] **214-1** (1) 15 (2) 12 (3) $\dfrac{4}{5}$ (4) $\dfrac{3}{4}$

214-2 (1) $\dfrac{12}{13}$ (2) $\dfrac{5}{13}$ (3) $\dfrac{12}{5}$ **215-1** (1) $\dfrac{1}{4}$

(2) $\dfrac{\sqrt{3}-1}{2}$ (3) $\dfrac{3}{2}$ (4) $\dfrac{3}{4}$ **215-2** (1) $x=2$, $y=2\sqrt{3}$

(2) $x=2$, $y=2\sqrt{2}$ (3) $x=\sqrt{3}$, $y=\sqrt{3}$ (4) $x=6$, $y=3\sqrt{3}$

216-1 (1) $\overline{BD}$ (2) $\overline{AD}$ (3) $\overline{CE}$

216-2 (1) 0.77 (2) 0.64 (3) 1.19 **216-3** (1) 0

(2) 1   **217-1** (1) 0.3907 (2) 0.9063 (3) 0.4877

217-2 (1) 18° (2) 17° (3) 15° **217-3** (1) <, <

(2) >, > (3) <, <   **218-1** (1) 3.9 (2) 9.2

218-2 3.1   **218-3** $x=5.7$, $y=8.2$ **219-1** (1) 2

(2) $2\sqrt{3}$ (3) $\sqrt{3}$ (4) $\sqrt{7}$ **219-2** (1) $15\sqrt{2}$ cm

(2) 60° (3) $10\sqrt{6}$ cm   **220-1** (1) h (2) $\dfrac{\sqrt{3}}{3}h$

(3) $5(3-\sqrt{3})$ **220-2** (1) $\sqrt{3}h$ (2) $\dfrac{\sqrt{3}}{3}h$ (3) $4\sqrt{3}$

221-1 (1) $3\sqrt{3}$ (2) 6 (3) $24\sqrt{3}$ (4) $15\sqrt{2}$ **221-2** 60°

222-1 (1) $24\sqrt{3}$ (2) $54\sqrt{2}$ **222-2** (1) 10 (2) $18\sqrt{3}$

222-3 6

[288쪽~289쪽] **01** ③   **02** $2\sqrt{2}$ **03** ⑤

04 0.58   **05** 5.7 m   **06** ②   **07** ⑤

08 $3+\sqrt{3}$ **09** ⑤   **10** 8

[290쪽~301쪽] **223-1** (1) 4 (2) 30

223-2 (1) 3 (2) $4\sqrt{3}$ **224-1** (1) 5 (2) 3

224-2 5   **224-3** 65°   **225-1** (1) 16 (2) $2\sqrt{65}$

225-2 12π cm²   **226-1** (1) 15 cm (2) 7 cm

226-2 3 cm **227-1** (1) 7 (2) 8

227-2 (1) 6 cm (2) 30 cm   **227-3** 2 cm

228-1 (1) 80° (2) 48°   **228-2** (1) $\angle x=30°$,

$\angle y=50°$ (2) $\angle x=50°$, $\angle y=55°$

(3) $\angle x=52°$, $\angle y=52°$ (4) $\angle x=90°$, $\angle y=65°$

229-1 (1) 40 (2) 7 (3) 25 (4) 6

229-2 (1) 45° (2) 60° (3) 75°

230-1 ㄴ, ㄷ, ㅂ   **230-2** (1) 30° (2) 40°

231-1 (1) $\angle x=110°$, $\angle y=80°$ (2) $\angle x=70°$, $\angle y=140°$

(3) $\angle x=100°$, $\angle y=135°$ (4) $\angle x=70°$, $\angle y=105°$

231-2 85°   **232-1** (1) $\angle x=110°$, $\angle y=115°$

(2) $\angle x=80°$, $\angle y=60°$ (3) $\angle x=50°$, $\angle y=55°$

(4) $\angle x=40°$, $\angle y=130°$ **232-2** ㄷ, ㄹ

233-1 (1) 50° (2) 120° (3) 43° (4) 110°

233-2 $\angle x=64°$, $\angle y=36°$ **234-1** (1) 60° (2) 55°

234-2 (1) 70° (2) 60°

[302쪽~303쪽] **01** $\dfrac{13}{2}$ cm **02** ③   **03** 6 cm

04 ③   **05** ⑤   **06** ③   **07** 100°

08 ③   **09** ②

01 소인수분해

8쪽~15쪽

001-1 (1) ○ (2) × (3) × (4) ○ (5) ○ (6) ×

001-2 (1) × (2) × (3) × (4) ○ (5) ×

(6) ○ (7) ○ (8) ○

(2) 가장 작은 합성수는 4이다.

(3) 2는 소수이지만 짝수이다.

(5) 25의 약수는 1, 5, 25이므로 소수가 아니다.

001-3 27개

1부터 40까지의 자연수 중 소수의 개수는 2, 3, 5, 7, 11, 13, 17, 19, 23, 29, 31, 37의 12개이므로 소수와 1을 제외한 합성수의 개수는

$$40-12-1=27(개)$$

002-1 풀이 참조

(1)

$$
\begin{array}{r}
2\,)\,54 \\
3\,)\,27 \\
3\,)\,9 \\
\hline
3
\end{array}
$$

$$\Rightarrow 54 = 2 \times 3^3$$

(2)

$$
\begin{array}{r}
2\,)\,90 \\
3\,)\,45 \\
3\,)\,15 \\
\hline
5
\end{array}
$$

$$\Rightarrow 90 = 2 \times 3^2 \times 5$$

(3)

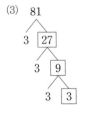

$$\Rightarrow 81 = 3^4$$

(4)

$$\Rightarrow 100 = 2^2 \times 5^2$$

002-2 풀이 참조

(1) $36=2^2 \times 3^2$이므로 소인수는 2, 3이다.

(2) $64=2^6$이므로 소인수는 2이다.

(3) $84=2^2 \times 3 \times 7$이므로 소인수는 2, 3, 7이다.

(4) $120=2^3 \times 3 \times 5$이므로 소인수는 2, 3, 5이다.

003-1 풀이 참조

(1)

×	1	3
1	1	3
5	5	15
5^2	25	75

위의 표에서 약수는 1, 3, 5, 15, 25, 75이다.

(2)

×	1	3	3^2
1	1	3	9
7	7	21	63

위의 표에서 약수는 1, 3, 7, 9, 21, 63이다.

003-2 ㄱ, ㄴ, ㅁ

$60=2^2 \times 3 \times 5$의 약수는 2^2의 약수와 3의 약수와 5의 약수를 각각 곱하여 구할 수 있다.

즉, 1, 2, 2^2과 1, 3과 1, 5의 곱으로 나타내어진다.

따라서 보기에서 약수인 것은 ㄱ, ㄴ, ㅁ이다.

003-3 (1) 9개 (2) 20개 (3) 10개 (4) 16개

(1) $(2+1) \times (2+1) = 9(개)$

(2) $(4+1) \times (1+1) \times (1+1) = 20(개)$

(3) $48=2^4 \times 3$이므로 약수의 개수는

$$(4+1) \times (1+1) = 10(개)$$

(4) $120=2^3 \times 3 \times 5$이므로 약수의 개수는

$$(3+1) \times (1+1) \times (1+1) = 16(개)$$

004-1 (1) 24의 약수 : 1, 2, 3, 4, 6, 8, 12, 24

36의 약수 : 1, 2, 3, 4, 6, 9, 12, 18, 36

(2) 1, 2, 3, 4, 6, 12 (3) 12

004-2 (1) ○ (2) ×

(2) 26과 65의 최대공약수는 13이므로 서로소가 아니다.

004-3 (1) 12 (2) 6 (3) 35 (4) 18

(1)

$$
\begin{array}{r}
2\,)\,24 \quad 60 \\
2\,)\,12 \quad 30 \\
3\,)\,6 \quad 15 \\
\hline
2 \quad 5
\end{array}
$$

$$2 \times 2 \times 3 = 12$$

(2)

$$
\begin{array}{r}
2\,)\,60 \quad 90 \quad 126 \\
3\,)\,30 \quad 45 \quad 63 \\
\hline
10 \quad 15 \quad 21
\end{array}
$$

$$2 \times 3 = 6$$

(3) $5 \times 7 = 35$

(4) $2 \times 3^2 = 18$

005-1 (1) 최대공약수, 18 (2) 5, 7 (3) 35

(1) 정사각형 모양의 땅의 한 변의 길이는 90, 126의 공약수이어야 하고 크기가 되도록 큰 정사각형 모양으로 나누려면 정사각형 모양의 땅의 한

$$
\begin{array}{r}
2\,)\,90 \quad 126 \\
3\,)\,45 \quad 63 \\
3\,)\,15 \quad 21 \\
\hline
5 \quad 7
\end{array}
$$

변의 길이는 90, 126의 $\boxed{최대공약수}$이어야 하므로 $\boxed{18}$ m이다.

(2) 가로로는 $90 \div 18 = \boxed{5}$(개), 세로로는 $126 \div 18 = \boxed{7}$(개)의 정사각형 모양의 땅으로 나누어진다.

(3) 주말농장을 임대받을 수 있는 가구 수는 $5 \times 7 = \boxed{35}$(가구)이다.

005-2　답 12개

가능한 한 많은 선물꾸러미를 만들려면 선물꾸러미의 개수는 36, 48, 60의 최대공약수이어야 하므로 만들어지는 선물꾸러미의 개수는 12개이다.

```
2 ) 36  48  60
2 ) 18  24  30
3 )  9  12  15
      3   4   5
```

005-3　답 88, 120, 88, 120, 8

어떤 자연수로 89를 나누면 1이 남으므로 어떤 자연수로 $89 - 1 = \boxed{88}$ 을 나누면 나누어 떨어진다. 또한 어떤 자연수로 125를 나누면 5가 남으므로 어떤 자연수로 $125 - 5 = \boxed{120}$을 나누면 나누어 떨어진다.
따라서 이러한 수 중 가장 큰 수는 $\boxed{88}$과 $\boxed{120}$의 최대공약수인 $\boxed{8}$이다.

```
2 ) 88  120
2 ) 44   60
2 ) 22   30
     11   15
```

006-1　답 (1) 6의 배수 : 6, 12, 18, …
9의 배수 : 9, 18, 27, …
(2) 18, 36, 54, …　(3) 18

006-2　답 (1) 441　(2) 120　(3) 300　(4) 504

(1)
```
3 ) 63  147
7 ) 21   49
     3    7
```
$3^2 \times 7^2 = 441$

(2)
```
2 ) 12  40  60
2 )  6  20  30
3 )  3  10  15
5 )  1  10   5
     1   2   1
```
$2^3 \times 3 \times 5 = 120$

(3) $2^2 \times 3 \times 5^2 = 300$

(4) $2^3 \times 3^2 \times 7 = 504$

006-3　답 4개

공배수는 최소공배수의 배수이므로 a, b의 공배수 중 두 자리의 자연수는 24, 48, 72, 96의 4개이다.

007-1　답 (1) 24 cm　(2) 12개

(1) 정사각형의 한 변의 길이는 8과 6의 공배수이어야 하고, 가장 작은 정사각형을 만들려면 한 변의 길이는 8과 6의 최소공배수이어야 한다. 8과 6의 최소공배수는 24이므로 한 변의 길이는 24 cm이다.

```
2 ) 8  6
    4  3
```

(2) 정사각형의 한 변의 길이가 24 cm이므로 가로로 $24 \div 8 = 3$(개), 세로로 $24 \div 6 = 4$(개)가 필요하다.
따라서 필요한 종이의 개수는 $3 \times 4 = 12$(개)이다.

007-2　답 1분 48초

출발선을 동시에 통과하는 데 걸리는 시간은 36과 54의 공배수이어야 하고, 다시 처음으로 동시에 통과하는 데 걸리는 시간은 36과 54의 최소공배수이어야 한다.
36과 54의 최소공배수는 108이므로 두 사람이 동시에 출발한 후 처음으로 출발선을 동시에 통과할 때까지 걸리는 시간은 108초, 즉 1분 48초이다.

```
2 ) 36  54
3 ) 18  27
3 )  6   9
     2   3
```

007-3　답 (1) 8, 1　(2) 18, 1　(3) 20, 1　(4) 361

(1) 8로 나눈 나머지가 1이 되려면 구하는 수는 ($\boxed{8}$의 배수)$+\boxed{1}$이어야 한다.

(2) 18로 나눈 나머지가 1이 되려면 구하는 수는 ($\boxed{18}$의 배수)$+\boxed{1}$이어야 한다.

(3) 20으로 나눈 나머지가 1이 되려면 구하는 수는 ($\boxed{20}$의 배수)$+\boxed{1}$이어야 한다.

(4) 8, 18, 20으로 나누면 모두 1이 남으므로 구하는 수를 x라 하면 $x-1$은 8, 18, 20의 공배수이다.
8, 18, 20의 공배수가 360, 720, 1080, …이므로 $x-1$은 360, 720, 1080, …이다.

```
2 ) 8  18  20
2 ) 4   9  10
    2   9   5
```

따라서 x는 361, 721, 1081, …이므로 8, 18, 20 중 어느 것으로 나누어도 나머지가 모두 1인 수 중 가장 작은 수는 $\boxed{361}$이다.

008-1　답 12, 5, 5, 60

최대공약수가 12이고 최소공배수가 120이므로

```
12) A  24
    a   2
```

$\boxed{12} \times a \times 2 = 120$ $\therefore a = \boxed{5}$

$\therefore A = 12 \times \boxed{5} = \boxed{60}$

008-2 탑 풀이 참조

$\dfrac{12}{5} \times \dfrac{B}{A} = (자연수)$, $\dfrac{6}{7} \times \dfrac{B}{A} = (자연수)$이려면

A는 $\boxed{12}$와 $\boxed{6}$의 공약수, B는 $\boxed{5}$와 $\boxed{7}$의 공배수

이어야 한다. 이때 $\dfrac{B}{A}$는 가장 작은 수이므로

$$\dfrac{B}{A} = \dfrac{(\boxed{5}\text{와 }\boxed{7}\text{의 }\boxed{최소공배수})}{(\boxed{12}\text{와 }\boxed{6}\text{의 }\boxed{최대공약수})} = \dfrac{\boxed{35}}{\boxed{6}}$$

탄탄한 중단원 문제

16쪽~17쪽

01 ④	02 21	03 ④	04 ⑤	05 ④
06 6개	07 ③	08 ①	09 ⑤	10 ③

01 ④ 27의 약수는 1, 3, 9, 27이므로 소수가 아니다.

02 $84 = 2^2 \times 3 \times 7$이므로 곱해야 할 가장 작은 자연수는 $3 \times 7 = 21$이다.

03 $2^2 \times 3 \times 5^2$의 약수는 2^2의 약수와 3의 약수와 5^2의 약수를 각각 곱하여 구할 수 있다. 즉, 1, 2, 2^2과 1, 3과 1, 5, 5^2의 곱으로 나타내어진다.

따라서 $2^2 \times 3 \times 5^2$의 약수가 아닌 것은 ④ $3^2 \times 5^2$이다.

04 ⑤ 39와 65의 최대공약수는 13이므로 서로소가 아니다.

05 $72 = 2^3 \times 3^2$, $108 = 2^2 \times 3^3$ 두 자연수의 최대공약수는 $2^2 \times 3^2$이므로 두 수의 공약수의 개수는 최대공약수의 약수의 개수이다.

$$\therefore (2+1) \times (2+1) = 9(개)$$

06 33, 11, 22의 최대공약수는 11이므로 만들 수 있는 정육면체의 한 변의 길이는 11 cm이다.

정육면체는 가로로 $33 \div 11 = 3$(개), 세로로 $11 \div 11 = 1$(개), 높이로 $22 \div 11 = 2$(개)가 만들어지므로 만들 수 있는 정육면체의 개수는

$$3 \times 1 \times 2 = 6(개)$$

07 두 분수가 모두 자연수가 되려면 분모의 n이 분자 18과 24의 공약수이어야 하고, 18과 24의 최대공약수는 6이므로 공약수는 1, 2, 3, 6이다.

따라서 자연수 n의 값들의 합은

$$1+2+3+6 = 12$$

$$\begin{array}{r|ll} 2 & 18 & 24 \\ \hline 3 & 9 & 12 \\ \hline & 3 & 4 \end{array}$$

08 각 소인수의 최대공약수와 최소공배수를 비교하면 $a=4$, $b=3$, $c=2$이다.

$$\therefore a+b+c = 4+3+2 = 9$$

$$\begin{array}{c} 2^2 \times 3^a \\ 2^b \times 3^2 \times 7 \\ \hline \text{최소공배수}: 2^3 \times 3^4 \times 7 \end{array}$$

$\uparrow \quad \uparrow$
$b=3 \quad a=4$

최대공약수 : $2^c \times 3^2 \leftarrow c=2$

09 18과 20의 최소공배수는 180이므로 처음으로 다시 맞물릴 때, A 톱니바퀴는 $180 \div 18 = 10$(번) 회전한 후이다.

$$\begin{array}{r|ll} 2 & 18 & 20 \\ \hline & 9 & 10 \end{array}$$

10 A, B의 최대공약수가 5이므로 $A = 5 \times a$, $B = 5 \times b$ (a, b는 서로소, $a < b$)라 하면 A, B의 최소공배수가 50이므로

$$5 \times a \times b = 50 \qquad \therefore a \times b = 10$$

(ⅰ) $a=1$, $b=10$일 때,

$$A = 5, \ B = 50$$

(ⅱ) $a=2$, $b=5$일 때,

$$A = 10, \ B = 25$$

(ⅰ), (ⅱ)에서 A, B는 두 자리의 자연수이므로

$$A=10, \ B=25 \qquad \therefore A+B = 10+25 = 35$$

---

02 정수와 유리수

18쪽~27쪽

009-1 탑 (1) +7000원, -3000원   (2) +8점, -9점

       (3) +800 m, -150 m   (4) -2분, +5분

009-2 탑 (1) $+8$ (2) -7, $-\dfrac{12}{2}$

       (3) $+8$, 0, -7, $-\dfrac{12}{2}$

009-3 탑 A : $+2$, B : -3, C : 0, D : $+3$

010-1 답 (1) -4 (2) -4, 0, $+\dfrac{16}{4}$

(3) $+\dfrac{14}{3}$, -3.5, $+1.2$, $-1\dfrac{3}{7}$

(4) $+\dfrac{14}{3}$, -3.5, -4, 0, $+\dfrac{16}{4}$,

$+1.2$, $-1\dfrac{3}{7}$

010-2 답 풀이 참조

$1.5=1+0.5$이므로 -1.5는 0에서 왼쪽으로 1만큼 가고 $0.5\left(=\dfrac{1}{2}\right)$만큼 더 간 곳에 있다.

$\dfrac{7}{3}=2\dfrac{1}{3}=2+\dfrac{1}{3}$이므로 $\dfrac{7}{3}$은 0에서 오른쪽으로 2만큼 가고 $\dfrac{1}{3}$만큼 더 간 곳에 있다.

011-1 답 (1) 1.5 (2) -9 (3) $+\dfrac{5}{3}$, $-\dfrac{5}{3}$

011-2 답 $a=-9$, $b=\dfrac{1}{3}$

절댓값이 작은 수부터 차례로 나열하면

$\dfrac{1}{3}$, -0.7, $\dfrac{7}{4}$, $+4$, -5, -9

원점에서 가장 가까운 수는 절댓값이 가장 작은 수이므로 절댓값이 가장 큰 수는 -9, 원점에서 가까운 수는 $\dfrac{1}{3}$이다.

$\therefore a=-9$, $b=\dfrac{1}{3}$

011-3 답 $-8\dfrac{1}{3}$, $+\dfrac{11}{2}$, $+5.2$, -4, 1.3

$+\dfrac{11}{2}$, -4, $+5.2$, 1.3, $-8\dfrac{1}{3}$의 절댓값은 $\dfrac{11}{2}$, 4, 5.2, 1.3, $8\dfrac{1}{3}$이다.

따라서 절댓값이 큰 수부터 차례로 나열하면

$-8\dfrac{1}{3}$, $+\dfrac{11}{2}$, $+5.2$, -4, 1.3

012-1 답 (1) $\dfrac{7}{5}$ (2) $-\dfrac{9}{4}$ (3) 4.3 (4) -2

양수는 3, 4.3, $\dfrac{7}{5}\left(=1.4\right)$이고 크기를 비교하면

$$\dfrac{7}{5}<3<4.3$$

음수는 -2, $-\dfrac{9}{4}\left(=-2\dfrac{1}{4}\right)$이고 크기를 비교하면

$$-\dfrac{9}{4}<-2$$

따라서 주어진 수를 작은 수부터 차례로 나열하면

$$-\dfrac{9}{4}, \ -2, \ \dfrac{7}{5}, \ 3, \ 4.3$$

012-2 답 (1) $\geq$ (2) $\geq$ (3) $<$, $\leq$ (4) $<$, $<$

013-1 답 (1) -4 (2) -11 (3) $-\dfrac{23}{10}$ (4) $+\dfrac{5}{12}$

(5) $+3.5$ (6) -2.2

(3) $\left(-\dfrac{4}{5}\right)+\left(-\dfrac{3}{2}\right)=\left(-\dfrac{8}{10}\right)+\left(-\dfrac{15}{10}\right)$

$$=-\left(\dfrac{8}{10}+\dfrac{15}{10}\right)=-\dfrac{23}{10}$$

(4) $\left(+\dfrac{3}{4}\right)+\left(-\dfrac{1}{3}\right)=\left(+\dfrac{9}{12}\right)+\left(-\dfrac{4}{12}\right)$

$$=+\left(\dfrac{9}{12}-\dfrac{4}{12}\right)=+\dfrac{5}{12}$$

(5) $(+3.3)+(+0.2)=+(3.3+0.2)=+3.5$

(6) $(+0.5)+(-2.7)=-(2.7-0.5)=-2.2$

013-2 답 (1) $+2$ (2) $+13$ (3) $+\dfrac{11}{12}$ (4) $-\dfrac{3}{2}$

(5) $+5.9$ (6) $+\dfrac{1}{10}$

(3) $\left(+\dfrac{3}{4}\right)-\left(-\dfrac{1}{6}\right)=\left(+\dfrac{9}{12}\right)+\left(+\dfrac{2}{12}\right)$

$$=+\left(\dfrac{9}{12}+\dfrac{2}{12}\right)=+\dfrac{11}{12}$$

(4) $\left(-\dfrac{2}{3}\right)-\left(+\dfrac{5}{6}\right)=\left(-\dfrac{4}{6}\right)+\left(-\dfrac{5}{6}\right)$

$$=-\left(\dfrac{4}{6}+\dfrac{5}{6}\right)=-\dfrac{9}{6}=-\dfrac{3}{2}$$

(5) $(+4.8)-(-1.1)=(+4.8)+(+1.1)$

$$=+(4.8+1.1)=+5.9$$

(6) $\left(-\dfrac{2}{5}\right)-\left(-0.5\right)=\left(-\dfrac{4}{10}\right)+\left(+\dfrac{5}{10}\right)$

$$=+\left(\dfrac{5}{10}-\dfrac{4}{10}\right)=+\dfrac{1}{10}$$

> ✓ 이렇게도 풀어요!

$(6)\left(-\dfrac{2}{5}\right)-(-0.5)=(-0.4)+(+0.5)=+(0.5-0.4)=+0.1$

014-1 답 풀이 참조

$(1)\ (+2)+(-1)-(-8)$

$=(+2)+(-1)+(\boxed{+8})$ ⎤ (가) 교환법칙

$=(+2)+(\boxed{+8})+(-1)$ ⎦ (나) 결합법칙

$=\{(+2)+(\boxed{+8})\}+(-1)$

$=(\boxed{+10})+(-1)=\boxed{+9}$

$(2)\ (+5.7)+(-4)+(+3.3)$ ⎤ (가) 교환법칙

$=(-4)+(\boxed{+5.7})+(+3.3)$ ⎦ (나) 결합법칙

$=(-4)+\{(\boxed{+5.7})+(+3.3)\}$

$=(-4)+(\boxed{+9})=\boxed{+5}$

014-2 답 $(1)\ -11$ $(2)\ \dfrac{1}{8}$ $(3)\ 2.6$ $(4)\ \dfrac{17}{12}$ $(5)\ 2$

$\qquad (6)\ -\dfrac{13}{5}$

$(2)\left(-\dfrac{3}{4}\right)-\left(-\dfrac{1}{2}\right)+\left(+\dfrac{3}{8}\right)$

$=\left(-\dfrac{6}{8}\right)+\left(+\dfrac{4}{8}\right)+\left(+\dfrac{3}{8}\right)$

$=\left(-\dfrac{6}{8}\right)+\left(+\dfrac{7}{8}\right)=\dfrac{1}{8}$

$(3)\ (-4.3)+(+5.7)-(-1.2)$

$=(-4.3)+(+5.7)+(+1.2)$

$=(-4.3)+(+6.9)=2.6$

$(4)\ \dfrac{3}{4}-\dfrac{2}{3}+\dfrac{5}{2}-\dfrac{7}{6}$

$=\left(+\dfrac{3}{4}\right)+\left(-\dfrac{2}{3}\right)+\left(+\dfrac{5}{2}\right)+\left(-\dfrac{7}{6}\right)$

$=\left(+\dfrac{3}{4}\right)+\left(+\dfrac{5}{2}\right)+\left(-\dfrac{2}{3}\right)+\left(-\dfrac{7}{6}\right)$

$=\left\{\left(+\dfrac{3}{4}\right)+\left(+\dfrac{10}{4}\right)\right\}+\left\{\left(-\dfrac{4}{6}\right)+\left(-\dfrac{7}{6}\right)\right\}$

$=\left(+\dfrac{13}{4}\right)+\left(-\dfrac{11}{6}\right)=\left(+\dfrac{39}{12}\right)+\left(-\dfrac{22}{12}\right)=\dfrac{17}{12}$

$(5)\ -0.2+2.5-0.8+0.5$

$=(-0.2)+(+2.5)+(-0.8)+(+0.5)$

$=\{(-0.2)+(-0.8)\}+\{(+2.5)+(+0.5)\}$

$=(-1)+(+3)=2$

$(6)\ -0.3-\dfrac{12}{5}+0.5-\dfrac{2}{5}$

$=\left(-\dfrac{3}{10}\right)+\left(-\dfrac{12}{5}\right)+\left(+\dfrac{5}{10}\right)+\left(-\dfrac{2}{5}\right)$

$=\left(-\dfrac{3}{10}\right)+\left(+\dfrac{5}{10}\right)+\left(-\dfrac{12}{5}\right)+\left(-\dfrac{2}{5}\right)$

$=\left(+\dfrac{2}{10}\right)+\left(-\dfrac{14}{5}\right)$

$=\left(+\dfrac{1}{5}\right)+\left(-\dfrac{14}{5}\right)=-\dfrac{13}{5}$

015-1 답 $(1)\ 28$ $(2)\ 0$ $(3)\ -\dfrac{1}{6}$ $(4)\ +\dfrac{3}{4}$ $(5)\ -1$

$\qquad (6)\ +0.9$

$(3)\left(+\dfrac{3}{14}\right)\times\left(-\dfrac{7}{9}\right)=-\left(\dfrac{3}{14}\times\dfrac{7}{9}\right)=-\dfrac{1}{6}$

$(4)\left(-\dfrac{2}{3}\right)\times\left(-\dfrac{9}{8}\right)=+\left(\dfrac{2}{3}\times\dfrac{9}{8}\right)=+\dfrac{3}{4}$

$(5)\ (-1.2)\times\left(+\dfrac{5}{6}\right)=-\left(\dfrac{12}{10}\times\dfrac{5}{6}\right)=-1$

$(6)\ (+1.5)\times(+0.6)=+(1.5\times0.6)=+0.9$

015-2 답 $(1)\ -60$ $(2)\ -120$ $(3)\ +1.8$ $(4)\ +16$

$\qquad (5)\ +1$ $(6)\ -\dfrac{1}{5}$

016-1 답 $(1)\ +81$ $(2)\ -81$ $(3)\ -81$ $(4)\ +\dfrac{1}{16}$

$\qquad (5)\ -\dfrac{1}{16}$ $(6)\ -\dfrac{1}{16}$ $(7)\ -\dfrac{1}{27}$

$\qquad (8)\ -\dfrac{1}{27}$ $(9)\ +\dfrac{1}{27}$

016-2 답 $(1)\ -16$ $(2)\ -72$ $(3)\ -\dfrac{4}{3}$ $(4)\ -\dfrac{15}{7}$

$\qquad (5)\ \dfrac{2}{5}$ $(6)\ -\dfrac{9}{8}$

$(1)\ (-4)^2\times(-1)^3=16\times(-1)=-16$

$(2)\ 2^3\times(-3^2)=8\times(-9)=-72$

$(3)\ (+9)\times\left(-\dfrac{1}{3}\right)^3\times(-2)^2=9\times\left(-\dfrac{1}{27}\right)\times4$

$\qquad\qquad\qquad\qquad\qquad =-\dfrac{4}{3}$

$(4)\left(-\dfrac{2}{7}\right)^2\times\left(-\dfrac{7}{4}\right)\times15=\dfrac{4}{49}\times\left(-\dfrac{7}{4}\right)\times15=-\dfrac{15}{7}$

$(5)\ (-2)^3\times\dfrac{5}{4}\times\left(-\dfrac{1}{25}\right)=(-8)\times\dfrac{5}{4}\times\left(-\dfrac{1}{25}\right)=\dfrac{2}{5}$

(6) $\left(-\dfrac{3}{4}\right)^2 \times (-2)^4 \times \left(-\dfrac{1}{2^3}\right) = \dfrac{9}{16} \times 16 \times \left(-\dfrac{1}{8}\right)$

$\qquad\qquad\qquad\qquad\qquad = -\dfrac{9}{8}$

017-1 답 (1) -17 (2) $+38$ (3) $+1.8$ (4) -0.7

$\qquad\qquad$ (5) -1.8 (6) $+0.6$

017-2 답 (1) $+\dfrac{3}{2}$ (2) $+\dfrac{5}{6}$ (3) $-\dfrac{4}{3}$ (4) $-\dfrac{1}{5}$

(4) $\left(-\dfrac{1}{2}\right)^3 \div \left(+\dfrac{5}{8}\right) = \left(-\dfrac{1}{8}\right) \div \dfrac{5}{8} = \left(-\dfrac{1}{8}\right) \times \dfrac{8}{5}$

$\qquad\qquad\qquad\qquad\qquad\qquad = -\dfrac{1}{5}$

018-1 답 (1) $-\dfrac{8}{3}$ (2) $\dfrac{25}{3}$ (3) 1 (4) $\dfrac{5}{3}$

(1) $(-2)^2 \div \dfrac{4}{3} \times \left(-\dfrac{8}{9}\right) = 4 \times \dfrac{3}{4} \times \left(-\dfrac{8}{9}\right)$

$\qquad\qquad\qquad\qquad\qquad = -\left(4 \times \dfrac{3}{4} \times \dfrac{8}{9}\right) = -\dfrac{8}{3}$

(2) $\dfrac{1}{3} - (-5) \div \left(-\dfrac{15}{4}\right) \times (-6)$

$\quad = \dfrac{1}{3} - (-5) \times \left(-\dfrac{4}{15}\right) \times (-6)$

$\quad = \dfrac{1}{3} - (-8) = \dfrac{1}{3} + \dfrac{24}{3} = \dfrac{25}{3}$

(3) $\dfrac{2}{5} - \left\{\left(-\dfrac{1}{3}\right) \div \dfrac{5}{6} + \left(-\dfrac{1}{15}\right) \times 3\right\}$

$\quad = \dfrac{2}{5} - \left\{\left(-\dfrac{1}{3}\right) \times \dfrac{6}{5} - \dfrac{1}{5}\right\}$

$\quad = \dfrac{2}{5} - \left(-\dfrac{2}{5} - \dfrac{1}{5}\right) = \dfrac{2}{5} + \dfrac{3}{5} = 1$

(4) $12 \times \dfrac{1}{4} - \left\{(-2)^3 \times \left(\dfrac{1}{3} - \dfrac{1}{2}\right)\right\}$

$\quad = 12 \times \dfrac{1}{4} - \left\{(-8) \times \left(-\dfrac{1}{6}\right)\right\}$

$\quad = 3 - \dfrac{4}{3} = \dfrac{9}{3} - \dfrac{4}{3} = \dfrac{5}{3}$

018-2 답 (1) -30 (2) 20

(1) $(-15) \times \dfrac{115}{49} - (-15) \times \dfrac{17}{49}$

$\quad = (-15) \times \left(\dfrac{115}{49} - \dfrac{17}{49}\right)$

$\quad = (-15) \times 2 = -30$

(2) $\left\{\left(-\dfrac{1}{6}\right) + \dfrac{7}{12}\right\} \times 48 = \left(-\dfrac{1}{6}\right) \times 48 + \dfrac{7}{12} \times 48$

$\qquad\qquad\qquad\qquad\qquad = -8 + 28 = 20$

탄탄한 중단원 문제 28쪽~29쪽

01	6	02	④	03	④	04	④	05	③
06	⑤	07	$\dfrac{8}{3}$	08	④	09	②	10	②

01 $\dfrac{8}{3} = 2\dfrac{2}{3}$ 이므로 $\dfrac{8}{3}$에 가장 가까운 정수는 3이다.

$\qquad \therefore a = 3$

$\dfrac{16}{5} = 3\dfrac{1}{5}$ 이므로 $\dfrac{16}{5}$에 가장 가까운 정수는 3이다.

$\qquad \therefore b = 3$

$\qquad \therefore a + b = 3 + 3 = 6$

02 ① 자연수는 $+7$의 1개이다.

② 음의 정수는 $-\dfrac{8}{4}$의 1개이다.

③ 정수는 0, $-\dfrac{8}{4}$, $+7$의 3개이다.

④ 정수가 아닌 유리수는 -3.6, $+\dfrac{1}{2}$, $-\dfrac{3}{5}$의 3개이다.

⑤ 양수는 $+\dfrac{1}{2}$, $+7$의 2개이다.

03 a가 b보다 10만큼 크므로 두 정수 a, b 사이의 거리는 10이다.

즉, 절댓값이 같고 부호가 다른 두 수의 거리가 10이므로 두 수는 원점으로부터의 거리가 각각 5인 수이다.

따라서 두 수는 -5, 5이고 a가 b보다 크므로

$\qquad a = 5$, $b = -5$

04 ② $\dfrac{1}{2} = \dfrac{5}{10}$, $\dfrac{1}{5} = \dfrac{2}{10}$ 이므로 $\dfrac{1}{2} > \dfrac{1}{5}$

③ $\dfrac{5}{2} = \dfrac{10}{4}$ 이고 음수는 절댓값이 작을수록 크므로

$\qquad -\dfrac{5}{2} < -\dfrac{7}{4}$

④ $\dfrac{3}{5} = \dfrac{6}{10}$, $0.5 = \dfrac{5}{10}$ 이므로 $\dfrac{3}{5} > 0.5$

⑤ $\left|-\dfrac{1}{3}\right| = \dfrac{4}{12}$, $\left|+\dfrac{1}{4}\right| = \dfrac{3}{12}$ 이므로 $\left|-\dfrac{1}{3}\right| > \left|+\dfrac{1}{4}\right|$

05 (가)에서 $a=4$

(나)에서 $b<-4$, $c<-4$

(다)에서 $b<c$

$$\therefore b<c<a$$

06 ① $(+8)-(-3)=(+8)+(+3)=+11$

② $(-4)-(-3)=(-4)+(+3)=-1$

③ $\left(-\dfrac{2}{5}\right)-(+0.2)=\left(-\dfrac{2}{5}\right)-\left(+\dfrac{2}{10}\right)$

$$=\left(-\dfrac{4}{10}\right)+\left(-\dfrac{2}{10}\right)=-\dfrac{3}{5}$$

④ $\left(+\dfrac{4}{3}\right)+(-5)=\left(+\dfrac{4}{3}\right)+\left(-\dfrac{15}{3}\right)=-\dfrac{11}{3}$

07 어떤 유리수를 $\square$라 하면

$$\square+\left(-\dfrac{2}{3}\right)=\dfrac{4}{3}$$

$$\therefore \square=\dfrac{4}{3}-\left(-\dfrac{2}{3}\right)=\dfrac{4}{3}+\dfrac{2}{3}=2$$

따라서 바르게 계산하면

$$2-\left(-\dfrac{2}{3}\right)=\dfrac{6}{3}+\dfrac{2}{3}=\dfrac{8}{3}$$

08 $-\dfrac{4}{3}$의 역수는 $-\dfrac{3}{4}$이다. $\quad \therefore a=-\dfrac{3}{4}$

$0.8=\dfrac{8}{10}=\dfrac{4}{5}$이므로 0.8의 역수는 $\dfrac{5}{4}$이다.

$$\therefore b=\dfrac{5}{4}$$

$$\therefore a+b=-\dfrac{3}{4}+\dfrac{5}{4}=\dfrac{2}{4}=\dfrac{1}{2}$$

09 $\dfrac{1}{2}\div\left[\left\{\left(-\dfrac{1}{2}\right)^2\div\left(\dfrac{5}{6}-\dfrac{4}{3}\right)\right\}-2\right]$

$$=\dfrac{1}{2}\div\left[\left\{\dfrac{1}{4}\div\left(-\dfrac{1}{2}\right)\right\}-2\right]$$

$$=\dfrac{1}{2}\div\left[\left\{\dfrac{1}{4}\times(-2)\right\}-2\right]=\dfrac{1}{2}\div\left(-\dfrac{1}{2}-2\right)$$

$$=\dfrac{1}{2}\div\left(-\dfrac{5}{2}\right)=\dfrac{1}{2}\times\left(-\dfrac{2}{5}\right)=-\dfrac{1}{5}$$

10 $(-45.2)\times0.08+(-54.8)\times0.08$

$$=\{(-45.2)+(-54.8)\}\times0.08$$

$$=(-100)\times0.08=-8$$

$a=-100$, $b=-8$이므로

$$a-b=-100-(-8)=-100+8=-92$$

---

03 유리수와 순환소수

30쪽~35쪽

019-1 탑 $\dfrac{7}{2}$, -5.1, 4.3

019-2 탑 ㄱ, ㄷ, ㄹ

019-3 탑 풀이 참조

(1) $\dfrac{6}{5}=6\div5=1.2$ (유한소수)

(2) $\dfrac{4}{15}=4\div15=0.2666\cdots$ (무한소수)

(3) $-\dfrac{4}{9}=(-4)\div9=-0.444\cdots$ (무한소수)

(4) $\dfrac{9}{8}=9\div8=1.125$ (유한소수)

020-1 탑 풀이 참조

(1) $\dfrac{7}{20}=\dfrac{7}{2^2\times5}=\dfrac{7\times\boxed{5}}{2^2\times5\times\boxed{5}}=\dfrac{\boxed{35}}{100}=\boxed{0.35}$

(2) $\dfrac{5}{8}=\dfrac{5}{2^3}=\dfrac{5\times\boxed{5^3}}{2^3\times\boxed{5^3}}=\dfrac{\boxed{625}}{1000}=\boxed{0.625}$

020-2 탑 ㄴ, ㅁ, ㅂ

ㄱ. $\dfrac{27}{56}=\dfrac{27}{2^3\times7}$

ㄴ. $\dfrac{18}{60}=\dfrac{3}{10}=\dfrac{3}{2\times5}$

ㄷ. $\dfrac{5}{12}=\dfrac{5}{2^2\times3}$

ㄹ. $\dfrac{2}{3\times5^2}$

ㅁ. $\dfrac{6}{2\times3\times5^3}=\dfrac{1}{5^3}$

ㅂ. $\dfrac{14}{2^2\times5\times7}=\dfrac{1}{2\times5}$

따라서 유한소수로 나타낼 수 있는 것은 ㄴ, ㅁ, ㅂ이다.

020-3 탑 7

$\dfrac{x}{2\times5^2\times7}$가 유한소수로 나타내어지려면 분모의 소인수가 2나 5뿐이어야 한다. 따라서 x는 7의 배수이므로 구하는 가장 작은 자연수는 7이다.

021-1 답 (1) 7, $0.\dot{7}$ (2) 36, $0.\dot{3}\dot{6}$ (3) 3, $0.8\dot{3}$

(4) 23, $5.0\dot{2}\dot{3}$ (5) 49, $0.14\dot{9}$ (6) 375, $1.\dot{3}7\dot{5}$

021-2 답 (1) $0.\dot{2}$ (2) $4.\dot{3}$ (3) $0.3\dot{7}$ (4) $1.\dot{5}$

(5) $1.8\dot{3}$ (6) $0.\dot{2}\dot{4}$

(1) $\dfrac{2}{9}=0.222\cdots=0.\dot{2}$

(2) $\dfrac{13}{3}=4.333\cdots=4.\dot{3}$

(3) $\dfrac{17}{45}=0.3777\cdots=0.3\dot{7}$

(4) $\dfrac{14}{9}=1.5555\cdots=1.\dot{5}$

(5) $\dfrac{11}{6}=1.8333\cdots=1.8\dot{3}$

(6) $\dfrac{8}{33}=0.242424\cdots=0.\dot{2}\dot{4}$

022-1 답 풀이 참조

(1) $x=0.\dot{4}\dot{1}=0.414141\cdots$이라 하면

$\boxed{100}\,x=41.414141\cdots$

$-)\quad\ \ x=\ 0.414141\cdots$

$\boxed{99}\,x=41$ $\therefore\ x=\boxed{\dfrac{41}{99}}$

(2) $x=0.1\dot{6}=0.1666\cdots$이라 하면

$\boxed{100}\,x=16.666\cdots$

$-)\ \boxed{10}\,x=\ 1.666\cdots$

$\boxed{90}\,x=15$ $\therefore\ x=\dfrac{15}{90}=\boxed{\dfrac{1}{6}}$

022-2 답 (1) ㉢ (2) ㉠ (3) ㉣ (4) ㉡

022-3 답 (1) $\dfrac{2}{9}$ (2) $\dfrac{38}{11}$ (3) $\dfrac{73}{45}$ (4) $\dfrac{13}{300}$

(1) $0.\dot{2}$를 x라 하면 $x=0.2222\cdots$

$10x=2.2222\cdots$

$-)\ \ \ x=0.2222\cdots$

$9x=2$ $\therefore\ x=\dfrac{2}{9}$

(2) $3.\dot{4}\dot{5}$를 x라 하면 $x=3.454545\cdots$

$100x=345.4545\cdots$

$-)\quad\ x=\ \ 3.4545\cdots$

$99x=342$

$\therefore\ x=\dfrac{342}{99}=\dfrac{38}{11}$

(3) $1.6\dot{2}$를 x라 하면 $x=1.6222\cdots$

$100x=162.2222\cdots$

$-)\ \ 10x=\ 16.2222\cdots$

$90x=146$ $\therefore\ x=\dfrac{146}{90}=\dfrac{73}{45}$

(4) $0.04\dot{3}$을 x라 하면 $x=0.04333\cdots$

$1000x=43.3333\cdots$

$-)\ \ 100x=\ 4.3333\cdots$

$900x=39$ $\therefore\ x=\dfrac{39}{900}=\dfrac{13}{300}$

023-1 답 풀이 참조

(1) $0.\dot{2}0\dot{5}=\dfrac{\boxed{205}}{999}$

(2) $0.1\dot{8}=\dfrac{\boxed{18}-\boxed{1}}{90}=\dfrac{\boxed{17}}{90}$

(3) $3.\dot{1}\dot{8}=\dfrac{\boxed{318}-\boxed{3}}{99}=\dfrac{315}{99}=\dfrac{\boxed{35}}{11}$

(4) $0.5\dot{6}\dot{7}=\dfrac{\boxed{567}-\boxed{5}}{990}=\dfrac{562}{990}=\dfrac{\boxed{281}}{495}$

(5) $2.4\dot{5}=\dfrac{\boxed{245}-\boxed{24}}{90}=\dfrac{\boxed{221}}{90}$

(6) $1.\dot{2}3\dot{5}=\dfrac{\boxed{1235}-\boxed{1}}{999}=\dfrac{\boxed{1234}}{999}$

023-2 답 (1) $\dfrac{7}{9}$ (2) $\dfrac{808}{999}$ (3) $\dfrac{152}{99}$ (4) $\dfrac{119}{90}$

(5) $\dfrac{61}{495}$ (6) $\dfrac{2161}{4995}$

(3) $1.\dot{5}\dot{3}=\dfrac{153-1}{99}=\dfrac{152}{99}$

(4) $1.3\dot{2}=\dfrac{132-13}{90}=\dfrac{119}{90}$

(5) $0.1\dot{2}\dot{3}=\dfrac{123-1}{990}=\dfrac{122}{990}=\dfrac{61}{495}$

(6) $0.\dot{4}32\dot{6}=\dfrac{4326-4}{9990}=\dfrac{4322}{9990}=\dfrac{2161}{4995}$

024-1 답 (1) $<$ (2) $>$ (3) $>$ (4) $>$

(1) $1.\dot{3}=1.333\cdots$ $\therefore\ 1.3<1.\dot{3}$

(2) $0.\dot{3}\ =0.33333\cdots$

$0.3\dot{1}=0.31111\cdots$ $\therefore\ 0.\dot{3}>0.3\dot{1}$

(3) $0.5\dot{6}=0.5666\cdots$

$0.\dot{5}\dot{6}=0.565656\cdots$ $\therefore\ 0.5\dot{6}>0.\dot{5}\dot{6}$

(4) $0.71\dot{2}=0.712222\cdots$

$0.7\dot{1}\dot{2}=0.7121212\cdots$ $\therefore\ 0.71\dot{2}>0.7\dot{1}\dot{2}$

024-2 답 $0.65,\ 0.6\dot{5},\ 0.\dot{6}\dot{5},\ 0.\dot{6}$

소수점 아래 각 자리의 숫자를 차례로 비교하면

$$0.65$$
$$0.\dot{6}=0.6666666\cdots$$
$$0.6\dot{5}=0.6555555\cdots$$
$$0.\dot{6}\dot{5}=0.656565\cdots$$
$$\therefore\ 0.65<0.6\dot{5}<0.\dot{6}\dot{5}<0.\dot{6}$$

024-3 답 (1) $\dfrac{34}{999}$ (2) $\dfrac{1}{999}$ (3) $0.\dot{0}0\dot{1}$

(2) $\dfrac{34}{999}=A\times34$이므로

$$A=\dfrac{34}{999}\times\dfrac{1}{34}=\dfrac{1}{999}$$

(3) $A=\dfrac{1}{999}=0.\dot{0}0\dot{1}$

탄탄한 중단원 문제

36쪽~37쪽

01 8	02 ③	03 ②	04 ⑤	05 ①, ④
06 9	07 ②	08 ⑤	09 ④	10 4, 5

01 $\dfrac{2}{25}=\dfrac{2}{5^2}=\dfrac{2\times2^2}{5^2\times2^2}=\dfrac{8}{100}=0.08$이므로

$a=4,\ b=4,\ c=8$

$\therefore\ a-b+c=4-4+8=8$

02 ① $\dfrac{2}{9}=\dfrac{2}{3^2}$ ② $\dfrac{7}{120}=\dfrac{7}{2^3\times3\times5}$

③ $\dfrac{11}{440}=\dfrac{1}{40}=\dfrac{1}{2^3\times5}$ ④ $\dfrac{7}{2\times3^2\times14}=\dfrac{1}{2^2\times3^2}$

⑤ $\dfrac{8}{2\times5^2\times7}=\dfrac{4}{5^2\times7}$

따라서 유한소수로 나타낼 수 있는 것은 ③이다.

03 두 분수가 유한소수가 되려면 $\dfrac{4}{55}=\dfrac{4}{5\times11}$에는 11

의 배수, $\dfrac{13}{78}=\dfrac{1}{6}=\dfrac{1}{2\times3}$에는 3의 배수를 곱해야 한다.

즉, 두 수를 모두 유한소수가 되게 하려면 11과 3의 공배수를 곱해야 한다.

따라서 A의 값은 33, 66, 99, …이므로 가장 작은 자연수는 33이다.

04 $\dfrac{6}{5\times x}$은 유한소수로 나타낼 수 없으므로 기약분수로 나타냈을 때, 분모는 2나 5 이외의 소인수를 가져야 한다.

① $\dfrac{6}{5\times3}=\dfrac{2}{5}$ ② $\dfrac{6}{5\times4}=\dfrac{3}{5\times2}$ ③ $\dfrac{6}{5\times5}=\dfrac{6}{5^2}$

④ $\dfrac{6}{5\times6}=\dfrac{1}{5}$ ⑤ $\dfrac{6}{5\times7}$

05 ② π는 순환하지 않는 무한소수이다.

③ $\dfrac{1}{3}=0.333\cdots$이므로 유한소수로 나타낼 수 없는 유리수도 있다.

⑤ 모든 순환소수는 분수로 나타낼 수 있으므로 유리수이다.

06 $\dfrac{7}{22}=0.3\dot{1}\dot{8}$의 순환마디가 18이므로 소수점 아래 두 번째 자리부터 두 개의 숫자가 반복된다.

따라서 소수점 아래 10번째 자리의 숫자는

$10=1+2\times4+1$이므로 $a=1$이고 소수점 아래 35번째 자리의 숫자는 $35=1+2\times17$이므로 $b=8$이다.

$\therefore\ a+b=9$

07 $5.3\dot{1}\dot{2}$를 x로 놓으면 $x=5.3121212\cdots$ …… ㉠

㉠의 양변에 $\boxed{10}$을 곱하면

$\boxed{10}\,x=53.121212\cdots$ …… ㉡

㉠의 양변에 $\boxed{1000}$을 곱하면

$\boxed{1000}\,x=5312.121212\cdots$ …… ㉢

㉢에서 ㉡을 빼면

$$1000x-10x=5312-53$$
$$\boxed{990}\,x=\boxed{5259}$$
$$\therefore\ x=\dfrac{5259}{990}=\boxed{\dfrac{1753}{330}}$$

08 ① $0.\dot{5}1\dot{2}=\dfrac{512}{999}$ ② $2.4\dot{5}=\dfrac{245-24}{90}$

③ $0.\dot{2}\dot{6}=\dfrac{26}{99}$ ④ $0.7\dot{2}=\dfrac{72-7}{90}$

09 ① $0.\dot{1}\dot{2}=0.121212\cdots$ $\therefore\ 0.\dot{1}\dot{2}>0.12$

② $0.2\dot{3}=0.2333\cdots$

$0.\dot{2}\dot{3}=0.232323\cdots$ $\therefore\ 0.2\dot{3}>0.\dot{2}\dot{3}$

③ $0.5\dot{2}=0.5222\cdots$

$\quad 0.\dot{5}=0.5555\cdots \qquad \therefore 0.5\dot{2}<0.\dot{5}$

④ $0.4\dot{9}=0.4999\cdots$

$\quad 0.\dot{5}=0.555\cdots \qquad \therefore 0.4\dot{9}<0.\dot{5}$

⑤ $2.\dot{3}5\dot{2}=2.352352352\cdots$

$\quad 2.3\dot{5}\dot{2}=2.3525252\cdots \qquad \therefore 2.\dot{3}5\dot{2}<2.3\dot{5}\dot{2}$

10 $\dfrac{1}{3}<0.\dot{a}<\dfrac{3}{5}$ 에서 $\dfrac{1}{3}<\dfrac{a}{9}<\dfrac{3}{5}$ 이므로

$$\dfrac{15}{45}<\dfrac{5a}{45}<\dfrac{27}{45}$$

따라서 한 자리의 자연수 a의 값은 4, 5이다.

04 제곱근과 실수

38쪽~51쪽

025-1 답 (1) 8, -8 (2) 0.7, -0.7 (3) 25, 5, -5

(1) 64의 제곱근은 제곱하여 64가 되는 수이므로 8, -8이다.

(2) 제곱하여 0.49가 되는 수는 0.49의 제곱근이므로 0.7, -0.7이다.

(3) $(-5)^2=25$이므로 $(-5)^2$의 제곱근, 즉 25의 제곱근은 5, -5이다.

025-2 답 (1) $\sqrt{5}$ (2) $-\sqrt{5}$ (3) $\pm\sqrt{5}$ (4) $\sqrt{5}$

(3) 5의 제곱근은 제곱하여 5가 되는 수이므로 $\pm\sqrt{5}$이다.

(4) 제곱근 5는 5의 양의 제곱근이므로 $\sqrt{5}$이다.

025-3 답 (1) 3 (2) -6 (3) $\pm\dfrac{4}{5}$ (4) 0.9

(1) $9=3^2$이므로 $\sqrt{9}=3$

(2) $36=6^2$이므로 $-\sqrt{36}=-6$

(3) $\dfrac{16}{25}=\left(\dfrac{4}{5}\right)^2$이므로 $\pm\sqrt{\dfrac{16}{25}}=\pm\dfrac{4}{5}$

(4) $0.81=0.9^2$이므로 $\sqrt{0.81}=0.9$

026-1 답 (1) 12 (2) 36 (3) 0 (4) -1

(1) $\sqrt{9^2}+\sqrt{3^2}=9+3=12$

(2) $(\sqrt{4})^2\times(-\sqrt{9})^2=4\times9=36$

(3) $\sqrt{(-5)^2}-\sqrt{5^2}=5-5=0$

(4) $-\sqrt{\dfrac{25}{16}}-\sqrt{\left(\dfrac{7}{12}\right)^2}\times\left(-\sqrt{\dfrac{9}{49}}\right)$

$=-\dfrac{5}{4}-\dfrac{7}{12}\times\left(-\dfrac{3}{7}\right)$

$=-\dfrac{5}{4}-\left(-\dfrac{1}{4}\right)=-\dfrac{4}{4}=-1$

026-2 답 (1) $2a$ (2) $-2a$ (3) $2a$ (4) $-2a$

$\qquad\quad$ (5) $a-2$ (6) $-a+2$ (7) $-2a+6$

(1) $a>0$이므로 $\sqrt{(2a)^2}=2a$

(2) $a<0$이므로 $\sqrt{(2a)^2}=-2a$

(3) $a>0$이므로 $\sqrt{(-2a)^2}=\sqrt{(2a)^2}=2a$

(4) $a<0$이므로 $\sqrt{(-2a)^2}=\sqrt{(2a)^2}=-2a$

(5) $a>2$이므로 $\sqrt{(a-2)^2}=a-2$

(6) $a<2$이므로 $\sqrt{(a-2)^2}=-a+2$

(7) $0<a<3$이므로 $a-3<0$, $3-a>0$

$\therefore \sqrt{(a-3)^2}+\sqrt{(3-a)^2}=(-a+3)+(3-a)$

$\qquad\qquad\qquad\qquad\qquad =-2a+6$

027-1 답 (1) $>$ (2) $<$ (3) $>$ (4) $>$ (5) $>$ (6) $<$

(1) $\sqrt{15}$, $\sqrt{14}$에서 $15>14$이므로 $\sqrt{15}>\sqrt{14}$

(2) 0.1, 0.11에서 $0.1<0.11$이므로 $\sqrt{0.1}<\sqrt{0.11}$

(3) $\sqrt{5}$, $\sqrt{7}$에서 $5<7$이므로 $-\sqrt{5}>-\sqrt{7}$

(4) $\dfrac{1}{3}$, $\dfrac{1}{2}$에서 $\dfrac{1}{3}<\dfrac{1}{2}$이므로 $-\sqrt{\dfrac{1}{3}}>-\sqrt{\dfrac{1}{2}}$

(5) $8=\sqrt{8^2}=\sqrt{64}$이고 $65>64$이므로 $\sqrt{65}>8$

(6) $\dfrac{2}{5}=\sqrt{\left(\dfrac{2}{5}\right)^2}=\sqrt{\dfrac{4}{25}}$이고 $\dfrac{6}{25}>\dfrac{4}{25}$이므로

$-\sqrt{\dfrac{6}{25}}<-\dfrac{2}{5}$

027-2 답 (1) 19개 (2) 5개 (3) 2개 (4) 4개

(1) $4<\sqrt{x}<6$의 각 변을 제곱하면 $16<x<36$

따라서 부등식을 만족하는 자연수 x의 개수는 17, 18, 19, $\cdots$, 35의 19개이다.

(2) $1.2<\sqrt{x}<2.5$의 각 변을 제곱하면 $1.44<x<6.25$

따라서 부등식을 만족하는 자연수 x의 개수는 2, 3, 4, 5, 6의 5개이다.

(3) $\sqrt{5}<x<\sqrt{20}$의 각 변을 제곱하면 $5<x^2<20$

따라서 부등식을 만족하는 자연수 x의 개수는 3, 4의 2개이다.

(4) $\sqrt{10}<x<\sqrt{50}$의 각 변을 제곱하면 $10<x^2<50$

따라서 부등식을 만족하는 자연수 x의 개수는 4, 5, 6, 7의 4개이다.

027-3 답 75

$-4<-\sqrt{x}<-3$에서 $3<\sqrt{x}<4$의 각 변을 제곱하면
$$9<x<16$$

따라서 부등식을 만족하는 자연수 x는 10, 11, 12, $\cdots$, 15이므로 그 합은
$$10+11+12+13+14+15=75$$

028-1 답 ㄷ, ㅁ, ㅂ

ㄱ. $\sqrt{9}=3$ ➡ 유리수 ㄴ. $\sqrt{0.25}=0.5$ ➡ 유리수

ㄷ. π ➡ 무리수 ㄹ. $0.3\dot{4}\dot{5}$ ➡ 유리수

ㅁ. $-\sqrt{5}$ ➡ 무리수 ㅂ. $\sqrt{\dfrac{19}{49}}$ ➡ 무리수

ㅅ. $\sqrt{\dfrac{4}{25}}=\dfrac{2}{5}$ ➡ 유리수 ㅇ. 0 ➡ 유리수

따라서 보기 중 무리수는 ㄷ, ㅁ, ㅂ이다.

028-2 답 (1) × (2) × (3) ○ (4) ○

(1) 무한소수 중 순환소수는 유리수이다.

(2) 근호를 포함한 수라도 근호를 없앨 수 있으면 유리수이다.

(4) $0.123\dot{4}$는 순환소수이므로 유리수이다.

029-1 답 (1) $3+\sqrt{2}$ (2) $6-\sqrt{2}$

(1) $\overline{BD}$는 한 변의 길이가 1인 정사각형의 대각선의 길이이므로 $\sqrt{2}$이다.
$\overline{BP}=\overline{BD}=\sqrt{2}$이고 점 P가 기준점 B(3)의 오른쪽에 있으므로 점 P에 대응하는 수는 $3+\sqrt{2}$이다.

(2) $\overline{BD}$는 한 변의 길이가 1인 정사각형의 대각선의 길이이므로 $\sqrt{2}$이다.
$\overline{BP}=\overline{BD}=\sqrt{2}$이고 점 P가 기준점 B(6)의 왼쪽에 있으므로 점 P에 대응하는 수는 $6-\sqrt{2}$이다.

029-2 답 (1) 5 (2) $\sqrt{5}$ (3) P($-\sqrt{5}$), Q($\sqrt{5}$)

(1) $\square ABCD=3\times3-4\left(\dfrac{1}{2}\times2\times1\right)=9-4=5$

(2) $\overline{AB}$는 넓이가 5인 정사각형 ABCD의 한 변의 길이이므로 $\sqrt{5}$이다.

(3) $\overline{AP}=\overline{AD}=\sqrt{5}$이므로 점 P의 좌표는 P($-\sqrt{5}$)이다.
$\overline{AQ}=\overline{AB}=\sqrt{5}$이므로 점 Q의 좌표는 Q($\sqrt{5}$)이다.

030-1 답 (1) ○ (2) ○ (3) × (4) ○ (5) ○

030-2 답 ②

② $1<\sqrt{3}<2$이고 $2<\sqrt{6}<3$이므로 $\sqrt{3}$과 $\sqrt{6}$ 사이에 있는 정수는 2뿐이다.

031-1 답 $\sqrt{4}$, $<$, $<$

두 실수 $1+\sqrt{3}$과 3에 대하여 $(1+\sqrt{3})-3=\sqrt{3}-2$이고
$2=\sqrt{2^2}=\boxed{\sqrt{4}}$이므로
$$\sqrt{3}-2=\sqrt{3}-\sqrt{4}\boxed{<}0 \quad \therefore 1+\sqrt{3}\boxed{<}3$$

031-2 답 (1) $<$ (2) $<$ (3) $>$ (4) $>$

(1) $(\sqrt{2}-1)-1=\sqrt{2}-2=\sqrt{2}-\sqrt{4}<0$
$$\therefore \sqrt{2}-1<1$$

(2) $(\sqrt{18}-3)-(\sqrt{20}-3)=\sqrt{18}-\sqrt{20}<0$
$$\therefore \sqrt{18}-3<\sqrt{20}-3$$

(3) $4-(6-\sqrt{8})=-2+\sqrt{8}=-\sqrt{4}+\sqrt{8}>0$
$$\therefore 4>6-\sqrt{8}$$

(4) $(\sqrt{7}-\sqrt{2})-(\sqrt{7}-\sqrt{3})=\sqrt{3}-\sqrt{2}>0$
$$\therefore \sqrt{7}-\sqrt{2}>\sqrt{7}-\sqrt{3}$$

031-3 답 (1) $2<1+\sqrt{3}<\sqrt{5}+1$
(2) $\sqrt{10}+2<\sqrt{10}+\sqrt{5}<\sqrt{5}+4$

(1) 세 실수 $1+\sqrt{3}$, 2, $\sqrt{5}+1$에 대하여
$(1+\sqrt{3})-2=\sqrt{3}-1>0$이므로
$$1+\sqrt{3}>2$$
$2-(\sqrt{5}+1)=1-\sqrt{5}<0$이므로
$$2<\sqrt{5}+1$$
$(1+\sqrt{3})-(\sqrt{5}+1)=\sqrt{3}-\sqrt{5}<0$이므로
$$1+\sqrt{3}<\sqrt{5}+1$$
$$\therefore 2<1+\sqrt{3}<\sqrt{5}+1$$

(2) 세 실수 $\sqrt{10}+2$, $\sqrt{10}+\sqrt{5}$, $\sqrt{5}+4$에 대하여
$(\sqrt{10}+2)-(\sqrt{10}+\sqrt{5})=2-\sqrt{5}<0$이므로
$$\sqrt{10}+2<\sqrt{10}+\sqrt{5}$$
$(\sqrt{10}+\sqrt{5})-(\sqrt{5}+4)=\sqrt{10}-4<0$이므로
$$\sqrt{10}+\sqrt{5}<\sqrt{5}+4$$
$$\therefore \sqrt{10}+2<\sqrt{10}+\sqrt{5}<\sqrt{5}+4$$

032-1 📘 (1) A (2) C (3) D (4) F (5) E (6) B

(1) $\sqrt{4}<\sqrt{6}<\sqrt{9}$에서 $2<\sqrt{6}<3$

　　따라서 $\sqrt{6}$에 대응하는 점은 A이다.

(2) $\sqrt{16}<\sqrt{22}<\sqrt{25}$에서 $4<\sqrt{22}<5$

　　따라서 $\sqrt{22}$에 대응하는 점은 C이다.

(3) $\sqrt{25}<\sqrt{33}<\sqrt{36}$에서 $5<\sqrt{33}<6$

　　따라서 $\sqrt{33}$에 대응하는 점은 D이다.

(4) $\sqrt{49}<\sqrt{57}<\sqrt{64}$에서 $7<\sqrt{57}<8$

　　따라서 $\sqrt{57}$에 대응하는 점은 F이다.

(5) $\sqrt{36}<\sqrt{37}<\sqrt{49}$에서 $6<\sqrt{37}<7$

　　따라서 $\sqrt{37}$에 대응하는 점은 E이다.

(6) $\sqrt{9}<\sqrt{10}<\sqrt{16}$에서 $3<\sqrt{10}<4$

　　따라서 $\sqrt{10}$에 대응하는 점은 B이다.

032-2 📘 ⑤

① $\sqrt{5}$와 $\sqrt{6}$의 평균 $\dfrac{\sqrt{5}+\sqrt{6}}{2}$ 은 $\sqrt{5}$와 $\sqrt{6}$ 사이에 있는 실수이다.

② $\sqrt{5}$의 값은 2.236, $\sqrt{6}$의 값은 2.449이므로 $\sqrt{6}-\sqrt{5}=0.213$이다. 따라서 $\sqrt{5}+0.1$은 $\sqrt{5}$와 $\sqrt{6}$ 사이에 있는 실수이다.

③ $\sqrt{5}+0.2$는 $\sqrt{5}$와 $\sqrt{6}$ 사이에 있는 실수이다.

④ $\sqrt{6}-0.2$는 $\sqrt{5}$와 $\sqrt{6}$ 사이에 있는 실수이다.

⑤ 0.3은 $\sqrt{5}$와 $\sqrt{6}$의 차인 0.213보다 큰 수이므로 $\sqrt{6}-0.3$은 $\sqrt{5}$와 $\sqrt{6}$ 사이에 있는 실수가 아니다.

033-1 📘 (1) $\sqrt{2}$ (2) $-3\sqrt{6}$ (3) $\sqrt{10}$ (4) -6

(1) $\sqrt{\dfrac{14}{3}}\sqrt{\dfrac{3}{7}}=\sqrt{\dfrac{14}{3}\times\dfrac{3}{7}}=\sqrt{2}$

(2) $-3\sqrt{2}\times\sqrt{3}=-3\sqrt{2\times3}=-3\sqrt{6}$

(3) $\sqrt{\dfrac{35}{8}}\div\sqrt{\dfrac{7}{16}}=\sqrt{\dfrac{35}{8}}\times\sqrt{\dfrac{16}{7}}=\sqrt{\dfrac{35}{8}\times\dfrac{16}{7}}=\sqrt{10}$

(4) $-6\sqrt{5}\div3\sqrt{\dfrac{5}{9}}=-6\sqrt{5}\times\dfrac{1}{3}\sqrt{\dfrac{9}{5}}=-2\sqrt{5\times\dfrac{9}{5}}$
　　　$=-2\sqrt{9}=-2\times3=-6$

033-2 📘 (1) $5\sqrt{2}$ (2) $\dfrac{\sqrt{5}}{3}$ (3) $-6\sqrt{7}$ (4) $-\dfrac{\sqrt{7}}{10}$

(1) $\sqrt{50}=\sqrt{2\times5^2}=\sqrt{2}\times\sqrt{5^2}=5\sqrt{2}$

(2) $\sqrt{\dfrac{5}{9}}=\sqrt{\dfrac{5}{3^2}}=\dfrac{\sqrt{5}}{\sqrt{3^2}}=\dfrac{\sqrt{5}}{3}$

(3) $-\sqrt{252}=-\sqrt{2^2\times3^2\times7}=-\sqrt{6^2\times7}=-\sqrt{6^2}\times\sqrt{7}$
　　　$=-6\sqrt{7}$

(4) $-\sqrt{0.07}=-\sqrt{\dfrac{7}{100}}=-\sqrt{\dfrac{7}{2^2\times5^2}}=-\sqrt{\dfrac{7}{10^2}}$
　　　$=-\dfrac{\sqrt{7}}{\sqrt{10^2}}=-\dfrac{\sqrt{7}}{10}$

033-3 📘 (1) $\sqrt{98}$ (2) $\sqrt{\dfrac{9}{5}}$ (3) $-\sqrt{96}$ (4) $-\sqrt{\dfrac{28}{9}}$

(1) $7\sqrt{2}=\sqrt{7^2\times2}=\sqrt{49\times2}=\sqrt{98}$

(2) $3\sqrt{\dfrac{1}{5}}=\sqrt{3^2\times\dfrac{1}{5}}=\sqrt{9\times\dfrac{1}{5}}=\sqrt{\dfrac{9}{5}}$

(3) $-4\sqrt{6}=-\sqrt{4^2\times6}=-\sqrt{16\times6}=-\sqrt{96}$

(4) $-\dfrac{2\sqrt{7}}{3}=-\dfrac{\sqrt{2^2\times7}}{\sqrt{3^2}}=-\sqrt{\dfrac{4\times7}{9}}=-\sqrt{\dfrac{28}{9}}$

034-1 📘 풀이 참조

(1) $\dfrac{2}{\sqrt{3}}=\dfrac{2\times\boxed{\sqrt{3}}}{\sqrt{3}\times\boxed{\sqrt{3}}}=\dfrac{\boxed{2\sqrt{3}}}{(\sqrt{3})^2}=\dfrac{\boxed{2\sqrt{3}}}{3}$

(2) $\dfrac{\sqrt{5}}{\sqrt{7}}=\dfrac{\sqrt{5}\times\boxed{\sqrt{7}}}{\sqrt{7}\times\boxed{\sqrt{7}}}=\dfrac{\boxed{\sqrt{35}}}{(\sqrt{7})^2}=\dfrac{\boxed{\sqrt{35}}}{7}$

(3) $\dfrac{4}{3\sqrt{2}}=\dfrac{4\times\boxed{\sqrt{2}}}{3\sqrt{2}\times\boxed{\sqrt{2}}}=\dfrac{\boxed{4\sqrt{2}}}{3\times(\sqrt{2})^2}=\dfrac{\boxed{4\sqrt{2}}}{3\times\boxed{2}}$
　　$=\dfrac{\boxed{2\sqrt{2}}}{\boxed{3}}$

034-2 📘 (1) $\dfrac{\sqrt{5}}{5}$ (2) $\dfrac{3\sqrt{7}}{7}$ (3) $-\dfrac{5\sqrt{3}}{3}$ (4) $\dfrac{\sqrt{15}}{5}$

　　　　(5) $\dfrac{\sqrt{34}}{17}$ (6) $\dfrac{\sqrt{70}}{10}$ (7) $\dfrac{\sqrt{6}}{8}$ (8) $\dfrac{\sqrt{2}}{6}$ (9) $\dfrac{\sqrt{2}}{7}$

(1) $\dfrac{1}{\sqrt{5}}=\dfrac{\sqrt{5}}{\sqrt{5}\times\sqrt{5}}=\dfrac{\sqrt{5}}{(\sqrt{5})^2}=\dfrac{\sqrt{5}}{5}$

(2) $\dfrac{3}{\sqrt{7}}=\dfrac{3\times\sqrt{7}}{\sqrt{7}\times\sqrt{7}}=\dfrac{3\sqrt{7}}{(\sqrt{7})^2}=\dfrac{3\sqrt{7}}{7}$

(3) $-\dfrac{5}{\sqrt{3}}=-\dfrac{5\times\sqrt{3}}{\sqrt{3}\times\sqrt{3}}=-\dfrac{5\sqrt{3}}{(\sqrt{3})^2}=-\dfrac{5\sqrt{3}}{3}$

(4) $\dfrac{\sqrt{3}}{\sqrt{5}}=\dfrac{\sqrt{3}\times\sqrt{5}}{\sqrt{5}\times\sqrt{5}}=\dfrac{\sqrt{3\times5}}{(\sqrt{5})^2}=\dfrac{\sqrt{15}}{5}$

(5) $\dfrac{\sqrt{2}}{\sqrt{17}}=\dfrac{\sqrt{2}\times\sqrt{17}}{\sqrt{17}\times\sqrt{17}}=\dfrac{\sqrt{2\times17}}{(\sqrt{17})^2}=\dfrac{\sqrt{34}}{17}$

(6) $\sqrt{\dfrac{7}{10}}=\dfrac{\sqrt{7}}{\sqrt{10}}=\dfrac{\sqrt{7}\times\sqrt{10}}{\sqrt{10}\times\sqrt{10}}=\dfrac{\sqrt{7\times10}}{(\sqrt{10})^2}=\dfrac{\sqrt{70}}{10}$

(7) $\dfrac{3}{4\sqrt{6}}=\dfrac{3\times\sqrt{6}}{4\sqrt{6}\times\sqrt{6}}=\dfrac{3\sqrt{6}}{4\times(\sqrt{6})^2}=\dfrac{3\sqrt{6}}{4\times6}=\dfrac{\sqrt{6}}{8}$

(8) $\dfrac{\sqrt{3}}{3\sqrt{6}}=\dfrac{\sqrt{3}\times\sqrt{6}}{3\sqrt{6}\times\sqrt{6}}=\dfrac{\sqrt{3\times6}}{3\times(\sqrt{6})^2}=\dfrac{\sqrt{18}}{3\times6}=\dfrac{3\sqrt{2}}{18}$

$\qquad\quad=\dfrac{\sqrt{2}}{6}$

(9) $\dfrac{2}{7\sqrt{2}}=\dfrac{2\times\sqrt{2}}{7\sqrt{2}\times\sqrt{2}}=\dfrac{2\sqrt{2}}{7\times(\sqrt{2})^2}=\dfrac{2\sqrt{2}}{7\times2}=\dfrac{\sqrt{2}}{7}$

035-1 🖪 (1) $9\sqrt{3}$　(2) $12\sqrt{5}$　(3) $-3\sqrt{6}$

$\qquad\qquad$ (4) $6\sqrt{2}$　(5) $\dfrac{7\sqrt{2}}{5}$　(6) $\dfrac{13\sqrt{5}}{6}$

(1) $3\sqrt{3}+6\sqrt{3}=(3+6)\sqrt{3}=9\sqrt{3}$

(2) $8\sqrt{5}+4\sqrt{5}=(8+4)\sqrt{5}=12\sqrt{5}$

(3) $2\sqrt{6}-5\sqrt{6}=(2-5)\sqrt{6}=-3\sqrt{6}$

(4) $7\sqrt{2}-\sqrt{2}=(7-1)\sqrt{2}=6\sqrt{2}$

(5) $\dfrac{3\sqrt{2}}{5}+\dfrac{4\sqrt{2}}{5}=\dfrac{3\sqrt{2}+4\sqrt{2}}{5}=\dfrac{7\sqrt{2}}{5}$

(6) $\dfrac{7\sqrt{5}}{3}-\dfrac{\sqrt{5}}{6}=\dfrac{14\sqrt{5}-\sqrt{5}}{6}=\dfrac{13\sqrt{5}}{6}$

035-2 🖪 (1) $9\sqrt{2}$　(2) $\dfrac{13\sqrt{5}}{6}$　(3) $4\sqrt{5}$　(4) $\dfrac{\sqrt{3}}{3}$

$\qquad\qquad$ (5) $3\sqrt{2}$　(6) $4\sqrt{3}$

(1) $\sqrt{8}+\sqrt{18}+\sqrt{32}=2\sqrt{2}+3\sqrt{2}+4\sqrt{2}$

$\qquad\qquad\qquad\qquad\quad=(2+3+4)\sqrt{2}=9\sqrt{2}$

(2) $3\sqrt{5}+\dfrac{\sqrt{5}}{6}-\sqrt{5}=\dfrac{18\sqrt{5}+\sqrt{5}-6\sqrt{5}}{6}$

$\qquad\qquad\qquad\qquad=\dfrac{(18+1-6)\sqrt{5}}{6}=\dfrac{13\sqrt{5}}{6}$

(3) $\sqrt{125}+\sqrt{5}-\sqrt{20}=\sqrt{5^3}+\sqrt{5}-\sqrt{2^2\times5}$

$\qquad\qquad\qquad\qquad=5\sqrt{5}+\sqrt{5}-2\sqrt{5}$

$\qquad\qquad\qquad\qquad=(5+1-2)\sqrt{5}=4\sqrt{5}$

(4) $\dfrac{\sqrt{3}}{2}-\dfrac{\sqrt{12}}{3}+\dfrac{\sqrt{27}}{6}=\dfrac{\sqrt{3}}{2}-\dfrac{\sqrt{2^2\times3}}{3}+\dfrac{\sqrt{3^3}}{6}$

$\qquad\qquad\qquad\qquad=\dfrac{\sqrt{3}}{2}-\dfrac{2\sqrt{3}}{3}+\dfrac{3\sqrt{3}}{6}$

$\qquad\qquad\qquad\qquad=\dfrac{3\sqrt{3}-4\sqrt{3}+3\sqrt{3}}{6}$

$\qquad\qquad\qquad\qquad=\dfrac{(3-4+3)\sqrt{3}}{6}$

$\qquad\qquad\qquad\qquad=\dfrac{2\sqrt{3}}{6}=\dfrac{\sqrt{3}}{3}$

(5) $\sqrt{32}-\dfrac{\sqrt{6}}{\sqrt{3}}=4\sqrt{2}-\dfrac{\sqrt{18}}{3}=4\sqrt{2}-\dfrac{3\sqrt{2}}{3}$

$\qquad\qquad\quad=4\sqrt{2}-\sqrt{2}=(4-1)\sqrt{2}=3\sqrt{2}$

(6) $\sqrt{75}-\sqrt{27}+\dfrac{6}{\sqrt{3}}=5\sqrt{3}-3\sqrt{3}+\dfrac{6\sqrt{3}}{3}$

$\qquad\qquad\qquad\qquad=5\sqrt{3}-3\sqrt{3}+2\sqrt{3}$

$\qquad\qquad\qquad\qquad=(5-3+2)\sqrt{3}=4\sqrt{3}$

035-3 🖪 8

$\sqrt{80}+\sqrt{108}-\sqrt{180}+\sqrt{48}=4\sqrt{5}+6\sqrt{3}-6\sqrt{5}+4\sqrt{3}$

$\qquad\qquad\qquad\qquad\qquad\quad=10\sqrt{3}-2\sqrt{5}$

따라서 $a=10$, $b=-2$이므로

$\qquad a+b=10+(-2)=8$

036-1 🖪 (1) $\sqrt{10}-\sqrt{6}$　(2) $\sqrt{6}+\sqrt{21}$

$\qquad\qquad$ (3) $2\sqrt{3}-\sqrt{10}$　(4) $1+\dfrac{\sqrt{6}}{3}$

$\qquad\qquad$ (5) $\sqrt{5}+\sqrt{3}$　(6) $-\dfrac{1}{2}+\dfrac{\sqrt{10}}{8}$

(1) $\sqrt{2}(\sqrt{5}-\sqrt{3})=\sqrt{2}\sqrt{5}-\sqrt{2}\sqrt{3}=\sqrt{10}-\sqrt{6}$

(2) $(\sqrt{2}+\sqrt{7})\times\sqrt{3}=\sqrt{2}\sqrt{3}+\sqrt{7}\sqrt{3}=\sqrt{6}+\sqrt{21}$

(3) $(\sqrt{6}-\sqrt{5})\sqrt{2}=\sqrt{6}\sqrt{2}-\sqrt{5}\sqrt{2}$

$\qquad\qquad\qquad\quad=\sqrt{12}-\sqrt{10}$

$\qquad\qquad\qquad\quad=2\sqrt{3}-\sqrt{10}$

(4) $(\sqrt{3}+\sqrt{2})\div\sqrt{3}=\dfrac{\sqrt{3}}{\sqrt{3}}+\dfrac{\sqrt{2}}{\sqrt{3}}=1+\dfrac{\sqrt{2}\times\sqrt{3}}{\sqrt{3}\times\sqrt{3}}$

$\qquad\qquad\qquad\qquad=1+\dfrac{\sqrt{6}}{3}$

(5) $(\sqrt{10}+\sqrt{6})\div\sqrt{2}=\dfrac{\sqrt{10}}{\sqrt{2}}+\dfrac{\sqrt{6}}{\sqrt{2}}$

$\qquad\qquad\qquad\qquad=\dfrac{\sqrt{10}\times\sqrt{2}}{\sqrt{2}\times\sqrt{2}}+\dfrac{\sqrt{6}\times\sqrt{2}}{\sqrt{2}\times\sqrt{2}}$

$\qquad\qquad\qquad\qquad=\dfrac{\sqrt{20}}{2}+\dfrac{\sqrt{12}}{2}=\dfrac{2\sqrt{5}}{2}+\dfrac{2\sqrt{3}}{2}$

$\qquad\qquad\qquad\qquad=\sqrt{5}+\sqrt{3}$

(6) $(2\sqrt{2}-\sqrt{5})\div(-4\sqrt{2})=-\dfrac{2\sqrt{2}}{4\sqrt{2}}+\dfrac{\sqrt{5}}{4\sqrt{2}}$

$\qquad\qquad\qquad\qquad\qquad=-\dfrac{1}{2}+\dfrac{\sqrt{5}\times\sqrt{2}}{4\sqrt{2}\times\sqrt{2}}$

$\qquad\qquad\qquad\qquad\qquad=-\dfrac{1}{2}+\dfrac{\sqrt{10}}{8}$

036-2 🖪 (1) $\dfrac{4+3\sqrt{6}}{6}$　(2) $2\sqrt{3}-2$

$\qquad\qquad$ (3) $3\sqrt{2}+2\sqrt{6}+9$　(4) $\dfrac{2+4\sqrt{6}}{3}$

$\qquad\qquad$ (5) $4\sqrt{3}-3$　(6) $3-\sqrt{10}$

(1) $\dfrac{2\sqrt{2}+3\sqrt{3}}{3\sqrt{2}}=\dfrac{(2\sqrt{2}+3\sqrt{3})\times\sqrt{2}}{3\sqrt{2}\times\sqrt{2}}$

$\quad=\dfrac{2(\sqrt{2})^2+3\sqrt{3}\sqrt{2}}{3(\sqrt{2})^2}=\dfrac{4+3\sqrt{6}}{6}$

(2) $\dfrac{6-\sqrt{12}}{\sqrt{3}}=\dfrac{(6-\sqrt{12})\times\sqrt{3}}{\sqrt{3}\times\sqrt{3}}=\dfrac{6\times\sqrt{3}-\sqrt{12}\times\sqrt{3}}{(\sqrt{3})^2}$

$\quad=\dfrac{6\sqrt{3}-6}{3}=2\sqrt{3}-2$

(3) $\sqrt{2}(3+\sqrt{12})+\dfrac{\sqrt{32}+\sqrt{50}}{\sqrt{2}}$

$\quad=(3\sqrt{2}+\sqrt{24})+\dfrac{4\sqrt{2}+5\sqrt{2}}{\sqrt{2}}$

$\quad=3\sqrt{2}+2\sqrt{6}+9$

(4) $\dfrac{\sqrt{2}}{3}(\sqrt{2}-\sqrt{3})+\dfrac{\sqrt{50}}{\sqrt{3}}=\dfrac{2}{3}-\dfrac{\sqrt{6}}{3}+\dfrac{\sqrt{150}}{3}$

$\quad=\dfrac{2-\sqrt{6}+5\sqrt{6}}{3}$

$\quad=\dfrac{2+4\sqrt{6}}{3}$

(5) $\sqrt{48}-\dfrac{2}{\sqrt{5}}+\sqrt{5}\left(\dfrac{2}{5}-\dfrac{3}{\sqrt{5}}\right)$

$\quad=4\sqrt{3}-\dfrac{2\times\sqrt{5}}{\sqrt{5}\times\sqrt{5}}+\dfrac{2\sqrt{5}}{5}-3$

$\quad=4\sqrt{3}-\dfrac{2\sqrt{5}}{5}+\dfrac{2\sqrt{5}}{5}-3=4\sqrt{3}-3$

(6) $\sqrt{2}\left(\sqrt{5}-\dfrac{\sqrt{2}}{2}\right)-\sqrt{5}\left(2\sqrt{2}-\dfrac{4}{\sqrt{5}}\right)$

$\quad=\sqrt{10}-1-2\sqrt{10}+4=3-\sqrt{10}$

037-1 답 (1) 1.769 (2) 1.789 (3) 1.808

037-2 답 (1) 17.32 (2) 54.77 (3) 0.5477 (4) 6.928

(1) $\sqrt{300}=\sqrt{3}\times\sqrt{100}=\sqrt{3}\times10$

$\quad=1.732\times10=17.32$

(2) $\sqrt{3000}=\sqrt{30}\times\sqrt{100}=\sqrt{30}\times10$

$\quad=5.477\times10=54.77$

(3) $\sqrt{0.3}=\sqrt{\dfrac{30}{100}}=\dfrac{\sqrt{30}}{10}$

$\quad=5.477\times\dfrac{1}{10}=0.5477$

(4) $\sqrt{48}=\sqrt{16}\times\sqrt{3}=4\sqrt{3}$

$\quad=4\times1.732=6.928$

037-3 답 (1) 정수 부분 : 5, 소수 부분 : $\sqrt{29}-5$

(2) 정수 부분 : 1, 소수 부분 : $2-\sqrt{2}$

(3) 정수 부분 : 1, 소수 부분 : $\sqrt{6}-2$

(1) $\sqrt{25}<\sqrt{29}<\sqrt{36}$에서 $5<\sqrt{29}<6$이므로 $\sqrt{29}$의 정수 부분은 5, 소수 부분은 $\sqrt{29}-5$이다.

(2) $1<\sqrt{2}<\sqrt{4}$에서 $1<\sqrt{2}<2$이므로

$\quad 1<3-\sqrt{2}<2$

따라서 $3-\sqrt{2}$의 정수 부분은 1, 소수 부분은 $(3-\sqrt{2})-1=2-\sqrt{2}$이다.

(3) $\sqrt{4}<\sqrt{6}<\sqrt{9}$에서 $2<\sqrt{6}<3$이므로

$\quad 1<\sqrt{6}-1<2$

따라서 $\sqrt{6}-1$의 정수 부분은 1, 소수 부분은 $(\sqrt{6}-1)-1=\sqrt{6}-2$이다.

038-1 답 (1) $2\sqrt{41}$ (2) $4\sqrt{2}$

(1) (대각선의 길이)$=\sqrt{8^2+10^2}=\sqrt{164}=2\sqrt{41}$

(2) (대각선의 길이)$=\sqrt{2}\times4=4\sqrt{2}$

038-2 답 (1) $3\sqrt{3}$ cm (2) $9\sqrt{3}$ cm^2

(1) (높이)$=\dfrac{\sqrt{3}}{2}\times6=3\sqrt{3}$ (cm)

(2) (넓이)$=\dfrac{\sqrt{3}}{4}\times6^2=9\sqrt{3}$ (cm^2)

탄탄한 중단원 문제　　　52쪽~53쪽

01 ③	02 ②	03 ③	04 ④	05 $3-\sqrt{5}$
06 ④	07 $5ab$	08 ③	09 ②	10 ④

01 ① $\sqrt{81}=9$이므로 $\sqrt{81}$의 제곱근은 ±3이다.

② 0의 제곱근은 0이다.

③ $\sqrt{(-4)^2}=\sqrt{16}=4$이므로 $\sqrt{(-4)^2}$의 음의 제곱근은 $-\sqrt{4}=-2$이다.

④ -121은 음수이므로 제곱근은 없다.

⑤ $-\sqrt{5}$는 5의 음의 제곱근이다.

02 $(\sqrt{5})^2+(-\sqrt{2})^2-\sqrt{\left(\dfrac{2}{5}\right)^2}+\sqrt{(-0.2)^2}$

$\quad=5+2-\dfrac{2}{5}+\dfrac{1}{5}=7-\dfrac{1}{5}=\dfrac{34}{5}$

03 $a<0$이므로

$\sqrt{(-3a)^2}-\sqrt{a^2}=(-3a)-(-a)=-2a$

04 ② $\dfrac{1}{7}=\sqrt{\left(\dfrac{1}{7}\right)^2}=\sqrt{\dfrac{1}{49}}$ 이고 $\dfrac{1}{49}>\dfrac{1}{50}$ 이므로

$\dfrac{1}{7}>\sqrt{\dfrac{1}{50}}$

③ $2=\sqrt{2^2}=\sqrt{4}$ 이고 $3<4$ 이므로

$\sqrt{3}<2$

④ $3=\sqrt{3^2}=\sqrt{9}$ 이고 $9<10$ 이므로

$-3>-\sqrt{10}$

05 $\square ABCD=3\times3-4\times\left(\dfrac{1}{2}\times2\times1\right)=5$ 이므로

정사각형 ABCD의 한 변의 길이는 $\sqrt{5}$ 이다.

$\therefore \overline{PB}=\overline{AB}=\sqrt{5},\ \overline{BQ}=\overline{BC}=\sqrt{5}$

점 Q에 대응하는 수가 $3+\sqrt{5}$ 이므로 점 B에 대응하는 수는 3이다. 따라서 점 P에 대응하는 수는 $3-\sqrt{5}$ 이다.

06 $3<\sqrt{11}<4$ 이므로 $1<\sqrt{11}-2<2$ 이다.

따라서 $\sqrt{11}-2$ 에 대응하는 점은 D이다.

07 $\sqrt{150}=\sqrt{2\times3\times5^2}=5\sqrt{2}\sqrt{3}=5ab$

08 $\sqrt{2}\left(\sqrt{18}-4\right)+\dfrac{8(2-\sqrt{2})}{\sqrt{8}}$

$=\sqrt{36}-4\sqrt{2}+\dfrac{8(2-\sqrt{2})}{2\sqrt{2}}$

$=6-4\sqrt{2}+\dfrac{4(2-\sqrt{2})}{\sqrt{2}}$

$=6-4\sqrt{2}+\dfrac{4\sqrt{2}(2-\sqrt{2})}{\sqrt{2}\times\sqrt{2}}$

$=6-4\sqrt{2}+2\sqrt{2}(2-\sqrt{2})$

$=6-4\sqrt{2}+4\sqrt{2}-4=2$

09 $\sqrt{0.24}=\sqrt{\dfrac{24}{100}}=\dfrac{\sqrt{24}}{10}=\dfrac{2\sqrt{6}}{10}=\dfrac{\sqrt{6}}{5}=\dfrac{2.449}{5}$

$=0.4898$

10 정삼각형의 한 변의 길이를 a cm라 하면

$\dfrac{\sqrt{3}}{2}a=6$

$\therefore a=6\times\dfrac{2}{\sqrt{3}}=4\sqrt{3}\ (cm)$

따라서 정삼각형 ABC의 둘레의 길이는

$3\times4\sqrt{3}=12\sqrt{3}\ (cm)$

Ⅱ 문자와 식

01 문자와 식

56쪽~61쪽

039-1 답 (1) $(a+10)$살 (2) $(x\times3)$ g

(3) $(80\times x)$ km (4) $(5000-x\times4)$원

(1) (10년 후의 나이)=(현재의 나이)+10=$a+10$(살)

(3) (거리)=(속력)×(시간)=$80\times x$(km)

(4) (거스름돈)=(지불한 금액)-(물건 값)

$=5000-x\times4$(원)

039-2 답 (1) $-0.1ab$ (2) $5xy^2$ (3) $\dfrac{x}{yz}$

(4) $\dfrac{(a+b)c}{3}$

(3) $x\div y\div z=x\times\dfrac{1}{y}\times\dfrac{1}{z}=\dfrac{x}{yz}$

(4) $(a+b)\times c\div3=(a+b)\times c\times\dfrac{1}{3}=\dfrac{(a+b)c}{3}$

040-1 답 (1) 0 (2) 6 (3) -64 (4) 4

(1) $3(a+4)=3\times(-4+4)=3\times0=0$

(2) $\dfrac{12}{a+6}=\dfrac{12}{-4+6}=\dfrac{12}{2}=6$

(3) $a^3=(-4)^3=-64$

(4) $-a^2-5a=-(-4)^2-5\times(-4)=-16+20=4$

040-2 답 (1) 9 (2) -12 (3) -5 (4) 4 (5) 10 (6) 11

(1) $-2a+3b=(-2)\times(-3)+3\times1=6+3=9$

(2) $3(a-b)=3\times(-3-1)=3\times(-4)=-12$

(3) $\dfrac{1}{3}a-4b=\dfrac{1}{3}\times(-3)-4\times1=-1-4=-5$

(4) $1-ab=1-(-3)\times1=1+3=4$

(5) $(-a)^2+b=\{-(-3)\}^2+1=9+1=10$

(6) $a^2+2b^2=(-3)^2+2\times1^2=9+2=11$

040-3 답 9

$-\dfrac{3}{a}+\dfrac{1}{b}=(-3)\div a+1\div b=(-3)\div\left(-\dfrac{1}{2}\right)+1\div\dfrac{1}{3}$

$=(-3)\times(-2)+1\times3=9$

041-1 답 ㄱ, ㄴ, ㄷ

ㄱ. 항은 $\dfrac{x^2}{5}$, $2x$, -4의 3개이다.

ㄴ. $\dfrac{x^2}{5}=\dfrac{1}{5}x^2$이므로 이차항의 계수는 $\dfrac{1}{5}$이다.

ㄹ. 상수항은 -4이다.

041-2 답 ㄴ, ㄹ

ㄱ. 0차   ㄷ. 다항식이 아니다.

042-1 답 (1) $28a$ (2) $-16a$ (3) $-7y$ (4) $-\dfrac{7}{6}b$

(1) $\dfrac{7}{4}a\times16=\dfrac{7}{4}\times16\times a=28a$

(2) $\left(-\dfrac{4}{5}a\right)\times20=\left(-\dfrac{4}{5}\right)\times20\times a=-16a$

(3) $(-14y)\div2=(-14y)\times\dfrac{1}{2}=(-14)\times\dfrac{1}{2}\times y=-7y$

(4) $\dfrac{2}{3}b\div\left(-\dfrac{4}{7}\right)=\dfrac{2}{3}b\times\left(-\dfrac{7}{4}\right)=\dfrac{2}{3}\times\left(-\dfrac{7}{4}\right)\times b$

$\qquad\qquad =-\dfrac{7}{6}b$

042-2 답 (1) $-\dfrac{x}{3}+12$ (2) $3x-\dfrac{9}{4}$ (3) $-\dfrac{1}{2}x+9$

$\qquad\quad$ (4) $-5a+10$ (5) $-2a+6$ (6) $2a-18$

(1) $(-4)\times\left(\dfrac{x}{12}-3\right)=(-4)\times\dfrac{x}{12}-(-4)\times3$

$\qquad\qquad\qquad =-\dfrac{x}{3}+12$

(2) $(4x-3)\times\dfrac{3}{4}=4x\times\dfrac{3}{4}-3\times\dfrac{3}{4}=3x-\dfrac{9}{4}$

(3) $(x-18)\times\left(-\dfrac{1}{2}\right)=x\times\left(-\dfrac{1}{2}\right)-18\times\left(-\dfrac{1}{2}\right)$

$\qquad\qquad\qquad =-\dfrac{1}{2}x+9$

(4) $(-2a+4)\div\dfrac{2}{5}=(-2a+4)\times\dfrac{5}{2}$

$\qquad\qquad =-2a\times\dfrac{5}{2}+4\times\dfrac{5}{2}=-5a+10$

(5) $(3a-9)\div\left(-\dfrac{3}{2}\right)=(3a-9)\times\left(-\dfrac{2}{3}\right)$

$\qquad\qquad =3a\times\left(-\dfrac{2}{3}\right)-9\times\left(-\dfrac{2}{3}\right)$

$\qquad\qquad =-2a+6$

(6) $\left(\dfrac{a}{6}-\dfrac{3}{2}\right)\div\dfrac{1}{12}=\left(\dfrac{a}{6}-\dfrac{3}{2}\right)\times12$

$\qquad\qquad =\dfrac{a}{6}\times12-\dfrac{3}{2}\times12=2a-18$

043-1 답 ㄱ—ㄷ, ㄴ—ㅂ, ㄹ—ㅁ

043-2 답 (1) a (2) $-2x+6$ (3) $\dfrac{4}{3}x+6$

$\qquad\quad$ (4) $-2a+3$

(1) $5a+3a-7a=(5+3-7)a=a$

(2) $x-2-3x+8=x-3x-2+8=-2x+6$

(3) $-\dfrac{5}{3}x-2+3x+8=-\dfrac{5}{3}x+3x-2+8=\dfrac{4}{3}x+6$

(4) $a+\dfrac{7}{2}-3a-\dfrac{1}{2}=a-3a+\dfrac{7}{2}-\dfrac{1}{2}=-2a+3$

043-3 답 (1) $-5x+3$ (2) $10b-17$

$\qquad\quad$ (3) $\dfrac{3}{2}x+1$ (4) $-10x-2$

(1) $(2x+6)-(7x+3)=2x+6-7x-3=-5x+3$

(2) $-2(b+7)-3(-4b+1)=-2b-14+12b-3$

$\qquad\qquad\qquad =10b-17$

(3) $\dfrac{1}{2}(2x+5)+\dfrac{1}{4}(2x-6)=x+\dfrac{5}{2}+\dfrac{x}{2}-\dfrac{3}{2}$

$\qquad\qquad\qquad\qquad =\dfrac{3}{2}x+1$

(4) $6\left(-2x+\dfrac{1}{3}\right)+4\left(\dfrac{x}{2}-1\right)=-12x+2+2x-4$

$\qquad\qquad\qquad\qquad =-10x-2$

044-1 답 (1) $\dfrac{5x-5}{6}$ (2) $\dfrac{11}{4}x$ (3) $\dfrac{3x-1}{2}$

$\qquad\quad$ (4) $\dfrac{-11x+29}{12}$ (5) $\dfrac{-x+5}{6}$ (6) $\dfrac{10x-37}{10}$

(1) $\dfrac{x}{2}+\dfrac{2x-5}{6}=\dfrac{3x+2x-5}{6}=\dfrac{5x-5}{6}$

(2) $\dfrac{5x+2}{4}-\dfrac{1-3x}{2}=\dfrac{5x+2-2(1-3x)}{4}$

$\qquad\qquad\qquad =\dfrac{5x+2-2+6x}{4}=\dfrac{11}{4}x$

(3) $\dfrac{4x-1}{3}+\dfrac{x-1}{6}=\dfrac{2(4x-1)+x-1}{6}$

$\qquad\qquad\qquad =\dfrac{8x-2+x-1}{6}=\dfrac{3x-1}{2}$

(4) $\dfrac{3-x}{4}+\dfrac{5-2x}{3}=\dfrac{3(3-x)+4(5-2x)}{12}$

$\qquad\qquad\qquad=\dfrac{9-3x+20-8x}{12}$

$\qquad\qquad\qquad=\dfrac{-11x+29}{12}$

(5) $\dfrac{4-5x}{3}-\dfrac{1-3x}{2}=\dfrac{2(4-5x)-3(1-3x)}{6}$

$\qquad\qquad\qquad=\dfrac{8-10x-3+9x}{6}=\dfrac{-x+5}{6}$

(6) $\dfrac{6x-3}{2}-\dfrac{10x+11}{5}=\dfrac{5(6x-3)-2(10x+11)}{10}$

$\qquad\qquad\qquad=\dfrac{30x-15-20x-22}{10}$

$\qquad\qquad\qquad=\dfrac{10x-37}{10}$

044-2 답 (1) $-b-4$　(2) $-9a+4$　(3) $-3x+11$

$\qquad\qquad$ (4) $-3x-8$

(1) $3b-\{5b-(b-4)\}=3b-(5b-b+4)$

$\qquad\qquad\qquad=3b-(4b+4)$

$\qquad\qquad\qquad=3b-4b-4=-b-4$

(2) $2a+\{a-4(3a-1)\}=2a+(a-12a+4)$

$\qquad\qquad\qquad=2a+(-11a+4)$

$\qquad\qquad\qquad=-9a+4$

(3) $-5x-1-2\{x-2(x+3)\}$

$\quad=-5x-1-2(x-2x-6)$

$\quad=-5x-1-2(-x-6)$

$\quad=-5x-1+2x+12=-3x+11$

(4) $4x-5-[x+2-\{-4x-(2x+1)\}]$

$\quad=4x-5-\{x+2-(-4x-2x-1)\}$

$\quad=4x-5-(x+2+6x+1)$

$\quad=4x-5-(7x+3)$

$\quad=4x-5-7x-3$

$\quad=-3x-8$

탄탄한 중단원 문제

62쪽~63쪽

01 ③　　02 ③　　03 ④　　04 $\dfrac{(a+c)b}{2}$, 25

05 ⑤　　06 ③　　07 ⑤　　08 ②　　09 ②

10 ③

---

01 ① (정삼각형의 둘레의 길이)$=3\times$(한 변의 길이)

$\qquad\qquad\qquad\qquad=3\times x=3x\,(\mathrm{cm})$

② (5등분한 것 중 3조각의 길이의 합)

$\quad=3\times$(5등분한 것 중 1조각의 길이)

$\quad=3\times\dfrac{a}{5}=\dfrac{3}{5}a\,(\mathrm{m})$

③ (시간)$=\dfrac{(거리)}{(속력)}=\dfrac{2}{x}$ (시간)

④ (소금의 양)$=\dfrac{(농도)}{100}\times$(소금물의 양)

$\qquad\qquad=\dfrac{7}{100}\times x=\dfrac{7}{100}x\,(\mathrm{g})$

⑤ (판매 가격)$=$(정가)$-$(할인 금액)

$\qquad\quad=10000-10000\times\dfrac{a}{100}$

$\qquad\quad=10000-100a\,(원)$

02 ① $a\div b\div c=a\times\dfrac{1}{b}\times\dfrac{1}{c}=\dfrac{a}{bc}$

② $a\div(b\times c)=a\times\dfrac{1}{b\times c}=\dfrac{a}{bc}$

③ $a\div(b\div c)=a\div\left(b\times\dfrac{1}{c}\right)=a\div\dfrac{b}{c}$

$\qquad\qquad=a\times\dfrac{c}{b}=\dfrac{ac}{b}$

④ $a\times\dfrac{1}{b}\times\dfrac{1}{c}=\dfrac{a}{bc}$

⑤ $a\times\dfrac{1}{b}\div c=a\times\dfrac{1}{b}\times\dfrac{1}{c}=\dfrac{a}{bc}$

03 $\dfrac{3}{x}-y^2=3\div x-y^2=3\div\left(\dfrac{1}{4}\right)-(-3)^2$

$\qquad\quad=3\times4-9=12-9=3$

04 (사다리꼴의 넓이)

$=\dfrac{\{(윗변의\ 길이)+(아랫변의\ 길이)\}}{2}\times(높이)$

$=\dfrac{a+c}{2}\times b=\dfrac{(a+c)b}{2}$

$a=3$, $b=5$, $c=7$을 대입하면

$\dfrac{(a+c)b}{2}=\dfrac{(3+7)\times5}{2}=25$

05 ⑤ 다항식의 차수는 2이다.

06 ① $-2(x-3)=-2x+6$

② $\dfrac{1}{2}(12-4x)=6-2x$

③ $-\dfrac{1}{3}(6x+6)=-2x-2$

④ $\left(-\dfrac{1}{2}x+\dfrac{3}{2}\right)\times 4=-2x+6$

⑤ $(3-x)\div\dfrac{1}{2}=(3-x)\times 2=6-2x$

07 ① $(4x-9)\div 3=(4x-9)\times\dfrac{1}{3}=\dfrac{4}{3}x-3$

② $\left(\dfrac{x}{6}-\dfrac{3}{2}\right)\div\dfrac{1}{12}=\left(\dfrac{x}{6}-\dfrac{3}{2}\right)\times 12=2x-18$

③ $\dfrac{1}{3}(9x+6)-x=3x+2-x=2x+2$

④ $-(3x-4)-(-2x+3)=-3x+4+2x-3$
$$=-x+1$$

⑤ $6(x-1)-2(5x-3)=6x-6-10x+6=-4x$

따라서 일차항의 계수가 가장 작은 것은 ⑤이다.

08 $\dfrac{x+3}{3}-\dfrac{x-4}{2}=\dfrac{2(x+3)-3(x-4)}{6}$

$$=\dfrac{2x+6-3x+12}{6}$$

$$=\dfrac{-x+18}{6}$$

$$=-\dfrac{1}{6}x+3$$

따라서 x의 계수는 $-\dfrac{1}{6}$, 상수항은 3이므로 그 곱은

$$\left(-\dfrac{1}{6}\right)\times 3=-\dfrac{1}{2}$$

09 $3A-6B=3(2x-3)-6\left(\dfrac{1}{2}x-4\right)$

$$=6x-9-3x+24=3x+15$$

10 ㈎에서 $A-(2x+1)=5x-4$이므로

$A=(5x-4)+(2x+1)$

$$=5x-4+2x+1=7x-3$$

㈏에서 $B+(x-5)=A$, $B+(x-5)=7x-3$이므로

$B=(7x-3)-(x-5)$

$$=7x-3-x+5=6x+2$$

$\therefore A+B=(7x-3)+(6x+2)$

$$=7x-3+6x+2=13x-1$$

---

02 일차방정식

64쪽~69쪽

045-1 🈲 (1) $2(x-3)=16$　(2) $50-4x=2$

　　　　(3) $300x+2500=4000$

045-2 🈲 (1) $x=-1$　(2) $x=1$

(1)

x	-2	-1	0	1
좌변의 값	-5	-2	1	4
우변의 값	-2	-2	-2	-2
참 / 거짓	거짓	참	거짓	거짓

따라서 방정식 $3x+1=-2$의 해는 $x=-1$이다.

(2)

x	-2	-1	0	1
좌변의 값	-6	-5	-4	-3
우변의 값	-12	-9	-6	-3
참 / 거짓	거짓	거짓	거짓	참

따라서 방정식 $x-4=3x-6$의 해는 $x=1$이다.

045-3 🈲 ㄱ, ㄹ

ㄱ. (좌변)$=3(2x-1)=6x-3$, (좌변)$=$(우변)이므로 x의 값에 관계없이 항상 참이 되는 등식이다.

ㄴ. $x=0$일 때만 참이 되는 등식이다.

ㄷ. $x=0$일 때만 참이 되는 등식이다.

ㄹ. (좌변)$=x-6x=-5x$, (좌변)$=$(우변)이므로 x의 값에 관계없이 항상 참이 되는 등식이다.

따라서 항상 참이 되는 등식은 ㄱ, ㄹ이다.

046-1 🈲 (1) $3b$　(2) $4-2b$

(1) $\dfrac{a}{3}=\dfrac{b}{5}$의 양변에 15를 곱하면

$$\dfrac{a}{3}\times 15=\dfrac{b}{5}\times 15\qquad\therefore 5a=3b$$

046-2 🈲 풀이 참조

$$\dfrac{1}{3}x+10=-5$$

$$\dfrac{1}{3}x+10-\boxed{10}=-5-\boxed{10}\qquad ㉠$$

$$\dfrac{1}{3}x=\boxed{-15}$$

$$\dfrac{1}{3}x\times\boxed{3}=\left(\boxed{-15}\right)\times\boxed{3}\qquad ㉡$$

$$\therefore x=\boxed{-45}$$

문자와 식

Ⅱ. 문자와 식

29

㉠ 등식의 양변에서 같은 수를 빼어도 등식은 성립한다.

㉡ 등식의 양변에 같은 수를 곱하여도 등식은 성립한다.

046-3 🔴 (1) $x=-3$ (2) $x=-6$ (3) $x=4$ (4) $x=20$

(1) $x-5=-8$의 양변에 5를 더하면

$$x-5+5=-8+5 \qquad \therefore x=-3$$

(2) $-\dfrac{x}{3}=2$의 양변에 -3을 곱하면

$$\left(-\dfrac{x}{3}\right)\times(-3)=2\times(-3) \qquad \therefore x=-6$$

(3) $5x+3=23$의 양변에서 3을 빼면

$$5x+3-3=23-3,\ 5x=20$$

양변을 5로 나누면

$$\dfrac{5x}{5}=\dfrac{20}{5} \qquad \therefore x=4$$

(4) $\dfrac{x}{4}-2=3$의 양변에 2를 더하면

$$\dfrac{x}{4}-2+2=3+2,\ \dfrac{x}{4}=5$$

양변에 4를 곱하면

$$\dfrac{x}{4}\times4=5\times4 \qquad \therefore x=20$$

047-1 🔴 ㄴ, ㄹ, ㅁ

ㄱ. $2x-3$ (일차식) ㄴ. $x-1=0$ (일차방정식)

ㄷ. $5=0$ (거짓인 등식) ㄹ. $4x-6=0$ (일차방정식)

ㅁ. $\dfrac{7}{6}x-1=0$ (일차방정식)

ㅂ. $5x^2-2x=0$ (이차방정식)

047-2 🔴 (1) $x=-3$ (2) $x=8$ (3) $x=-2$

(4) $x=-\dfrac{3}{2}$ (5) $x=-1$ (6) $x=-2$

(1) $3x+14=-4x-7,\ 3x+4x=-7-14$

$$7x=-21 \qquad \therefore x=-3$$

(2) $2x-33=7-3x,\ 2x+3x=7+33$

$$5x=40 \qquad \therefore x=8$$

(3) $12-2x=10-3x,\ -2x+3x=10-12$

$$\therefore x=-2$$

(4) $4x-8=10x+1,\ 4x-10x=1+8$

$$-6x=9 \qquad \therefore x=-\dfrac{3}{2}$$

(5) $3+2(x+1)=-3x,\ 3+2x+2=-3x$

$$5x=-5 \qquad \therefore x=-1$$

(6) $8x-5=3(4x+1),\ 8x-5=12x+3$

$$-4x=8 \qquad \therefore x=-2$$

048-1 🔴 (1) $x=5$ (2) $x=-\dfrac{1}{2}$ (3) $x=\dfrac{1}{2}$

(4) $x=-10$ (5) $x=-\dfrac{11}{6}$ (6) $x=-4$

(1) $2:(x+3)=5:4x$에서

$$8x=5(x+3),\ 8x=5x+15$$
$$3x=15 \qquad \therefore x=5$$

(2) $(x-1):3=(2x-1):4$에서

$$4(x-1)=3(2x-1),\ 4x-4=6x-3$$
$$-2x=1 \qquad \therefore x=-\dfrac{1}{2}$$

(3) $\dfrac{x-3}{5}=\dfrac{2x-3}{4}$의 양변에 20을 곱하면

$$4(x-3)=5(2x-3),\ 4x-12=10x-15$$
$$-6x=-3 \qquad \therefore x=\dfrac{1}{2}$$

(4) $\dfrac{1}{4}x=\dfrac{3}{2}+\dfrac{2}{5}x$의 양변에 20을 곱하면

$$5x=30+8x,\ -3x=30 \qquad \therefore x=-10$$

(5) $-\dfrac{2x+5}{6}=\dfrac{2}{3}x+1$의 양변에 6을 곱하면

$$-(2x+5)=4x+6,\ -2x-5=4x+6$$
$$-6x=11 \qquad \therefore x=-\dfrac{11}{6}$$

(6) $\dfrac{x-3}{4}=\dfrac{1}{4}(3x-1)+\dfrac{3}{2}$의 양변에 4를 곱하면

$$x-3=3x-1+6,\ -2x=8 \qquad \therefore x=-4$$

048-2 🔴 (1) $x=-\dfrac{1}{5}$ (2) $x=6$ (3) $x=3$

(4) $x=-2$

(1) $0.4(2-5x)=1.2$의 양변에 10을 곱하면

$$4(2-5x)=12,\ 8-20x=12$$
$$-20x=4 \qquad \therefore x=-\dfrac{1}{5}$$

(2) $0.02x+0.18=0.1x-0.3$의 양변에 100을 곱하면

$$2x+18=10x-30,\ -8x=-48 \qquad \therefore x=6$$

(3) $3.5x-2=0.5x+7$의 양변에 10을 곱하면

$$35x-20=5x+70,\ 30x=90 \qquad \therefore x=3$$

(4) $1.1+0.5(2x+3)=-0.3x$의 양변에 10을 곱하면

$$11+5(2x+3)=-3x, \quad 11+10x+15=-3x$$
$$13x=-26 \qquad \therefore x=-2$$

049-1 🔋 48

일의 자리의 숫자를 x라 하면 처음 수는 $40+x$이고 바꾼 수는 $10x+4$이므로

$$10x+4=(40+x)+36$$
$$\qquad\quad =76+x$$
$$9x=72 \qquad \therefore x=8$$

따라서 처음 수는 48이다.

049-2 🔋 (1) 11명 (2) 49개

(1) 학생 수를 x명이라 하면 귤의 개수는 $(4x+5)$개 또는 $(5x-6)$개이고 그 개수가 일정하므로

$$4x+5=5x-6, \quad -x=-11$$
$$\therefore x=11$$

(2) 학생 수가 11명이므로 귤의 개수는

$$4\times11+5=49(개)$$

049-3 🔋 6 cm

변형된 직사각형의 가로의 길이는 12 cm이고 세로의 길이는 $(8-x)$ cm이므로

$$12(8-x)=72, \quad 96-12x=72$$
$$-12x=-24 \qquad \therefore x=2$$

따라서 변형된 직사각형의 세로의 길이는

$$8-2=6(cm)$$

050-1 🔋 (1) 풀이 참조 (2) $\dfrac{x}{12}+\dfrac{x}{9}=7$ (3) 36 km

(1)

	갈 때	올 때
거리	x km	$\boxed{x}$ km
속력	시속 $\boxed{12}$ km	시속 9 km
시간	$\boxed{\dfrac{x}{12}}$시간	$\dfrac{x}{9}$시간

(3) $\dfrac{x}{12}+\dfrac{x}{9}=7$의 양변에 36을 곱하면

$$3x+4x=252, \quad 7x=252 \qquad \therefore x=36$$

따라서 두 지점 A, B 사이의 거리는 36 km이다.

050-2 🔋 (1) 풀이 참조

(2) $\dfrac{8}{100}\times300=\dfrac{5}{100}\times(300+x)$

(3) 180 g

(1)

	물을 넣기 전	물을 넣은 후
농도 (%)	8	5
소금물의 양 (g)	300	$300+x$
소금의 양 (g)	$\dfrac{8}{100}\times300$	$\dfrac{5}{100}\times(300+x)$

(3) $\dfrac{8}{100}\times300=\dfrac{5}{100}\times(300+x)$의 양변에 100을 곱하면

$$8\times300=5\times(300+x)$$
$$2400=1500+5x$$
$$-5x=-900 \qquad \therefore x=180$$

따라서 더 넣은 물의 양은 180 g이다.

🟦 **탄탄한 중단원 문제** 70쪽~71쪽

```
01 ③    02 ④    03 ④, ⑤   04 ①    05 ①
06 ④    07 ②    08 ⑤    09  0.5 km
10 (1) 아버지 : 1/10, 우진 : 1/15  (2) 6일
```

01 ① $x=-7$을 $x+3=10$에 대입하면

(좌변)$=-4$, (우변)$=10$이므로 방정식의 해가 아니다.

② $x=-1$을 $x-6=5$에 대입하면

(좌변)$=-7$, (우변)$=5$이므로 방정식의 해가 아니다.

③ $x=4$를 $3x-5=7$에 대입하면

(좌변)$=7=$(우변)이므로 방정식의 해이다.

④ $x=3$을 $2x+1=-5$에 대입하면

(좌변)$=7$, (우변)$=-5$이므로 방정식의 해가 아니다.

⑤ $x=-2$를 $x+5=2x+3$에 대입하면

(좌변)$=3$, (우변)$=-1$이므로 방정식의 해가 아니다.

02 $3(x+2a)=-12+bx$에서

$$3x+6a=-12+bx$$

모든 x에 대하여 항상 참이 되려면 (좌변)$=$(우변)이어야 하므로 x항끼리, 상수항끼리 각각 같아야 한다.

즉, $3=b$, $6a=-12$에서 $a=-2$, $b=3$이다.

$$\therefore a+b=-2+3=1$$

03 ③ $\dfrac{a}{4}=\dfrac{b}{5}$의 양변에 20을 곱하면

$$\dfrac{a}{4}\times 20=\dfrac{b}{5}\times 20 \quad \therefore 5a=4b$$

④ $c=0$일 때, $ac=bc$이지만 $a\neq b$일 수도 있다.

⑤ $a=b$이면 $1-a=1-b$

04 $x+12=3-2x,\ x+2x=3-12$

$$3x=-9 \quad \therefore x=-3$$

$x=-3$을 $3x-a=2$에 대입하면

$$-9-a=2,\ -a=11 \quad \therefore a=-11$$

05 $x=-5$를 방정식 $3(x-a)=2a-x$에 대입하면

$$3(-5-a)=2a+5,\ -15-3a=2a+5$$

$$-5a=20 \quad \therefore a=-4$$

✅ 이렇게도 풀어요!

$3(x-a)=2a-x,\ 3x-3a=2a-x$

$$4x=5a \quad \therefore x=\dfrac{5}{4}a$$

이때 $x=-5$이므로

$$\dfrac{5}{4}a=-5 \quad \therefore a=-4$$

06 ① $3=-2x-5,\ 2x=-8 \quad \therefore x=-4$

② $3(2x+5)+7=14+4x,\ 6x+15+7=14+4x$

$$2x=-8 \quad \therefore x=-4$$

③ $\dfrac{1}{3}x+1=\dfrac{1}{4}x+\dfrac{2}{3}$의 양변에 12를 곱하면

$$4x+12=3x+8 \quad \therefore x=-4$$

④ $\dfrac{2x-1}{3}=\dfrac{x+2}{2}$의 양변에 6을 곱하면

$$2(2x-1)=3(x+2),\ 4x-2=3x+6$$

$$\therefore x=8$$

⑤ $0.7x+0.2=0.4x-1$의 양변에 10을 곱하면

$$7x+2=4x-10,\ 3x=-12$$

$$\therefore x=-4$$

07 x년 후에 아버지의 나이는 $(50+x)$살, 아들의 나이는 $(12+x)$살이므로

$$50+x=3(12+x),\ 50+x=36+3x$$

$$-2x=-14 \quad \therefore x=7$$

따라서 7년 후에 아버지의 나이가 아들의 나이의 3배가 된다.

08 이 물건의 원가를 x원이라 하면

(정가)=(원가)+(이익)

$$=x+\dfrac{30}{100}x=\dfrac{13}{10}x(원)$$

(할인한 가격)=(정가)$-600=\dfrac{13}{10}x-600$(원)

이고, (판매 금액)$-$(원가)=(이익)이므로

$$\left(\dfrac{13}{10}x-600\right)-x=900,\ \dfrac{3}{10}x=1500$$

$$\therefore x=5000$$

따라서 이 물건의 원가는 5000원이다.

09 지훈이가 걸어간 거리를 x km라 하면

	자전거를 탈 때	걸어갈 때
거리	$(13-x)$ km	x km
속력	시속 6 km	시속 3 km
시간	$\dfrac{13-x}{6}$ 시간	$\dfrac{x}{3}$ 시간

걸린 시간이 2시간 15분$=\left(2+\dfrac{15}{60}\right)$시간$=\dfrac{9}{4}$ 시간이므로

$$\dfrac{13-x}{6}+\dfrac{x}{3}=\dfrac{9}{4},\ 2(13-x)+4x=27$$

$$26-2x+4x=27,\ 2x=1 \quad \therefore x=\dfrac{1}{2}$$

따라서 걸어간 거리는 0.5 km이다.

10 (2) 두 사람이 함께 일한 날을 x일이라 하면

$$\dfrac{1}{10}x+\dfrac{1}{15}x=1,\ 3x+2x=30,$$

$$5x=30 \quad \therefore x=6$$

따라서 두 사람이 함께 하면 6일이 걸린다.

03 식의 계산

72쪽~78쪽

051-1 📘 (1) x^{12} (2) y^9 (3) a^8 (4) a^6b^3

(1) $x^5\times x^7=x^{5+7}=x^{12}$

(2) $y^2\times y^3\times y^4=y^{2+3+4}=y^9$

(3) $a^2\times a^5\times a=2^{2+5+1}=a^8$

(4) $a\times b^2\times a^5\times b=a^{1+5}b^{2+1}=a^6b^3$

051-2 답 (1) a^{15} (2) a^8 (3) x^8 (4) a^7b^{10} (5) x^{11}
      (6) $a^{16}b^{13}$

(1) $(a^3)^5=a^{3\times5}=a^{15}$ (2) $(a^2)^4=a^{2\times4}=a^8$

(3) $x^2\times(x^3)^2=x^2\times x^{2\times3}=x^2\times x^6=x^{2+6}=x^8$

(4) $(a^2)^2\times(b^5)^2\times a^3=a^{2\times2}\times b^{5\times2}\times a^3=a^4\times b^{10}\times a^3$
$$=a^{4+3}\times b^{10}=a^7b^{10}$$

(5) $(x^2)^2\times x\times(x^3)^2=x^{2\times2}\times x\times x^{3\times2}=x^4\times x\times x^6$
$$=x^{4+1+6}=x^{11}$$

(6) $(a^5)^3\times a\times b\times(b^3)^4=a^{5\times3}\times a\times b\times b^{3\times4}$
$$=a^{15}\times a\times b\times b^{12}$$
$$=a^{15+1}b^{1+12}=a^{16}b^{13}$$

051-3 답 (1) 2 (2) 5

(1) $(2^3)^\square=2^{3\times\square}=2^6$이므로
$$3\times\square=6 \quad \therefore \square=2$$

(2) $(a^\square)^4=a^{\square\times4}=a^{20}$이므로
$$\square\times4=20 \quad \therefore \square=5$$

052-1 답 (1) x^7 (2) $\dfrac{1}{a^3}$ (3) x^{11}

(1) $(x^4)^2\div x=x^8\div x=x^{8-1}=x^7$

(2) $(a^3)^6\div(a^7)^3=a^{18}\div a^{21}=\dfrac{1}{a^{21-18}}=\dfrac{1}{a^3}$

(3) $(x^4)^5\div x^3\div(x^3)^2=x^{20}\div x^3\div x^6=x^{20-3-6}=x^{11}$

052-2 답 (1) a^4b^6 (2) $-x^3y^9$ (3) $-32x^{10}y^{15}$
      (4) $\dfrac{y^9}{x^6}$ (5) $\dfrac{b^8}{a^6}$ (6) $\dfrac{27a^{12}}{b^3}$

(1) $(a^2b^3)^2=a^{2\times2}b^{3\times2}=a^4b^6$

(2) $(-xy^3)^3=-x^3y^{3\times3}=-x^3y^9$

(3) $(-2x^2y^3)^5=(-2)^5x^{2\times5}y^{3\times5}=-32x^{10}y^{15}$

(4) $\left(\dfrac{y^3}{x^2}\right)^3=\dfrac{y^{3\times3}}{x^{2\times3}}=\dfrac{y^9}{x^6}$ (5) $\left(-\dfrac{b^4}{a^3}\right)^2=\dfrac{b^{4\times2}}{a^{3\times2}}=\dfrac{b^8}{a^6}$

(6) $\left(\dfrac{3a^4}{b}\right)^3=\dfrac{3^3a^{4\times3}}{b^{1\times3}}=\dfrac{27a^{12}}{b^3}$

052-3 답 1

$3^a\div3^2=3^{a-2}=3^3$이므로
$$a-2=3 \quad \therefore a=5$$

$3^2\div3^b=\dfrac{1}{3^{b-2}}=\dfrac{1}{3^2}$이므로
$$b-2=2 \quad \therefore b=4$$
$$\therefore a-b=5-4=1$$

053-1 답 (1) $-20x^2y^3$ (2) $-6a^3b^3$ (3) $-8a^5b$
      (4) $16a^{14}b^{12}$ (5) $-\dfrac{9}{2}a^7b^3$ (6) $-108x^4y^3$

(3) $a^2b\times(-2a)^3=a^2b\times(-8a^3)=-8a^5b$

(4) $(4a^3b^4)^2\times(a^2b)^4=16a^6b^8\times a^8b^4=16a^{14}b^{12}$

(5) $\left(-\dfrac{1}{2}a^2\right)^3\times4ab\times(3b)^2=\left(-\dfrac{1}{8}a^6\right)\times4ab\times9b^2$
$$=-\dfrac{9}{2}a^7b^3$$

(6) $(-x)^3\times3xy\times(-6y)^2=(-x^3)\times3xy\times36y^2$
$$=-108x^4y^3$$

053-2 답 (1) $-\dfrac{1}{3x^2}$ (2) $-x^4y^3$ (3) $\dfrac{b}{a^2}$
      (4) $18x^5$ (5) $\dfrac{1}{ab}$ (6) $-\dfrac{y}{27}$

(1) $9x^9\div(-27x^{11})=\dfrac{9x^9}{-27x^{11}}=-\dfrac{1}{3x^2}$

(2) $(-3x^3y^2)^2\div(-9x^2y)=\dfrac{9x^6y^4}{-9x^2y}=-x^4y^3$

(3) $\left(-\dfrac{3}{2}ab^2\right)^2\div\dfrac{9}{4}a^4b^3=\dfrac{9}{4}a^2b^4\times\dfrac{4}{9a^4b^3}=\dfrac{b}{a^2}$

(4) $(-3x^2)^3\div\left(-\dfrac{3}{2}x\right)=(-27x^6)\times\left(-\dfrac{2}{3x}\right)=18x^5$

(5) $(-2ab)^2\div3ab\div\dfrac{4}{3}a^2b^2=4a^2b^2\times\dfrac{1}{3ab}\times\dfrac{3}{4a^2b^2}$
$$=\dfrac{1}{ab}$$

(6) $(-xy^2)^3\div3xy^3\div(-3xy)^2$
$$=(-x^3y^6)\div3xy^3\div9x^2y^2$$
$$=(-x^3y^6)\times\dfrac{1}{3xy^3}\times\dfrac{1}{9x^2y^2}=-\dfrac{y}{27}$$

054-1 답 (1) $-3x^5y^5$ (2) $-2b^4$ (3) $-\dfrac{27y^3}{4x}$
      (4) $-12a^4b^3$

(1) $15xy^2\div5x^2\times(-x^2y)^3=15xy^2\times\dfrac{1}{5x^2}\times(-x^6y^3)$
$$=-3x^5y^5$$

(2) $(-9a^2b^5) \div (-3ab^2)^2 \times 2b^3$

$\quad = (-9a^2b^5) \div 9a^2b^4 \times 2b^3$

$\quad = (-9a^2b^5) \times \dfrac{1}{9a^2b^4} \times 2b^3 = -2b^4$

(3) $(6xy)^2 \times \left(-\dfrac{3}{2}x^2y^3\right) \div 8x^5y^2$

$\quad = 36x^2y^2 \times \left(-\dfrac{3}{2}x^2y^3\right) \times \dfrac{1}{8x^5y^2} = -\dfrac{27y^3}{4x}$

(4) $\dfrac{5}{6}ab \div \left(-\dfrac{5}{9}a^3b\right) \times (2a^2b)^3$

$\quad = \dfrac{5}{6}ab \times \left(-\dfrac{9}{5a^3b}\right) \times 8a^6b^3 = -12a^4b^3$

054-2 답 (1) $-8xy$ (2) $-3a^3b^4$ (3) $9x^2y^4$
$\qquad\qquad$ (4) $-2ab^2$

(1) $(-2x) \times \boxed{} = 16x^2y$에서

$\qquad \boxed{} = 16x^2y \div (-2x) = \dfrac{16x^2y}{-2x} = -8xy$

(2) $18a^5b^7 \div \boxed{} = -6a^2b^3$에서

$\qquad \boxed{} = 18a^5b^7 \div (-6a^2b^3) = \dfrac{18a^5b^7}{-6a^2b^3} = -3a^3b^4$

(3) $5x^3y^2 \times \boxed{} \div 3x^2y = 15x^3y^5$에서

$\qquad 5x^3y^2 \times \boxed{} \times \dfrac{1}{3x^2y} = 15x^3y^5$

$\qquad \therefore \boxed{} = \dfrac{15x^3y^5 \times 3x^2y}{5x^3y^2} = 9x^2y^4$

(4) $\boxed{} \times \left(-\dfrac{4a}{b}\right) = 8a^2b$에서

$\qquad \boxed{} = 8a^2b \div \left(-\dfrac{4a}{b}\right)$

$\qquad\qquad = 8a^2b \times \left(-\dfrac{b}{4a}\right) = -2ab^2$

054-3 답 $8a^2$

(직육면체의 부피)$=$(가로)$\times$(세로)$\times$(높이)이므로

$\qquad 48a^3b = 2a \times 3b \times$(높이)

$\qquad \therefore$ (높이)$= \dfrac{48a^3b}{2a \times 3b} = 8a^2$

055-1 답 (1) $2a+b$ (2) $8a+2b$ (3) $\dfrac{1}{6}x + \dfrac{2}{3}y$

$\qquad\qquad$ (4) $-\dfrac{1}{6}x - \dfrac{7}{20}y$ (5) $7a-7b$ (6) $2x-2y$

(1) $(3a-2b) + (-a+3b) = 3a-2b-a+3b = 2a+b$

(2) $2(5a-b) - (2a-4b) = 10a-2b-2a+4b = 8a+2b$

(3) $\dfrac{2x-y}{3} - \dfrac{x-2y}{2} = \dfrac{2(2x-y) - 3(x-2y)}{6}$

$\qquad\qquad = \dfrac{4x-2y-3x+6y}{6}$

$\qquad\qquad = \dfrac{x+4y}{6} = \dfrac{1}{6}x + \dfrac{2}{3}y$

(4) $\left(\dfrac{1}{2}x - \dfrac{3}{5}y\right) + \left(\dfrac{1}{4}y - \dfrac{2}{3}x\right)$

$\qquad = \dfrac{1}{2}x - \dfrac{3}{5}y + \dfrac{1}{4}y - \dfrac{2}{3}x$

$\qquad = \dfrac{3}{6}x - \dfrac{4}{6}x - \dfrac{12}{20}y + \dfrac{5}{20}y = -\dfrac{1}{6}x - \dfrac{7}{20}y$

(5) $2a - \{3b - (5a-4b)\} = 2a - (3b - 5a + 4b)$

$\qquad\qquad = 2a - (-5a + 7b)$

$\qquad\qquad = 2a + 5a - 7b = 7a - 7b$

(6) $2x + \{x - 3y - (x-y)\} = 2x + (x - 3y - x + y)$

$\qquad\qquad = 2x + (-2y)$

$\qquad\qquad = 2x - 2y$

055-2 답 (1) $5a^2-4$ (2) $2x^2-2x-12$

$\qquad\qquad$ (3) $5a^2-5a-3$ (4) $\dfrac{1}{6}x^2 + \dfrac{19}{6}x - \dfrac{23}{6}$

$\qquad\qquad$ (5) $-x^2+3x+3$ (6) $-4a^2$

(2) $(3x^2+2x-8) - (x^2+4x+4)$

$\qquad = 3x^2+2x-8-x^2-4x-4$

$\qquad = 2x^2-2x-12$

(3) $(a^2-3a-5) - 2(-2a^2+a-1)$

$\qquad = a^2-3a-5+4a^2-2a+2$

$\qquad = 5a^2-5a-3$

(4) $\dfrac{2x^2+5x-7}{3} - \dfrac{x^2-3x+3}{2}$

$\qquad = \dfrac{2(2x^2+5x-7) - 3(x^2-3x+3)}{6}$

$\qquad = \dfrac{4x^2+10x-14-3x^2+9x-9}{6}$

$\qquad = \dfrac{x^2+19x-23}{6} = \dfrac{1}{6}x^2 + \dfrac{19}{6}x - \dfrac{23}{6}$

(5) $2x^2 - \{3x^2 - 7 - (3x-4)\} = 2x^2 - (3x^2 - 7 - 3x + 4)$

$\qquad\qquad = 2x^2 - (3x^2 - 3x - 3)$

$\qquad\qquad = 2x^2 - 3x^2 + 3x + 3$

$\qquad\qquad = -x^2 + 3x + 3$

(6) $4a-[3a^2-\{2b-(4a+2b)-a^2\}]$
$=4a-\{3a^2-(2b-4a-2b-a^2)\}$
$=4a-\{3a^2-(-a^2-4a)\}$
$=4a-(3a^2+a^2+4a)=4a-(4a^2+4a)$
$=4a-4a^2-4a=-4a^2$

056-1 답 (1) $-12x^2-15xy$ (2) $8a^2-2ab+14a$
(3) x^2-xy+y^2 (4) $-6b^2+8ab+4b$
(5) $6x^2+10xy-20y^2$
(6) $-5a^2+22ab-13a$

(3) $x(x-2y)+y(x+y)=x^2-2xy+xy+y^2$
$=x^2-xy+y^2$
(4) $3b(5a-2b+1)-b(7a-1)$
$=15ab-6b^2+3b-7ab+b$
$=-6b^2+8ab+4b$
(5) $2x(3x+y)+4y(2x-5y)=6x^2+2xy+8xy-20y^2$
$=6x^2+10xy-20y^2$
(6) $-4a(a-5b+4)+a(-a+2b+3)$
$=-4a^2+20ab-16a-a^2+2ab+3a$
$=-5a^2+22ab-13a$

056-2 답 (1) $-3a+5$ (2) $2x-3$ (3) $2a+4b$
(4) $-4a+6b+10$ (5) $9xy+\dfrac{3}{x}$
(6) $5x-25y$

(1) $(9ab-15b)\div(-3b)=\dfrac{9ab-15b}{-3b}=-3a+5$

(2) $(8x^2-12x)\div4x=\dfrac{8x^2-12x}{4x}=2x-3$

(3) $\left(\dfrac{1}{6}a^2+\dfrac{1}{3}ab\right)\div\dfrac{a}{12}=\left(\dfrac{1}{6}a^2+\dfrac{1}{3}ab\right)\times\dfrac{12}{a}=2a+4b$

(4) $(2a^2b-3ab^2-5ab)\div\left(-\dfrac{1}{2}ab\right)$
$=(2a^2b-3ab^2-5ab)\times\left(-\dfrac{2}{ab}\right)=-4a+6b+10$

(5) $(12x^3y^2+4xy)\div\dfrac{4}{3}x^2y=(12x^3y^2+4xy)\times\dfrac{3}{4x^2y}$
$=9xy+\dfrac{3}{x}$

(6) $(-2x^2y+10xy^2)\div\left(-\dfrac{2}{5}xy\right)$
$=(-2x^2y+10xy^2)\times\left(-\dfrac{5}{2xy}\right)=5x-25y$

057-1 답 (1) $3x-6y$ (2) $-a+b$ (3) $-3x+9$
(4) $5b^2-7ab$

(1) $(4x^2-12xy)\div4x-(6y^2-4xy)\div2y$
$=\dfrac{4x^2-12xy}{4x}-\dfrac{6y^2-4xy}{2y}=x-3y-(3y-2x)$
$=x-3y-3y+2x=3x-6y$
(2) $(6ab-8b^2)\div2b+(12a^2b-15ab^2)\div(-3ab)$
$=\dfrac{6ab-8b^2}{2b}+\dfrac{12a^2b-15ab^2}{-3ab}$
$=3a-4b-4a+5b=-a+b$
(3) $\dfrac{4xy+6y}{2y}-\dfrac{5xy-6y}{y}=2x+3-(5x-6)$
$=2x+3-5x+6=-3x+9$
(4) $(3a-b)(-2b)+(18b^3-6ab^2)\div6b$
$=-6ab+2b^2+\dfrac{18b^3-6ab^2}{6b}$
$=-6ab+2b^2+3b^2-ab=5b^2-7ab$

057-2 답 $7x+13y+3$

윗변의 길이를 □라 하면
$(2x+5y+1+□)\times2xy\times\dfrac{1}{2}=18xy^2+9x^2y+4xy$
$2x+5y+1+□=(18xy^2+9x^2y+4xy)\div xy$
$=18y+9x+4$
$\therefore □=(18y+9x+4)-(2x+5y+1)$
$=7x+13y+3$

057-3 답 -19

$(6x^2y-12xy)\div3y-(4x^2-6x)\div\dfrac{2}{3}x$

$=(6x^2y-12xy)\times\dfrac{1}{3y}-(4x^2-6x)\times\dfrac{3}{2x}$
$=2x^2-4x-6x+9=2x^2-10x+9$
즉, $a=-10$, $b=9$이므로
$a-b=-10-9=-19$

79쪽~80쪽

탄탄한 중단원 문제

01 ⑤ 02 ④ 03 ③ 04 ③ 05 ②
06 -2 07 ⑤ 08 ⑤ 09 $-y^2+2xy+3$
10 ③

01 $3^x \times 9^2 = 3^x \times (3^2)^2 = 3^x \times 3^4 = 3^{x+4} = 3^9$이므로

$\qquad x+4=9 \qquad \therefore x=5$

02 $16^4 = (2^4)^4 = 2^{16}$이고 $a=2^2$이므로

$\qquad 16^4 = 2^{16} = (2^2)^8 = a^8$

03 $(3ab^\square)^2 \div (a^\square b^2)^3 = 9a^2 b^{\square \times 2} \div a^{\square \times 3} b^6$

$\qquad\qquad\qquad = 9a^2 b^{\square \times 2} \times \dfrac{1}{a^{\square \times 3} b^6} = \dfrac{9b^2}{a^{10}}$

에서 $\dfrac{9b^{\square \times 2-6}}{a^{\square \times 3-2}} = \dfrac{9b^2}{a^{10}} \qquad \therefore \square = 4 \ (4+4=8)$

04 $\left(-\dfrac{3}{2}xy^3\right)^3 \div \dfrac{81}{4}x^4 y^5 \times (-6x^2 y)^2$

$\qquad = \left(-\dfrac{27}{8}x^3 y^9\right) \times \dfrac{4}{81x^4 y^5} \times 36x^4 y^2$

$\qquad = \left(-\dfrac{27}{8}\right) \times \dfrac{4}{81} \times 36 \times x^3 y^9 \times \dfrac{1}{x^4 y^5} \times x^4 y^2$

$\qquad = -6x^3 y^6$

05 어떤 식을 $\square$라 하면

$\square \div \left(-\dfrac{3}{2}xy^2\right) = 2y^3$에서

$\qquad \square \times \left(-\dfrac{2}{3xy^2}\right) = 2y^3$

$\qquad \therefore \square = 2y^3 \times \left(-\dfrac{3xy^2}{2}\right) = -3xy^5$

따라서 바르게 계산한 답은

$\qquad (-3xy^5) \times \left(-\dfrac{3}{2}xy^2\right) = \dfrac{9x^2 y^7}{2}$

06 $3x - \{7x^2 + 5x - (8x^2 - 4x + 3)\}$

$= 3x - (7x^2 + 5x - 8x^2 + 4x - 3)$

$= 3x - (-x^2 + 9x - 3) = 3x + x^2 - 9x + 3 = x^2 - 6x + 3$

즉, $a=1$, $b=-6$, $c=3$이므로

$\qquad a+b+c = 1-6+3 = -2$

07 $2(x^2 - 2x + 1) - (3x^2 + 2x - 4)$

$\qquad = 2x^2 - 4x + 2 - 3x^2 - 2x + 4 = -x^2 - 6x + 6$

x^2의 계수는 -1, 상수항은 6이므로

$\qquad -1+6 = 5$

08 $-3(2x^2 + 4x - 1) = -6x^2 - 12x + 3$이므로

$\qquad a=-6$, $b=-12$, $c=3$

$\qquad \therefore a-b+c = -6-(-12)+3 = 9$

09 $(12xy^2 - 9y^3) \div (-3y) + (6x^2 y^2 - 4xy^3 + 3xy) \div xy$

$= \dfrac{12xy^2 - 9y^3}{-3y} + \dfrac{6x^2 y^2 - 4xy^3 + 3xy}{xy}$

$= -4xy + 3y^2 + 6xy - 4y^2 + 3$

$= -y^2 + 2xy + 3$

10 ①의 넓이는

$\qquad \dfrac{1}{2} \times 2a \times b = ab$

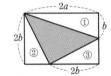

②의 넓이는

$\qquad \dfrac{1}{2} \times (2a-2b) \times 2b = 2ab - 2b^2$

③의 넓이는 $\dfrac{1}{2} \times 2b \times (2b-b) = b^2$

따라서 어두운 부분의 넓이는 직사각형의 넓이에서 ①,
②, ③의 넓이를 뺀 것과 같으므로

$\qquad 2a \times 2b - (ab + 2ab - 2b^2 + b^2)$

$\qquad = 4ab - (3ab - b^2) = b^2 + ab$

04 부등식

058-1 🈸 (1) $3x-5>12$ (2) $15-4x \leq 6$

$\qquad\qquad$ (3) $10x \geq 500$

(3) (거리)=(속력)×(시간)이므로

$\qquad x \times 10 \geq 500 \qquad \therefore 10x \geq 500$

058-2 🈸 (1) ○ (2) × (3) × (4) ○

(1) $4-(-1) = 5 \geq 5$ (참)

(2) $-1-2 = -3 \geq -1$ (거짓)

(3) $-5 \times (-1) + 1 = 6 \leq -4$ (거짓)

(4) $2 \times (-1) + 4 = 2$, $-(-1) + 2 = 3$이므로 $2 < 3$ (참)

058-3 🈸 (1) 1, 2 (2) $-2, -1$

(1) $x=-2$일 때, $-2 \times (-2) + 3 = 7 < 2$ (거짓)

$\qquad x=-1$일 때, $-2 \times (-1) + 3 = 5 < 2$ (거짓)

$\qquad x=0$일 때, $-2 \times 0 + 3 = 3 < 2$ (거짓)

$\qquad x=1$일 때, $-2 \times 1 + 3 = 1 < 2$ (참)

$\qquad x=2$일 때, $-2 \times 2 + 3 = -1 < 2$ (참)

따라서 주어진 부등식의 해는 1, 2이다.

(2) $x=-2$일 때, $-3\times(-2)+2=8\geq5$ (참)

$\quad x=-1$일 때, $-3\times(-1)+2=5\geq5$ (참)

$\quad x=0$일 때, $-3\times0+2=2\geq5$ (거짓)

$\quad x=1$일 때, $-3\times1+2=-1\geq5$ (거짓)

$\quad x=2$일 때, $-3\times2+2=-4\geq5$ (거짓)

따라서 주어진 부등식의 해는 -2, -1이다.

059-1 圍 (1) < (2) < (3) < (4) >

(1) $a<b$에서 $a+5<b+5$

(2) $a<b$에서 $a-4<b-4$

(3) $a<b$에서 $3a<3b$ $\quad\therefore 3a-\dfrac{1}{2}<3b-\dfrac{1}{2}$

(4) $a<b$에서 $-\dfrac{a}{2}>-\dfrac{b}{2}$

$\quad\therefore -\dfrac{a}{2}+1>-\dfrac{b}{2}+1$

059-2 圍 (1) ≥ (2) ≥ (3) ≤ (4) ≤

(1) $a\geq b$에서 $a-1\geq b-1$

(2) $a\geq b$에서 $\dfrac{3}{4}a\geq\dfrac{3}{4}b$ $\quad\therefore 5+\dfrac{3}{4}a\geq5+\dfrac{3}{4}b$

(3) $a\geq b$에서 $-2a\leq-2b$ $\quad\therefore -2a+3\leq-2b+3$

(4) $a\geq b$에서 $-\dfrac{a}{3}\leq-\dfrac{b}{3}$

$\quad\therefore -\dfrac{a}{3}-\dfrac{1}{2}\leq-\dfrac{b}{3}-\dfrac{1}{2}$

059-3 圍 (1) $4x+1<5$ (2) $5-3x>2$

(1) $x<1$의 각 변에 4를 곱하면 $4x<4$

$\quad$ 각 변에 1을 더하면 $4x+1<4+1$

$\quad\therefore 4x+1<5$

(2) $x<1$의 각 변에 -3을 곱하면 $-3<-3x$

$\quad$ 각 변에 5를 더하면 $5-3<5-3x$

$\quad\therefore 5-3x>2$

060-1 圍 (1) $x\geq9$ (2) $x<-3$ (3) $x>6$ (4) $x\geq5$

060-2 圍 (1) $x<-1$ (2) $x\geq3$

060-3 圍 (1) $x\leq1$

$\quad$ (2) $x>-2$

061-1 圍 ㄷ, ㅁ

ㄱ. $x^2+3x-2>0$은 일차부등식이 아니다.

ㄴ. $2x^2+3x-1>x^2+x+1$에서

$\quad x^2+2x-2>0$이므로 일차부등식이 아니다.

ㄷ. $\dfrac{x}{3}<-x+10$에서 $\dfrac{4}{3}x-10<0$이므로 일차부등식이다.

ㄹ. $1-7x<5-7x$에서 $-4<0$이므로 일차부등식이 아니다.

ㅁ. $2x-1\leq3x-1$에서 $x\geq0$이므로 일차부등식이다.

ㅂ. $2x-4=6$은 일차부등식이 아니다.

061-2 圍 (1) $x\leq-5$ (2) $x>2$ (3) $x\leq\dfrac{7}{3}$

$\qquad\qquad$ (4) $x<-3$ (5) $x<\dfrac{11}{2}$ (6) $x>1$

(2) $4x-1>x+5$에서 $3x>6$ $\quad\therefore x>2$

(3) $-4x+1\geq-x-6$에서 $-3x\geq-7$ $\quad\therefore x\leq\dfrac{7}{3}$

(4) $7x-3>11x+9$에서 $-4x>12$ $\quad\therefore x<-3$

(5) $5x-4<3x+7$에서 $2x<11$ $\quad\therefore x<\dfrac{11}{2}$

(6) $x-1<4x-4$에서 $-3x<-3$ $\quad\therefore x>1$

061-3 圍 $-\dfrac{4}{5}$

$ax+4>0$에서 $ax>-4$

그런데 해가 $x<5$이므로 $a<0$이고 $x<-\dfrac{4}{a}$

$\quad -\dfrac{4}{a}=5$ $\quad\therefore a=-\dfrac{4}{5}$

062-1 圍 (1) $x\geq-8$ (2) $x>\dfrac{9}{4}$ (3) $x\geq-5$

$\qquad\qquad$ (4) $x>-\dfrac{3}{4}$

(1) $3(x-1)-4(x+1)\leq1$, $3x-3-4x-4\leq1$

$\quad -x-7\leq1$, $-x\leq8$ $\quad\therefore x\geq-8$

(2) $5(x-1)>-(2-x)+6$, $5x-5>-2+x+6$

$\quad 5x-5>4+x$, $4x>9$ $\quad\therefore x>\dfrac{9}{4}$

(3) $6-(5+3x)\leq-2(x-3)$, $6-5-3x\leq-2x+6$

$\quad 1-3x\leq-2x+6$, $-x\leq5$ $\quad\therefore x\geq-5$

(4) $1-2(2x-3)>4(1-2x)$, $1-4x+6>4-8x$

$\quad 7-4x>4-8x$, $4x>-3$ $\quad\therefore x>-\dfrac{3}{4}$

정답 **및 풀이**

062-2 **❸** (1) $x>-2$ (2) $x<-\dfrac{7}{4}$ (3) $x\leq12$

　　　　　(4) $x>-3$

(1) 양변에 20을 곱하면 $5(x-2)<4(2x-1)$

　　　　$-3x<6$ 　∴ $x>-2$

(2) 양변에 12를 곱하면 $6x+4<2x-3$

　　　　$4x<-7$ 　∴ $x<-\dfrac{7}{4}$

(3) 양변에 10을 곱하면 $3x+10\geq2(2x-1)$

　　　　$-x\geq-12$ 　∴ $x\leq12$

(4) 양변에 12를 곱하면 $3(x-3)-2(2x-5)<4$

　　　　$-x<3$ 　∴ $x>-3$

062-3 **❸** (1) $x\leq-9$ (2) $x<-15$ (3) $x\leq-4$

　　　　　(4) $x<-2$

(1) 양변에 10을 곱하면 $2x-9\geq5x+18$

　　　　$-3x\geq27$ 　∴ $x\leq-9$

(2) 양변에 10을 곱하면 $4x-10>6x+20$

　　　　$-2x>30$ 　∴ $x<-15$

(3) 양변에 10을 곱하면 $2(x-2)\leq-32-5x$

　　　　$7x\leq-28$ 　∴ $x\leq-4$

(4) 양변에 100을 곱하면 $3x>40x+74$

　　　　$-37x>74$ 　∴ $x<-2$

063-1 **❸** 7권

공책을 x권 산다고 하면

　　$1000x>800x+1200,\ 200x>1200$ 　∴ $x>6$

따라서 7권 이상 살 때 할인마트에서 사는 것이 유리하다.

063-2 **❸** 3 km

집에서 학교까지의 거리를 x km라 하면 (시간)$=\dfrac{(거리)}{(속력)}$

이므로 집에서 학교까지 왕복하는 데 걸린 시간은 $\left(\dfrac{x}{2}+\dfrac{x}{6}\right)$

시간이다. 걸린 시간이 2시간 이내이므로

　　$\dfrac{x}{2}+\dfrac{x}{6}\leq2$

양변에 6을 곱하면 $3x+x\leq12,\ 4x\leq12$ 　∴ $x\leq3$

따라서 집에서 학교까지의 최대 거리는 3 km이다.

063-3 **❸** 150 g

더 넣을 물의 양을 x g이라 하면 10 % 소금물 600 g에

들어 있는 소금의 양은 $600\times\dfrac{10}{100}=60(g)$

이때 물 x g을 더 넣은 후의 소금물의 농도는

　　$\left(\dfrac{60}{600+x}\times100\right)\%$

8 % 이하의 소금물이 되어야 하므로

　　$\dfrac{60}{600+x}\times100\leq8,\ 6000\leq8(600+x)$

　　$-8x\leq-1200$ 　∴ $x\geq150$

따라서 농도가 8 % 이하가 되려면 150 g 이상의 물을 더

넣어야 한다.

탄탄한 중단원 문제 87쪽~88쪽

01	②	02	②	03	①	04	③	05	③
06	③	07	③	08	②	09	②	10	③

01 ① $x=5$일 때, $2x+3=2\times5+3=13$이므로

　　　$2x+3>7$ (참)

② $x=-3$일 때, $-x+1=-(-3)+1=4$이므로

　　　$-x+1<4$ (거짓)

③ $x=2$일 때, $3x-1=3\times2-1=5$이므로

　　　$3x-1\leq5$ (참)

④ $x=-1$일 때, $3x=3\times(-1)=-3$이므로

　　　$x\geq3x$ (참)

⑤ $x=-2$일 때, $-(-x)=-(-2)=2,$

　　　$3x+4=3\times(-2)+4=-2$이므로

　　　$-x>3x+4$ (참)

02 $x=-1$일 때, $-2\cdot(-1)+5>1$ (거짓)

$x=0$일 때, $-2\cdot0+5>1$ (거짓)

$x=1$일 때, $-2\cdot1+5>1$ (거짓)

$x=2$일 때, $-2\cdot2+5=1$ (거짓)

$x=3$일 때, $-2\cdot3+5<1$ (참)

따라서 주어진 부등식의 해의 개수는 1개이다.

03 ① $a>b$에서 $-7+a>-7+b$

② $a>b$에서 $-\dfrac{a}{8}<-\dfrac{b}{8}$ 　∴ $1-\dfrac{a}{8}<1-\dfrac{b}{8}$

③ $a>b$에서 $-5a<-5b$ 　∴ $-5a+6<-5b+6$

④ $a>b$에서 $a-4>b-4$ 　∴ $\dfrac{a-4}{-3}<\dfrac{b-4}{-3}$

⑤ $a>b$에서 $-2a<-2b$ 　∴ $3-2a<3-2b$

04 $x \geq -2$에서 $-3x \leq 6$이므로

$-3x+1 \leq 7$

따라서 a의 값은 7이다.

05 $2x-1 < 5x+4a$에서 $2x-5x < 4a+1$

$-3x < 4a+1$ $\qquad \therefore x > -\dfrac{4a+1}{3}$

주어진 그림에서 해는 $x > -1$이므로

$-\dfrac{4a+1}{3} = -1$, $4a+1 = 3$

$\therefore a = \dfrac{1}{2}$

07 $ax-4 < 3x-8$에서 $(a-3)x < -4$

해가 $x > 2$이므로 $a-3 < 0$

따라서 $x > \dfrac{-4}{a-3}$이므로

$\dfrac{-4}{a-3} = 2$, $2(a-3) = -4$ $\qquad \therefore a = 1$

08 $\dfrac{x-3}{4} - \dfrac{2x-1}{5} < -2$의 양변에 20을 곱하면

$5(x-3) - 4(2x-1) < -40$

$5x-15-8x+4 < -40$

$-3x < -29$ $\qquad \therefore x > \dfrac{29}{3} = 9.66\cdots$

따라서 부등식을 만족하는 x의 값 중 가장 작은 정수는 10이다.

09 $0.2(2x-3) \leq 2.1x+1.1$의 양변에 10을 곱하면

$2(2x-3) \leq 21x+11$

$4x-6 \leq 21x+11$

$-17x \leq 17$ $\qquad \therefore x \geq -1$

$4x+a \geq 2x-3$에서

$2x \geq -a-3$ $\qquad \therefore x \geq \dfrac{-a-3}{2}$

즉, $\dfrac{-a-3}{2} = -1$이므로 $a = -1$

10 응원 깃발의 개수를 x개라 하면 태극기의 개수는 $(12-x)$개이고, 전체 금액이 50000원을 넘지 않아야 하므로

$5000x + 2000(12-x) \leq 50000$

$3x \leq 26$ $\qquad \therefore x \leq \dfrac{26}{3} = 8.66\cdots$

따라서 응원 깃발은 최대 8개까지 살 수 있다.

---

05 연립방정식

89쪽~98쪽

064-1 답 (1) ◯ (2) ✕ (3) ✕ (4) ◯ (5) ◯ (6) ✕

064-2 답 (1) 풀이 참조 (2) 풀이 참조

(1)
x	1	2	3	4	5
y	10	8	6	4	2

x, y가 자연수이므로 $2x+y=12$의 해는 $(1, 10)$, $(2, 8)$, $(3, 6)$, $(4, 4)$, $(5, 2)$이다.

(2)
x	6	$\dfrac{9}{2}$	3	$\dfrac{3}{2}$	0
y	1	2	3	4	5

x, y가 자연수이므로 $2x+3y=15$의 해는 $(6, 1)$, $(3, 3)$이다.

065-1 답 $(3, 1)$

ㄱ
x	1	2	3	4
y	7	4	1	-2

ㄴ
x	1	2	3	4
y	3	2	1	0

따라서 연립방정식의 해는 $(3, 1)$이다.

065-2 답 (1) $(7, 1)$ (2) $(1, 2)$ (3) $(3, 1)$ (4) $(1, 4)$

(1) $\begin{cases} 3x+4y=25 & \cdots\cdots \, ㉠ \\ x+2y=9 & \cdots\cdots \, ㉡ \end{cases}$

㉠의 해는 $(3, 4)$, $(7, 1)$이고 ㉡의 해는 $(1, 4)$, $(3, 3)$, $(5, 2)$, $(7, 1)$이므로 연립방정식의 해는 $(7, 1)$이다.

(2) $\begin{cases} 2x-y=0 & \cdots\cdots \, ㉠ \\ x+y=3 & \cdots\cdots \, ㉡ \end{cases}$

㉠의 해는 $(1, 2)$, $(2, 4)$, $(3, 6)$, $\cdots$이고 ㉡의 해는 $(1, 2)$, $(2, 1)$이므로 연립방정식의 해는 $(1, 2)$이다.

(3) $\begin{cases} 3x+y=10 & \cdots\cdots \, ㉠ \\ x+y=4 & \cdots\cdots \, ㉡ \end{cases}$

㉠의 해는 $(1, 7)$, $(2, 4)$, $(3, 1)$, $\cdots$이고 ㉡의 해는 $(1, 3)$, $(2, 2)$, $(3, 1)$이므로 연립방정식의 해는 $(3, 1)$이다.

(4) $\begin{cases} x+y=5 & \cdots\cdots \text{㉠} \\ x+2y=9 & \cdots\cdots \text{㉡} \end{cases}$

㉠의 해는 $(1, 4)$, $(2, 3)$, $(3, 2)$, $(4, 1)$이고 ㉡의 해는 $(1, 4)$, $(3, 3)$, $(5, 2)$, $(7, 1)$이므로 연립방정식의 해는 $(1, 4)$이다.

065-3 답 0

$x=2$, $y=-1$을 $2x+y=a$에 대입하면

$4-1=a$ ∴ $a=3$

또, $x=2$, $y=-1$을 $5x-by=7$에 대입하면

$10+b=7$ ∴ $b=-3$

∴ $a+b=3+(-3)=0$

066-1 답 풀이 참조

미지수 x를 소거하기 위해 $\boxed{3}\times$㉠$-$㉡을 하면

$$\boxed{3}x-\boxed{6}y=\boxed{3}$$
$$-\underline{)\quad 3x+\quad y=10}$$
$$\boxed{-7}y=\boxed{-7} \quad ∴ y=\boxed{1}$$

$y=\boxed{1}$을 ㉠에 대입하면

$x-2\times\boxed{1}=1$ ∴ $x=\boxed{3}$

따라서 연립방정식의 해는 $x=\boxed{3}$, $y=\boxed{1}$이다.

066-2 답 (1) $x=-1$, $y=6$ (2) $x=3$, $y=3$
(3) $x=10$, $y=5$ (4) $x=1$, $y=-2$
(5) $x=-1$, $y=3$ (6) $x=3$, $y=1$

(1) $\begin{cases} x+y=5 & \cdots\cdots \text{㉠} \\ x-y=-7 & \cdots\cdots \text{㉡} \end{cases}$

㉠$+$㉡을 하면 $2x=-2$ ∴ $x=-1$

$x=-1$을 ㉠에 대입하면 $-1+y=5$ ∴ $y=6$

∴ $x=-1$, $y=6$

(2) $\begin{cases} -x+4y=9 & \cdots\cdots \text{㉠} \\ x-2y=-3 & \cdots\cdots \text{㉡} \end{cases}$

㉠$+$㉡을 하면 $2y=6$ ∴ $y=3$

$y=3$을 ㉡에 대입하면 $x-6=-3$ ∴ $x=3$

∴ $x=3$, $y=3$

(3) $\begin{cases} x+2y=20 & \cdots\cdots \text{㉠} \\ 2x-3y=5 & \cdots\cdots \text{㉡} \end{cases}$

$2\times$㉠$-$㉡을 하면 $7y=35$ ∴ $y=5$

$y=5$를 ㉠에 대입하면 $x+10=20$ ∴ $x=10$

∴ $x=10$, $y=5$

(4) $\begin{cases} 2x-3y=8 & \cdots\cdots \text{㉠} \\ 3x+y=1 & \cdots\cdots \text{㉡} \end{cases}$

㉠$+3\times$㉡을 하면 $11x=11$ ∴ $x=1$

$x=1$을 ㉡에 대입하면 $3+y=1$ ∴ $y=-2$

∴ $x=1$, $y=-2$

(5) $\begin{cases} 3x-4y=-15 & \cdots\cdots \text{㉠} \\ 2x+3y=7 & \cdots\cdots \text{㉡} \end{cases}$

$2\times$㉠$-3\times$㉡을 하면 $-17y=-51$ ∴ $y=3$

$y=3$을 ㉠에 대입하면

$3x-12=-15$ ∴ $x=-1$

∴ $x=-1$, $y=3$

(6) $\begin{cases} 3x-7y=2 & \cdots\cdots \text{㉠} \\ 5x+2y=17 & \cdots\cdots \text{㉡} \end{cases}$

$5\times$㉠$-3\times$㉡을 하면 $-41y=-41$ ∴ $y=1$

$y=1$을 ㉠에 대입하면 $3x-7=2$ ∴ $x=3$

∴ $x=3$, $y=1$

067-1 답 풀이 참조

㉠을 x에 관하여 풀면 $x=\boxed{2y+3}$ $\cdots\cdots$ ㉢

㉢을 ㉡에 대입하면

$2(\boxed{2y+3})+3y=-1$

$\boxed{7}y+\boxed{6}=-1$ ∴ $y=\boxed{-1}$

$y=\boxed{-1}$을 ㉢에 대입하면 $x=\boxed{1}$

따라서 연립방정식의 해는 $x=\boxed{1}$, $y=\boxed{-1}$이다.

067-2 답 (1) $x=2$, $y=4$ (2) $x=-3$, $y=1$
(3) $x=1$, $y=-2$ (4) $x=-2$, $y=3$
(5) $x=-3$, $y=2$ (6) $x=2$, $y=\dfrac{3}{2}$

(1) $\begin{cases} 3x+y=10 & \cdots\cdots \text{㉠} \\ y=6-x & \cdots\cdots \text{㉡} \end{cases}$

㉡을 ㉠에 대입하면 $3x+(6-x)=10$

$2x=4$ ∴ $x=2$

$x=2$를 ㉡에 대입하면 $y=4$

∴ $x=2$, $y=4$

(2) $\begin{cases} x=3-6y & \cdots\cdots \text{㉠} \\ 2x+y=-5 & \cdots\cdots \text{㉡} \end{cases}$

㉠을 ㉡에 대입하면 $2(3-6y)+y=-5$

$-11y=-11$ ∴ $y=1$

$y=1$을 ㉠에 대입하면 $x=-3$

∴ $x=-3$, $y=1$

(3) $\begin{cases} x-3y=7 & \cdots\cdots\ \bigcirc \\ 5x+2y=1 & \cdots\cdots\ \bigcirc \end{cases}$

$\bigcirc$을 x에 관하여 풀면 $x=3y+7$ $\cdots\cdots\ \bigcirc$

$\bigcirc$을 $\bigcirc$에 대입하면 $5(3y+7)+2y=1$

$\qquad 17y=-34 \qquad \therefore\ y=-2$

$y=-2$를 $\bigcirc$에 대입하면 $x=1$

$\qquad \therefore\ x=1,\ y=-2$

(4) $\begin{cases} 5x+y=-7 & \cdots\cdots\ \bigcirc \\ 3x+5y=9 & \cdots\cdots\ \bigcirc \end{cases}$

$\bigcirc$을 y에 관하여 풀면 $y=-5x-7$ $\cdots\cdots\ \bigcirc$

$\bigcirc$을 $\bigcirc$에 대입하면 $3x+5(-5x-7)=9$

$\qquad -22x=44 \qquad \therefore\ x=-2$

$x=-2$를 $\bigcirc$에 대입하면 $y=3$

$\qquad \therefore\ x=-2,\ y=3$

(5) $\begin{cases} x=-2y+1 \\ x=-4y+5 \end{cases}$ 에서 $-2y+1=-4y+5$이므로

$\qquad 2y=4 \qquad \therefore\ y=2$

$y=2$를 $x=-2y+1$에 대입하면 $x=-3$

$\qquad \therefore\ x=-3,\ y=2$

(6) $\begin{cases} 2y=2x-1 \\ 2y=3x-3 \end{cases}$ 에서 $2x-1=3x-3$이므로

$\qquad -x=-2 \qquad \therefore\ x=2$

$x=2$를 $2y=2x-1$에 대입하면 $y=\dfrac{3}{2}$

$\qquad \therefore\ x=2,\ y=\dfrac{3}{2}$

068-1 🔁 (1) $x=1,\ y=-1$ (2) $x=\dfrac{3}{2},\ y=2$

(1) $\begin{cases} 3(x-y)+4y=2 & \cdots\cdots\ \bigcirc \\ x+2(x-2y)=7 & \cdots\cdots\ \bigcirc \end{cases}$

$\bigcirc$, $\bigcirc$의 괄호를 풀면 $\begin{cases} 3x+y=2 & \cdots\cdots\ \bigcirc \\ 3x-4y=7 & \cdots\cdots\ \bigcirc \end{cases}$

$\bigcirc-\bigcirc$을 하면

$\qquad 5y=-5 \qquad \therefore\ y=-1$

$y=-1$을 $\bigcirc$에 대입하면

$\qquad 3x-1=2 \qquad \therefore\ x=1$

$\qquad \therefore\ x=1,\ y=-1$

(2) $\begin{cases} 4x+3y=12 & \cdots\cdots\ \bigcirc \\ 4(5-x)-9(1-y)=23 & \cdots\cdots\ \bigcirc \end{cases}$

$\bigcirc$의 괄호를 풀면 $\begin{cases} 4x+3y=12 & \cdots\cdots\ \bigcirc \\ -4x+9y=12 & \cdots\cdots\ \bigcirc \end{cases}$

$\bigcirc+\bigcirc$을 하면 $12y=24 \qquad \therefore\ y=2$

$y=2$를 $\bigcirc$에 대입하면 $4x+6=12 \qquad \therefore\ x=\dfrac{3}{2}$

$\qquad \therefore\ x=\dfrac{3}{2},\ y=2$

068-2 🔁 (1) $x=-2,\ y=-1$ (2) $x=5,\ y=4$

(1) $\begin{cases} \dfrac{2}{5}x-\dfrac{3}{2}y=\dfrac{7}{10} & \cdots\cdots\ \bigcirc \\ \dfrac{3}{2}x-\dfrac{1}{4}y=-\dfrac{11}{4} & \cdots\cdots\ \bigcirc \end{cases}$

$10\times\bigcirc$, $4\times\bigcirc$을 하면

$\qquad \begin{cases} 4x-15y=7 & \cdots\cdots\ \bigcirc \\ 6x-y=-11 & \cdots\cdots\ \bigcirc \end{cases}$

$3\times\bigcirc-2\times\bigcirc$을 하면 $-43y=43 \qquad \therefore\ y=-1$

$y=-1$을 $\bigcirc$에 대입하면

$\qquad 6x+1=-11 \qquad \therefore\ x=-2$

$\qquad \therefore\ x=-2,\ y=-1$

(2) $\begin{cases} x-y=1 & \cdots\cdots\ \bigcirc \\ \dfrac{2}{5}x+\dfrac{3}{4}y=5 & \cdots\cdots\ \bigcirc \end{cases}$

$\bigcirc\times20$을 하면

$\qquad \begin{cases} x-y=1 & \cdots\cdots\ \bigcirc \\ 8x+15y=100 & \cdots\cdots\ \bigcirc \end{cases}$

$8\times\bigcirc-\bigcirc$을 하면 $-23y=-92 \qquad \therefore\ y=4$

$y=4$를 $\bigcirc$에 대입하면

$\qquad x-4=1 \qquad \therefore\ x=5$

$\qquad \therefore\ x=5,\ y=4$

068-3 🔁 (1) $x=2,\ y=2$ (2) $x=\dfrac{4}{5},\ y=4$

(1) $\begin{cases} 0.6x+0.2y=\dfrac{8}{5} & \cdots\cdots\ \bigcirc \\ 2x+y=6 & \cdots\cdots\ \bigcirc \end{cases}$

$10\times\bigcirc$을 하면

$\qquad \begin{cases} 6x+2y=16 & \cdots\cdots\ \bigcirc \\ 2x+y=6 & \cdots\cdots\ \bigcirc \end{cases}$

$\bigcirc-2\times\bigcirc$을 하면 $2x=4 \qquad \therefore\ x=2$

$x=2$를 $\bigcirc$에 대입하면 $4+y=6 \qquad \therefore\ y=2$

$\qquad \therefore\ x=2,\ y=2$

(2) $\begin{cases} 0.5x-0.2y=-0.4 & \cdots\cdots\ \bigcirc \\ 0.05x+0.06y=0.28 & \cdots\cdots\ \bigcirc \end{cases}$

$10\times\bigcirc$, $100\times\bigcirc$을 하면

$\qquad \begin{cases} 5x-2y=-4 & \cdots\cdots\ \bigcirc \\ 5x+6y=28 & \cdots\cdots\ \bigcirc \end{cases}$

ⓒ−ⓔ을 하면 $-8y=-32$ $\quad\therefore\ y=4$

$y=4$를 ⓒ에 대입하면

$$5x-8=-4 \quad \therefore\ x=\frac{4}{5}$$

$$\therefore\ x=\frac{4}{5},\ y=4$$

069-1 달 ③

$$\begin{cases} 2x+3y=5 & \cdots\cdots\ ⓐ \\ 4x+y=5 & \cdots\cdots\ ⓑ \end{cases}$$ 에서

$2\times ⓐ-ⓑ$을 하면 $5y=5$ $\quad\therefore\ y=1$

$y=1$을 ⓑ에 대입하면

$$4x+1=5 \quad \therefore\ x=1$$

$$\therefore\ x=1,\ y=1$$

069-2 달 $x=3,\ y=-11$

$$\begin{cases} \dfrac{-x+6}{3}=4x+y \\[2mm] \dfrac{x-y}{14}=4x+y \end{cases}$$ 에서 $$\begin{cases} -x+6=12x+3y \\ x-y=56x+14y \end{cases}$$

$$\therefore\ \begin{cases} 13x+3y=6 & \cdots\cdots\ ⓐ \\ 55x+15y=0 & \cdots\cdots\ ⓑ \end{cases}$$

$5\times ⓐ-ⓑ$을 하면 $10x=30$ $\quad\therefore\ x=3$

$x=3$을 ⓐ에 대입하면

$$39+3y=6 \quad \therefore\ y=-11$$

$$\therefore\ x=3,\ y=-11$$

069-3 달 (1) $x=3,\ y=2$ (2) $x=7,\ y=7$
(3) $x=1,\ y=-1$ (4) $x=11,\ y=-3$

(1) $$\begin{cases} -3x+4y+3=2 \\ 2(x-y)=2 \end{cases}$$ 에서

$$\begin{cases} -3x+4y=-1 & \cdots\cdots\ ⓐ \\ 2x-2y=2 & \cdots\cdots\ ⓑ \end{cases}$$

$ⓐ+2\times ⓑ$을 하면 $x=3$

$x=3$을 ⓐ에 대입하면

$$-9+4y=-1 \quad \therefore\ y=2$$

$$\therefore\ x=3,\ y=2$$

(2) $$\begin{cases} 3x+y=6x-2y \\ 3x+y=x+2y+7 \end{cases}$$ 에서

$$\begin{cases} -3x+3y=0 & \cdots\cdots\ ⓐ \\ 2x-y=7 & \cdots\cdots\ ⓑ \end{cases}$$

ⓐ+3×ⓑ을 하면 $3x=21$ $\quad\therefore\ x=7$

$x=7$을 ⓐ에 대입하면 $3y=21$ $\quad\therefore\ y=7$

$$\therefore\ x=7,\ y=7$$

(3) $$\begin{cases} 2x+y=5x+3y-1 \\ x-y-1=5x+3y-1 \end{cases}$$ 에서

$$\begin{cases} 3x+2y=1 & \cdots\cdots\ ⓐ \\ 4x+4y=0 & \cdots\cdots\ ⓑ \end{cases}$$

$2\times ⓐ-ⓑ$을 하면 $2x=2$ $\quad\therefore\ x=1$

$x=1$을 ⓐ에 대입하면

$$2y=-2 \quad \therefore\ y=-1$$

$$\therefore\ x=1,\ y=-1$$

(4) 각 변에 12를 곱하면

$$4(x-2)=2(x-y+4)=3(2x+y-7)$$ 에서

$$\begin{cases} 4x-8=2x-2y+8 \\ 4x-8=6x+3y-21 \end{cases}$$

$$\therefore\ \begin{cases} 2x+2y=16 & \cdots\cdots\ ⓐ \\ -2x-3y=-13 & \cdots\cdots\ ⓑ \end{cases}$$

$ⓐ+ⓑ$을 하면 $-y=3$ $\quad\therefore\ y=-3$

$y=-3$을 ⓐ에 대입하면

$$2x-6=16 \quad \therefore\ x=11$$

$$\therefore\ x=11,\ y=-3$$

070-1 달 (1) 해가 무수히 많다. (2) 해가 없다.
(3) 해가 무수히 많다. (4) 해가 없다.
(5) 해가 없다. (6) 해가 무수히 많다.

(1) $$\begin{cases} x+2y=6 & \cdots\cdots\ ⓐ \\ 2x+4y=12 & \cdots\cdots\ ⓑ \end{cases}$$

$2\times ⓐ$을 하면 $$\begin{cases} 2x+4y=12 \\ 2x+4y=12 \end{cases}$$

따라서 연립방정식의 해가 무수히 많다.

(2) $$\begin{cases} x=-3y-5 & \cdots\cdots\ ⓐ \\ 2x+6y=4 & \cdots\cdots\ ⓑ \end{cases}$$

$2\times ⓐ$을 하면 $$\begin{cases} 2x=-6y-10 \\ 2x+6y=4 \end{cases}$$ $\therefore\ \begin{cases} 2x+6y=-10 \\ 2x+6y=4 \end{cases}$

따라서 연립방정식의 해가 없다.

(3) $$\begin{cases} 3x+y=-2 & \cdots\cdots\ ⓐ \\ -6x-2y=4 & \cdots\cdots\ ⓑ \end{cases}$$

$-2\times ⓐ$을 하면 $$\begin{cases} -6x-2y=4 \\ -6x-2y=4 \end{cases}$$

따라서 연립방정식의 해가 무수히 많다.

(4) $\begin{cases} \dfrac{2}{3}x - \dfrac{1}{2}y = 1 & \cdots\cdots\ \text{㉠} \\ -\dfrac{4}{3}x + y = -3 & \cdots\cdots\ \text{㉡} \end{cases}$

$6\times$㉠, $-3\times$㉡을 하면 $\begin{cases} 4x - 3y = 6 \\ 4x - 3y = 9 \end{cases}$

따라서 연립방정식의 해가 없다.

(5) $\begin{cases} 10x + 5y = 25 & \cdots\cdots\ \text{㉠} \\ 0.2x + 0.1y = 0.3 & \cdots\cdots\ \text{㉡} \end{cases}$

$\dfrac{1}{5}\times$㉠, $10\times$㉡을 하면 $\begin{cases} 2x + y = 5 \\ 2x + y = 3 \end{cases}$

따라서 연립방정식의 해가 없다.

(6) $\begin{cases} 0.7x - 0.3y = 2.1 & \cdots\cdots\ \text{㉠} \\ \dfrac{x}{3} - \dfrac{y}{7} = 1 & \cdots\cdots\ \text{㉡} \end{cases}$

$10\times$㉠, $21\times$㉡을 하면 $\begin{cases} 7x - 3y = 21 \\ 7x - 3y = 21 \end{cases}$

따라서 연립방정식의 해가 무수히 많다.

070-2 📖 (1) 10 (2) 6

(1) $\begin{cases} -3x + y = -5 & \cdots\cdots\ \text{㉠} \\ 6x - 2y = a & \cdots\cdots\ \text{㉡} \end{cases}$

$-2\times$㉠을 하면 $\begin{cases} 6x - 2y = 10 \\ 6x - 2y = a \end{cases}$

연립방정식의 해가 무수히 많으려면 두 방정식의 x, y의 계수와 상수항이 모두 같아야 하므로 $a = 10$

(2) $\begin{cases} 2x - 3y = 6 & \cdots\cdots\ \text{㉠} \\ kx - 9y = 12 & \cdots\cdots\ \text{㉡} \end{cases}$

$3\times$㉠을 하면 $\begin{cases} 6x - 9y = 18 \\ kx - 9y = 12 \end{cases}$

연립방정식의 해가 없으려면 두 방정식의 x, y의 계수는 같고 상수항이 달라야 하므로
$$k = 6$$

071-1 📖 37

십의 자리 숫자를 x, 일의 자리 숫자를 y라 하면

$\begin{cases} x + y = 10 \\ 10y + x = 10x + y + 36 \end{cases}$, 즉 $\begin{cases} x + y = 10 & \cdots\cdots\ \text{㉠} \\ x - y = -4 & \cdots\cdots\ \text{㉡} \end{cases}$

㉠+㉡을 하면
$$2x = 6 \qquad \therefore\ x = 3$$

$x = 3$을 ㉠에 대입하면 $y = 7$

따라서 처음 자연수는 $3 \times 10 + 7 = 37$이다.

071-2 📖 아버지 : 44살, 수아 : 17살

아버지의 나이를 x살, 수아의 나이를 y살이라 하면

$\begin{cases} x - y = 27 \\ x + 10 = 2(y + 10) \end{cases}$, 즉 $\begin{cases} x - y = 27 & \cdots\cdots\ \text{㉠} \\ x - 2y = 10 & \cdots\cdots\ \text{㉡} \end{cases}$

㉠-㉡을 하면 $y = 17$

$y = 17$을 ㉠에 대입하면 $x - 17 = 27$ $\qquad \therefore\ x = 44$

따라서 현재 아버지의 나이는 44살, 수아의 나이는 17살이다.

071-3 📖 6명

어른이 x명, 어린이가 y명 입장하였다고 하면

$\begin{cases} x + y = 15 \\ 900x + 500y = 11100 \end{cases}$, 즉 $\begin{cases} x + y = 15 & \cdots\cdots\ \text{㉠} \\ 9x + 5y = 111 & \cdots\cdots\ \text{㉡} \end{cases}$

㉡$-5\times$㉠을 하면 $4x = 36$ $\qquad \therefore\ x = 9$

$x = 9$를 ㉠에 대입하면 $9 + y = 15$ $\qquad \therefore\ y = 6$

따라서 입장한 어린이의 수는 6명이다.

072-1 📖 올라간 거리 : 9 km, 내려온 거리 : 10 km

올라간 거리를 x km, 내려온 거리를 y km라 하면 올라간 시간은 $\dfrac{x}{3}$시간, 내려온 시간은 $\dfrac{y}{4}$시간이고

5시간 30분은 $5\dfrac{1}{2} = \dfrac{11}{2}$ (시간)이므로

$\begin{cases} x + y = 19 & \cdots\cdots\ \text{㉠} \\ \dfrac{x}{3} + \dfrac{y}{4} = \dfrac{11}{2} & \cdots\cdots\ \text{㉡} \end{cases}$

$12\times$㉡을 하면 $4x + 3y = 66$ $\qquad\cdots\cdots\ \text{㉢}$

$3\times$㉠$-$㉢을 하면 $-x = -9$ $\qquad \therefore\ x = 9$

$x = 9$를 ㉠에 대입하면 $9 + y = 19$ $\qquad \therefore\ y = 10$

따라서 올라간 거리는 9 km, 내려온 거리는 10 km이다.

072-2 📖 400 m

재석이가 걸은 거리를 x km, 명수가 걸은 거리를 y km라 하면 재석이가 걸은 시간은 $\dfrac{x}{5}$시간, 명수가 걸은 시간은 $\dfrac{y}{4}$시간이므로

$\begin{cases} x + y = 3.6 & \cdots\cdots\ \text{㉠} \\ \dfrac{x}{5} = \dfrac{y}{4} & \cdots\cdots\ \text{㉡} \end{cases}$

$20\times$㉡을 하면
$$4x = 5y \qquad \therefore\ 4x - 5y = 0 \qquad\cdots\cdots\ \text{㉢}$$

$5 \times \text{㉠} + \text{㉡}$을 하면

$$9x = 18 \qquad \therefore x = 2$$

$x = 2$를 ㉠에 대입하면

$$y = 1.6$$

따라서 재석이는 $2\,\text{km}$, 명수는 $1.6\,\text{km}$를 걸었으므로 재석이는 명수보다 $0.4\,\text{km}$, 즉 $400\,\text{m}$를 더 걸었다.

072-3 ❸ (1) 풀이 참조
　　　　(2) 4 % : 400 g, 10 % : 200 g

농도(%)	4	10	6
소금의 양 (g)	$x \times \dfrac{4}{100}$	$y \times \dfrac{10}{100}$	$600 \times \dfrac{6}{100} = 36$
소금물의 양 (g)	x	y	600

(1) $\begin{cases} x + y = 600 & \cdots\cdots \text{㉠} \\ \dfrac{4}{100}x + \dfrac{10}{100}y = 36 & \cdots\cdots \text{㉡} \end{cases}$

(2) $100 \times \text{㉡}$을 하면 $4x + 10y = 3600$

$$\therefore 2x + 5y = 1800 \qquad \cdots\cdots \text{㉢}$$

$5 \times \text{㉠} - \text{㉢}$을 하면 $3x = 1200 \qquad \therefore x = 400$

$x = 400$을 ㉠에 대입하면 $y = 200$

따라서 4 %의 소금물의 양은 $400\,\text{g}$, 10 %의 소금물의 양은 $200\,\text{g}$이다.

073-1 ❸ 360명

작년의 남학생 수를 x명, 여학생 수를 y명이라 하면

$$\begin{cases} x + y = 960 & \cdots\cdots \text{㉠} \\ \dfrac{15}{100}x - \dfrac{10}{100}y = 44 & \cdots\cdots \text{㉡} \end{cases}$$

$100 \times \text{㉡}$을 하면 $15x - 10y = 4400$

$$\therefore 3x - 2y = 880 \qquad \cdots\cdots \text{㉢}$$

$2 \times \text{㉠} + \text{㉢}$을 하면 $5x = 2800 \qquad \therefore x = 560$

$x = 560$을 ㉠에 대입하면 $y = 400$

따라서 올해의 여학생 수는

$$400 - \dfrac{10}{100} \times 400 = 360(명)$$

073-2 ❸ 12시간

전체 일의 양을 1로 놓고, 영우와 종숙이가 1시간 동안 할 수 있는 일의 양을 각각 x, y라 하면

$$\begin{cases} 9x + 2y = 1 & \cdots\cdots \text{㉠} \\ 3x + 6y = 1 & \cdots\cdots \text{㉡} \end{cases}$$

$3 \times \text{㉠} - \text{㉡}$을 하면

$$24x = 2 \qquad \therefore x = \dfrac{1}{12}$$

$x = \dfrac{1}{12}$을 ㉡에 대입하면

$$\dfrac{1}{4} + 6y = 1 \qquad \therefore y = \dfrac{1}{8}$$

따라서 영우가 1시간 동안 할 수 있는 일의 양은 전체 일의 $\dfrac{1}{12}$이므로 영우가 혼자서 이 일을 끝내려면 12시간이 걸린다.

073-3 ❸ 15시간

물탱크를 가득 채운 전체 물의 양을 1, A, B 호스로 1시간 동안 채울 수 있는 물의 양을 각각 x, y라 하면

$$\begin{cases} 6x + 6y = 1 & \cdots\cdots \text{㉠} \\ 2x + 12y = 1 & \cdots\cdots \text{㉡} \end{cases}$$

$2 \times \text{㉠} - \text{㉡}$을 하면 $10x = 1 \qquad \therefore x = \dfrac{1}{10}$

$x = \dfrac{1}{10}$을 ㉡에 대입하면

$$\dfrac{1}{5} + 12y = 1 \qquad \therefore y = \dfrac{1}{15}$$

따라서 B 호스로 1시간 동안 채울 수 있는 물의 양은 전체의 $\dfrac{1}{15}$이므로 B 호스로만 물탱크를 가득 채우려면 15시간이 걸린다.

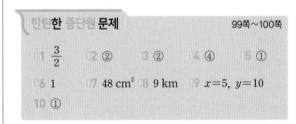

탄탄한 중단원 문제　　　99쪽~100쪽

01 $\dfrac{3}{2}$　02 ②　03 ②　04 ④　05 ①

06 1　07 48 cm²　08 9 km　09 $x = 5$, $y = 10$

10 ①

01 $x = -1$, $y = -4$를 $ax - 2y - 5 = 0$에 대입하면

$$-a + 8 - 5 = 0 \qquad \therefore a = 3$$

또, $x = 2$, $y = b$를 $3x - 2y - 5 = 0$에 대입하면

$$6 - 2b - 5 = 0, \quad 2b = 1 \qquad \therefore b = \dfrac{1}{2}$$

$$\therefore ab = 3 \times \dfrac{1}{2} = \dfrac{3}{2}$$

02 주어진 연립방정식에 $x=-1$, $y=2$를 대입하면

$$\begin{cases} -a-2b=-9 \\ -b+2a=8 \end{cases}, \ \text{즉} \ \begin{cases} -a-2b=-9 & \cdots\cdots \ \bigcirc \\ 2a-b=8 & \cdots\cdots \ \bigcirc\!\!\!\bigcirc \end{cases}$$

$2\times\bigcirc+\bigcirc\!\!\!\bigcirc$을 하면

$$-5b=-10 \quad \therefore \ b=2$$

$b=2$를 $\bigcirc$에 대입하면

$$-a-4=-9 \quad \therefore \ a=5$$

$$\therefore \ a-b=5-2=3$$

03 $\begin{cases} y=-4x+2 & \cdots\ \bigcirc \\ 3ax+y=-11 & \cdots\ \bigcirc\!\!\!\bigcirc \end{cases}, \begin{cases} 2x-3y=8 & \cdots\ \bigcirc\!\!\!\!\bigcirc \\ 5x+by=1 & \cdots\ \bigcirc\!\!\!\!\!\bigcirc \end{cases}$

$\bigcirc$을 $\bigcirc\!\!\!\!\bigcirc$에 대입하면

$$2x-3(-4x+2)=8$$
$$14x=14 \quad \therefore \ x=1$$

$x=1$을 $\bigcirc$에 대입하면 $y=-2$

따라서 두 연립방정식의 해가 $(1,\ -2)$이므로

$3ax+y=-11$에 $x=1$, $y=-2$를 대입하면

$$3a-2=-11,\ 3a=-9 \quad \therefore \ a=-3$$

또, $5x+by=1$에 $x=1$, $y=-2$를 대입하면

$$5-2b=1,\ -2b=-4 \quad \therefore \ b=2$$

$$\therefore \ a+b=-3+2=-1$$

04 $\begin{cases} 0.2x+0.5y=-0.2 & \cdots\cdots\ \bigcirc \\ \dfrac{x-5}{3}-\dfrac{y+1}{2}=\dfrac{1}{6} & \cdots\cdots\ \bigcirc\!\!\!\bigcirc \end{cases}$

$10\times\bigcirc$을 하면 $2x+5y=-2 \quad\cdots\cdots\ \bigcirc\!\!\!\!\bigcirc$

$6\times\bigcirc\!\!\!\bigcirc$을 하면 $2(x-5)-3(y+1)=1$

$$\therefore \ 2x-3y=14 \quad\cdots\cdots\ \bigcirc\!\!\!\!\!\bigcirc$$

$\bigcirc\!\!\!\!\bigcirc-\bigcirc\!\!\!\!\!\bigcirc$을 하면

$$8y=-16 \quad \therefore \ y=-2$$

$y=-2$를 $\bigcirc\!\!\!\!\!\bigcirc$에 대입하면

$$2x+6=14 \quad \therefore \ x=4$$

따라서 $m=4$, $n=-2$이므로

$$m^2-n^2=16-4=12$$

05 각 변에 분모의 최소공배수 30을 곱하면

$$6(2x+3)=15(2x-y)=10(x+y),$$
$$12x+18=30x-15y=10x+10y$$

$\begin{cases} 12x+18=30x-15y \\ 12x+18=10x+10y \end{cases}$에서

$$\begin{cases} -6x+5y=-6 & \cdots\cdots\ \bigcirc \\ x-5y=-9 & \cdots\cdots\ \bigcirc\!\!\!\bigcirc \end{cases}$$

$\bigcirc+\bigcirc\!\!\!\bigcirc$을 하면 $-5x=-15 \quad \therefore \ x=3$

$x=3$을 $\bigcirc\!\!\!\bigcirc$에 대입하면

$$3-5y=-9 \quad \therefore \ y=\frac{12}{5}$$

$$\therefore \ x=3,\ y=\frac{12}{5}$$

06 $\begin{cases} ax+y=5 \\ 4x-y=b-1 \end{cases}$, 즉 $\begin{cases} ax+y=5 \\ -4x+y=-b+1 \end{cases}$의 해가 무수히 많으려면

$$a=-4,\ -b+1=5 \quad \therefore \ a=-4,\ b=-4$$

$$\therefore \ \frac{b}{a}=\frac{-4}{-4}=1$$

07 카드 한 장의 한 변의 길이를 x, 다른 한 변의 길이를 y라 하면 오른쪽 그림에서

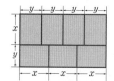

$$3x=4y \quad\cdots\cdots\ \bigcirc$$

큰 직사각형의 둘레의 길이는

$$5x+6y=76 \quad\cdots\cdots\ \bigcirc\!\!\!\bigcirc$$

$\bigcirc$, $\bigcirc\!\!\!\bigcirc$에 의하여 $\begin{cases} 3x-4y=0 \\ 5x+6y=76 \end{cases} \quad \therefore \ x=8,\ y=6$

따라서 카드 한 장의 넓이는 $8\times6=48(\text{cm}^2)$이다.

08 집에서 서점까지의 거리를 x km, 서점에서 공원까지의 거리를 y km라 하면

$$\begin{cases} x+y=13 \\ \dfrac{x}{3}+1+\dfrac{y}{4}=5 \end{cases} \text{에서} \begin{cases} x+y=13 \\ 4x+3y=48 \end{cases}$$

$$\therefore \ x=9,\ y=4$$

따라서 집에서 서점까지의 거리는 9 km이다.

09 소금물 A의 양을 x g, 소금물 B의 양을 y g이라 하면 $7\,\%$의 소금물에 들어 있는 소금의 양은

$$60\times\frac{x}{100}+40\times\frac{y}{100}=100\times\frac{7}{100}$$

$$\therefore \ 3x+2y=35 \quad\cdots\cdots\ \bigcirc$$

또, $8\,\%$의 소금물에 들어 있는 소금의 양은

$$40\times\frac{x}{100}+60\times\frac{y}{100}=100\times\frac{8}{100}$$

$$\therefore \ 2x+3y=40 \quad\cdots\cdots\ \bigcirc\!\!\!\bigcirc$$

$\bigcirc$, $\bigcirc\!\!\!\bigcirc$에 의하여 $\begin{cases} 3x+2y=35 \\ 2x+3y=40 \end{cases}$

$$\therefore \ x=5,\ y=10$$

10 작년 여름 서울과 제주의 강수량을 각각 x mm, y mm라 하고 작년과 올해 여름의 강수량을 표로 나타내면 다음과 같다.

	서울(mm)	제주(mm)	총 강수량(mm)
작년	x	y	1200
증감	$+\dfrac{20}{100}x$	$-\dfrac{10}{100}y$	$-\dfrac{4.5}{100} \times 1200$
올해	$\dfrac{120}{100}x$	$\dfrac{90}{100}y$	1146

$$\begin{cases} x+y=1200 \\ \dfrac{20}{100}x - \dfrac{10}{100}y = -\dfrac{4.5}{100} \times 1200 \end{cases}$$ 에서

$$\begin{cases} x+y=1200 \\ 2x-y=-540 \end{cases} \qquad \therefore x=220, \ y=980$$

따라서 올해 여름 서울의 강수량은

$$220 + 220 \times \dfrac{20}{100} = 220 + 44 = 264 \text{(mm)}$$

✅ **이렇게도 풀어요!**

작년 여름의 강수량과 올해 여름의 강수량을 이용하여 연립방정식을 세워도 된다.

$$\begin{cases} x+y=1200 \\ \dfrac{120}{100}x + \dfrac{90}{100}y = 1146 \end{cases}$$

06 인수분해

101쪽~111쪽

074-1 📖 풀이 참조

(1) $(a+3b)(c-d) = ac-ad+3bc-3bd$

(2) $(2x+y-1)(x+1) = 2x^2+2x+xy+y-x-1$
$$= 2x^2+xy+x+y-1$$

(3) $(3x-2)(2x+2) = 6x^2+6x-4x-4 = 6x^2+2x-4$

(4) $(a-2)(2a+b+5) = 2a^2+ab+5a-4a-2b-10$
$$= 2a^2+ab+a-2b-10$$

074-2 📖 풀이 참조

(1) $(x+3)^2 = x^2+6x+9$

(2) $(3a-b)^2 = 9a^2-6ab+b^2$

(3) $(2x+3y)^2 = 4x^2+12xy+9y^2$

(4) $(-2x+7)^2 = 4x^2-28x+49$

(5) $\left(4a+\dfrac{1}{2}\right)^2 = 16a^2+4a+\dfrac{1}{4}$

(6) $(-a-5b)^2 = a^2+10ab+25b^2$

074-3 📖 5

$(2x+A)^2 = 4x^2+4Ax+A^2 = 4x^2+Bx+\dfrac{1}{4}$ 에서

$$4A=B, \quad A^2=\dfrac{1}{4}$$

즉, $A=\dfrac{1}{2}(\because A>0)$, $B=2$이므로

$$6A+B = 6 \times \dfrac{1}{2} + 2 = 3+2 = 5$$

075-1 📖 (1) 13 (2) 10 (3) 17 (4) 25 (5) 27

(1) $x^2+y^2 = (x+y)^2-2xy$이므로
$$x^2+y^2 = 3^2-2\cdot(-2) = 13$$

(2) $a^2+b^2 = (a-b)^2+2ab$이므로
$$a^2+b^2 = (-2)^2+2\cdot3 = 10$$

(3) $(x-y)^2 = (x+y)^2-4xy$이므로
$$(x-y)^2 = 5^2-4\cdot2 = 17$$

(4) $(a+b)^2 = (a-b)^2+4ab$이므로
$$(a+b)^2 = 3^2+4\cdot4 = 25$$

(5) $a^2+\dfrac{1}{a^2} = \left(a-\dfrac{1}{a}\right)^2+2$이므로

$$a^2+\dfrac{1}{a^2} = (-5)^2+2 = 27$$

075-2 📖 ②

$(a+b)^2 = a^2+b^2+2ab$이므로
$$(-3)^2 = 5+2ab \qquad \therefore ab=2$$

076-1 📖 (1) a^2-9 (2) $4x^2-9y^2$ (3) $4y^2-x^2$

$\qquad\qquad$ (4) $\dfrac{1}{16}x^2-25y^2$

(1) $(a+3)(a-3) = a^2-3^2 = a^2-9$

(2) $(-2x+3y)(-2x-3y) = (-2x)^2-(3y)^2$
$$= 4x^2-9y^2$$

(3) $(x+2y)(2y-x) = (2y+x)(2y-x)$
$$= (2y)^2-x^2 = 4y^2-x^2$$

(4) $\left(-\dfrac{1}{4}x+5y\right)\left(-\dfrac{1}{4}x-5y\right) = \left(-\dfrac{1}{4}x\right)^2-(5y)^2$

$$= \dfrac{1}{16}x^2-25y^2$$

076-2 📖 풀이 참조

(1) $(x+6)(x+4) = x^2+10x+24$

(2) $(a-3)(a+7) = a^2+4a-21$

(3) $(x-2y)(x-4y)=x^2-6xy+8y^2$

(4) $(a+2b)(a-3b)=a^2-ab-6b^2$

076-3 답 풀이 참조

(1) $(3a+1)(4a-2)=12a^2+(-6+4)a-2$
$$=12a^2-2a-2$$

(2) $(x+3y)(3x+2y)=3x^2+(2xy+9xy)+6y^2$
$$=3x^2+11xy+6y^2$$

(3) $(3x+2y)(2x-5y)=6x^2+(-15xy+4xy)-10y^2$
$$=6x^2-11xy-10y^2$$

(4) $(2a-3b)(-3a+5b)$
$$=-6a^2+(10ab+9ab)-15b^2$$
$$=-6a^2+19ab-15b^2$$

077-1 답 풀이 참조

(1) $48^2=(50-\boxed{2})^2$
$$=2500-2\times\boxed{100}+\boxed{4}=\boxed{2304}$$

(2) $97^2=(100-\boxed{3})^2$
$$=10000-2\times\boxed{300}+\boxed{9}=\boxed{9409}$$

(3) $49\times51=(50-\boxed{1})(50+\boxed{1})$
$$=2500-\boxed{1}=\boxed{2499}$$

(4) $3.2\times2.8=(3+\boxed{0.2})(3-\boxed{0.2})$
$$=9-\boxed{0.04}=\boxed{8.96}$$

077-2 답 ⑤

① $103^2=(100+3)^2$이므로 $(a+b)^2=a^2+2ab+b^2$을 이용한다.

② $95^2=(100-5)^2$이므로 $(a-b)^2=a^2-2ab+b^2$을 이용한다.

③ $5.8\times6.2=(6-0.2)(6+0.2)$이므로 $(a+b)(a-b)=a^2-b^2$을 이용한다.

④ $101\times99=(100+1)(100-1)$이므로 $(a+b)(a-b)=a^2-b^2$을 이용한다.

⑤ $102\times105=(100+2)(100+5)$이므로 $(x+a)(x+b)=x^2+(a+b)x+ab$를 이용한다.

078-1 답 (1) $7+2\sqrt{10}$ (2) $9-4\sqrt{2}$ (3) 7 (4) 1 (5) $16+5\sqrt{7}$ (6) $8+3\sqrt{5}$

(1) $(\sqrt{5}+\sqrt{2})^2=(\sqrt{5})^2+2\times\sqrt{5}\times\sqrt{2}+(\sqrt{2})^2$
$$=5+2\sqrt{10}+2=7+2\sqrt{10}$$

(2) $(2\sqrt{2}-1)^2=(2\sqrt{2})^2-2\times2\sqrt{2}\times1+1^2$
$$=8-4\sqrt{2}+1=9-4\sqrt{2}$$

(3) $(\sqrt{11}+2)(\sqrt{11}-2)=(\sqrt{11})^2-2^2=11-4=7$

(4) $(2\sqrt{2}+\sqrt{7})(2\sqrt{2}-\sqrt{7})=(2\sqrt{2})^2-(\sqrt{7})^2=8-7=1$

(5) $(2\sqrt{7}+1)(\sqrt{7}+2)=2\times(\sqrt{7})^2+(4+1)\times\sqrt{7}+2$
$$=14+5\sqrt{7}+2=16+5\sqrt{7}$$

(6) $(2\sqrt{5}-1)(\sqrt{5}+2)=2\times(\sqrt{5})^2+(4-1)\times\sqrt{5}-2$
$$=10+3\sqrt{5}-2=8+3\sqrt{5}$$

078-2 답 ③

$(2\sqrt{3}-\sqrt{5})(3\sqrt{3}+\sqrt{5})=18+(-3+2)\sqrt{15}-5$
$$=13-\sqrt{15}$$

이므로 $a=13$, $b=-1$
$$\therefore a-b=13-(-1)=14$$

078-3 답 ③

$(3+\sqrt{7})(a-2\sqrt{7})=3a-6\sqrt{7}+a\sqrt{7}-14$
$$=(3a-14)+(a-6)\sqrt{7}$$

이때 위의 식이 유리수가 되려면
$$a-6=0 \qquad \therefore a=6$$

079-1 답 (1) $\sqrt{2}-1$ (2) $\dfrac{3\sqrt{5}+3}{4}$ (3) $\dfrac{\sqrt{14}-\sqrt{10}}{2}$ (4) $\dfrac{2\sqrt{6}+3}{5}$

(1) $\dfrac{1}{\sqrt{2}+1}=\dfrac{\sqrt{2}-1}{(\sqrt{2}+1)(\sqrt{2}-1)}=\dfrac{\sqrt{2}-1}{2-1}=\sqrt{2}-1$

(2) $\dfrac{3}{\sqrt{5}-1}=\dfrac{3(\sqrt{5}+1)}{(\sqrt{5}-1)(\sqrt{5}+1)}=\dfrac{3(\sqrt{5}+1)}{5-1}=\dfrac{3\sqrt{5}+3}{4}$

(3) $\dfrac{\sqrt{2}}{\sqrt{7}+\sqrt{5}}=\dfrac{\sqrt{2}(\sqrt{7}-\sqrt{5})}{(\sqrt{7}+\sqrt{5})(\sqrt{7}-\sqrt{5})}=\dfrac{\sqrt{14}-\sqrt{10}}{7-5}$
$$=\dfrac{\sqrt{14}-\sqrt{10}}{2}$$

(4) $\dfrac{\sqrt{3}}{2\sqrt{2}-\sqrt{3}}=\dfrac{\sqrt{3}(2\sqrt{2}+\sqrt{3})}{(2\sqrt{2}-\sqrt{3})(2\sqrt{2}+\sqrt{3})}=\dfrac{2\sqrt{6}+3}{8-3}$
$$=\dfrac{2\sqrt{6}+3}{5}$$

079-2 답 (1) $4\sqrt{2}$ (2) -5

(1) $\dfrac{\sqrt{2}}{2-\sqrt{3}}+\dfrac{\sqrt{2}}{2+\sqrt{3}}=\dfrac{\sqrt{2}(2+\sqrt{3})}{(2+\sqrt{3})(2-\sqrt{3})}+\dfrac{\sqrt{2}(2-\sqrt{3})}{(2+\sqrt{3})(2-\sqrt{3})}$
$$=\dfrac{\sqrt{2}(2+\sqrt{3})}{4-3}+\dfrac{\sqrt{2}(2-\sqrt{3})}{4-3}$$
$$=2\sqrt{2}+\sqrt{6}+2\sqrt{2}-\sqrt{6}=4\sqrt{2}$$

(2) $\dfrac{2}{\sqrt{2}+1}-\dfrac{1}{3-2\sqrt{2}}$

$=\dfrac{2(\sqrt{2}-1)}{(\sqrt{2}+1)(\sqrt{2}-1)}-\dfrac{3+2\sqrt{2}}{(3+2\sqrt{2})(3-2\sqrt{2})}$

$=\dfrac{2\sqrt{2}-2}{2-1}-\dfrac{3+2\sqrt{2}}{9-8}$

$=2\sqrt{2}-2-3-2\sqrt{2}=-5$

079-3 답 ④

$\dfrac{-2+\sqrt{5}}{2+\sqrt{5}}=\dfrac{(-2+\sqrt{5})(2-\sqrt{5})}{(2+\sqrt{5})(2-\sqrt{5})}$

$=\dfrac{-(2-\sqrt{5})^2}{4-5}$

$=9-4\sqrt{5}=a+b\sqrt{5}$

이므로 $a=9$, $b=-4$

$\therefore a+b=9+(-4)=5$

080-1 답 (1) $2\sqrt{5}$ (2) 1 (3) 17

(1) $x=\sqrt{5}+2$, $y=\sqrt{5}-2$이므로

$x+y=(\sqrt{5}+2)+(\sqrt{5}-2)=2\sqrt{5}$

(2) $xy=(\sqrt{5}+2)(\sqrt{5}-2)=1$

(3) $x^2-xy+y^2=(x+y)^2-3xy$

$=(2\sqrt{5})^2-3\cdot1$

$=20-3=17$

080-2 답 (1) -2 (2) -1 (3) -4 (4) 7

(1) $x=3+\sqrt{2}$에서 $x-3=\sqrt{2}$

양변을 제곱하면 $x^2-6x+9=2$, $x^2-6x=-7$

$\therefore x^2-6x+5=-7+5=-2$

(2) $x=1+\sqrt{5}$에서 $x-1=\sqrt{5}$

양변을 제곱하면 $x^2-2x+1=5$, $x^2-2x=4$

$\therefore x^2-2x-5=4-5=-1$

(3) $x=2+\sqrt{3}$에서 $x-2=\sqrt{3}$

양변을 제곱하면 $x^2-4x+4=3$, $x^2-4x=-1$

$\therefore x^2-4x-3=-1-3=-4$

(4) $x=\sqrt{2}-1$에서 $x+1=\sqrt{2}$

양변을 제곱하면 $x^2+2x+1=2$, $x^2+2x=1$

$\therefore x^2+2x+6=1+6=7$

081-1 답 (1) x^2+4x (2) $x^2+10x+25$
(3) a^2+a-6 (4) $-3x^2+5x-2$

081-2 답 풀이 참조

(1) $2a^2+ab=a(2a+b)$

인수 : 1, a, $2a+b$, $a(2a+b)$

(2) $xy(a+3)-2(a+3)=(a+3)(xy-2)$

인수 : 1, $a+3$, $xy-2$, $(a+3)(xy-2)$

081-3 답 (1) $1-3x$ (2) $x-y$

(1) $x-3x^2=x(1-3x)$ $\cdots\cdots$ ㉠

$-9xy+3y=3y(-3x+1)$ $\cdots\cdots$ ㉡

따라서 ㉠, ㉡의 공통인수는 $1-3x$이다.

(2) $x(a+b)-y(a+b)=(a+b)(x-y)$ $\cdots\cdots$ ㉠

$a(x-y)+b(y-x)=a(x-y)-b(x-y)$

$=(x-y)(a-b)$ $\cdots\cdots$ ㉡

따라서 ㉠, ㉡의 공통인수는 $x-y$이다.

082-1 답 (1) $(x-2)^2$ (2) $(3a+b)^2$ (3) $(2a-5b)^2$
(4) $(4x+1)^2$

082-2 답 (1) $(3x+y)(3x-y)$

(2) $\left(\dfrac{1}{4}x+\dfrac{3}{5}y\right)\left(\dfrac{1}{4}x-\dfrac{3}{5}y\right)$

(3) $2(a+2)(a-2)$

(4) $(x^2+4)(x+2)(x-2)$

(1) $9x^2-y^2=(3x)^2-y^2=(3x+y)(3x-y)$

(2) $\dfrac{1}{16}x^2-\dfrac{9}{25}y^2=\left(\dfrac{1}{4}x\right)^2-\left(\dfrac{3}{5}y\right)^2$

$=\left(\dfrac{1}{4}x+\dfrac{3}{5}y\right)\left(\dfrac{1}{4}x-\dfrac{3}{5}y\right)$

(3) $2a^2-8=2(a^2-4)=2(a^2-2^2)=2(a+2)(a-2)$

(4) $x^4-16=(x^2)^2-4^2=(x^2+4)(x^2-4)$

$=(x^2+4)(x^2-2^2)$

$=(x^2+4)(x+2)(x-2)$

082-3 답 (1) 16 (2) ±12

(1) $x^2+8x+\square=x^2+2\times x\times4+\square$

$\therefore \square=4^2=16$

(2) $a^2+\square ab+36b^2=a^2+\square ab+(6b)^2$

$\square ab=\pm2\times a\times6b=\pm12ab$

$\therefore \square=\pm12$

083-1 답 4

$x^2+ax-20=x^2+(4-b)x-4b$이므로

$a=4-b,\ -20=-4b$

따라서 $a=-1,\ b=5$이므로

$a+b=(-1)+5=4$

083-2 답 (1) $(x+4y)(x+5y)$

　　　　(2) $(x+y)(x-4y)$

　　　　(3) $(x-y)(x-6y)$

　　　　(4) $(x-2y)(x-4y)$

(1) $x^2+9xy+20y^2=(x+4y)(x+5y)$

$$
\begin{array}{ccc}
x & \diagdown\nearrow & 4y \longrightarrow 4xy \\
x & \diagup\searrow & 5y \longrightarrow \underline{5xy}\,(+ \\
& & \qquad 9xy
\end{array}
$$

(2) $x^2-3xy-4y^2=(x+y)(x-4y)$

$$
\begin{array}{ccc}
x & & y \longrightarrow xy \\
x & \diagdown\diagup & -4y \longrightarrow \underline{-4xy}\,(+ \\
& & \qquad -3xy
\end{array}
$$

(3) $x^2-7xy+6y^2=(x-y)(x-6y)$

$$
\begin{array}{ccc}
x & & -y \longrightarrow -xy \\
x & \diagdown\diagup & -6y \longrightarrow \underline{-6xy}\,(+ \\
& & \qquad -7xy
\end{array}
$$

(4) $x^2-6xy+8y^2=(x-2y)(x-4y)$

$$
\begin{array}{ccc}
x & & -2y \longrightarrow -2xy \\
x & \diagdown\diagup & -4y \longrightarrow \underline{-4xy}\,(+ \\
& & \qquad -6xy
\end{array}
$$

083-3 답 ①

$x^2-3x+a=(x-6)(x+b)$로 놓으면

$-6+b=-3$에서 $b=3$

$\therefore a=(-6)\cdot b=(-6)\cdot 3=-18$

084-1 답 -5

$6x^2+5x-4=(2x-1)(3x+4)$

$$
\begin{array}{ccc}
2x & & -1 \longrightarrow -3x \\
3x & \diagdown\diagup & 4 \longrightarrow \underline{8x}\,(+ \\
& & \qquad 5x
\end{array}
$$

따라서 $a=-1,\ b=4$이므로

$a-b=-1-4=-5$

084-2 답 (1) $(x+5y)(5x-y)$

　　　　(2) $(x+4y)(2x+3y)$

　　　　(3) $(x+y)(11x+2y)$

　　　　(4) $(3x-y)(3x-2y)$

(1) $5x^2+24xy-5y^2=(x+5y)(5x-y)$

$$
\begin{array}{ccc}
x & & 5y \longrightarrow 25xy \\
5x & \diagdown\diagup & -y \longrightarrow \underline{-xy}\,(+ \\
& & \qquad 24xy
\end{array}
$$

(2) $2x^2+11xy+12y^2=(x+4y)(2x+3y)$

$$
\begin{array}{ccc}
x & & 4y \longrightarrow 8xy \\
2x & \diagdown\diagup & 3y \longrightarrow \underline{3xy}\,(+ \\
& & \qquad 11xy
\end{array}
$$

(3) $11x^2+13xy+2y^2=(x+y)(11x+2y)$

$$
\begin{array}{ccc}
x & & y \longrightarrow 11xy \\
11x & \diagdown\diagup & 2y \longrightarrow \underline{2xy}\,(+ \\
& & \qquad 13xy
\end{array}
$$

(4) $9x^2-9xy+2y^2=(3x-y)(3x-2y)$

$$
\begin{array}{ccc}
3x & & -y \longrightarrow -3xy \\
3x & \diagdown\diagup & -2y \longrightarrow \underline{-6xy}\,(+ \\
& & \qquad -9xy
\end{array}
$$

084-3 답 (1) $x-1$　(2) $x-2$

(1) $2x^2-5x+3=(x-1)(2x-3)$

$$
\begin{array}{ccc}
x & & -1 \longrightarrow -2x \\
2x & \diagdown\diagup & -3 \longrightarrow \underline{-3x}\,(+ \\
& & \qquad -5x
\end{array}
$$

$5x^2-12x+7=(x-1)(5x-7)$

$$
\begin{array}{ccc}
x & & -1 \longrightarrow -5x \\
5x & \diagdown\diagup & -7 \longrightarrow \underline{-7x}\,(+ \\
& & \qquad -12x
\end{array}
$$

따라서 두 식의 공통인수는 $x-1$이다.

(2) $2x^2-7x+6=(x-2)(2x-3)$

$$
\begin{array}{ccc}
x & & -2 \longrightarrow -4x \\
2x & \diagdown\diagup & -3 \longrightarrow \underline{-3x}\,(+ \\
& & \qquad -7x
\end{array}
$$

$5x^2-3x-14=(x-2)(5x+7)$

$$
\begin{array}{ccc}
x & & -2 \longrightarrow -10x \\
5x & \diagdown\diagup & 7 \longrightarrow \underline{7x}\,(+ \\
& & \qquad -3x
\end{array}
$$

따라서 두 식의 공통인수는 $x-2$이다.

01 ①	02 ④	03 ①	04 ③
05 $24\sqrt{2}-8\sqrt{10}$	06 ①	07 ②	08 ②
09 $2x-8$	10 ②		

01 $(x-2y)(3x+2y-1)=3x^2-4y^2-4xy-x+2y$

$\therefore a=-4,\ b=2$

$\therefore a-b=-4-2=-6$

02 $\dfrac{y}{x}+\dfrac{x}{y}=\dfrac{x^2+y^2}{xy}=\dfrac{(x+y)^2-2xy}{xy}$

$\qquad =\dfrac{4^2-2\cdot2}{2}=\dfrac{16-4}{2}=6$

03 $(3x+a)(4x-5)=12x^2+(-15+4a)x-5a$

$\qquad\qquad\qquad\quad =12x^2+bx-10$

이때 $-15+4a=b,\ -5a=-10$이므로

$a=2,\ b=-7 \qquad \therefore a+b=2+(-7)=-5$

04 $1004\times996=(1000+4)(1000-4)$

$\qquad\qquad\quad =1000000-16=999984$

05 $(x+y)^2-(x-y)^2$

$\quad =(x^2+2xy+y^2)-(x^2-2xy+y^2)$

$\quad =4xy=4\times2\sqrt{2}\times(3-\sqrt{5})=24\sqrt{2}-8\sqrt{10}$

06 $x=\dfrac{1}{\sqrt{2}+\sqrt{3}}=\dfrac{\sqrt{2}-\sqrt{3}}{(\sqrt{2}+\sqrt{3})(\sqrt{2}-\sqrt{3})}$

$\qquad =\dfrac{\sqrt{2}-\sqrt{3}}{2-3}=-\sqrt{2}+\sqrt{3}$

$y=\dfrac{1}{\sqrt{2}-\sqrt{3}}=\dfrac{\sqrt{2}+\sqrt{3}}{(\sqrt{2}-\sqrt{3})(\sqrt{2}+\sqrt{3})}$

$\qquad =\dfrac{\sqrt{2}+\sqrt{3}}{2-3}=-\sqrt{2}-\sqrt{3}$

이므로

$x+y=(-\sqrt{2}+\sqrt{3})+(-\sqrt{2}-\sqrt{3})=-2\sqrt{2}$

$xy=(-\sqrt{2}+\sqrt{3})(-\sqrt{2}-\sqrt{3})=-1$

$\therefore x^2+3xy+y^2=(x+y)^2+xy$

$\qquad\qquad\qquad =(-2\sqrt{2})^2+(-1)=8-1=7$

07 $(x+2)(x-3)-a=x^2-x-6-a$

$\qquad\qquad\qquad =x^2-2\times x\times\dfrac{1}{2}+\left(\dfrac{1}{2}\right)^2$

이때 $-6-a=\left(\dfrac{1}{2}\right)^2$이어야 완전제곱식이 되므로

$-6-a=\dfrac{1}{4} \qquad \therefore a=-6-\dfrac{1}{4}=-\dfrac{25}{4}$

08 $a^3-a=a(a^2-1)=a(a+1)(a-1)$

따라서 a^3-a의 인수는

$\quad 1,\ a,\ a+1,\ a-1,\ a(a+1),\ a(a-1),$

$\quad (a+1)(a-1),\ a(a+1)(a-1)$

09 $(x-5)(x+4)-7x=x^2-x-20-7x$

$\qquad\qquad\qquad\quad =x^2-8x-20$

$\qquad\qquad\qquad\quad =(x+2)(x-10)$

따라서 두 일차식은 $x+2,\ x-10$이므로

$(x+2)+(x-10)=2x-8$

10 $3x^2+8x+4=(x+2)(3x+2)$

$$\begin{array}{ccc} x & \diagdown & 2 \longrightarrow 6x \\ 3x & \diagup & 2 \longrightarrow \underline{2x\,(+} \\ & & 8x \end{array}$$

$2x^2+3x-2=(x+2)(2x-1)$

$$\begin{array}{ccc} x & \diagdown & 2 \longrightarrow 4x \\ 2x & \diagup & -1 \longrightarrow \underline{-x\,(+} \\ & & 3x \end{array}$$

따라서 두 식의 공통인수는 $x+2$이다.

07 이차방정식   114쪽~121쪽

085-1 답 ㄴ, ㄹ

ㄱ. $x^2-2x=x^3-3 \Rightarrow x^3-x^2+2x-3=0$

ㄴ. $2x^2=9-5x \Rightarrow 2x^2+5x-9=0$

ㄷ. $(x+2)^2=(5-x)^2-3 \Rightarrow 14x-18=0$

ㄹ. $2x^2+3x=(x+2)(x-3) \Rightarrow x^2+4x+6=0$

ㅁ. $x^2-3x=x(x-2)^2 \Rightarrow x^3-5x^2+7x=0$

ㅂ. $x^2-3x+2=(x-1)^2-4 \Rightarrow x-5=0$

따라서 x에 관한 이차방정식인 것은 ㄴ, ㄹ이다.

085-2 답 (1) $x=-2$ 또는 $x=3$

$\qquad\qquad$ (2) $x=1$ 또는 $x=2$

$\qquad\qquad$ (3) $x=-2$ 또는 $x=1$

$\qquad\qquad$ (4) $x=0$ 또는 $x=1$

(1)

x	-2	-1	0	1	2	3
x^2-x-6	0	-4	-6	-6	-4	0

따라서 $x^2-x-6=0$의 해는 $x=-2$ 또는 $x=3$이다.

(2)

x	-2	-1	0	1	2	3
x^2-3x+2	12	6	2	0	0	2

따라서 $x^2-3x+2=0$의 해는 $x=1$ 또는 $x=2$이다.

(3)

x	-2	-1	0	1	2	3
x^2+x-2	0	-2	-2	0	4	10

따라서 $x^2+x-2=0$의 해는 $x=-2$ 또는 $x=1$이다.

(4)

x	-2	-1	0	1	2	3
x^2-x	6	2	0	0	2	6

따라서 $x^2-x=0$의 해는 $x=0$ 또는 $x=1$이다.

085-3 답 (1) 해이다. (2) 해가 아니다.
  　　(3) 해이다. (4) 해가 아니다.

(1) $x^2-7x+6=0$에 $x=1$을 대입하면
$$1^2-7\times1+6=0$$
등식이 참이므로 $x=1$은 주어진 이차방정식의 해이다.

(2) $x^2-3x-10=0$에 $x=2$를 대입하면
$$2^2-3\times2-10=-12\neq0$$
등식이 거짓이므로 $x=2$는 주어진 이차방정식의 해가 아니다.

(3) $2x^2-11x+5=0$에 $x=5$를 대입하면
$$2\times5^2-11\times5+5=0$$
등식이 참이므로 $x=5$는 주어진 이차방정식의 해이다.

(4) $x^2-4x-12=0$에 $x=-6$을 대입하면
$$(-6)^2-4\times(-6)-12=48\neq0$$
등식이 거짓이므로 $x=-6$은 주어진 이차방정식의 해가 아니다.

086-1 답 (1) $x=0$ 또는 $x=3$
  　　(2) $x=-4$ 또는 $x=2$
  　　(3) $x=-\dfrac{1}{2}$ 또는 $x=\dfrac{2}{3}$

086-2 답 (1) $x=3$ 또는 $x=4$　(2) $x=-4$ 또는 $x=4$
  　　(3) $x=-\dfrac{8}{3}$ 또는 $x=\dfrac{8}{3}$
  　　(4) $x=-2$ 또는 $x=\dfrac{1}{2}$

  　　(5) $x=-\dfrac{1}{3}$ 또는 $x=4$

  　　(6) $x=-\dfrac{5}{2}$ 또는 $x=\dfrac{3}{2}$

(1) $x^2-7x+12=0$에서 $(x-3)(x-4)=0$
  $\therefore x=3$ 또는 $x=4$

(2) $x^2-16=0$에서 $(x+4)(x-4)=0$
  $\therefore x=-4$ 또는 $x=4$

(3) $9x^2=64$에서 $9x^2-64=0$이므로
  $(3x+8)(3x-8)=0$
  $\therefore x=-\dfrac{8}{3}$ 또는 $x=\dfrac{8}{3}$

(4) $2x^2+3x-2=0$에서 $(x+2)(2x-1)=0$
  $\therefore x=-2$ 또는 $x=\dfrac{1}{2}$

(5) $-3x^2+11x+4=0$에서 $3x^2-11x-4=0$이므로
  $(3x+1)(x-4)=0$
  $\therefore x=-\dfrac{1}{3}$ 또는 $x=4$

(6) $2x^2-4x+15=6x^2$에서 $4x^2+4x-15=0$이므로
  $(2x+5)(2x-3)=0$
  $\therefore x=-\dfrac{5}{2}$ 또는 $x=\dfrac{3}{2}$

086-3 답 ⑤

① $x^2+2x-3=0$, $(x+3)(x-1)=0$
  $\therefore x=-3$ 또는 $x=1$
② $x^2+4x+3=0$, $(x+3)(x+1)=0$
  $\therefore x=-3$ 또는 $x=-1$
③ $x^2-4x+3=0$, $(x-1)(x-3)=0$
  $\therefore x=1$ 또는 $x=3$
④ $x^2-x-2=0$, $(x+1)(x-2)=0$
  $\therefore x=-1$ 또는 $x=2$
⑤ $x^2-5x+4=0$, $(x-1)(x-4)=0$
  $\therefore x=1$ 또는 $x=4$

087-1 답 (1) $x=6$ (중근) (2) $x=-\dfrac{1}{2}$ (중근)

  　　(3) $x=\dfrac{2}{5}$ (중근) (4) $x=-\dfrac{1}{3}$ (중근)

  　　(5) $x=3$ (중근) (6) $x=-1$ (중근)

(1) $x^2-12x+36=0$에서 $(x-6)^2=0$

$\quad \therefore x=6$ (중근)

(2) $x^2+x+\dfrac{1}{4}=0$에서 $\left(x+\dfrac{1}{2}\right)^2=0$

$\quad \therefore x=-\dfrac{1}{2}$ (중근)

(3) $25x^2-20x+4=0$에서 $(5x-2)^2=0$

$\quad \therefore x=\dfrac{2}{5}$ (중근)

(4) $9x^2+6x+1=0$에서 $(3x+1)^2=0$

$\quad \therefore x=-\dfrac{1}{3}$ (중근)

(5) $x^2-6x+8=-1$에서 $x^2-6x+9=0$

$\quad (x-3)^2=0 \quad \therefore x=3$ (중근)

(6) $x^2+3x+1=x$에서 $x^2+2x+1=0$

$\quad (x+1)^2=0 \quad \therefore x=-1$ (중근)

087-2 🅐 (1) 0 (2) 81 (3) 17 (4) -5 또는 3

(2) $x^2+18x+k=0$이 중근을 가지려면

$\quad k=\left(\dfrac{18}{2}\right)^2=9^2=81$

(3) $x^2+8x+k-1=0$이 중근을 가지려면

$\quad k-1=\left(\dfrac{8}{2}\right)^2=4^2=16 \quad \therefore k=17$

(4) $x^2-(k+1)x+4=0$이 중근을 가지려면

$\quad \left\{\dfrac{-(k+1)}{2}\right\}^2=4, \ (k+1)^2=16$

$\quad k+1=\pm 4$

$\quad \therefore k=-5$ 또는 $k=3$

087-3 🅐 ④

$x^2+ax+b=0$이 중근을 가지므로

$\quad b=\left(\dfrac{a}{2}\right)^2=\dfrac{a^2}{4} \qquad\qquad \cdots\cdots\ \text{㉠}$

$x=1$을 $x^2+ax+b=0$에 대입하면

$\quad 1+a+b=0 \qquad\qquad\qquad \cdots\cdots\ \text{㉡}$

㉠을 ㉡에 대입하면

$\quad 1+a+\dfrac{a^2}{4}=0, \ a^2+4a+4=0$

$\quad (a+2)^2=0 \quad \therefore a=-2$

$a=-2$를 ㉠에 대입하면 $b=1$

$\quad \therefore b-a=1-(-2)=3$

088-1 🅐 (1) $x=\pm\dfrac{1}{2}$ (2) $x=\pm\dfrac{9\sqrt{2}}{2}$

$\qquad$ (3) $x=\pm\dfrac{\sqrt{5}}{2}$ (4) $x=-4$ 또는 $x=2$

$\qquad$ (5) $x=\dfrac{1\pm 2\sqrt{2}}{2}$ (6) $x=\dfrac{5}{3}$ 또는 $x=\dfrac{7}{3}$

(1) $4x^2=1, \ x^2=\dfrac{1}{4} \quad \therefore x=\pm\dfrac{1}{2}$

(2) $2x^2=81, \ x^2=\dfrac{81}{2} \quad \therefore x=\pm\sqrt{\dfrac{81}{2}}=\pm\dfrac{9\sqrt{2}}{2}$

(3) $4x^2-5=0$에서 $4x^2=5, \ x^2=\dfrac{5}{4} \quad \therefore x=\pm\dfrac{\sqrt{5}}{2}$

(4) $3(x+1)^2=27, \ (x+1)^2=9$에서

$\quad x+1=\pm 3$

$\quad \therefore x=-4$ 또는 $x=2$

(5) $(2x-1)^2=8$에서 $2x-1=\pm\sqrt{8}=\pm 2\sqrt{2}$

$\quad 2x=1\pm 2\sqrt{2} \quad \therefore x=\dfrac{1\pm 2\sqrt{2}}{2}$

(6) $9(x-2)^2-1=0, \ 9(x-2)^2=1$

$\quad (x-2)^2=\dfrac{1}{9}$에서 $x-2=\pm\dfrac{1}{3}$

$\quad \therefore x=\dfrac{5}{3}$ 또는 $x=\dfrac{7}{3}$

088-2 🅐 11

$x=2\pm\sqrt{13}$에서 $x-2=\pm\sqrt{13}$

양변을 제곱하면 $(x-2)^2=13$이므로

$\quad A=-2, \ B=13$

$\quad \therefore A+B=-2+13=11$

088-3 🅐 ②

$(2x+1)^2=3$에서 $2x+1=\pm\sqrt{3}$

$\quad 2x=-1\pm\sqrt{3} \quad \therefore x=\dfrac{-1\pm\sqrt{3}}{2}$

$\quad \therefore 2ab=2\cdot\dfrac{-1+\sqrt{3}}{2}\cdot\dfrac{-1-\sqrt{3}}{2}$

$\qquad\qquad =2\cdot\dfrac{1-3}{4}=\dfrac{-2}{2}=-1$

089-1 🅐 (1) $a=1, \ b=3$ (2) $a=2, \ b=7$

(1) $x^2-2x-2=0$에서

$\quad x^2-2x+1=2+1, \ (x-1)^2=3$

따라서 $a=1, \ b=3$

(2) $x^2-4x-3=0$에서

$$x^2-4x+4=3+4, \ (x-2)^2=7$$

따라서 $a=2, \ b=7$

089-2 답 (1) $x=3\pm\sqrt{14}$ (2) $x=-1\pm\dfrac{\sqrt{2}}{2}$

　　　　 (3) $x=-1\pm\sqrt{5}$ (4) $x=4\pm3\sqrt{2}$

　　　　 (5) $x=2\pm\sqrt{5}$ (6) $x=-1\pm\sqrt{2}$

(1) $x^2-6x-5=0$에서 $x^2-6x=5$

$$x^2-6x+9=5+9, \ (x-3)^2=14$$

$$\therefore \ x=3\pm\sqrt{14}$$

(2) $2x^2+4x+1=0, \ x^2+2x+\dfrac{1}{2}=0$에서

$$x^2+2x+1=-\dfrac{1}{2}+1, \ (x+1)^2=\dfrac{1}{2}$$

$$\therefore \ x=-1\pm\sqrt{\dfrac{1}{2}}=-1\pm\dfrac{\sqrt{2}}{2}$$

(3) $3x^2+6x-12=0, \ x^2+2x-4=0$에서

$$x^2+2x+1=4+1, \ (x+1)^2=5$$

$$\therefore \ x=-1\pm\sqrt{5}$$

(4) $x^2+8x=2$에서

$$x^2+8x+16=2+16, \ (x+4)^2=18$$

$$\therefore \ x=-4\pm3\sqrt{2}$$

(5) $x^2-4x=1$에서

$$x^2-4x+4=1+4, \ (x-2)^2=5$$

$$\therefore \ x=2\pm\sqrt{5}$$

(6) $x^2+4x+5=2(x+3)$에서

$$x^2+4x+5=2x+6, \ x^2+2x=1$$

$$(x+1)^2=2$$

$$\therefore \ x=-1\pm\sqrt{2}$$

089-3 답 22

$5x^2-6x-2=0$에서

$$x^2-\dfrac{6}{5}x-\dfrac{2}{5}=0$$

$$x^2-\dfrac{6}{5}x+\dfrac{9}{25}=\dfrac{2}{5}+\dfrac{9}{25}, \ \left(x-\dfrac{3}{5}\right)^2=\dfrac{19}{25}$$

$$x-\dfrac{3}{5}=\pm\sqrt{\dfrac{19}{25}}=\pm\dfrac{\sqrt{19}}{5}$$

$$\therefore \ x=\dfrac{3\pm\sqrt{19}}{5}$$

따라서 $x=3, \ b=19$이므로

$$a+b=3+19=22$$

090-1 답 (1) $x=\dfrac{-3\pm\sqrt{13}}{2}$ (2) $x=\dfrac{1\pm\sqrt{17}}{4}$

　　　　 (3) $x=2\pm\sqrt{10}$ (4) $x=\dfrac{1\pm\sqrt{7}}{2}$

(1) $x^2+3x-1=0$에서 $a=1, \ b=3, \ c=-1$이므로

$$x=\dfrac{-3\pm\sqrt{3^2-4\times1\times(-1)}}{2\times1}=\dfrac{-3\pm\sqrt{13}}{2}$$

(2) $2x^2-x-2=0$에서 $a=2, \ b=-1, \ c=-2$이므로

$$x=\dfrac{-(-1)\pm\sqrt{(-1)^2-4\times2\times(-2)}}{2\times2}=\dfrac{1\pm\sqrt{17}}{4}$$

(3) $x^2-4x-6=0$에서 $a=1, \ b'=-2, \ c=-6$이므로

$$x=\dfrac{-(-2)\pm\sqrt{(-2)^2-1\times(-6)}}{1}=2\pm\sqrt{10}$$

(4) $2x^2-2x-3=0$에서 $a=2, \ b'=-1, \ c=-3$이므로

$$x=\dfrac{-(-1)\pm\sqrt{(-1)^2-2\times(-3)}}{2}=\dfrac{1\pm\sqrt{7}}{2}$$

090-2 답 (1) ① 9 ② 2 (2) ① 0 ② 1

　　　　 (3) ① -7 ② 0

(1) $2x^2-x-1=0$에 대하여

① $b^2-4ac=(-1)^2-4\times2\times(-1)=9$

② 근의 개수 : $b^2-4ac>0$이므로 2개

(2) $x^2-2x+1=0$에 대하여

① $b^2-4ac=(-2)^2-4\times1\times1=0$

② 근의 개수 : $b^2-4ac=0$이므로 1개

(3) $x^2-3x+4=0$에 대하여

① $b^2-4ac=(-3)^2-4\times1\times4=-7$

② 근의 개수 : $b^2-4ac<0$이므로 0개

090-3 답 (1) $k<4$ (2) $k=4$ (3) $k>4$

(1) 서로 다른 두 근을 가지려면

$$(-4)^2-4\times1\times k>0, \ 16-4k>0 \quad \therefore \ k<4$$

(2) 중근을 가지려면

$$(-4)^2-4\times1\times k=0, \ 16-4k=0 \quad \therefore \ k=4$$

(3) 근이 없으려면

$$(-4)^2-4\times1\times k<0, \ 16-4k<0 \quad \therefore \ k>4$$

091-1 답 (1) $x=-\dfrac{3}{2}$ 또는 $x=1$

　　　　 (2) $x=-3$ 또는 $x=\dfrac{1}{2}$

　　　　 (3) $x=\dfrac{-1\pm\sqrt{17}}{2}$ (4) $x=\dfrac{-2\pm\sqrt{10}}{2}$

(1) $\frac{1}{3}x^2+\frac{1}{6}x-\frac{1}{2}=0$의 양변에 6을 곱하면

$\qquad 2x^2+x-3=0,\ (2x+3)(x-1)=0$

$\qquad \therefore x=-\frac{3}{2}$ 또는 $x=1$

(2) $\frac{1}{5}x^2+\frac{1}{2}x-\frac{3}{10}=0$의 양변에 10을 곱하면

$\qquad 2x^2+5x-3=0,\ (x+3)(2x-1)=0$

$\qquad \therefore x=-3$ 또는 $x=\frac{1}{2}$

(3) $0.1x^2+0.1x-0.4=0$의 양변에 10을 곱하면

$\qquad x^2+x-4=0$

$\qquad \therefore x=\dfrac{-1\pm\sqrt{1^2-4\times1\times(-4)}}{2\times1}=\dfrac{-1\pm\sqrt{17}}{2}$

(4) $0.2x^2+0.4x-0.3=0$의 양변에 10을 곱하면

$\qquad 2x^2+4x-3=0$

$\qquad \therefore x=\dfrac{-2\pm\sqrt{2^2-2\times(-3)}}{2}=\dfrac{-2\pm\sqrt{10}}{2}$

091-2 📗 (1) $x=\dfrac{1\pm\sqrt{17}}{2}$　(2) $x=-\dfrac{1}{4}$ 또는 $x=1$

(1) $2x(x-1)-(x+2)(x-3)=10$의 괄호를 풀어 정리하면

$\qquad x^2-x-4=0$

$\qquad \therefore x=\dfrac{-(-1)\pm\sqrt{(-1)^2-4\times1\times(-4)}}{2\times1}$

$\qquad\qquad =\dfrac{1\pm\sqrt{17}}{2}$

(2) $(2x-1)^2=-x+2$의 괄호를 풀어 정리하면

$\qquad 4x^2-3x-1=0,\ (4x+1)(x-1)=0$

$\qquad \therefore x=-\dfrac{1}{4}$ 또는 $x=1$

091-3 📗 (1) $x=-2$ 또는 $x=0$ (2) $x=0$ 또는 $x=\dfrac{3}{2}$

$\qquad$ (3) $x=-6$ 또는 $x=2$ (4) $x=1$ 또는 $x=2$

(1) $(x-1)^2+4(x-1)+3=0$에서 $x-1=A$로 놓으면

$\qquad A^2+4A+3=0,\ (A+3)(A+1)=0$

$\qquad \therefore A=-3$ 또는 $A=-1$

$\quad$ 이때 $A=x-1$을 대입하면

$\qquad x-1=-3$ 또는 $x-1=-1$

$\qquad \therefore x=-2$ 또는 $x=0$

(2) $(2x-1)^2-(2x-1)-2=0$에서 $2x-1=A$로 놓으면

$\qquad A^2-A-2=0,\ (A+1)(A-2)=0$

$\qquad \therefore A=-1$ 또는 $A=2$

이때 $A=2x-1$을 대입하면

$\qquad 2x-1=-1$ 또는 $2x-1=2$

$\qquad \therefore x=0$ 또는 $x=\dfrac{3}{2}$

(3) $(x+1)^2+2(x+1)=15$에서 $x+1=A$로 놓으면

$\qquad A^2+2A-15=0,\ (A+5)(A-3)=0$

$\qquad \therefore A=-5$ 또는 $A=3$

$\quad$ 이때 $A=x+1$을 대입하면

$\qquad x+1=-5$ 또는 $x+1=3$

$\qquad \therefore x=-6$ 또는 $x=2$

(4) $(3x+1)^2-11(3x+1)+28=0$에서 $3x+1=A$로 놓으면

$\qquad A^2-11A+28=0$

$\qquad (A-4)(A-7)=0$

$\qquad \therefore A=4$ 또는 $A=7$

$\quad$ 이때 $A=3x+1$을 대입하면

$\qquad 3x+1=4$ 또는 $3x+1=7$

$\qquad \therefore x=1$ 또는 $x=2$

092-1 📗 2 m

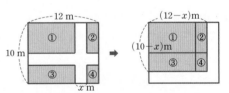

주어진 그림을 위의 그림과 같이 나타내면 도로를 낸 후 남은 땅의 가로의 길이는 $(12-x)$ m, 세로의 길이는 $(10-x)$ m이므로

$\qquad (12-x)(10-x)=80$

$\qquad x^2-22x+40=0$

$\qquad (x-2)(x-20)=0$

$\qquad \therefore x=2$ 또는 $x=20$

이때 $0<x<10$이므로 $x=2$이다.
따라서 도로의 폭은 2 m이다.

092-2 📗 (1) 3초 후, 6초 후 (2) 9초 후

(1) $36t-4t^2=72$에서 $t^2-9t+18=0$

$\qquad (t-3)(t-6)=0$

$\qquad \therefore t=3$ 또는 $t=6$

따라서 공의 높이가 72 m가 되는 것은 공을 던진 지 3초 후, 6초 후의 두 번이다.

(2) 공이 땅에 떨어질 때의 공의 높이는 0 m이므로

$36t-4t^2=0$에서 $t^2-9t=0$

$\qquad t(t-9)=0 \qquad \therefore t=0$ 또는 $t=9$

이때 $t>0$이므로 $t=9$이다.

따라서 공이 땅에 떨어지는 것은 공을 던진 지 9초 후이다.

탄탄한 중단원 문제

122쪽~123쪽

01 ③　　02 $x=-3$ 또는 $x=\dfrac{1}{2}$　　03 ②

04 -9　　05 ⑤　　06 ①　　07 $-\dfrac{4}{15}$　　08 ③

09 ③　　10 ④

01 $x^2-5x-2=0$의 두 근이 α, β이므로

$\alpha^2-5\alpha-2=0$에서 $\alpha^2-5\alpha=2$

$\beta^2-5\beta-2=0$에서 $\beta^2-5\beta=2$

$\quad \therefore (\alpha^2-5\alpha+2)(\beta^2-5\beta+1)=(2+2)(2+1)$

$\qquad\qquad\qquad\qquad\qquad\qquad =4\times3=12$

02 $(x+2)(x+3)=9-x^2$, $x^2+5x+6=9-x^2$

$2x^2+5x-3=0$, $(x+3)(2x-1)=0$

$\quad \therefore x=-3$ 또는 $x=\dfrac{1}{2}$

03 $x^2-11x+24=0$, $(x-3)(x-8)=0$

$\quad \therefore x=3$ 또는 $x=8$

따라서 $x=8$이 $x(x+1)=ax-8$의 한 근이므로

$x=8$을 대입하면

$8\cdot9=8a-8$

$8a=80 \qquad \therefore a=10$

04 $x^2+6x+4a-3=0$이 중근을 가지므로

$4a-3=\left(\dfrac{6}{2}\right)^2=9 \qquad \therefore a=3$

즉, $x^2+6x+9=0$이므로

$(x+3)^2=0 \qquad \therefore x=-3$ (중근)

따라서 $b=-3$이므로 $ab=3\times(-3)=-9$

05 $2(x-5)^2=10$에서 $(x-5)^2=5$

$x-5=\pm\sqrt{5} \qquad \therefore x=5\pm\sqrt{5}$

따라서 $a=5$, $b=5$이므로 $a+b=5+5=10$

06 $x^2-12x+p=0$에서 $x^2-12x=-p$

$x^2-12x+36=-p+36$

$(x-6)^2=-p+36$, $x-6=\pm\sqrt{-p+36}$

$\quad \therefore x=6\pm\sqrt{-p+36}$

따라서 $-p+36=21$이므로 $p=15$

07 $x^2+8x+1=0$에서

$x^2+8x+16=-1+16$

$(x+4)^2=15$

$x+4=\pm\sqrt{15}$

$\quad \therefore x=-4\pm\sqrt{15}$

따라서 $A=-4$, $B=15$이므로

$\dfrac{A}{B}=-\dfrac{4}{15}$

08 $x^2+kx+9=0$이 중근을 가지려면

$k^2-4\times1\times9=0$

$k^2=36 \qquad \therefore k=6$ 또는 $k=-6$

따라서 모든 k의 값의 곱은

$6\times(-6)=-36$

09 (i) $\dfrac{1}{5}x^2+\dfrac{3}{10}x-\dfrac{1}{5}=0$의 양변에 10을 곱하면

$2x^2+3x-2=0$, $(x+2)(2x-1)=0$

$\quad \therefore x=-2$ 또는 $x=\dfrac{1}{2}$

(ii) $0.2x^2-0.5x+0.2=0$의 양변에 10을 곱하면

$2x^2-5x+2=0$, $(2x-1)(x-2)=0$

$\quad \therefore x=\dfrac{1}{2}$ 또는 $x=2$

따라서 (i), (ii)에 의하여 두 이차방정식의 공통인 근은

$x=\dfrac{1}{2}$이다.

10 연속하는 세 자연수를 $x-1$, x, $x+1$이라 하면

$(x-1)^2=7\{x+(x+1)\}+30$

$x^2-2x+1=14x+37$

$x^2-16x-36=0$

$(x+2)(x-18)=0$

$\quad \therefore x=-2$ 또는 $x=18$

이때 x는 자연수이므로 $x=18$이다.

따라서 연속하는 세 자연수는 17, 18, 19이므로 가장 큰 수는 19이다.

III 함 수

01 좌표와 그래프

126쪽~132쪽

093-1 답 $A(-3)$, $B\left(-\dfrac{1}{2}\right)$, $C(0)$, $D\left(\dfrac{5}{2}\right)$

093-2 답

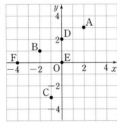

093-3 답 (1) $(7, 0)$　(2) $(0, -2)$

x축 위에 있는 점의 y좌표는 0이고, y축 위에 있는 점의 x좌표는 0이다.

094-1 답 (1) 제4사분면　(2) 제3사분면
　　　　(3) 제1사분면　(4) 제2사분면

094-2 답 (1) 제4사분면　(2) 제1사분면
　　　　(3) 제3사분면　(4) 제2사분면

점 (a, b)가 제2사분면 위의 점이므로
　$a<0$, $b>0$
(1) $b>0$, $a<0$이므로 점 (b, a)는 제4사분면 위의 점이다.
(2) $-a>0$, $b>0$이므로 점 $(-a, b)$는 제1사분면 위의 점이다.
(3) $a<0$, $-b<0$이므로 점 $(a, -b)$는 제3사분면 위의 점이다.
(4) $ab<0$, $b>0$이므로 점 (ab, b)는 제2사분면 위의 점이다.

094-3 답 (1) ○　(2) ×　(3) ×　(4) ○

095-1 답 50 ℃

$x=4$일 때 $y=40$, $x=8$일 때 $y=90$이므로 물을 가열하기 시작한 지 4분, 8분 후의 물의 온도의 차는
　$90-40=50(℃)$

095-2 답 (1) ○　(2) ○　(3) ×

(3) 그래프가 가장 높이 올라갔을 때, 지안이의 집에서 떨어진 거리가 가장 크므로 할머니 댁까지의 거리는 24 km이다.

096-1 답 풀이 참조

(1) 　(2)

096-2 답 ㄱ, ㄹ

ㄴ. 점 $(1, -3)$을 지난다.
ㄷ. x의 값이 증가하면 y의 값은 감소한다.

097-1 답 (1) $y=2000x$　(2) 25일

(1) x와 y 사이의 관계식은 $y=2000x$이다.
(2) $y=2000x$에 $y=50000$을 대입하면
　$50000=2000x$　∴ $x=25$
따라서 윤호는 콘서트 티켓을 구매하기 위하여 25일 동안 저금해야 한다.

097-2 답 (1) $y=9x$　(2) 270 km　(3) 12 L

(1) 5 L의 휘발유로 45 km를 달릴 수 있으므로 1 L의 휘발유로 9 km를 달릴 수 있다.
따라서 x와 y 사이의 관계식은 $y=9x$이다.
(2) $y=9x$에 $x=30$을 대입하면 $y=9\times30=270$
따라서 30 L의 휘발유로 달릴 수 있는 거리는 270 km이다.
(3) $y=9x$에 $y=108$을 대입하면
　$108=9x$　∴ $x=12$
따라서 할아버지 댁에 가려면 12 L의 휘발유가 필요하다.

098-1 답 풀이 참조

(1) 　　　　(2)

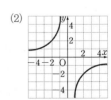

098-2 🅐 ㄱ, ㄷ

ㄱ. x의 값이 증가하면 y의 값은 감소한다.

ㄷ. 제 1 사분면과 제 3 사분면을 지난다.

099-1 🅐 (1) $y=\dfrac{36}{x}$ (2) 4명

(1) x와 y 사이의 관계식은

$$xy=36 \qquad \therefore y=\dfrac{36}{x}$$

(2) $y=\dfrac{36}{x}$에 $y=9$를 대입하면

$$9=\dfrac{36}{x} \qquad \therefore x=4$$

따라서 모두 4명의 친구들이 나누어 가졌다.

099-2 🅐 (1) $y=\dfrac{300}{x}$ (2) 60분   (3) 6 L

(1) (1분에 넣는 물의 양) × (걸린 시간) = (물탱크의 용량)
이므로

$$xy=300 \qquad \therefore y=\dfrac{300}{x}$$

(2) $y=\dfrac{300}{x}$에 $x=5$를 대입하면 $y=\dfrac{300}{5}=60$

따라서 걸린 시간은 60분이다.

(3) $y=\dfrac{300}{x}$에 $y=50$을 대입하면

$$50=\dfrac{300}{x} \qquad \therefore x=6$$

따라서 1분에 6 L씩 물을 넣어야 한다.

탄탄한 중단원 문제
133쪽~134쪽

01 ③   02 ②   03 ⑤   04 ⑤   05 ②
06 ①   07 −18 ℃   08 ⑤   09 14일

01 x축 위에 있으므로 y좌표가 0이다. 또, x좌표가 -3이므로 구하는 점의 좌표는 $(-3, 0)$이다.

02 $xy>0$에서 x, y는 서로 같은 부호이고 $x+y<0$이므로

$$x<0, \ y<0$$

따라서 $x<0$, $-y>0$이므로 점 $\mathrm{P}(x, -y)$는 제 2 사분면 위의 점이다.

03 ⑤ y축 위의 점은 x좌표가 0이다.

04 ③ 출발하고 30분 동안 계속해서 기차의 속력이 증가하였으나 이후 30분 동안은 같은 속력을 유지하였다.

⑤ 출발하고 30분 후의 기차의 속력은 100 km, 출발하고 2시간 30분 후의 기차의 속력은 80 km이다.

05 $y=-\dfrac{3}{2}x$에 $x=-2$, $y=3$을 대입하면 등식이 성립하므로 점 $(-2, 3)$은 정비례 관계 $y=-\dfrac{3}{2}x$의 그래프 위의 점이다.

06 $y=ax$의 그래프가 점 $\mathrm{A}(2, 4)$를 지나므로
$y=ax$에 $x=2$, $y=4$를 대입하면

$$4=2a$$
$$\therefore a=2$$

$y=2x$의 그래프가 점 $\mathrm{B}(b, -6)$을 지나므로
$y=2x$에 $x=b$, $y=-6$을 대입하면

$$-6=2b$$
$$\therefore b=-3$$
$$\therefore ab=2\times(-3)=-6$$

07 지면에서 10 km까지 100 m씩 올라갈 때마다 기온이 0.6 ℃씩 내려가므로 1 km씩 올라갈 때마다 기온은 6 ℃씩 내려간다.

높이가 x km인 곳의 기온을 y ℃라 하면

$$y=-6x$$

$y=-6x$에 $x=3$을 대입하면

$$y=-6\times3=-18$$

따라서 높이가 3 km인 곳의 기온은 -18 ℃이다.

08 반비례 관계 $y=-\dfrac{4}{x}$의 그래프를 그리면 오른쪽 그림과 같다.

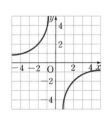

① 원점을 지나지 않는다.

② y는 x에 반비례한다.

③ 제 2 사분면과 제 4 사분면을 지난다.

④ 점 $(1, -4)$를 지난다.

09 x일 동안 매일 y개씩 암기한다고 하면

$$xy=350 \qquad \therefore y=\dfrac{350}{x}$$

$y=\dfrac{350}{x}$에 $y=25$를 대입하면

$$25=\dfrac{350}{x} \qquad \therefore x=14$$

따라서 매일 25개씩 암기한다면 14일만에 모두 암기할 수 있다.

02 일차함수

135쪽~149쪽

100-1 답 ㄱ, ㄴ, ㅁ

ㄱ. $y=-2x+1$이므로 일차함수이다.

ㄴ. $y=-4x+4$이므로 일차함수이다.

ㄷ. $y=x^2+3x$이므로 일차함수가 아니다.

따라서 일차함수인 것은 ㄱ, ㄴ, ㅁ이다.

100-2 답 (1) -8 (2) 15

(1) $y=-2\times4=-8$

(2) $y=4\times4-1=15$

100-3 답 (1) -5 (2) -27

(1) $\dfrac{1}{3}f(-3)=\dfrac{1}{3}\times\{3\times(-3)-6\}$

$\qquad\qquad =\dfrac{1}{3}\times(-15)=-5$

(2) $f(1)=3\times1-6=-3$,

$\quad f(-1)=3\times(-1)-6=-9$

$\quad \therefore 3f(1)+2f(-1)=3\times(-3)+2\times(-9)=-27$

101-1 답 풀이 참조

(1) $y=-2x+2$의 그래프는 $y=-2x$의 그래프를 y축의 방향으로 2만큼 평행이동한 그래프이다.

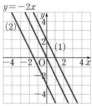

(2) $y=-2x-3$의 그래프는 $y=-2x$의 그래프를 y축의 방향으로 -3만큼 평행이동한 그래프이다.

101-2 답 풀이 참조

(1) $y=3x+3$의 그래프는 $y=3x$의 그래프를 y축의 방향으로 3만큼 평행이동한 그래프이다.

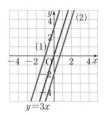

(2) $y=3x-2$의 그래프는 $y=3x$의 그래프를 y축의 방향으로 -2만큼 평행이동한 그래프이다.

101-3 답 (1) $y=\dfrac{2}{5}x-1$ (2) $y=-3x+\dfrac{2}{7}$

$\qquad\qquad$ (3) $y=-x-2$ (4) $y=4x+3$

(3) $y=-x+1-3 \qquad \therefore y=-x-2$

(4) $y=4x-2+5 \qquad \therefore y=4x+3$

102-1 답 풀이 참조

(1) $y=0$을 대입하면 $0=x-4$에서 $x=4$

$\quad x=0$을 대입하면 $y=-4$

$\qquad \therefore x$절편 : 4, y절편 : -4

(2) $y=0$을 대입하면 $0=-2x+6$에서 $x=3$

$\quad x=0$을 대입하면 $y=6$

$\qquad \therefore x$절편 : 3, y절편 : 6

(3) $y=0$을 대입하면 $0=3x+1$에서 $x=-\dfrac{1}{3}$

$\quad x=0$을 대입하면 $y=1$

$\qquad \therefore x$절편 : $-\dfrac{1}{3}$, y절편 : 1

(4) $y=0$을 대입하면 $0=-4x+8$에서 $x=2$

$\quad x=0$을 대입하면 $y=8$

$\qquad \therefore x$절편 : 2, y절편 : 8

(5) $y=0$을 대입하면 $0=\dfrac{1}{2}x+2$에서 $x=-4$

$\quad x=0$을 대입하면 $y=2$

$\qquad \therefore x$절편 : -4, y절편 : 2

(6) $y=0$을 대입하면 $0=-\dfrac{3}{4}x+6$에서 $x=8$

$\quad x=0$을 대입하면 $y=6$

$\qquad \therefore x$절편 : 8, y절편 : 6

102-2 답 (1) x절편 : 4, y절편 : 3

$\qquad\qquad$ (2) x절편 : -3, y절편 : 2

103-1 답 (1) $\dfrac{4}{5}$ (2) $\dfrac{2}{3}$

(1) (기울기)$=\dfrac{-3-1}{-2-3}=\dfrac{-4}{-5}=\dfrac{4}{5}$

(2) (기울기)$=\dfrac{4-2}{2-(-1)}=\dfrac{2}{3}$

103-2 답 (1) 12 (2) 7

(1) 두 점 $(1,\ 4)$, $(3,\ a)$를 지나는 일차함수의 그래프의 기울기가 4이므로

$$\dfrac{a-4}{3-1}=4 \qquad \therefore a=12$$

(2) 두 점 $(4,\ 2)$, $(a,\ -4)$를 지나는 일차함수의 그래프의 기울기가 -2이므로

$$\dfrac{-4-2}{a-4}=-2 \qquad \therefore a=7$$

104-1 답 (1) ㄴ, ㄹ, ㅂ (2) ㄱ, ㄴ, ㄹ

(1) $y=ax+b$에서 $a<0$일 때이므로 ㄴ, ㄹ, ㅂ
(2) $y=ax+b$에서 $b>0$일 때이므로 ㄱ, ㄴ, ㄹ

104-2 답 ㉠ $a>0$, $b<0$ ㉡ $a>0$, $b>0$
　　　　 ㉢ $a<0$, $b>0$ ㉣ $a<0$, $b<0$

105-1 답 (1) ㉡ (2) ㉢ (3) ㉠

105-2 답 ③

주어진 그래프가 x축과 만나는 점의 좌표가 $(1,\ 0)$, y축과 만나는 점의 좌표가 $(0,\ 3)$이므로

$$(기울기)=\dfrac{3-0}{0-1}=-3$$

$$\therefore y=-3x+3$$

따라서 일차함수 $y=-3x+3$과 평행한 것은 ③이다.

105-3 답 (1) $a=-1$, $b\neq3$ (2) $a=-1$, $b=3$

(1) 두 일차함수의 그래프가 만나지 않으려면 서로 평행해야 하므로 기울기가 같고, y절편이 달라야 한다.
　　$\therefore a=-1$, $b\neq3$
(2) 두 일차함수의 그래프가 일치하려면 기울기와 y절편이 모두 같아야 한다.
　　$\therefore a=-1$, $b=3$

106-1 답 풀이 참조

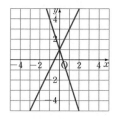

106-2 답 풀이 참조

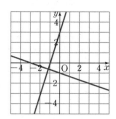

(1) x절편 : $0=3x+3$ 　 $\therefore x=-1$
　 y절편 : $y=0+3$ 　 $\therefore y=3$

(2) x절편 : $0=-\dfrac{1}{3}x-1$ 　 $\therefore x=-3$
　 y절편 : $y=0-1$ 　 $\therefore y=-1$

106-3 답 풀이 참조

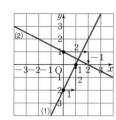

107-1 답 (1) $y=-2x+5$ (2) $y=-\dfrac{1}{3}x-5$
　　　　 (3) $y=3x+5$

(1) 기울기가 -2이고 y절편이 5이므로
　　$y=-2x+5$

(2) 기울기가 $-\dfrac{1}{3}$이고 y절편이 -5이므로
　　$y=-\dfrac{1}{3}x-5$

(3) 기울기가 3이고 y절편이 5이므로
　　$y=3x+5$

107-2 답 (1) $y=5x-3$ (2) $y=2x-\dfrac{1}{2}$
　　　　 (3) $y=-\dfrac{1}{2}x+5$

(1) 기울기가 5이므로 $y=5x+b$에 $x=0$, $y=-3$을 대입하면 $b=-3$

$$\therefore y=5x-3$$

(2) 기울기가 2이므로 $y=2x+b$에 $x=\dfrac{1}{4}$, $y=0$을 대입하면

$$0=2\times\dfrac{1}{4}+b \quad \therefore b=-\dfrac{1}{2}$$

$$\therefore y=2x-\dfrac{1}{2}$$

(3) 기울기가 $-\dfrac{1}{2}$이므로 $y=-\dfrac{1}{2}x+b$에 $x=4$, $y=3$을 대입하면

$$3=-\dfrac{1}{2}\times4+b \quad \therefore b=5$$

$$\therefore y=-\dfrac{1}{2}x+5$$

108-1 답 (1) $y=3x-8$ (2) $y=-2x+6$
(3) $y=x+3$

(1) (기울기)$=\dfrac{-2-1}{2-3}=\dfrac{-3}{-1}=3$

$y=3x+b$에 $x=3$, $y=1$을 대입하면

$$1=3\times3+b \quad \therefore b=-8 \quad \therefore y=3x-8$$

(2) (기울기)$=\dfrac{6-0}{0-3}=\dfrac{6}{-3}=-2$

점 $(0, 6)$을 지나므로 y절편은 6이다.

$$\therefore y=-2x+6$$

(3) 두 점 $(0, 3)$, $(-2, -1)$을 지나므로

$$(기울기)=\dfrac{3-1}{0-(-2)}=\dfrac{2}{2}=1$$

y절편은 3이므로 $y=x+3$

108-2 답 (1) $y=-2x+4$ (2) $y=2x-6$
(3) $y=-2x-2$

(1) 두 점 $(2, 0)$, $(0, 4)$를 지나므로

$$(기울기)=\dfrac{4-0}{0-2}=\dfrac{4}{-2}=-2$$

y절편은 4이므로 $y=-2x+4$

(2) 두 점 $(3, 0)$, $(0, -6)$을 지나므로

$$(기울기)=\dfrac{-6-0}{0-3}=\dfrac{-6}{-3}=2$$

y절편은 -6이므로 $y=2x-6$

(3) 두 점 $(-1, 0)$, $(0, -2)$를 지나므로

$$(기울기)=\dfrac{-2-0}{0-(-1)}=\dfrac{-2}{1}=-2$$

y절편은 -2이므로 $y=-2x-2$

109-1 답 (1) $y=-5x+100$ (2) 20분

(1) 1분마다 5 L씩 물이 빠져나가므로 x와 y 사이의 관계식은

$$y=100-5x=-5x+100$$

(2) 욕조에 물이 모두 빠질 때 $y=0$이므로

$$0=-5x+100, \ 5x=100 \quad \therefore x=20$$

따라서 20분 동안 물을 빼면 물이 모두 빠진다.

109-2 답 (1) $0.6x$ km (2) $y=-0.6x+12$ (3) 20분

(1) 600 m는 0.6 km이므로 영우가 출발하여 x분 동안 간 거리는 $0.6x$ km이다.

(2) 전체 거리가 12 km이므로 x와 y 사이의 관계식은

$$y=12-0.6x=-0.6x+12$$

(3) 영우가 B 마을에 도착했을 때 $y=0$이므로

$$0=-0.6x+12, \ 0.6x=12 \quad \therefore x=20$$

따라서 영우가 B 마을에 도착하는 데 걸리는 시간은 20분이다.

109-3 답 (1) $y=6x$ (2) 5 cm

(1) $y=\dfrac{1}{2}\times x\times12=6x$에서 $y=6x$

(2) $24=6x \quad \therefore x=4$

즉, $\overline{BP}=4$ cm이므로 $\overline{PC}=9-4=5$ (cm)

110-1 답 풀이 참조

(1) $2x+y=4$를 만족하는 정수 x, y의 값을 표로 나타내면 다음과 같다.

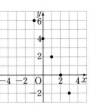

x	$\cdots$	-1	0	1	2	3	$\cdots$
y	$\cdots$	6	4	2	0	-2	$\cdots$

표를 이용하여 그래프를 그리면 위의 그림과 같다.

(2) $2x+y=4$에서 $y=-2x+4$

따라서 x, y가 수 전체인 경우는 기울기가 -2이고 y절편이 4인 직선이므로 그래프는 오른쪽 그림과 같다.

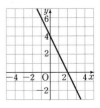

110-2 답 (1) -1 (2) 3 (3) $-\dfrac{13}{5}$ (4) 2

(1) $ax+y=7$에 $x=-4$, $y=3$을 대입하면
$$-4a+3=7,\ -4a=4$$
$$\therefore a=-1$$

(2) $ax-y+10=0$에 $x=-6$, $y=-8$을 대입하면
$$-6a+8+10=0,\ -6a=-18$$
$$\therefore a=3$$

(3) $3x+ay=-7$에 $x=2$, $y=5$를 대입하면
$$6+5a=-7,\ 5a=-13$$
$$\therefore a=-\dfrac{13}{5}$$

(4) $-2x+ay+8=0$에 $x=-1$, $y=-5$를 대입하면
$$2-5a+8=0,\ -5a=-10$$
$$\therefore a=2$$

111-1 답 (1) $y=3x+2$ (2) $y=-4x+17$
(3) $y=-\dfrac{5}{2}x+5$ (4) $y=6x+18$

111-2 답 (1) 기울기 : 1, x절편 : 4, y절편 : -4
(2) 기울기 : $-\dfrac{1}{2}$, x절편 : 8, y절편 : 4
(3) 기울기 : $-\dfrac{2}{3}$, x절편 : 3, y절편 : 2
(4) 기울기 : $\dfrac{4}{5}$, x절편 : $-\dfrac{1}{2}$, y절편 : $\dfrac{2}{5}$

(1) $y=x-4$ (2) $y=-\dfrac{1}{2}x+4$
(3) $y=-\dfrac{2}{3}x+2$ (4) $y=\dfrac{4}{5}x+\dfrac{2}{5}$

111-3 답 (1) ㄴ (2) ㄹ (3) ㄱ, ㄷ
(4) ㄴ, ㄹ (5) ㄴ, ㄷ

ㄱ. $y=\dfrac{1}{2}x-\dfrac{3}{2}$ ㄴ. $y=-\dfrac{1}{2}x-1$
ㄷ. $y=\dfrac{1}{2}x-1$ ㄹ. $y=2x+4$

(1) 기울기가 음수이어야 하므로 ㄴ이다.
(2) 기울기가 양수이고, (y절편)≥ 0이어야 하므로 ㄹ이다.
(3) 기울기가 같아야 하므로 ㄱ, ㄷ이다.
(4) x절편이 같아야 하므로 ㄴ, ㄹ이다.
(5) y절편이 같아야 하므로 ㄴ, ㄷ이다.

112-1 답 (1) ㄱ, ㄹ (2) ㄴ, ㄷ

ㄱ. $2y-5=0$에서 $y=\dfrac{5}{2}$ ㄴ. $x-3=1$에서 $x=4$
ㄷ. $-2x=4$에서 $x=-2$ ㄹ. $3y=-9$에서 $y=-3$

112-2 답 풀이 참조

(1) $x-1=0$에서 $x=1$
(2) $2x+4=0$에서 $x=-2$
(3) $-2y+6=0$에서 $y=3$
(4) $4y+12=0$에서 $y=-3$

112-3 답 (1) $y=3$ (2) $x=3$ (3) $x=-1$
(4) $y=-4$ (5) $y=1$

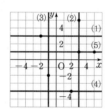

113-1 답 (1) 풀이 참조 (2) $(-2,\ 2)$
(3) $x=-2$, $y=2$

(1) $x+2y=2$에서 $y=-\dfrac{1}{2}x+1$
$2x-y=-6$에서 $y=2x+6$
따라서 두 일차방정식의 그래프를 그리면 오른쪽 그림과 같다.

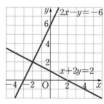

(2) 두 일차방정식의 그래프의 교점의 좌표는 $(-2,\ 2)$이다.
(3) 연립방정식의 해는 두 일차방정식의 그래프의 교점의 좌표와 같으므로 $x=-2$, $y=2$이다.

113-2 답 $x=1$, $y=-2$

주어진 그래프에서 두 일차방정식의 그래프의 교점의 좌표가 $(1,\ -2)$이므로 연립방정식의 해는 $x=1$, $y=-2$이다.

113-3 답 $a=5$, $b=4$

주어진 그래프에서 두 일차방정식의 그래프의 교점의 좌표가 $(2,\ -1)$이므로 연립방정식의 해는 $x=2$, $y=-1$이다.

즉, $2x-ay=9$에 $x=2$, $y=-1$을 대입하면
$$4+a=9 \quad \therefore a=5$$
$3x+2y=b$에 $x=2$, $y=-1$을 대입하면
$$6-2=b \quad \therefore b=4$$

114-1 답 (1) $a=2$, $b=5$ (2) $a=2$, $b\neq5$

$ax+y=b$에서 $y=-ax+b$

$4x+2y=10$에서 $y=-2x+5$

(1) 해가 무수히 많으려면 기울기와 y절편이 모두 같아야 하므로 $a=2$, $b=5$이다.

(2) 해가 없으려면 기울기는 같고 y절편은 달라야 하므로 $a=2$, $b\neq5$이다.

114-2 답 (1) 해가 무수히 많다. (2) 해가 없다.

(1) $x+y=2$에서 $y=-x+2$ ······ ㉠
$2x+2y=4$에서 $y=-x+2$ ······ ㉡

㉠, ㉡의 그래프를 그리면 오른쪽 그림과 같고, 두 그래프가 일치하므로 주어진 연립방정식의 해가 무수히 많다.

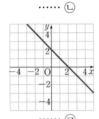

(2) $2x-y=0$에서 $y=2x$ ······ ㉠
$4x-2y=-8$에서 $y=2x+4$ ······ ㉡

㉠, ㉡의 그래프를 그리면 오른쪽 그림과 같고, 두 그래프가 서로 평행하므로 주어진 연립방정식의 해가 없다.

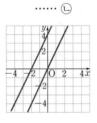

114-3 답 (1) $a\neq3$ (2) $a=3$, $b=-2$
　　　　 (3) $a=3$, $b\neq-2$

$3x-y=b$에서 $y=3x-b$

$ax-y=-2$에서 $y=ax+2$

(1) 두 직선이 한 점에서 만나려면 기울기가 달라야 하므로 $a\neq3$이다.

(2) 두 직선이 일치하려면 기울기와 y절편이 모두 같아야 하므로 $a=3$, $b=-2$이다.

(3) 두 직선이 서로 평행하려면 기울기는 같고 y절편이 달라야 하므로 $a=3$, $b\neq-2$이다.

---

01 ④　　02 ⑤　　03 ①　　04 $a<0$, $b>0$
05 8　　06 -1　　07 20 L　　08 ①　　09 ②
10 ①

01 $y=-5x$의 그래프를 y축의 방향으로 p만큼 평행이동하면 $y=-5x+p$

$y=-5x+p$에 $x=2$, $y=3$을 대입하면
$$3=-10+p \quad \therefore p=13$$

02 y절편이 2이므로 $k=2$

$y=-x+2$에 $y=0$을 대입하면
$$0=-x+2 \quad \therefore x=2$$
따라서 x절편은 2이다.

03 (기울기)$=\dfrac{5-0}{3-1}=\dfrac{-3-0}{-k-1}$이므로

$$\dfrac{-3}{-k-1}=\dfrac{5}{2}, \ -5k=-1 \quad \therefore k=\dfrac{1}{5}$$

04 기울기는 양수이고 y절편은 음수이므로

$y=-ax-b$에서 $-a>0$, $-b<0$
$$\therefore a<0, \ b>0$$

05 $y=ax+4$의 그래프가 $y=2x-3$의 그래프와 평행하므로 $a=2$이다.

즉, $y=2x+4$에 $x=1$, $y=b$를 대입하면
$$b=2\times1+4=6 \quad \therefore a+b=2+6=8$$

06 두 점 $(-1, -3)$, $(3, 1)$을 지나므로

$$(기울기)=\dfrac{1-(-3)}{3-(-1)}=1 \quad \therefore a=1$$

$y=x+b$에 $x=-1$, $y=-3$을 대입하면
$$-3=-1+b \quad \therefore b=-2$$
$$\therefore a+b=1+(-2)=-1$$

07 10분 동안 4 L의 기름이 사용되었으므로 1분 동안 0.4 L의 기름이 사용된다. 난로를 켠지 x분 후의 남은 기름의 양을 y L라 할 때, x와 y 사이의 관계식은
$$y=30-0.4x=-0.4x+30$$
$y=-0.4x+30$에 $x=25$를 대입하면
$$y=-0.4\times25+30=20(L)$$
따라서 난로를 켠지 25분 후에는 20 L의 기름이 남아 있다.

08 두 점을 지나는 직선이 x축에 평행하므로 방정식은 $y=k$ 꼴이다. 즉, 두 점의 y좌표가 같으므로
$$a-1=2a-4 \qquad \therefore a=3$$
따라서 두 점 $(2, 2)$, $(3, 2)$를 지나는 직선의 방정식은 $y=2$이다.

09 $x+3y-6=0$ $\qquad$ …… ㉠
$\quad\ \ x-y-2=0$ $\qquad$ …… ㉡
㉠$-$㉡을 하면
$$4y-4=0 \qquad \therefore y=1$$
$y=1$을 ㉡에 대입하면
$$x-1-2=0 \qquad \therefore x=3$$
따라서 주어진 두 직선의 교점의 좌표는 $(3, 1)$이므로 오른쪽 그림에서 $\triangle ABC$의 넓이는
$$\frac{1}{2} \times 4 \times 3 = 6$$

10 $3x+2y=a$에서 $y=-\dfrac{3}{2}x+\dfrac{a}{2}$

$bx-y=-3$에서 $y=bx+3$

교점이 무수히 많으려면 두 직선이 일치해야 하므로
$$b=-\frac{3}{2},\ \frac{a}{2}=3$$
$$\therefore a=6,\ b=-\frac{3}{2}$$
$$\therefore ab=6 \times \left(-\frac{3}{2}\right)=-9$$

03 이차함수
152쪽~163쪽

115-1 답 ㄱ, ㄷ, ㅁ

ㄱ. $y=x^2+x$: 이차함수

ㄴ. $y=2x+1$: 일차함수

ㄷ. $y=(x+2)(x-1)=x^2+x-2$: 이차함수

ㄹ. $x^2-2x+1=0$: 이차방정식

ㅁ. $y=\dfrac{1}{3}x^2$: 이차함수

115-2 답 (1) $y=4x$, 이차함수가 아니다.
$\qquad$ (2) $y=4\pi x^2$, 이차함수이다.
$\qquad$ (3) $y=15x$, 이차함수가 아니다.

115-3 답 (1) 2 (2) 5

(1) $f(1)=1^2+1=2$

(2) $f(-2)=(-2)^2+1=5$

116-1 답 (1) 0, 0 (2) 4 (3) 아래 (4) $x=0$
$\qquad$ (5) $x>0$ (6) 1, 2

(2) $y=x^2$에 $x=-2$를 대입하면
$$y=(-2)^2=4$$

116-2 답 (1) 0, 0 (2) -9 (3) 위 (4) $x=0$
$\qquad$ (5) $x<0$ (6) 3, 4

(2) $y=-x^2$에 $x=3$을 대입하면
$$y=-3^2=-9$$

117-1 답 (1) ㄱ, ㄷ, ㅁ (2) ㄹ (3) ㄱ, ㅂ

(1) $y=ax^2$에서 $a>0$이면 그래프의 모양이 아래로 볼록한 포물선이므로 ㄱ, ㄷ, ㅁ이다.

(2) $y=ax^2$에서 a의 절댓값이 클수록 폭이 좁아지므로 그래프의 폭이 가장 좁은 이차함수의 그래프는 ㄹ이다.

(3) $y=ax^2$의 그래프와 x축에 대하여 서로 대칭인 그래프는 $y=-ax^2$의 그래프이므로 x축에 대하여 서로 대칭인 포물선은 ㄱ, ㅂ이다.

117-2 답 (1) 0, 0 (2) y, 아래 (3) $\geq$

(1) 꼭짓점의 좌표는 ($\boxed{0}$, $\boxed{0}$)이다.

(2) $\boxed{y}$ 축을 축의 방정식으로 하고 $\boxed{아래}$ 로 볼록하다.

(3) y의 값의 범위는 $y\boxed{\geq}0$이다.

117-3 답 (1) 2 (2) 3 (3) $-\dfrac{1}{3}$

(1) $y=ax^2$에 $x=-1$, $y=2$를 대입하면
$$2=a \times (-1)^2 \qquad \therefore a=2$$
(2) $y=ax^2$에 $x=3$, $y=27$을 대입하면
$$27=a \times 3^2,\ 27=9a \qquad \therefore a=3$$
(3) $y=ax^2$에 $x=6$, $y=-12$를 대입하면
$$-12=a \times 6^2,\ -12=36a \qquad \therefore a=-\frac{1}{3}$$

118-1 답 (1) y, 3 (2) $(0, 3)$, $x=0$

(1) $y=x^2+3$의 그래프는 $y=x^2$의 그래프를 $\boxed{y}$축의 방향으로 $\boxed{3}$만큼 평행이동한 것이다.

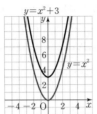

(2) 꼭짓점의 좌표는 $\boxed{(0, 3)}$이고, 축의 방정식은 $\boxed{x=0}$이다.

118-2 답 풀이 참조

(1) $y=4x^2$의 그래프를 y축의 방향으로 2만큼 평행이동한 그래프에 대하여
① 그래프의 식 : $y=4x^2+2$
② 꼭짓점의 좌표 : $(0, 2)$
③ 축의 방정식 : $x=0$
④ 점 $(2, k)$를 지날 때, k의 값 :
$$k=4\times2^2+2=18$$

(2) $y=-x^2$의 그래프를 y축의 방향으로 -3만큼 평행이동한 그래프에 대하여
① 그래프의 식 : $y=-x^2-3$
② 꼭짓점의 좌표 : $(0, -3)$
③ 축의 방정식 : $x=0$
④ 점 $(2, k)$를 지날 때, k의 값 :
$$k=-2^2-3=-7$$

(3) $y=\dfrac{2}{3}x^2$의 그래프를 y축의 방향으로 $-\dfrac{1}{2}$만큼 평행이동한 그래프에 대하여
① 그래프의 식 : $y=\dfrac{2}{3}x^2-\dfrac{1}{2}$
② 꼭짓점의 좌표 : $\left(0, -\dfrac{1}{2}\right)$
③ 축의 방정식 : $x=0$
④ 점 $(2, k)$를 지날 때, k의 값 :
$$k=\dfrac{2}{3}\times2^2-\dfrac{1}{2}=\dfrac{13}{6}$$

(4) $y=-\dfrac{1}{2}x^2$의 그래프를 y축의 방향으로 $\dfrac{1}{3}$만큼 평행이동한 그래프에 대하여
① 그래프의 식 : $y=-\dfrac{1}{2}x^2+\dfrac{1}{3}$
② 꼭짓점의 좌표 : $\left(0, \dfrac{1}{3}\right)$
③ 축의 방정식 : $x=0$

④ 점 $(2, k)$를 지날 때, k의 값 :
$$k=-\dfrac{1}{2}\times2^2+\dfrac{1}{3}=-\dfrac{5}{3}$$

119-1 답 (1) x, 2 (2) $(2, 0)$, $x=2$

(1) $y=(x-2)^2$의 그래프는 $y=x^2$의 그래프를 $\boxed{x}$축의 방향으로 $\boxed{2}$만큼 평행이동한 것이다.

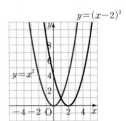

(2) 꼭짓점의 좌표는 $\boxed{(2, 0)}$이고, 축의 방정식은 $\boxed{x=2}$이다.

119-2 답 풀이 참조

(1) $y=4x^2$의 그래프를 x축의 방향으로 1만큼 평행이동한 그래프에 대하여
① 그래프의 식 : $y=4(x-1)^2$
② 꼭짓점의 좌표 : $(1, 0)$
③ 축의 방정식 : $x=1$
④ 점 $(2, k)$를 지날 때, k의 값 : $k=4(2-1)^2=4$

(2) $y=-x^2$의 그래프를 x축의 방향으로 $-\dfrac{1}{2}$만큼 평행이동한 그래프에 대하여
① 그래프의 식 : $y=-\left(x+\dfrac{1}{2}\right)^2$
② 꼭짓점의 좌표 : $\left(-\dfrac{1}{2}, 0\right)$
③ 축의 방정식 : $x=-\dfrac{1}{2}$
④ 점 $(2, k)$를 지날 때, k의 값 :
$$k=-\left(2+\dfrac{1}{2}\right)^2=-\dfrac{25}{4}$$

(3) $y=\dfrac{1}{3}x^2$의 그래프를 x축의 방향으로 2만큼 평행이동한 그래프에 대하여
① 그래프의 식 : $y=\dfrac{1}{3}(x-2)^2$
② 꼭짓점의 좌표 : $(2, 0)$
③ 축의 방정식 : $x=2$
④ 점 $(2, k)$를 지날 때, k의 값 :
$$k=\dfrac{1}{3}(2-2)^2=0$$

(4) $y=-\dfrac{3}{2}x^2$의 그래프를 x축의 방향으로 -3만큼 평

행이동한 그래프에 대하여

① 그래프의 식 : $y=-\dfrac{3}{2}(x+3)^2$

② 꼭짓점의 좌표 : $(-3,\,0)$

③ 축의 방정식 : $x=-3$

④ 점 $(2,\,k)$를 지날 때, k의 값 :
$$k=-\dfrac{3}{2}(2+3)^2=-\dfrac{75}{2}$$

120-1 🖎 (1) 1, 2 (2) (1, 2), $x=1$

(1) $y=(x-1)^2+2$의 그래

프는 $y=x^2$의 그래프를

x축의 방향으로 $\boxed{1}$만

큼, y축의 방향으로 $\boxed{2}$

만큼 평행이동한 것이다.

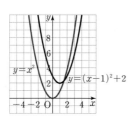

(2) 꼭짓점의 좌표는 $\boxed{(1,\,2)}$이고, 축의 방정식은

$\boxed{x=1}$ 이다.

120-2 🖎 풀이 참조

(1) $y=x^2$의 그래프를 x축의 방향으로 -1만큼, y축의

방향으로 3만큼 평행이동한 그래프에 대하여

① 그래프의 식 : $y=(x+1)^2+3$

② 꼭짓점의 좌표 : $(-1,\,3)$

③ 축의 방정식 : $x=-1$

④ 점 $(2,\,k)$를 지날 때, k의 값 :
$$k=(2+1)^2+3=12$$

(2) $y=-2x^2$의 그래프를 x축의 방향으로 1만큼, y축의

방향으로 $\dfrac{1}{3}$만큼 평행이동한 그래프에 대하여

① 그래프의 식 : $y=-2(x-1)^2+\dfrac{1}{3}$

② 꼭짓점의 좌표 : $\left(1,\,\dfrac{1}{3}\right)$

③ 축의 방정식 : $x=1$

④ 점 $(2,\,k)$를 지날 때, k의 값 :
$$k=-2(2-1)^2+\dfrac{1}{3}=-\dfrac{5}{3}$$

(3) $y=\dfrac{2}{3}x^2$의 그래프를 x축의 방향으로 -2만큼, y축

의 방향으로 -3만큼 평행이동한 그래프에 대하여

① 그래프의 식 : $y=\dfrac{2}{3}(x+2)^2-3$

② 꼭짓점의 좌표 : $(-2,\,-3)$

③ 축의 방정식 : $x=-2$

④ 점 $(2,\,k)$를 지날 때, k의 값 :
$$k=\dfrac{2}{3}(2+2)^2-3=\dfrac{23}{3}$$

121-1 🖎 (1) $y=-2(x+1)^2+2$, $(-1,\,2)$, $x=-1$

(2) $y=\dfrac{1}{2}(x+3)^2-\dfrac{5}{2}$, $\left(-3,\,-\dfrac{5}{2}\right)$,

$x=-3$

(1) $y=-2x^2-4x=-2(x^2+2x)$
$$=-2(x^2+2x+1)+2=-2(x+1)^2+2$$
따라서 꼭짓점의 좌표는 $(-1,\,2)$이고 축의 방정식은

$x=-1$이다.

(2) $y=\dfrac{1}{2}x^2+3x+2=\dfrac{1}{2}(x^2+6x)+2$
$$=\dfrac{1}{2}(x^2+6x+9)-\dfrac{9}{2}+2$$
$$=\dfrac{1}{2}(x+3)^2-\dfrac{5}{2}$$

따라서 꼭짓점의 좌표는 $\left(-3,\,-\dfrac{5}{2}\right)$이고 축의 방

정식은 $x=-3$이다.

121-2 🖎 (1) x축 : $(-1,\,0)$, $(3,\,0)$, y축 : $(0,\,-9)$

(2) x축 : $(-1,\,0)$, $(5,\,0)$, y축 : $(0,\,5)$

(1) $y=3x^2-6x-9$에 $y=0$을 대입하면
$$0=3x^2-6x-9,\ x^2-2x-3=0$$
$$(x+1)(x-3)=0\quad \therefore x=-1\ \text{또는}\ x=3$$
따라서 x축과의 교점의 좌표는 $(-1,\,0)$, $(3,\,0)$이다.

$y=3x^2-6x-9$에 $x=0$을 대입하면
$$y=-9$$
따라서 y축과의 교점의 좌표는 $(0,\,-9)$이다.

(2) $y=-x^2+4x+5$에 $y=0$을 대입하면
$$0=-x^2+4x+5,\ x^2-4x-5=0$$
$$(x+1)(x-5)=0\quad \therefore x=-1\ \text{또는}\ x=5$$
따라서 x축과의 교점의 좌표는 $(-1,\,0)$, $(5,\,0)$이다.

$y=-x^2+4x+5$에 $x=0$을 대입하면
$$y=5$$
따라서 y축과의 교점의 좌표는 $(0, 5)$이다.

121-3 冒 (1) x절편 : -3, 1, y절편 : -9

(2) x절편 : -1, $\dfrac{5}{2}$, y절편 : 10

(1) $3x^2+6x-9=0$에서 $x^2+2x-3=0$
$$(x+3)(x-1)=0 \qquad \therefore x=-3 \text{ 또는 } x=1$$
(2) $-4x^2+6x+10=0$에서 $2x^2-3x-5=0$
$$(x+1)(2x-5)=0$$
$$\therefore x=-1 \text{ 또는 } x=\dfrac{5}{2}$$

122-1 冒 (1) $y=(x-5)^2-14$

(2) $y=-5(x+2)^2+13$

(3) $y=-(x-3)^2+1$

(4) $y=2(x-1)^2+2$

(1) $y=x^2-8x+3=(x^2-8x+16)-16+3$
$$=(x-4)^2-13$$
따라서 x축의 방향으로 1만큼, y축의 방향으로 -1만큼 평행이동한 그래프의 식은
$$y=\{(x-1)-4\}^2-13-1=(x-5)^2-14$$
(2) $y=-5x^2-10x+3=-5(x^2+2x)+3$
$$=-5(x^2+2x+1)+5+3$$
$$=-5(x+1)^2+8$$
따라서 x축의 방향으로 -1만큼, y축의 방향으로 5만큼 평행이동한 그래프의 식은
$$y=-5\{(x+1)+1\}^2+8+5=-5(x+2)^2+13$$
(3) $y=-x^2-2x-3=-(x^2+2x)-3$
$$=-(x^2+2x+1)+1-3$$
$$=-(x+1)^2-2$$
따라서 x축의 방향으로 4만큼, y축의 방향으로 3만큼 평행이동한 그래프의 식은
$$y=-\{(x+1)-4\}^2-2+3=-(x-3)^2+1$$
(4) $y=2x^2-8x+12=2(x^2-4x+6)$
$$=2\{(x^2-4x+4)-4+6\}$$
$$=2(x-2)^2+4$$
따라서 x축의 방향으로 -1만큼, y축의 방향으로 -2만큼 평행이동한 그래프의 식은
$$y=2\{(x-2)+1\}^2+4-2=2(x-1)^2+2$$

122-2 冒 (1) $(1, 5)$, $x=1$ (2) $(5, 0)$, $x=5$

(3) $(2, 8)$, $x=2$ (4) $(1, -2)$, $x=1$

(1) $y=3x^2-12x+14=3(x^2-4x)+14$
$$=3(x^2-4x+4)-12+14$$
$$=3(x-2)^2+2$$
따라서 x축의 방향으로 -1만큼, y축의 방향으로 3만큼 평행이동한 그래프의 식은
$$y=3\{(x-2)+1\}^2+2+3=3(x-1)^2+5$$
즉, 꼭짓점의 좌표는 $(1, 5)$, 축의 방정식은 $x=1$이다.

(2) $y=-x^2+6x-8=-(x^2-6x)-8$
$$=-(x^2-6x+9)+9-8$$
$$=-(x-3)^2+1$$
따라서 x축의 방향으로 2만큼, y축의 방향으로 -1만큼 평행이동한 그래프의 식은
$$y=-\{(x-3)-2\}^2+1-1=-(x-5)^2$$
즉, 꼭짓점의 좌표는 $(5, 0)$, 축의 방정식은 $x=5$이다.

(3) $y=-\dfrac{1}{2}x^2+x+\dfrac{11}{2}$
$$=-\dfrac{1}{2}(x^2-2x)+\dfrac{11}{2}$$
$$=-\dfrac{1}{2}(x^2-2x+1)+\dfrac{1}{2}+\dfrac{11}{2}$$
$$=-\dfrac{1}{2}(x-1)^2+6$$
따라서 x축의 방향으로 1만큼, y축의 방향으로 2만큼 평행이동한 그래프의 식은
$$y=-\dfrac{1}{2}\{(x-1)-1\}^2+6+2$$
$$=-\dfrac{1}{2}(x-2)^2+8$$
즉, 꼭짓점의 좌표는 $(2, 8)$, 축의 방정식은 $x=2$이다.

(4) $y=2x^2+8x+5=2(x^2+4x)+5$
$$=2(x^2+4x+4)-8+5$$
$$=2(x+2)^2-3$$
따라서 x축의 방향으로 3만큼, y축의 방향으로 1만큼 평행이동한 그래프의 식은
$$y=2\{(x+2)-3\}^2-3+1=2(x-1)^2-2$$
즉, 꼭짓점의 좌표는 $(1, -2)$, 축의 방정식은 $x=1$이다.

123-1 🖪 (1) 아래, $>$ (2) 왼, $>$, $>$ (3) 음수, $<$

(1) 포물선이 [아래]로 볼록하므로 $a\boxed{>}0$이다.

(2) 포물선의 축이 y축의 [왼]쪽에 있으므로 $ab\boxed{>}0$에서
$b\boxed{>}0$이다.

(3) 포물선의 y절편이 [음수]이므로 $c\boxed{<}0$이다.

123-2 🖪 (1) $a<0$, $b<0$, $c>0$
(2) $a>0$, $b<0$, $c>0$
(3) $a>0$, $b>0$, $c<0$
(4) $a<0$, $b>0$, $c=0$

(1) 포물선이 위로 볼록하므로 $a<0$
포물선의 축이 y축의 왼쪽에 있으므로 $ab>0$에서
$b<0$
포물선의 y절편이 양수이므로 $c>0$

(2) 포물선이 아래로 볼록하므로 $a>0$
포물선의 축이 y축의 오른쪽에 있으므로 $ab<0$에서
$b<0$
포물선의 y절편이 양수이므로 $c>0$

(3) 포물선이 아래로 볼록하므로 $a>0$
포물선의 축이 y축의 왼쪽에 있으므로 $ab>0$에서
$b>0$
포물선의 y절편이 음수이므로 $c<0$

(4) 포물선이 위로 볼록하므로 $a<0$
포물선의 축이 y축의 오른쪽에 있으므로 $ab<0$에서
$b>0$
포물선의 y절편이 0이므로 $c=0$

124-1 🖪 (1) $y=-2x^2+12x-13$
(2) $y=2x^2+8x+6$ (3) $y=3x^2+6x+5$

(1) 꼭짓점의 좌표가 $(3, 5)$이므로 $y=a(x-3)^2+5$로
놓으면
$$-3=a(1-3)^2+5, \quad -3=4a+5 \qquad \therefore a=-2$$
따라서 이차함수의 식은
$$y=-2(x-3)^2+5=-2(x^2-6x+9)+5$$
$$=-2x^2+12x-13$$

(2) 꼭짓점의 좌표가 $(-2, -2)$이므로
$$y=a(x+2)^2-2$$
점 $(-1, 0)$을 지나므로 $x=-1$, $y=0$을 대입하면
$$0=a(-1+2)^2-2, \quad a-2=0 \qquad \therefore a=2$$

따라서 이차함수의 식은
$$y=2(x+2)^2-2=2(x^2+4x+4)-2$$
$$=2x^2+8x+6$$

(3) 꼭짓점의 좌표가 $(-1, 2)$이므로
$$y=a(x+1)^2+2$$
y절편이 5이므로 $x=0$, $y=5$를 대입하면
$$5=a(0+1)^2+2, \quad 5=a+2 \qquad \therefore a=3$$
따라서 이차함수의 식은
$$y=3(x+1)^2+2=3(x^2+2x+1)+2$$
$$=3x^2+6x+5$$

124-2 🖪 (1) $y=x^2-4x+3$ (2) $y=-x^2-4x+1$

(1) 꼭짓점의 좌표가 $(2, -1)$이므로
$$y=a(x-2)^2-1$$
y절편이 3이므로 $x=0$, $y=3$을 대입하면
$$3=4a-1 \qquad \therefore a=1$$
따라서 이차함수의 식은
$$y=(x-2)^2-1=(x^2-4x+4)-1$$
$$=x^2-4x+3$$

(2) 꼭짓점의 좌표가 $(-2, 5)$이므로 $y=a(x+2)^2+5$
로 놓으면
$$4=a(-3+2)^2+5, \quad 4=a+5 \qquad \therefore a=-1$$
따라서 이차함수의 식은
$$y=-(x+2)^2+5=-(x^2+4x+4)+5$$
$$=-x^2-4x+1$$

125-1 🖪 (1) $y=-x^2+4x+4$
(2) $y=-2x^2-8x-5$
(3) $y=2x^2-4x+6$

(1) 축의 방정식이 $x=2$이므로 $y=a(x-2)^2+q$로 놓으면
$7=a(1-2)^2+q$에서 $a+q=7$
$4=a(0-2)^2+q$에서 $4a+q=4$
두 식을 연립하여 풀면 $a=-1$, $q=8$
따라서 이차함수의 식은
$$y=-(x-2)^2+8=-(x^2-4x+4)+8$$
$$=-x^2+4x+4$$

(2) 축의 방정식이 $x=-2$이므로 $y=a(x+2)^2+q$로
놓으면
$1=a(-1+2)^2+q$에서 $a+q=1$
$3=a(-2+2)^2+q$에서 $q=3$
두 식을 연립하여 풀면 $a=-2$, $q=3$

따라서 이차함수의 식은
$$y=-2(x+2)^2+3=-2(x^2+4x+4)+3$$
$$=-2x^2-8x-5$$

(3) 축의 방정식이 $x=1$이므로 $y=a(x-1)^2+q$로 놓으면

$12=a(-1-1)^2+q$에서 $4a+q=12$

$6=a(-1)^2+q$에서 $a+q=6$

두 식을 연립하여 풀면 $a=2$, $q=4$

따라서 이차함수의 식은
$$y=2(x-1)^2+4=2(x^2-2x+1)+4$$
$$=2x^2-4x+6$$

125-2 ❸ (1) $y=x^2-6x+5$ (2) $y=-2x^2+4x+6$

(1) 축의 방정식이 $x=3$이므로 $y=a(x-3)^2+q$로 놓으면

$0=a(1-3)^2+q$에서 $4a+q=0$

$-3=a(4-3)^2+q$에서 $a+q=-3$

두 식을 연립하여 풀면 $a=1$, $q=-4$

따라서 이차함수의 식은
$$y=(x-3)^2-4=(x^2-6x+9)-4=x^2-6x+5$$

(2) 축의 방정식이 $x=1$이므로 $y=a(x-1)^2+q$로 놓으면

$a(3-1)^2+q=0$에서 $4a+q=0$

$a(0-1)^2+q=6$에서 $a+q=6$

두 식을 연립하여 풀면 $a=-2$, $q=8$

따라서 이차함수의 식은
$$y=-2(x-1)^2+8=-2(x^2-2x+1)+8$$
$$=-2x^2+4x+6$$

126-1 ❸ (1) $y=3x^2-2x+4$
(2) $y=2x^2-10x+12$
(3) $y=2x^2-4x+1$
(4) $y=-\dfrac{1}{3}x^2-\dfrac{4}{3}x-1$

(1) $y=ax^2+bx+c$에 세 점의 좌표 $(0, 4)$, $(1, 5)$, $(-1, 9)$를 각각 대입하면

$4=a\times0+b\times0+c$ $\therefore c=4$

$5=a\times1^2+b\times1+4$ $\therefore a+b=1$ …… ㉠

$9=a\times(-1)^2+b\times(-1)+4$

$\therefore a-b=5$ …… ㉡

㉠, ㉡을 연립하여 풀면 $a=3$, $b=-2$

따라서 이차함수의 식은 $y=3x^2-2x+4$

(2) 세 점 중 두 점 $(2, 0)$, $(3, 0)$이 x축과의 교점이므로
$y=a(x-2)(x-3)$으로 놓으면

$4=a(1-2)(1-3)$, $2a=4$ $\therefore a=2$

따라서 이차함수의 식은
$$y=2(x-2)(x-3)=2(x^2-5x+6)$$
$$=2x^2-10x+12$$

(3) $y=ax^2+bx+c$에 세 점의 좌표 $(0, 1)$, $(2, 1)$, $(3, 7)$을 각각 대입하면

$1=a\times0+b\times0+c$ $\therefore c=1$

$1=a\times2^2+b\times2+1$ $\therefore 2a+b=0$ … ㉠

$7=a\times3^2+b\times3+1$ $\therefore 3a+b=2$ … ㉡

㉠, ㉡을 연립하여 풀면 $a=2$, $b=-4$

따라서 이차함수의 식은 $y=2x^2-4x+1$

(4) 세 점 중 두 점 $(-3, 0)$, $(-1, 0)$이 x축과의 교점이므로 $y=a(x+1)(x+3)$으로 놓으면

$-1=a(0+1)(0+3)$, $3a=-1$

$$\therefore a=-\dfrac{1}{3}$$

따라서 이차함수의 식은
$$y=-\dfrac{1}{3}(x+1)(x+3)=-\dfrac{1}{3}(x^2+4x+3)$$
$$=-\dfrac{1}{3}x^2-\dfrac{4}{3}x-1$$

126-2 ❸ (1) $y=x^2-2x$ (2) $y=-x^2+2x+3$

(1) 세 점 $(0, 0)$, $(2, 0)$, $(3, 3)$을 지나므로
$y=ax^2+bx+c$에 $x=0$, $y=0$을 대입하면 $c=0$

$x=2$, $y=0$을 대입하면
$$4a+2b=0 \quad \therefore 2a+b=0 \quad \cdots\cdots ㉠$$

$x=3$, $y=3$을 대입하면
$$9a+3b=3 \quad \therefore 3a+b=1 \quad \cdots\cdots ㉡$$

㉠, ㉡을 연립하여 풀면 $a=1$, $b=-2$
$$\therefore y=x^2-2x$$

(2) 세 점 $(-1, 0)$, $(0, 3)$, $(2, 3)$을 지나므로
$y=ax^2+bx+c$에 $x=0$, $y=3$을 대입하면 $c=3$

$x=-1$, $y=0$을 대입하면
$$a-b+3=0 \quad \therefore a-b=-3 \quad \cdots\cdots ㉠$$

$x=2$, $y=3$을 대입하면
$$4a+2b+3=3 \quad \therefore 2a+b=0 \quad \cdots\cdots ㉡$$

㉠, ㉡을 연립하여 풀면 $a=-1$, $b=2$
$$\therefore y=-x^2+2x+3$$

| 1 ② | 2 ④ | 3 $\dfrac{7}{2}$ | 4 ③ | 5 ③ |
| 6 ④ | 7 ③ | 8 ② | 9 ④ | |

01 $f(x)=x^2-3x+a$에서

$$f(-2)=(-2)^2-3\times(-2)+a=10+a$$

이때 $10+a=7$이므로 $a=-3$

02 ① x^2의 계수의 절댓값이 작을수록 그래프의 폭이
넓으므로 폭이 가장 넓은 것은 ㄱ이다.

② $(x^2$의 계수$)<0$이면 위로 볼록한 포물선이므로 위로
볼록한 포물선은 ㄱ, ㄷ이다.

③ x^2의 계수의 절댓값이 같고 부호가 반대인 것을 찾
으면 ㄴ, ㄷ이다.

④ $x<0$일 때, x의 값이 증가함에 따라 y의 값도 증가
하려면 $(x^2$의 계수$)<0$이어야 하므로 ㄱ, ㄷ이다.

⑤ 네 그래프 모두 원점이 꼭짓점이므로 원점을 지난다.

03 $y=ax^2+1$에 $x=2$, $y=-1$을 대입하면

$$-1=a\times2^2+1,\ 4a=-2$$

$$\therefore a=-\dfrac{1}{2}\qquad\therefore y=-\dfrac{1}{2}x^2+1$$

$y=-\dfrac{1}{2}x^2+1$에 $x=-4$, $y=b$를 대입하면

$$b=-\dfrac{1}{2}\times(-4)^2+1\qquad\therefore b=-7$$

$$\therefore ab=-\dfrac{1}{2}\times(-7)=\dfrac{7}{2}$$

04 $y=-(x-3)^2+4$의 그래프
를 좌표평면 위에 나타내면 오른
쪽 그림과 같으므로

ㄱ. 꼭짓점의 좌표는 $(3, 4)$이다.

ㄴ. 제 1, 3, 4사분면을 지난다.

ㄷ. y의 값의 범위는 $y\le4$이다.

ㄹ. 이차함수 $y=-x^2$의 그래프를 x축의 방향으로 3만
큼, y축의 방향으로 4만큼 평행이동하면 얻을 수
있다.

따라서 옳은 것은 ㄱ, ㄹ이다.

05 $y=x^2-8x+k=(x-4)^2+k-16$

주어진 함수의 그래프를 x축의 방향으로 3만큼, y축의
방향으로 -2만큼 평행이동한 그래프의 식은

$$y=\{(x-3)-4\}^2+k-16-2$$
$$=(x-7)^2+k-18\qquad\cdots\cdots\ ㉠$$

㉠에 $x=1$, $y=15$를 대입하면

$$15=(1-7)^2+k-18$$
$$15=18+k\qquad\therefore k=-3$$

06 $y=ax^2+bx+c$에 대하여

$a>0$이므로 아래로 볼록한 포물선이고

$b<0$이므로 $ab<0$에서 축은 y축의 오른쪽에 있고

$c<0$이므로 y절편은 음수이다.

따라서 그래프의 개형으로 알맞은 것은 ④이다.

07 꼭짓점의 좌표가 $(-2, 6)$이므로

$y=a(x+2)^2+6$으로 놓으면

$$2=a(0+2)^2+6,\ 2=4a+6\qquad\therefore a=-1$$

따라서 이차함수의 식은

$$y=-(x+2)^2+6=-(x^2+4x+4)+6$$
$$=-x^2-4x+2$$

$a=-1$, $b=-4$, $c=2$이므로

$$a+b+c=-1-4+2=-3$$

08 축의 방정식이 $x=3$이고, 꼭짓점이 x축 위에 있
으므로 꼭짓점의 좌표는 $(3, 0)$이다.

구하는 그래프의 식을 $y=a(x-3)^2$으로 놓고

$x=2$, $y=4$를 대입하면

$$4=a(2-3)^2\qquad\therefore a=4$$
$$\therefore y=4(x-3)^2=4x^2-24x+36$$

따라서 구하는 y절편은 36이다.

09 주어진 그래프가 x축과 두 점 $(-3, 0)$, $(2, 0)$에
서 만나므로 $y=a(x-2)(x+3)$으로 놓으면

$$6=a(-1-2)(-1+3)$$
$$-6a=6\qquad\therefore a=-1$$

주어진 이차함수의 식은

$$y=-(x-2)(x+3)=-(x^2+x-6)$$
$$=-x^2-x+6$$

따라서 $a=-1$, $b=-1$, $c=6$이므로

$$abc=-1\times(-1)\times6=6$$

Ⅳ 확률과 통계

01 도수분포와 그래프

168쪽~173쪽

127-1 답 (1) 풀이 참조 (2) 30대 (3) 21살

(1)

줄기	잎
1	5 7 8
2	0 1 4 4
3	4 4 5 5 5 7 8 9
4	1 2 5

(3) 나이가 적은 사람에서부터 차례대로 나열하면 15살, 17살, 18살, 20살, 21살, …이므로 나이가 적은 쪽에서 5번째인 사람의 나이는 21살이다.

127-2 답 (1) 25명 (2) 11명

(1) 잎의 개수가 25개이므로 정혁이네 반 학생은 모두 25명이다.

128-1 답 (1) 8 (2) 10점 (3) 9명 (4) 55점 (5) 30 %
(6) 80점 이상 90점 미만

(1) $A=40-(2+10+9+7+4)=8$

(5) 영어 성적이 60점 미만인 학생 수가 $2+10=12$(명)
이므로 $\dfrac{12}{40}\times100=30(\%)$

129-1 답 (1) 계급의 크기 : 5시간, 계급의 개수 : 6개
(2) 55 (3) 200

(2) 도수가 가장 큰 계급은 20시간 이상 25시간 미만이므로 직사각형의 넓이는
(계급의 크기)×(그 계급의 도수)$=5\times11=55$

(3) 도수의 총합이 $5+6+9+11+5+4=40$(명)이므로 직사각형의 넓이의 합은
(계급의 크기)×(도수의 총합)$=5\times40=200$

129-2 답 (1) 6명 (2) 40명 (3) 60 %

(2) (전체 학생 수)$=5+4+15+7+6+3=40$(명)

(3) 과학 성적이 70점 미만인 학생 수는
$5+4+15=24$(명)이므로
$\dfrac{24}{40}\times100=60(\%)$

130-1 답 (1) 7개 (2) 150회 (3) 600

(3) 계급의 크기는 20회이고 전체 학생 수는
$2+3+6+10+5+3+1=30$(명)이므로 도수분포다각형과 가로축으로 둘러싸인 부분의 넓이는
$20\times30=600$

130-2 답 (1) 14회 (2) 6명 (3) 70 %

(3) 전체 학생 수는 $4+5+10+6+5=30$(명)이고 도서관을 이용한 횟수가 12회 이상인 학생 수는
$10+6+5=21$(명)이므로
$\dfrac{21}{30}\times100=70(\%)$

131-1 답 (1) 풀이 참조 (2) 15 mm (3) 44 %

(1)

일일 강수량(mm)	도수(일)	상대도수
$0^{이상}\sim10^{미만}$	7	0.14
10 ~20	15	0.3
20 ~30	14	0.28
30 ~40	6	0.12
40 ~50	8	0.16
합계	50	1

(2) 상대도수가 가장 큰 계급은 10 mm 이상 20 mm 미만이므로 계급값은
$\dfrac{10+20}{2}=15(\text{mm})$

(3) 일일 강수량이 20 mm 미만인 계급의 상대도수의 합은
$0.14+0.3=0.44$이므로
$0.44\times100=44(\%)$

✅ 이렇게도 풀어요!

(3) 일일 강수량이 20 mm 미만인 날은 $7+15=22$(일)이므로
$\dfrac{22}{50}\times100=44(\%)$

131-2 답 $A=0.14$, $B=0.3$, $C=15$, $D=10$, $E=1$

$(\text{전체 도수})=\dfrac{(\text{그 계급의 도수})}{(\text{어떤 계급의 상대도수})}$

$=\dfrac{5}{0.1}=50$(명)

$A=\dfrac{7}{50}=0.14$

$B=1-(0.1+0.14+0.26+0.2)=0.3$

$C=50\times0.3=15$

$D=50\times0.2=10$

132-1 **답** (1) 풀이 참조

(2) 40점 이상 70점 미만,

70점 이상 100점 미만

(3) 여학생

(1)

볼링 점수(점)	상대도수	
	남학생	여학생
40^{이상} ~ 70^{미만}	0.2	0.1
70 ~ 100	0.4	0.3
100 ~ 130	0.3	0.4
130 ~ 160	0.1	0.2
합계	1	1

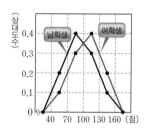

(3) 높은 점수대의 상대도수는 남학생보다 여학생이 더 크므로 여학생이 남학생보다 볼링을 더 잘 친다고 말할 수 있다.

탄탄한 중단원 문제

174쪽~175쪽

01 ③ **02** ③ **03** 20명 **04** ③ **05** 15

06 ③ **07** 6명 **08** ④ **09** ③, ④

01 ③ 잎이 가장 많은 줄기는 4이다.

02 ① 계급의 크기는 $60-50=10$(점)이다.

② 점수가 70점 미만인 학생 수는

$2+4=6$(명)

③ 점수가 70점 이상 80점 미만인 학생 수는

$40-(2+4+8+6)=20$(명)

④ 도수가 가장 작은 계급은 50점 이상 60점 미만이므로 계급값은

$$\frac{50+60}{2}=55(점)$$

⑤ 점수가 높은 쪽의 계급부터 도수를 차례로 더하면 점수가 높은 쪽에서 10번째인 학생이 속하는 계급은 80점 이상 90점 미만이다.

03 기록이 11 m 이상 13 m 미만인 학생이 전체의 15 % 이므로 전체 학생수를 x라 하면

$$3=x\times\frac{15}{100} \qquad \therefore x=20$$

따라서 전체 학생 수는 20명이다.

04 기록이 15 m 미만인 학생이 전체의 50 %이므로

$$20\times\frac{50}{100}=10(명)$$

따라서 기록이 15 m 이상 17 m 미만인 학생 수는

$10-(2+1)=7$(명)

05 도수가 가장 큰 계급은 40 kg 이상 45 kg 미만이므로

$$a=\frac{40+45}{2}=42.5$$

또, 도수가 가장 작은 계급은 55 kg 이상 60 kg 미만이므로 $b=\frac{55+60}{2}=57.5$

$$\therefore b-a=57.5-42.5=15$$

06 전체 개의 마릿수는 $5+11+16+12+4+2=50$(마리)이고 무게가 40 kg 미만인 개의 마릿수는 $5+11=16$ (마리)이므로 $\frac{16}{50}\times100=32(\%)$

07 라디오 청취 시간이 12시간 이상 15시간 미만인 계급의 상대도수는 0.15이므로 구하는 학생 수는

$40\times0.15=6$(명)

08 라디오 청취 시간이 9시간 미만인 계급의 상대도수의 합은 $0.05+0.25=0.3$이므로

$0.3\times100=30(\%)$

09 ① 운동 시간이 긴 학생의 비율은 B 중학교가 더 높으므로 B 중학교 학생들의 운동 시간이 더 길다고 할 수 있다.

② 상대도수의 합은 항상 1로 동일하지만 도수의 합은 다를 수도 있다.

③ A 중학교에서 운동 시간이 2시간 이상 3시간 미만인 계급의 상대도수는 0.45이므로

$0.45\times100=45(\%)$

④ B 중학교에서 운동 시간이 3시간 미만인 계급의 상대도수의 합은 $0.1+0.25=0.35$이므로 구하는 학생 수는

$40\times0.35=14$(명)

⑤ 계급의 크기가 같고 상대도수의 총합도 항상 1이므로 두 그래프와 가로축으로 둘러싸인 부분의 넓이는 서로 같다.

02 경우의 수와 확률
176쪽~183쪽

133-1 답 9가지

공에 적힌 숫자의 합이 5가 되는 경우의 수는 (1, 4), (2, 3), (3, 2), (4, 1)의 4가지이고, 6이 되는 경우의 수는 (1, 5), (2, 4), (3, 3), (4, 2), (5, 1)의 5가지이므로 합이 5 또는 6이 되는 경우의 수는
$$4+5=9(가지)$$

133-2 답 6가지

집에서 언덕까지 가는 방법의 수는 2가지이고, 언덕에서 학교까지 가는 방법의 수는 3가지이므로 집에서 언덕을 지나 학교까지 가는 방법의 수는
$$2\times3=6(가지)$$

134-1 답 (1) 8가지　(2) 2가지　(3) 3가지

(1) $2^3=8$(가지)
(2) (앞, 앞, 앞), (뒤, 뒤, 뒤)의 2가지
(3) (뒤, 앞, 앞), (앞, 뒤, 앞), (앞, 앞, 뒤)의 3가지

134-2 답 (1) 6가지　(2) 9가지

(1) (1, 1), (2, 2), (3, 3), (4, 4), (5, 5), (6, 6)의 6가지이다.
(2) 짝수의 눈이 나오는 경우의 수는 2, 4, 6의 3가지, 소수의 눈이 나오는 경우의 수는 2, 3, 5의 3가지이므로 구하는 경우의 수는
$$3\times3=9(가지)$$

134-3 답 3가지

소수의 눈은 2, 3, 5의 3가지이므로 구하는 경우의 수는
$$1\times1\times3=3(가지)$$

135-1 답 (1) 120가지　(2) 20가지

(1) $5\times4\times3\times2\times1=120$(가지)
(2) $5\times4=20$(가지)

135-2 답 (1) 24가지　(2) 12가지　(3) 2가지
　　　　(4) 12가지　(5) 12가지

(1) $4\times3\times2\times1=24$(가지)　(2) $4\times3=12$(가지)
(3) 봄이를 맨 앞에, 겨울이를 맨 뒤에 고정시키고 여름이, 가을이 2명을 한 줄로 세우는 경우의 수이므로
$$2\times1=2(가지)$$
(4) 여름이와 겨울이를 한 명으로 생각하면 3명을 한 줄로 세우는 경우의 수는
$$3\times2\times1=6(가지)$$
이때 여름이와 겨울이가 서로 자리를 바꿀 수 있으므로 구하는 경우의 수는
$$6\times2=12(가지)$$
(5) 봄이, 여름이, 가을이를 한 명으로 생각하면 2명을 한 줄로 세우는 경우의 수는 2가지이다. 이때 봄이, 여름이, 가을이가 서로 자리를 바꾸는 경우의 수는 $3\times2\times1=6$(가지)이므로 구하는 경우의 수는
$$2\times6=12(가지)$$

136-1 답 (1) 24가지　(2) 24가지　(3) 12가지

(1) $4\times3\times2\times1=24$(가지)
(2) $4\times3\times2=24$(가지)　(3) $4\times3=12$(가지)

136-2 답 (1) 9가지　(2) 18가지

(1) 십의 자리에 올 수 있는 숫자는 0을 제외한 3가지, 일의 자리에는 십의 자리의 숫자를 제외한 3가지가 올 수 있으므로 구하는 경우의 수는
$$3\times3=9(가지)$$
(2) 백의 자리에 올 수 있는 숫자는 0을 제외한 3가지, 십의 자리에는 백의 자리의 숫자를 제외한 3가지, 일의 자리에는 백의 자리와 십의 자리의 숫자를 제외한 2가지가 올 수 있으므로 구하는 경우의 수는
$$3\times3\times2=18(가지)$$

136-3 답 10가지

짝수가 되려면 일의 자리에 올 수 있는 숫자는 0, 2, 4의 3가지이다.
(i) □0인 경우의 수 : 10, 20, 30, 40의 4가지
(ii) □2인 경우의 수 : 12, 32, 42의 3가지
(iii) □4인 경우의 수 : 14, 24, 34의 3가지
따라서 구하는 경우의 수는 $4+3+3=10$(가지)이다.

137-1 답 (1) 12가지 (2) 24가지 (3) 6가지 (4) 4가지

(1) $4 \times 3 = 12$(가지)　　　　(2) $4 \times 3 \times 2 = 24$(가지)

(3) $\dfrac{4 \times 3}{2} = 6$(가지)　　(4) $\dfrac{4 \times 3 \times 2}{3 \times 2 \times 1} = 4$(가지)

137-2 답 (1) 10가지 (2) 6가지

(1) 5권에서 자격이 같은 3권을 선택하는 경우의 수이 므로

$$\frac{5 \times 4 \times 3}{3 \times 2 \times 1} = 10(가지)$$

(2) 수학 문제집은 미리 뽑고 국어, 영어, 사회, 과학 4 권의 문제집에서 자격이 같은 2권을 선택하는 경우 의 수이므로

$$\frac{4 \times 3}{2} = 6(가지)$$

137-3 답 (1) 10가지 (2) 20가지

(1) $\overline{AB}$와 $\overline{BA}$는 서로 같은 선분이므로 두 점을 이어서 만들 수 있는 선분의 개수는 5개의 점 중에서 자격 이 같은 2개의 점을 뽑는 경우의 수와 같다.

$$\therefore \frac{5 \times 4}{2} = 10(가지)$$

(2) $\overrightarrow{AB}$와 $\overrightarrow{BA}$는 서로 다른 반직선이므로 두 점을 이어 서 만들 수 있는 반직선의 개수는 5개의 점 중에서 자격이 다른 2개의 점을 뽑는 경우의 수와 같다.

$$\therefore 5 \times 4 = 20(가지)$$

138-1 답 (1) $\dfrac{2}{5}$ (2) 1 (3) 0

(1) 짝수가 적힌 공이 나오는 경우의 수는 2, 4의 2가 지이므로 구하는 확률은 $\dfrac{2}{5}$이다.

(2) 상자 안에 들어 있는 공에 적힌 숫자는 모두 6 미만 의 자연수이므로 구하는 확률은 1이다.

(3) 7이 적힌 공은 없으므로 구하는 확률은 0이다.

138-2 답 (1) $\dfrac{2}{5}$ (2) $\dfrac{3}{5}$

(1) 구슬에 적힌 숫자가 소수인 경우의 수는 2, 3, 5, 7 의 4가지이므로 구하는 확률은 $\dfrac{4}{10} = \dfrac{2}{5}$이다.

(2) $1 - \dfrac{2}{5} = \dfrac{3}{5}$

139-1 답 (1) $\dfrac{2}{9}$ (2) $\dfrac{4}{9}$ (3) $\dfrac{2}{3}$

(3) $\dfrac{2}{9} + \dfrac{4}{9} = \dfrac{6}{9} = \dfrac{2}{3}$

139-2 답 (1) $\dfrac{8}{45}$ (2) $\dfrac{2}{9}$

(1) A 주머니에서 딸기맛 사탕을 꺼낼 확률은 $\dfrac{2}{5}$, B 주머니에서 사과맛 사탕을 꺼낼 확률은 $\dfrac{4}{9}$이므로 구하는 확률은

$$\frac{2}{5} \times \frac{4}{9} = \frac{8}{45}$$

(2) A 주머니에서 딸기맛 사탕을 꺼낼 확률은 $\dfrac{2}{5}$, B 주 머니에서 딸기맛 사탕을 꺼낼 확률은 $\dfrac{5}{9}$이므로 구 하는 확률은

$$\frac{2}{5} \times \frac{5}{9} = \frac{2}{9}$$

140-1 답 (1) $\dfrac{4}{49}$ (2) $\dfrac{1}{21}$

(1) 처음에 완두콩을 꺼낼 확률은 $\dfrac{2}{7}$, 두 번째에 완두콩 을 꺼낼 확률도 $\dfrac{2}{7}$이므로 구하는 확률은

$$\frac{2}{7} \times \frac{2}{7} = \frac{4}{49}$$

(2) 처음에 완두콩을 꺼낼 확률은 $\dfrac{2}{7}$이고, 두 번째에 완 두콩을 꺼낼 확률은 $\dfrac{1}{6}$이므로 구하는 확률은

$$\frac{2}{7} \times \frac{1}{6} = \frac{1}{21}$$

140-2 답 $\dfrac{1}{12}$

호동이가 벌칙 제비를 뽑지 않을 확률은 $\dfrac{5}{10} = \dfrac{1}{2}$, 지원 이가 벌칙 제비를 뽑지 않을 확률은 $\dfrac{4}{9}$, 수근이가 벌칙 제비를 뽑지 않을 확률은 $\dfrac{3}{8}$이므로 구하는 확률은

$$\frac{1}{2} \times \frac{4}{9} \times \frac{3}{8} = \frac{1}{12}$$

확률과 통계

IV. 확률과 통계

01 ②　　02 ③　　03 144개　　04 ③　　05 $\frac{7}{8}$

06 $\frac{5}{8}$　　07 ④　　08 ④　　09 ①　　10 ⑤

01 (i) 주사위의 눈의 수의 합이 5가 되는 경우의 수 :

(1, 4), (2, 3), (3, 2), (4, 1)의 4가지이다.

(ii) 주사위의 눈의 수의 합이 7이 되는 경우의 수 :

(1, 6), (2, 5), (3, 4), (4, 3), (5, 2), (6, 1)의
6가지이다.

따라서 구하는 경우의 수는

　　4+6=10(가지)

02 주희, 승희, 할아버지와 할머니 4명이 나란히 서는
경우의 수는

　　$4 \times 3 \times 2 \times 1 = 24$(가지)

이때 어머니와 아버지가 자리를 바꿀 수 있으므로 구하
는 경우의 수는

　　$24 \times 2 = 48$(가지)

03 홀수가 되려면 일의 자리에 올 수 있는 숫자는 1,
3, 5의 3가지이다.

(i) □□□1인 경우의 수 : 천의 자리에는 0을 제외
한 4가지, 백의 자리에는 천의 자리의 숫자를 제외
한 4가지, 십의 자리에는 천의 자리와 백의 자리의
숫자를 제외한 3가지의 숫자가 올 수 있으므로

　　　$4 \times 4 \times 3 = 48$(가지)

(ii) □□□3인 경우의 수 : $4 \times 4 \times 3 = 48$(가지)

(iii) □□□5인 경우의 수 : $4 \times 4 \times 3 = 48$(가지)

따라서 구하는 경우의 수는

　　(4×4×3)×3=144(가지)

04 $a = 4 \times 3 \times 2 = 24$, $b = \dfrac{4 \times 3 \times 2}{3 \times 2 \times 1} = 4$이므로

　　$a + b = 28$

05 모든 경우의 수는 $2 \times 2 \times 2 = 8$(가지)

세 문제를 모두 틀리는 경우의 수는 1가지이므로

　　(적어도 한 문제를 맞힐 확률)

　　　=1−(세 문제를 모두 틀릴 확률)

　　　$= 1 - \dfrac{1}{8} = \dfrac{7}{8}$

06 모든 경우의 수는 $4 \times 4 = 16$(가지)이고 짝수인 경우
의 수는 10, 20, 30, 40, 12, 32, 42, 14, 24, 34의 10가
지이다.

따라서 구하는 확률은 $\dfrac{10}{16} = \dfrac{5}{8}$이다.

07 모든 경우의 수는

　　$6 \times 6 = 36$(가지)

(i) 두 눈의 수의 합이 10인 경우

　　(4, 6), (5, 5), (6, 4)의 3가지이므로 확률은 $\dfrac{3}{36}$
이다.

(ii) 두 눈의 수의 합이 11인 경우

　　(5, 6), (6, 5)의 2가지이므로 확률은 $\dfrac{2}{36}$이다.

(iii) 두 눈의 수의 합이 12인 경우

　　(6, 6)의 1가지이므로 확률은 $\dfrac{1}{36}$이다.

따라서 구하는 확률은

　　$\dfrac{3}{36} + \dfrac{2}{36} + \dfrac{1}{36} = \dfrac{6}{36} = \dfrac{1}{6}$

08 두 명 중 적어도 한 사람이 명중시키면 멧돼지는
총에 맞는다. 두 명 모두 명중시키지 못할 확률은 각각

　　$1 - \dfrac{1}{2} = \dfrac{1}{2}$, $1 - \dfrac{1}{3} = \dfrac{2}{3}$

이므로 구하는 확률은

　　1−(두 명 모두 명중시키지 못할 확률)

　　$= 1 - \left(\dfrac{1}{2} \times \dfrac{2}{3} \right)$

　　$= 1 - \dfrac{1}{3} = \dfrac{2}{3}$

09 처음에 3의 배수가 적힌 카드를 뽑을 확률은

　　$\dfrac{5}{15} = \dfrac{1}{3}$

두 번째에 소수가 적힌 카드를 뽑을 확률은

　　$\dfrac{6}{15} = \dfrac{2}{5}$

따라서 구하는 확률은

　　$\dfrac{1}{3} \times \dfrac{2}{5} = \dfrac{2}{15}$

10 (i) 두 번 모두 파란 구슬이 나올 경우

처음에 파란 구슬이 나올 확률은 $\dfrac{4}{10}=\dfrac{2}{5}$, 두 번째

에 파란 구슬이 나올 확률은 $\dfrac{3}{9}=\dfrac{1}{3}$이므로 확률은

$$\dfrac{2}{5}\times\dfrac{1}{3}=\dfrac{2}{15}$$

(ii) 두 번 모두 빨간 구슬이 나올 경우

처음에 빨간 구슬이 나올 확률은 $\dfrac{5}{10}=\dfrac{1}{2}$, 두 번째

에 빨간 구슬이 나올 확률은 $\dfrac{4}{9}$이므로 확률은

$$\dfrac{1}{2}\times\dfrac{4}{9}=\dfrac{2}{9}$$

따라서 구하는 확률은

$$\dfrac{2}{15}+\dfrac{2}{9}=\dfrac{6}{45}+\dfrac{10}{45}=\dfrac{16}{45}$$

03 대푯값과 산포도

176쪽~179쪽

141-1 답 12시간

$$(\text{평균})=\dfrac{6+8+10+13+15+15+17}{7}$$
$$=\dfrac{84}{7}=12(\text{시간})$$

141-2 답 평균 : 5개, 중앙값 : 6개, 최빈값 : 8개

필기구 개수의 평균은

$$\dfrac{8+1+7+1+8+2+5+7+3+8}{10}$$
$$=\dfrac{50}{10}=5(\text{개})$$

필기구의 개수를 작은 값부터 크기순으로 나열하면

1, 1, 2, 3, 5, 7, 7, 8, 8, 8

따라서 중앙값은 5번째와 6번째 자료의 값의 평균이므

로 $\dfrac{5+7}{2}=6$(개), 8개의 도수가 3으로 가장 크므로 최

빈값은 8개이다.

142-1 답 (1) -1 (2) 86점

(1) 편차의 합은 0이므로

$$3+(-1)+x+(-2)+1=0 \qquad \therefore x=-1$$

(2) 편차가 -1점이므로 수학 성적은

$$87+(-1)=86(\text{점})$$

142-2 답 표 : 풀이 참조, 분산 : 6, 표준편차 : $\sqrt{6}$시간

$$(\text{평균})=\dfrac{10+11+14+13+17}{5}=\dfrac{65}{5}=13(\text{시간})$$

취미 활동 시간(시간)	10	11	14	13	17	합계
편차(시간)	-3	-2	1	0	4	0
(편차)^2	9	4	1	0	16	30

위의 표에서 분산, 표준편차를 각각 구하면

$$(\text{분산})=\dfrac{30}{5}=6, \ (\text{표준편차})=\sqrt{6}(\text{시간})$$

143-1 답 (1) 6명 (2) 7명 (3) 4명 (4) 70점
(5) 30 % (6) 4명

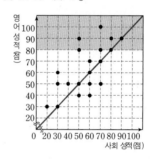

(1) 사회 성적과 영어 성적이 같은 학생 수는 대각선 위
의 점의 개수와 같으므로 6명이다.

(2) 영어 성적이 80점 이상인 학생 수는 위의 산점도에
서 어두운 부분(경계선 포함)에 속하는 점의 개수와
같으므로 7명이다.

(3) 영어 성적보다 사회 성적이 좋은 학생 수는 대각선
보다 아래쪽에 있는 점의 개수와 같으므로 4명이다.

(5) 두 과목 모두 50점 이하인 학생은 6명이므로

$$\dfrac{6}{20}\times100=30(\%)$$

144-1 답 ㄱ, ㄷ

용돈을 많이 받을수록 저축액 또한 많아지므로 양의 상
관관계이다.

ㄱ. 양의 상관관계   ㄴ. 음의 상관관계
ㄷ. 양의 상관관계   ㄹ. 상관관계가 없다.

144-2 답 (1) × (2) ○

01 7	02 45	03 ①	04 4	05 ②
06 5명	07 4명	08 20 %	09 30점	10 ③

01 A, B 두 모둠의 인원 수가 같으므로

$$2+3+x+4+5=4+1+5+4+3$$

$$\therefore x=3$$

즉, A모둠의 최빈값은 3이므로 $a=3$이다.

B모둠에서 크기순으로 나열했을 때 중앙값은 4이므로 $b=4$이다.

$$\therefore a+b=3+4=7$$

02 나머지 변량을 x라 하면 중앙값이 48이므로 4개의 변량을 크기순으로 나열할 때 x의 위치는 42와 51 사이에 있다. 즉, 4개의 변량 42, x, 51, 52에서 중앙값은

$$\frac{x+51}{2}=48, \ x+51=96$$

$$\therefore x=45$$

따라서 나머지 변량은 45이다.

03 편차의 합은 0이므로

$$4+(-5)+(-3)+8+(-6)+x=0$$

$$\therefore x=2$$

04 승호의 수학 시험 점수의 평균은

$$\frac{78+79+85+82}{4}=\frac{324}{4}=81(점)$$

이므로 분산은

$$a=\frac{(78-81)^2+(79-81)^2+(85-81)^2+(82-81)^2}{4}$$

$$=\frac{(-3)^2+(-2)^2+4^2+1^2}{4}$$

$$=\frac{30}{4}=7.5$$

또, 성훈이의 수학 시험 점수의 평균은

$$\frac{71+76+80+73}{4}=\frac{300}{4}=75(점)$$

이므로 분산은

$$b=\frac{(71-75)^2+(76-75)^2+(80-75)^2+(73-75)^2}{4}$$

$$=\frac{(-4)^2+1^2+5^2+(-2)^2}{4}$$

$$=\frac{46}{4}=11.5$$

$$\therefore b-a=11.5-7.5=4$$

05 편차의 합은 0이므로

$$3+(-1)+2+0+x+1+(-3)=0$$

$$\therefore x=-2$$

따라서 분산은

$$\frac{3^2+(-1)^2+2^2+0^2+(-2)^2+1^2+(-3)^2}{7}=\frac{28}{7}$$

$$=4$$

이므로 표준편차는 $\sqrt{4}=2$(개)이다.

[06~09]

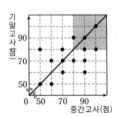

06 중간고사 성적과 기말고사 성적이 모두 80점 이상인 학생 수는 위의 산점도에서 어두운 부분(경계선 포함)에 속하는 점의 개수와 같으므로 5명이다.

07 중간고사 성적과 기말고사 성적이 같은 학생 수는 대각선 위의 점의 개수와 같으므로 4명이다.

08 중간고사 성적은 70점 이하이고 기말고사 성적은 60점 이하인 학생은 3명이므로

$$\frac{3}{15}\times100=20(\%)$$

10 주어진 산점도는 음의 상관관계를 나타낸다.

① 상관관계가 없다.

② 양의 상관관계

③ 음의 상관관계

④ 상관관계가 없다.

⑤ 양의 상관관계

V 기 하

01 기본 도형
194쪽~203쪽

145-1 답 $\overleftrightarrow{AB}$와 $\overleftrightarrow{BA}$, $\overleftrightarrow{AC}$와 $\overleftrightarrow{BA}$, $\overleftrightarrow{CA}$와 $\overleftrightarrow{CB}$

145-2 답 (1) 3개 (2) 6개 (3) 3개

(1) $\overleftrightarrow{AB}$, $\overleftrightarrow{BC}$, $\overleftrightarrow{CA}$의 3개이다.
(2) $\overrightarrow{AB}$, $\overrightarrow{BA}$, $\overrightarrow{BC}$, $\overrightarrow{CB}$, $\overrightarrow{CA}$, $\overrightarrow{AC}$의 6개이다.
(3) $\overline{AB}$, $\overline{BC}$, $\overline{CA}$의 3개이다.

146-1 답 (1) $\dfrac{1}{3}$ (2) $\dfrac{1}{3}$ (3) 2 (4) 3

$\overline{AM}=\overline{MN}=\overline{NB}=\dfrac{1}{3}\overline{AB}$

146-2 답 (1) 10 cm (2) 5 cm (3) 15 cm

(1) 점 M은 $\overline{AB}$의 중점이므로
$$\overline{AM}=\overline{MB}=\frac{1}{2}\overline{AB}=\frac{1}{2}\times20=10\,(\text{cm})$$
(2) 점 N은 $\overline{MB}$의 중점이므로
$$\overline{MN}=\overline{NB}=\frac{1}{2}\overline{MB}=\frac{1}{2}\times10=5\,(\text{cm})$$
(3) $\overline{AN}=\overline{AM}+\overline{MN}=10+5=15\,(\text{cm})$

146-3 답 50 cm
$$\overline{AC}=\overline{AB}+\overline{BC}=2(\overline{MB}+\overline{BN})=2\overline{MN}$$
$$=2\times25=50\,(\text{cm})$$

147-1 답 (1) 60° (2) 55° (3) 45°

(1) $30°+\angle x=90°$ ∴ $\angle x=60°$
(2) $125°+\angle x=180°$ ∴ $\angle x=55°$
(3) $90°+45°+\angle x=180°$ ∴ $\angle x=45°$

147-2 답 (1) 140° (2) 25°

(1) $\angle x=90°+50°=140°$
(2) $\angle x+40°+(5\angle x-10°)=180°$이므로
$$6\angle x=150° \qquad ∴ \angle x=25°$$

148-1 답 (1) 수선 (2) 수선 (3) E (4) $\overline{BE}$

148-2 답 (1) 점 F (2) 4 cm (3) 5 cm

(2) 점 A와 $\overline{BC}$ 사이의 거리는 $\overline{DE}=4\,(\text{cm})$이다.
(3) 점 C와 $\overline{AB}$ 사이의 거리는 $\overline{AF}=5\,(\text{cm})$이다.

148-3 답 6 cm

점 C와 $\overline{AB}$ 사이의 거리는 $\overline{CB}=6\,(\text{cm})$이다.

149-1 답 (1) $\overleftrightarrow{BC}$, $\overleftrightarrow{CD}$, $\overleftrightarrow{DE}$, $\overleftrightarrow{FG}$, $\overleftrightarrow{GH}$, $\overleftrightarrow{HA}$
(2) $\overleftrightarrow{GH}$

149-2 답 (1) 점 A, 점 B (2) $\overleftrightarrow{BC}$, $\overleftrightarrow{CD}$
(3) $\overleftrightarrow{AB}$, $\overleftrightarrow{CD}$ (4) $\overleftrightarrow{CD}$

150-1 답 (1) $\overline{BC}$, $\overline{AC}$, $\overline{BE}$, $\overline{AD}$ (2) $\overline{EF}$
(3) $\overline{AC}$, $\overline{DF}$

150-2 답 6개

$\overline{CH}$와 만나지도 않고 평행하지도 않은 모서리는 $\overline{DE}$, $\overline{EA}$, $\overline{AB}$, $\overline{IJ}$, $\overline{JF}$, $\overline{FG}$의 6개이다.

151-1 답 (1) 면 ABCD, 면 ABFE
(2) 면 ABFE, 면 CGHD
(3) 면 ABCD, 면 CGHD

151-2 답 4 cm

점 E에서 면 CGHD에 내린 수선의 발 H까지의 거리이므로 $\overline{EH}=4\,(\text{cm})$이다.

152-1 답 (1) 면 DEF
(2) 면 ADFC, 면 ABC, 면 DEF
(3) 면 ABC, 면 DEF, 면 ABED, 면 BEFC
(4) $\overline{EF}$

152-2 답 2개

면 AEGC와 수직인 면은 면 ABCD, 면 EFGH의 2개이다.

153-1 답 (1) 60° (2) 70° (3) 120° (4) 70°

(1) $\angle a$의 동위각은 $\angle e$이고, $\angle e+120°=180°$이므로
$$\angle e=180°-120°=60°$$
(2) $\angle f$의 동위각은 $\angle b$이고, $\angle b+110°=180°$이므로
$$\angle b=180°-110°=70°$$

(3) ∠c의 엇각은 ∠d이고, 맞꼭지각의 성질에 의하여

$$\angle d = 120°$$

(4) ∠e의 엇각은 ∠b이고, ∠$b+110°=180°$이므로

$$\angle b = 180° - 110° = 70°$$

153-2 目 (1) ∠$x=45°$, ∠$y=80°$

(2) ∠$x=65°$, ∠$y=115°$

(1) 평행선의 엇각의 성질에 의하여

$$\angle x = 180° - 135° = 45°$$

$$45° + 55° + \angle y = 180° \qquad \therefore \angle y = 80°$$

(2) 평행선의 동위각의 성질에 의하여

$$\angle x + 50° + 65° = 180° \qquad \therefore \angle x = 65°$$

평행선의 엇각의 성질에 의하여

$$\angle y = 50° + 65° = 115°$$

153-3 目 (1) $80°$ (2) $120°$

(1) 오른쪽 그림과 같이 두 직선 l, m에 평행한 직선을 그으면

$$\angle x = 60° + 20° = 80°$$

(2) 오른쪽 그림과 같이 두 직선 l, m에 평행한 직선을 그으면

$$\angle x + 60° = 180°$$

$$\therefore \angle x = 120°$$

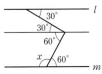

154-1 目 ㄴ, ㄷ, ㅁ

ㄱ.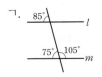

ㄴ.

ㄷ.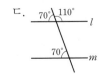

ㄹ.

ㅁ.

ㅂ.

동위각과 엇각의 크기가 같으면 두 직선이 평행하므로 두 직선 l, m이 서로 평행한 것은 ㄴ, ㄷ, ㅁ이다.

154-2 目 $l /\!/ k$

동위각과 엇각의 크기가 같으면 두 직선이 평행하므로 오른쪽 그림에서 평행한 두 직선은 l과 k뿐이다. 즉, $l /\!/ k$이다.

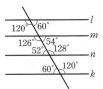

154-3 目 ③, ⑤

③ ∠$d = \angle b$(맞꼭지각)이므로 ∠$d = \angle f$이면 ∠$b = \angle f$이다.(동위각)

⑤ ∠$c + \angle b = 180°$이므로 ∠$c + \angle h = 180°$이면 ∠$b = \angle h$이다.(엇각)

탄탄한 **중단원** **문제**　204쪽~205쪽

01 7	02 2 cm	03 ②	04 ③	05 8
06 ②	07 ③	08 ∠$x=60°$, ∠$y=60°$		
09 45°	10 ①, ⑤			

01 직선은 $\overleftrightarrow{AB}$의 1개, 반직선은 $\overrightarrow{AD}$, $\overrightarrow{BD}$, $\overrightarrow{CD}$, $\overrightarrow{BA}$, $\overrightarrow{CA}$, $\overrightarrow{DA}$의 6개이므로

$$a=1, \ b=6 \qquad \therefore a+b=7$$

02 $\overline{MB} = \dfrac{1}{2}\overline{AB} = 10 \text{(cm)}$, $\overline{BN} = \dfrac{1}{2}\overline{BC} = 6 \text{(cm)}$이므로

$$\overline{MN} = \overline{MB} + \overline{BN} = 10 + 6 = 16 \text{(cm)}$$

이때 점 P는 $\overline{MN}$의 중점이므로

$$\overline{PN} = \dfrac{1}{2}\overline{MN} = 8 \text{(cm)}$$

$$\therefore \overline{PB} = \overline{PN} - \overline{BN} = 8 - 6 = 2 \text{(cm)}$$

03 ∠AOB + ∠BOC + ∠COD + ∠DOE = 180°이므로

$$2\angle BOC + \angle BOC + \angle COD + 2\angle COD = 180°$$

$$3\angle BOC + 3\angle COD = 180°, \ \angle BOC + \angle COD = 60°$$

$$\therefore \angle BOD = \angle BOC + \angle COD = 60°$$

04 ∠x + (∠$x+10°$) + (3∠$x+20°$) = 180°이므로

$$5\angle x = 150° \qquad \therefore \angle x = 30°$$

맞꼭지각의 크기는 서로 같으므로

$$\angle y = \angle x + 10° = 30° + 10° = 40°$$

$$\therefore \angle x + \angle y = 30° + 40° = 70°$$

05 면 BFHD와 평행한 모서리는 $\overline{AE}$, $\overline{CG}$의 2개이 므로 $x=2$이다.

또, 선분 BD와 꼬인 위치에 있는 모서리는 $\overline{AE}$, $\overline{CG}$, $\overline{EH}$, $\overline{EF}$, $\overline{FG}$, $\overline{GH}$의 6개이므로 $y=6$이다.

$$\therefore\ x+y=2+6=8$$

06 ① 모서리 AC와 면 BCFE는 한 점에서 만난다.

③ 면 ACFD와 면 ABED는 수직이 아니다.

④ 모서리 AD와 모서리 CF는 평행하다.

⑤ 모서리 AB와 면 DEF는 평행하다.

07 ③ 한 평면에 평행한 서로 다른 두 직선은 한 점에 서 만나거나 평행하거나 꼬인 위치에 있을 수 있다.

08 $\angle$GFC$=\angle$EFG

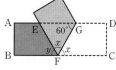

$\qquad\qquad =\angle x$ (접은 각)

이때 $\overline{AD}$ ∥ $\overline{BC}$이므로

$\qquad\angle x=\angle$EGF$=60°$ (엇각)

또한 평각은 $180°$이므로

$\qquad\angle y+60°+60°=180°\qquad\therefore\ \angle y=60°$

09 오른쪽 그림과 같이 두 직선 l, m에 평행한 직선을 그으면

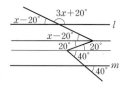

$\qquad(\angle x-20°)+(3\angle x+20°)$

$\qquad =180°$

$\qquad 4\angle x=180°\qquad\therefore\ \angle x=45°$

10 오른쪽 그림에서 두 직 선 l, m은 동위각의 크기 가 같으므로 평행하다.

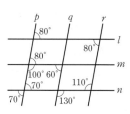

또, 두 직선 p, r는 엇각의 크기가 같으므로 평행하다.

02 작도와 합동

206쪽~211쪽

155-1 답 ㉢ → ㉡ → ㉣ → ㉠

155-2 답 ㉠ → ㉢ → ㉡ → ㉤ → ㉣

156-1 답 (1) $\angle$B (2) $\angle$C (3) $\overline{BC}$ (4) $\overline{AB}$

156-2 답 12, 15

$x=7$일 때, $4+7<12$ (×)

$x=8$일 때, $4+8=12$ (×)

$x=12$일 때, $4+12>12$ (○)

$x=15$일 때, $4+12>15$ (○)

$x=17$일 때, $4+12<17$ (×)

따라서 x의 값이 될 수 있는 것은 12, 15이다.

156-3 답 3개

가장 긴 변의 길이가 나머지 두 변의 길이의 합보다 작 은 경우는 (3 cm, 4 cm, 6 cm), (3 cm, 6 cm, 8 cm), (4 cm, 6 cm, 8 cm)의 3개이다.

157-1 답 ① $\overline{BC}$ ② c, b, A ③ A, A

157-2 답 ① $\angle$B ② c, a ③ C

157-3 답 ① $\overline{BC}$ ② $\angle$YCB ③ $\overrightarrow{CY}$

158-1 답 (1) × (2) × (3) ○ (4) ○

(1) $\overline{AB}+\overline{BC}<\overline{CA}$이므로 삼각형이 만들어지지 않는다.

(2) 두 변의 길이와 그 끼인 각이 아닌 다른 한 각의 크기 가 주어졌으므로 삼각형이 하나로 정해지지 않는다.

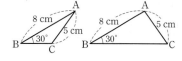

(3) 한 변의 길이와 그 양 끝각의 크기가 주어졌으므로 삼각형이 하나로 정해진다.

(4) 두 변의 길이와 그 끼인 각의 크기가 주어졌으므로 삼각형이 하나로 정해진다.

158-2 답 ㄴ, ㄹ

ㄴ. 세 각의 크기가 주어지면 크기가 다른 여러 가지 삼 각형이 만들어지므로 삼각형이 하나로 정해지지 않 는다.

ㄷ. 두 변의 길이와 그 끼인 각이 아닌 다른 한 각의 크기 가 주어졌으므로 삼각형이 하나로 정해지지 않는다.

ㄹ. $\angle$C$=180°-(\angle$A$+\angle$B$)$

$\qquad =180°-(60°+50°)=70°$

따라서 한 변의 길이와 그 양 끝각의 크기가 주어졌 으므로 삼각형이 하나로 정해진다.

158-3 답 ㄱ, ㄴ, ㄹ

ㄱ. 한 변의 길이와 그 양 끝각의 크기가 주어진 경우이므로 삼각형이 하나로 정해진다.

ㄴ. ∠A=180°−(30°+70°)=80°이므로 한 변의 길이와 그 양 끝각의 크기가 주어진 경우이다.
따라서 삼각형이 하나로 정해진다.

ㄹ. 두 변의 길이와 그 끼인 각의 크기가 주어진 경우이므로 삼각형이 하나로 정해진다.

159-1 답 (1) △ABC≡△DFE (2) $\overline{FE}$ (3) ∠F

159-2 답 (1) 120° (2) 80° (3) 5 cm (4) 4 cm

(1) ∠A=∠E=120°
(2) ∠H=∠D=80°
(3) $\overline{AD}=\overline{EH}$=5(cm)
(4) $\overline{EF}=\overline{AB}$=4(cm)

160-1 답 ㄱ과 ㅁ(SSS 합동), ㄴ과 ㅂ(SAS 합동),
ㄷ과 ㄹ(ASA 합동)

ㄷ. ㅂ.

160-2 답 SAS 합동

△AOD와 △COB에서
$\overline{OA}=\overline{OC}$
$\overline{OD}=\overline{OC}+\overline{CD}=\overline{OA}+\overline{AB}=\overline{OB}$
∠O는 공통
∴ △AOD≡△COB(SAS 합동)

탄탄한 중단원 문제 212쪽~213쪽

01 ④ 02 ㄱ, ㄹ 03 ③, ④ 04 ④ 05 ④
06 ② 07 ③ 08 ⑤

02 한 변의 길이와 그 양 끝각의 크기가 주어졌을 때는 선분을 옮긴 후 두 각을 작도하거나 한 각을 작도한 후 선분을 옮기고 나머지 한 각을 작도하여 △ABC를 작도할 수 있다.

03 ① 4+4<9이므로 삼각형이 만들어지지 않는다.

② 두 변의 길이와 그 끼인 각이 아닌 다른 한 각의 크기가 주어졌으므로 삼각형이 하나로 정해지지 않는다.

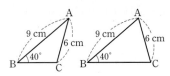

④ ∠C=180°−(45°+60°)=75°
따라서 한 변의 길이와 그 양 끝각의 크기가 주어졌으므로 삼각형이 하나로 정해진다.

⑤ ∠A+∠C=180°이므로 삼각형이 만들어지지 않는다.

04 ④ 두 변의 길이와 그 끼인 각이 아닌 다른 한 각의 크기가 주어졌으므로 삼각형이 하나로 정해지지 않는다.

05 ① ∠D=∠D′=85°

② ∠C=360°−(115°+80°+85°)=80°, ∠D′=85°이므로 ∠C≠∠D′이다.

③ ∠B′=∠B=80°
④ $\overline{CD}=\overline{C'D'}$=11(cm)
⑤ $\overline{B'C'}=\overline{BC}$=12(cm)

06 주어진 삼각형의 나머지 한 각의 크기가 40°이므로 ②와 ASA 합동이다.

07 △ABE와 △BCF에서
$\overline{BE}=\overline{CF}$
사각형 ABCD가 정사각형이므로
$\overline{AB}=\overline{BC}$, ∠ABE=∠BCF=90°
∴ △ABE≡△BCF(SAS 합동)
따라서 ∠CBF=∠BAE=20°이므로
∠BFC=180°−(90°+20°)=70°

08 △BCG와 △DCE에서
$\overline{BC}=\overline{DC}$, $\overline{CG}=\overline{CE}$,
∠BCG=∠DCE=90°
이므로
△BCG≡△DCE(SAS 합동)
∴ $\overline{DE}=\overline{BG}$=10(cm)

03 평면도형의 성질

214쪽~221쪽

161-1 🗑 ㄴ, ㄹ

161-2 🗑 정오각형

162-1 🗑 (1) 8개 (2) 5개 (3) 20개

(2) 한 꼭짓점에서 그을 수 있는 대각선의 개수는

$$8-3=5(개)$$

(3) (대각선의 총 개수)$=\dfrac{8\times5}{2}=20(개)$

162-2 🗑 (1) 구각형, 27개 (2) 십삼각형, 65개
　　　　 (3) 십팔각형, 135개

(1) 한 꼭짓점에서 6개의 대각선을 그을 수 있는 다각형
을 n각형이라 하면

$$n-3=6 \qquad \therefore n=9$$

따라서 구하는 다각형은 구각형이므로 대각선의 총

개수는 $\dfrac{9\times6}{2}=27(개)$

(2) 한 꼭짓점에서 10개의 대각선을 그을 수 있는 다각
형을 n각형이라 하면

$$n-3=10 \qquad \therefore n=13$$

따라서 구하는 다각형은 십삼각형이므로 대각선의

총 개수는 $\dfrac{13\times10}{2}=65(개)$

(3) 한 꼭짓점에서 15개의 대각선을 그을 수 있는 다각
형을 n각형이라 하면

$$n-3=15 \qquad \therefore n=18$$

따라서 구하는 다각형은 십팔각형이므로 대각선의

총 개수는 $\dfrac{18\times15}{2}=135(개)$

162-3 🗑 12개

주어진 다각형을 n각형이라 하면

$$\dfrac{n(n-3)}{2}=90,\ n(n-3)=180=15\times12$$

$$\therefore n=15$$

따라서 십오각형의 한 꼭짓점에서 그을 수 있는 대각선
의 개수는 $15-3=12(개)$이다.

163-1 🗑 (1) 120° (2) 55°

(1) $35°+\angle x+25°=180°$ $\therefore \angle x=120°$

(2) $(2\angle x-30°)+\angle x+45°=180°$에서

$$3\angle x=165° \qquad \therefore \angle x=55°$$

163-2 🗑 35°

두 직선이 만나서 이루는 맞꼭지각의 크기는 같으므로
$\angle \mathrm{AOB}=\angle \mathrm{COD}$에서

$$180°-(50°+40°)=180°-(55°+\angle x)$$
$$90°=125°-\angle x \qquad \therefore \angle x=35°$$

163-3 🗑 (1) 62° (2) 60°

(1) 삼각형에서 한 외각의 크기는 그와 이웃하지 않는
두 내각의 크기의 합과 같으므로

$$\angle x+48°=110° \qquad \therefore \angle x=62°$$

(2) $\angle x+40°=2\angle x-20°$ $\therefore \angle x=60°$

164-1 🗑 (1) 6개 (2) 1080°

164-2 🗑 (1) 110° (2) 115°

(1) 오각형의 내각의 크기의 합은 $180°\times3=540°$이므로

$$90°+135°+100°+\angle x+105°=540°$$
$$\angle x+430°=540°$$
$$\therefore \angle x=110°$$

(2) $\angle x$의 외각의 크기를 $\angle y$라 하
면 외각의 크기의 합은 $360°$이
므로

$$\angle y+65°+75°+85°+70°$$
$$=360°$$
$$\angle y+295°=360° \quad \therefore \angle y=65°$$
$$\therefore \angle x=180°-65°=115°$$

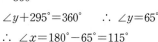

164-3 🗑 $\angle x=100°,\ \angle y=105°$

한 꼭짓점에서 내각과 외각의 크
기의 합은 $180°$이므로

$$\angle x=180°-80°=100°$$

$\angle y$의 외각의 크기를 $\angle z$라 하면
외각의 크기의 합은 $360°$이므로

$$\angle z+70°+75°+80°+60°=360°$$
$$\angle z+285°=360° \qquad \therefore \angle z=75°$$
$$\therefore \angle y=180°-75°=105°$$

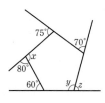

165-1 답 (1) 140° (2) 40°

(1) (한 내각의 크기)$=\dfrac{180°\times(9-2)}{9}=140°$

(2) (한 외각의 크기)$=\dfrac{360°}{9}=40°$

165-2 답 (1) 120°, 60° (2) 135°, 45°
(3) 144°, 36° (4) 156°, 24°

(1) (한 내각의 크기)$=\dfrac{180°\times(6-2)}{6}=120°$

(한 외각의 크기)$=\dfrac{360°}{6}=60°$

(2) (한 내각의 크기)$=\dfrac{180°\times(8-2)}{8}=135°$

(한 외각의 크기)$=\dfrac{360°}{8}=45°$

(3) (한 내각의 크기)$=\dfrac{180°\times(10-2)}{10}=144°$

(한 외각의 크기)$=\dfrac{360°}{10}=36°$

(4) (한 내각의 크기)$=\dfrac{180°\times(15-2)}{15}=156°$

(한 외각의 크기)$=\dfrac{360°}{15}=24°$

165-3 답 정십이각형

한 외각의 크기가 30°인 정다각형을 정n각형이라 하면

$$\dfrac{360°}{n}=30° \quad \therefore n=12$$

따라서 구하는 정다각형은 정십이각형이다.

166-1 답

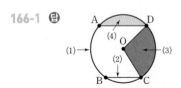

166-2 답 (1) $\overline{AB}$ (2) $\overparen{CD}$ (3) $\angle AOE$ (4) $\overparen{AB}$

167-1 답 (1) 120 (2) 24

(1) 중심각의 크기는 호의 길이에 정비례하므로

$$40:x=4:12 \quad \therefore x=120$$

(2) 부채꼴의 넓이는 중심각의 크기에 정비례하므로

$$50:150=8:x \quad \therefore x=24$$

167-2 답 ㄹ, ㅂ

ㄹ. 중심각의 크기와 현의 길이는 정비례하지 않는다.

ㅂ. 중심각의 크기와 현의 길이가 정비례하지 않으므로 현과 두 반지름으로 둘러싸인 삼각형의 넓이도 중심각의 크기와 정비례하지 않는다.

168-1 답 $l=18\pi$ cm, $S=27\pi$ cm^2

$l=2\pi\times(3+3)+2\pi\times3=12\pi+6\pi=18\pi\,(\text{cm})$

$S=\pi\times(3+3)^2-\pi\times3^2=36\pi-9\pi=27\pi\,(\text{cm}^2)$

168-2 답 (1) $l=2\pi$ cm, $S=6\pi$ cm^2
(2) $l=6\pi$ cm, $S=24\pi$ cm^2

(1) $l=2\pi\times6\times\dfrac{60}{360}=2\pi\,(\text{cm})$

$S=\pi\times6^2\times\dfrac{60}{360}=6\pi\,(\text{cm}^2)$

(2) $l=2\pi\times8\times\dfrac{135}{360}=6\pi\,(\text{cm})$

$S=\pi\times8^2\times\dfrac{135}{360}=24\pi\,(\text{cm}^2)$

168-3 답 (1) 6 (2) 3

(1) $6\pi=\dfrac{1}{2}\times x\times2\pi \quad \therefore x=6$

(2) $18\pi=\dfrac{1}{2}\times12\times x\pi \quad \therefore x=3$

탄탄한 중단원문제 222쪽~223쪽

01 정십이각형 02 ①, ③ 03 40° 04 ⑤
05 정팔각형 06 160° 07 ④ 08 ③
09 $(10\pi+20)$cm, 50 cm^2 10 10 cm, 108°

01 (가)에서 정다각형이다.

(나)에서 구하는 다각형을 n각형이라 하면

$$\dfrac{n(n-3)}{2}=54, \; n(n-3)=108=12\times9$$

$$\therefore n=12$$

따라서 두 조건을 모두 만족하는 다각형은 정십이각형이다.

02 ① 두 조건을 모두 만족하는 다각형은 정육각형이다.
③ 정다각형의 모든 내각의 크기는 같다.

④ 대각선의 총 개수는 $\dfrac{6\times(6-3)}{2}=9$(개)이다.

⑤ 한 꼭짓점에서 그을 수 있는 대각선의 개수는
   $6-3=3$(개)이다.

03 오른쪽 그림에서
   $\angle ABC=\angle ACB=\angle x$,
   $\angle CAD=\angle CDA=2\angle x$

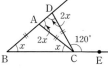

△DBC에서
   $\angle x+2\angle x=120°$, $3\angle x=120°$ ∴ $\angle x=40°$

04 육각형 ABCDEF의 외
각의 크기의 합은 360°이므로

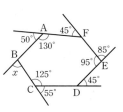

   $\angle x+50°+45°+85°+45°$
   $+55°=360°$
   $\angle x+280°=360°$
   ∴ $\angle x=80°$

🔁 이렇게도 풀어요!

육각형의 내각의 크기의 합은 $180°\times(6-2)=720°$이므로
   $(180°-\angle x)+130°+135°+95°+135°+125°=720°$
   ∴ $\angle x=80°$

05 한 내각의 크기와 한 외각의 크기의 합은 180°이므
로 한 외각의 크기는
   $$180°\times\dfrac{1}{3+1}=45°$$
이때 구하는 정다각형을 정n각형이라 하면
   $$\dfrac{360°}{n}=45°\qquad∴\ n=8$$
따라서 구하는 정다각형은 정팔각형이다.

06 $\overgroup{AB}$, $\overgroup{BC}$, $\overgroup{CA}$의 중심각의 크기의 합은 360°이고,
부채꼴의 호의 길이는 중심각의 크기에 정비례하므로
   $$\angle COA=360°\times\dfrac{4}{2+3+4}=160°$$

07 $\overline{AC}\,/\!/\,\overline{OD}$이므로

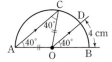

   $\angle CAO=\angle DOB$
   $\quad\quad\quad\ =40°$ (동위각)
△AOC는 이등변삼각형이므로
   $\angle OCA=\angle OAC=40°$
   ∴ $\angle AOC=180°-(40°+40°)=100°$
따라서 호의 길이는 중심각의 크기에 정비례하므로
   $100:40=\overgroup{AC}:4$ ∴ $\overgroup{AC}=10$(cm)

08 $\overline{AD}$의 아래쪽 색칠한 부분을 오
른쪽 그림과 같이 옮길 수 있다.
따라서 어두운 부분의 넓이는

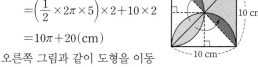

   ($\overline{AC}$를 지름으로 하는 원의 넓이)
   $-$($\overline{AB}$를 지름으로 하는 원의 넓이)
   $=\pi\times6^2-\pi\times3^2=27\pi$(cm^2)

09 (어두운 부분의 둘레의 길이)
   $=\left(\dfrac{1}{2}\times2\pi\times5\right)\times2+10\times2$
   $=10\pi+20$(cm)

오른쪽 그림과 같이 도형을 이동
시키면
   (어두운 부분의 넓이)
   $=\dfrac{1}{2}\times10\times10=50$(cm^2)

10 부채꼴의 반지름의 길이를 r cm라 하면
   $\dfrac{1}{2}\times r\times6\pi=30\pi$ ∴ $r=10$
또, 부채꼴의 중심각의 크기를 $x°$라 하면
   $2\pi\times10\times\dfrac{x}{360}=6\pi$ ∴ $x=108$
따라서 부채꼴의 반지름의 길이는 10 cm이고, 중심각
의 크기는 108°이다.

04 입체도형의 성질
224쪽~233쪽

169-1 🔲 ㄴ, ㄹ

169-2 🔲 8개

주어진 입체도형은 칠각뿔이므로 꼭짓점의 개수는 8개이다.

170-1 🔲 정이십면체

㈎에서 각 면의 모양이 모두 합동인 정삼각형으로 이루
어진 정다면체는 정사면체, 정팔면체, 정이십면체이다.
㈏에서 각 꼭짓점에 모인 면의 개수가 5개인 정다면체
는 정이십면체이다.
따라서 구하는 정다면체는 정이십면체이다.

170-2 🔲 (1) 정팔면체 (2) 4개 (3) 6개 (4) 12개

주어진 전개도로 정다면체를 만들면 오른쪽 그림과 같은 정팔면체이다.

171-1 🈸 ㄱ, ㄷ, ㄹ

171-2 🈸 풀이 참조

(1) 　(2) 　(3)

172-1 🈸 풀이 참조

(1) 겨냥도를 그리면 오른쪽 그림과 같은 원기둥이므로 회전축에 수직인 평면으로 자른 단면의 모양과 회전축을 포함하는 평면으로 자른 단면의 모양을 차례로 그리면 다음과 같다.

(2) 겨냥도를 그리면 오른쪽 그림과 같은 원뿔이므로 회전축에 수직인 평면으로 자른 단면의 모양과 회전축을 포함하는 평면으로 자른 단면의 모양을 차례로 그리면 다음과 같다.

(3) 겨냥도를 그리면 오른쪽 그림과 같은 원뿔대이므로 회전축에 수직인 평면으로 자른 단면의 모양과 회전축을 포함하는 평면으로 자른 단면의 모양을 차례로 그리면 다음과 같다.

172-2 🈸 ㄴ, ㄷ, ㄹ

ㄱ. 원기둥 – 직사각형　　ㅁ. 원뿔 – 이등변삼각형

173-1 🈸 32

(옆면을 만드는 부채꼴의 반지름의 길이)
=(원뿔의 모선의 길이)=20(cm)　　∴ $a=20$

(밑면인 원의 반지름의 길이)
=(원뿔의 밑면인 원의 반지름의 길이)=12(cm)
　　∴ $b=12$　　∴ $a+b=20+12=32$

173-2 🈸 (1) 12 cm　(2) 12π cm　(3) 12π cm

(1) 원기둥의 높이는 전개도에서 옆면을 만드는 직사각형의 세로의 길이이므로 12 cm이다.

(2) (밑면인 원의 둘레의 길이)=$2\pi \times 6 = 12\pi$(cm)

(3) 전개도에서 옆면을 만드는 직사각형의 가로의 길이는 원기둥의 밑면인 원의 둘레의 길이와 같으므로
　　$2\pi \times 6 = 12\pi$(cm)

174-1 🈸 (1) (개) 3 cm (내) 5 cm (대) 4 cm (래) 6 cm
　　　　 (2) 6 cm² (3) 72 cm² (4) 84 cm²
　　　　 (5) 36 cm³

(2) (밑넓이)=$\dfrac{1}{2} \times 3 \times 4 = 6$(cm²)

(3) (옆넓이)=$(3+4+5) \times 6 = 72$(cm²)

(4) (겉넓이)=$6 \times 2 + 72 = 84$(cm²)

(5) (부피)=$6 \times 6 = 36$(cm³)

174-2 🈸 (1) 26 cm² (2) 154 cm² (3) 56 cm²
　　　　 (4) 262 cm² (5) 182 cm³

(1) (밑넓이)=$6 \times 5 - 2 \times 2 = 26$(cm²)

(2) (큰 직육면체의 옆넓이)=$(6+5+6+5) \times 7$
　　　　　　　　　　　　　　$=154$(cm²)

(3) (작은 직육면체의 옆넓이)=$(2+2+2+2) \times 7$
　　　　　　　　　　　　　　　$=56$(cm²)

(4) (입체도형의 겉넓이)=$26 \times 2 + 154 + 56 = 262$(cm²)

(5) (입체도형의 부피)=$30 \times 7 - 4 \times 7 = 182$(cm³)

175-1 🈸 (1) (개) 4 cm (내) 8π cm (대) 8 cm
　　　　 (2) 16π cm² (3) 64π cm² (4) 96π cm²
　　　　 (5) 128π cm³

(1) (내) 원기둥의 전개도에서 옆면인 직사각형의 가로의 길이는 밑면인 원의 둘레의 길이와 같으므로
　　$2\pi \times 4 = 8\pi$(cm)

(2) (밑넓이)=$\pi \times 4^2 = 16\pi$(cm²)

(3) (옆넓이)=$(2\pi \times 4) \times 8 = 64\pi$(cm²)

(4) (겉넓이)=$16\pi \times 2 + 64\pi = 96\pi$(cm²)

(5) (부피)=$16\pi \times 8 = 128\pi$(cm³)

175-2 답 (1) 3π cm² (2) $(5\pi+60)$ cm²

  (3) $(11\pi+60)$ cm² (4) 15π cm³

(1) (밑면인 부채꼴의 넓이)$=\pi\times6^2\times\dfrac{30}{360}=3\pi$ (cm²)

(2) (옆넓이)$=\left(6\times2+2\pi\times6\times\dfrac{30}{360}\right)\times5$

  $=5\pi+60$ (cm²)

(3) (겉넓이)$=3\pi\times2+(5\pi+60)=11\pi+60$ (cm²)

(4) (부피)$=3\pi\times5=15\pi$ (cm³)

176-1 답 (1) ㈎ 12 cm ㈏ 8 cm

  (2) 64 cm² (3) 192 cm² (4) 256 cm²

(2) (밑넓이)$=8\times8=64$ (cm²)

(3) (옆넓이)$=\left(\dfrac{1}{2}\times8\times12\right)\times4=192$ (cm²)

(4) (겉넓이)$=64+192=256$ (cm²)

176-2 답 (1) 밑넓이 : 30 cm², 부피 : 120 cm³

  (2) 밑넓이 : 25 cm², 부피 : 75 cm³

(1) (밑넓이)$=\dfrac{1}{2}\times6\times10=30$ (cm²)

  (부피)$=\dfrac{1}{3}\times30\times12=120$ (cm³)

(2) (밑넓이)$=5\times5=25$ (cm²)

  (부피)$=\dfrac{1}{3}\times25\times9=75$ (cm³)

176-3 답 $\dfrac{112}{3}$ cm³

(큰 사각뿔의 부피)$=\dfrac{1}{3}\times(4\times4)\times8=\dfrac{128}{3}$ (cm³)

(작은 사각뿔의 부피)$=\dfrac{1}{3}\times(2\times2)\times4=\dfrac{16}{3}$ (cm³)

  ∴ (사각뿔대의 부피)$=\dfrac{128}{3}-\dfrac{16}{3}=\dfrac{112}{3}$ (cm³)

177-1 답 (1) 56π cm² (2) 133π cm²

(1) (겉넓이)$=\pi\times4^2+\pi\times4\times10$

  $=16\pi+40\pi=56\pi$ (cm²)

(2) (겉넓이)$=\pi\times7^2+\pi\times7\times12$

  $=49\pi+84\pi=133\pi$ (cm²)

177-2 답 (1) 48π cm³ (2) 100π cm³

(1) (부피)$=\dfrac{1}{3}\times(\pi\times4^2)\times9=48\pi$ (cm³)

(2) (부피)$=\dfrac{1}{3}\times(\pi\times5^2)\times12=100\pi$ (cm³)

177-3 답 겉넓이 : 90π cm², 부피 : 84π cm³

(작은 밑면의 넓이)$=\pi\times3^2=9\pi$ (cm²)

(큰 밑면의 넓이)$=\pi\times6^2=36\pi$ (cm²)

(옆넓이)$=\pi\times6\times10-\pi\times3\times5=45\pi$ (cm²)

  ∴ (겉넓이)$=9\pi+36\pi+45\pi=90\pi$ (cm²),

  (부피)$=\dfrac{1}{3}\times(\pi\times6^2)\times8-\dfrac{1}{3}\times(\pi\times3^2)\times4$

  $=96\pi-12\pi=84\pi$ (cm³)

178-1 답 (1) 겉넓이 : 36π cm², 부피 : 36π cm³

  (2) 겉넓이 : 144π cm², 부피 : 288π cm³

(1) (겉넓이)$=4\pi\times3^2=36\pi$ (cm²),

  (부피)$=\dfrac{4}{3}\pi\times3^3=36\pi$ (cm³)

(2) (겉넓이)$=4\pi\times6^2=144\pi$ (cm²),

  (부피)$=\dfrac{4}{3}\pi\times6^3=288\pi$ (cm³)

178-2 답 겉넓이 : 108π cm², 부피 : 144π cm³

(겉넓이)$=\dfrac{1}{2}\times(4\pi\times6^2)+(\pi\times6^2)=108\pi$ (cm²)

(부피)$=\dfrac{1}{2}\times\left(\dfrac{4}{3}\pi\times6^3\right)=144\pi$ (cm³)

178-3 답 $\dfrac{256}{3}\pi$ cm³

구의 반지름의 길이를 r cm라 하면

  $4\pi r^2=64\pi$, $r^2=16$ ∴ $r=4$

따라서 구의 부피는 $\dfrac{4}{3}\pi\times4^3=\dfrac{256}{3}\pi$ (cm³)

탄탄한 중단원 문제
234쪽~235쪽

1 십각뿔대	2 ①	3 ③	4 ②
5 원, 이등변삼각형	6 ④	7 144π cm²	
8 ②	9 ②	10 36π cm³	

01 ㈏, ㈐에서 두 밑면이 서로 평행하고 그 모양은 같지만 크기가 다르고, 옆면의 모양이 사다리꼴이므로 각뿔대이다. 이때 ㈎에서 면의 개수가 12개이므로 구하는 입체도형은 십각뿔대이다.

02 ② 육각뿔 – 삼각형

③ 삼각기둥 – 직사각형

④ 육각기둥 – 직사각형

⑤ 오각뿔대 – 사다리꼴

03 ③ (꼭짓점의 개수)$=\dfrac{5\times12}{3}=20$(개)

④ (모서리의 개수)$=\dfrac{5\times12}{2}=30$(개)

04 ②

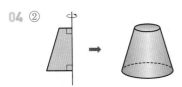

05 원뿔을 회전축에 수직인 평면으로 자른 단면의 모양은 원이고, 회전축을 포함하는 평면으로 자른 단면의 모양은 이등변삼각형이다.

06 만들어지는 입체도형은 오른쪽 그림과 같은 사각기둥이므로 구하는 부피는

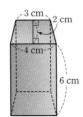

$$\left\{\dfrac{1}{2}\times(3+4)\times2\right\}\times6$$
$$=42\,(\text{cm}^3)$$

07 (밑넓이)$=\pi\times4^2-\pi\times2^2=16\pi-4\pi=12\pi\,(\text{cm}^2)$

(옆넓이)$=$(큰 원기둥의 옆넓이)$+$(작은 원기둥의 옆넓이)

$$=(2\pi\times4)\times10+(2\pi\times2)\times10$$
$$=80\pi+40\pi=120\pi\,(\text{cm}^2)$$
$$\therefore\ (\text{겉넓이})=12\pi\times2+120\pi$$
$$=144\pi\,(\text{cm}^2)$$

08 삼각뿔 C–BGD는 △BGC를 밑면으로 하고 $\overline{DC}$를 높이로 하는 삼각뿔이라 할 수 있으므로 구하는 부피는

$$\dfrac{1}{3}\times\left(\dfrac{1}{2}\times6\times6\right)\times6=36\,(\text{cm}^3)$$

09 옆면인 부채꼴의 호의 길이는 밑면인 원의 둘레의 길이와 같으므로 밑면인 원의 반지름의 길이를 r cm라 하면

$$2\pi\times12\times\dfrac{120}{360}=2\pi r,\ 8\pi=2\pi r\qquad\therefore\ r=4$$

따라서 원뿔의 겉넓이는
$$\pi\times4^2+\pi\times4\times12=16\pi+48\pi=64\pi\,(\text{cm}^2)$$

10 구의 반지름의 길이를 r cm라 하면

$$(\text{원기둥의 부피})=\pi r^2\times2r$$
$$=2\pi r^3\,(\text{cm}^3)$$

이므로

$$2\pi r^3=54\pi,\ r^3=27\qquad\therefore\ r=3$$

따라서 구의 부피는 $\dfrac{4}{3}\pi\times3^3=36\pi\,(\text{cm}^3)$

> ✅ 이렇게도 풀어요!
>
> $(\text{구의 부피})=\dfrac{4}{3}\pi r^3\,(\text{cm}^3)$,
>
> $(\text{원기둥의 부피})=\pi r^2\times2r=2\pi r^3\,(\text{cm}^3)$
>
> $(\text{구의 부피}):(\text{원기둥의 부피})=2:3$이므로
>
> $\quad(\text{구의 부피})=(\text{원기둥의 부피})\times\dfrac{2}{3}=54\pi\times\dfrac{2}{3}=36\pi\,(\text{cm}^3)$

05 삼각형의 성질

236쪽~244쪽

179-1 🖹 (1) $65°$ (2) $110°$

(1) $\angle B=\angle C=\angle x$이므로
$$\angle x=\dfrac{1}{2}\times(180°-50°)=65°$$

(2) $\angle B=\angle C=55°$이므로
$$\angle BAC=180°-110°=70°$$
$$\therefore\ \angle x=180°-70°=110°$$

> ✅ 이렇게도 풀어요!
>
> (2) $\angle B=55°$이므로 삼각형의 외각의 성질에 의하여
> $\quad\angle x=55°+55°=110°$

179-2 🖹 (1) $x=5$, $y=55$ (2) $x=43$, $y=3$

(1) $\angle CAD=\angle BAD=35°$이므로
$$y°=90°-35°=55°$$

(2) $\angle BAD=\angle CAD=x°$이므로
$$x°=90°-47°=43°$$

180-1 🖹 (1) 8 (2) 10

(1) △DBC에서 $\overline{DB}=\overline{DC}$이므로
$$\angle DCB=\angle DBC=40°$$
$$\therefore\ \angle ACD=90°-40°=50°$$

또, △ABC에서 $\angle BAC=50°$이므로

$\overline{DA}=\overline{DC}=\overline{DB}$ $\quad\therefore\ x=8$

(2) $\triangle$ABC는 $\overline{AB}=\overline{AC}$인 이등변삼각형이므로 $\overline{AD}$는 $\overline{BC}$의 수직이등분선이다.

즉, $\overline{BD}=\dfrac{1}{2}\overline{BC}=\dfrac{1}{2}\times20=10$이므로 $x=10$이다.

180-2 📋 8 cm

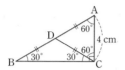

$\triangle$ABC에서

$\angle A=180°-(90°+30°)$
$\qquad=60°$

이때 $\triangle$ADC는 $\overline{AD}=\overline{CD}$인 이등변삼각형이므로

$\angle DCA=\angle A=60°$

즉, $\triangle$ADC는 정삼각형이다.

$\triangle$DBC에서

$\angle DCB=90°-60°=30°$

즉, $\triangle$DBC는 이등변삼각형이므로

$\overline{AD}=\overline{CD}=\overline{AC}=4(\text{cm})$, $\overline{DB}=\overline{DC}=4(\text{cm})$

$\therefore \overline{AB}=\overline{AD}+\overline{DB}=4+4=8(\text{cm})$

180-3 📋 55°

오른쪽 그림에서

$\angle x=\angle BAC$(접은 각)

$\angle x=\angle ACB$(엇각)

이므로 $\triangle$ABC에서

$\angle x+\angle x+70°=180°$

$2\angle x=110°$ $\qquad\therefore \angle x=55°$

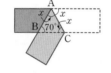

181-1 📋 ㄱ과 ㄹ (RHA 합동), ㄴ과 ㅁ (RHS 합동), ㄷ과 ㅂ (RHA 합동)

181-2 📋 (1) 3 cm (2) 40°

(1) $\overline{DE}=\overline{CE}=3(\text{cm})$

(2) $\angle DAE=\angle CAE=20°$ $\qquad\therefore \angle BAC=40°$

$\triangle$ABC에서 $\angle ABC=90°-40°=50°$이므로

$\triangle$DBE에서 $\angle BED=90°-50°=40°$이다.

181-3 📋 5 cm

$\triangle$ADE$\equiv$$\triangle$ACE(RHA 합동)이므로

$\overline{DE}=\overline{CE}=5(\text{cm})$

직각이등변삼각형 ABC에서 $\angle ABC=45°$이므로

$\triangle$DBE에서 $\angle DBE=\angle DEB=45°$

$\therefore \overline{BD}=\overline{DE}=\overline{EC}=5(\text{cm})$

182-1 📋 (1) $x=5$, $y=100$ (2) $x=6$, $y=65$

(1) $y°=180°-2\times40°=100°$

(2) 오른쪽 그림과 같이 $\overline{OA}$를 그으면

$\angle OAB=\angle OBA=35°$,

$\angle OAC=\angle OCA=30°$

$\therefore y°=\angle OAB+\angle OAC$
$\qquad=35°+30°=65°$

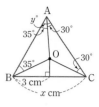

182-2 📋 (1) 6 (2) 80

(1) $\overline{AO}=\overline{BO}=\overline{CO}$이므로

$x=\dfrac{1}{2}\times12=6$

(2) $\overline{AO}=\overline{BO}$이므로

$\angle OAB=\angle OBA=40°$

$\triangle$OAB에서 외각의 성질에 의하여

$x°=40°+40°=80°$ $\qquad\therefore x=80$

183-1 📋 (1) 35° (2) 150° (3) 25° (4) 120°

(1) $\angle OBC=\dfrac{1}{2}\times(180°-120°)=30°$

$\angle x+30°+25°=90°$ $\qquad\therefore \angle x=35°$

(2) $\angle OAB=\angle OBA=30°$

$\therefore \angle x=2\angle BAC=2\times75°=150°$

(3) $\angle BOC=2\times65°=130°$

$\therefore \angle x=\dfrac{1}{2}\times(180°-130°)=25°$

(4) 오른쪽 그림과 같이 $\overline{AO}$를 그으면 $\overline{OA}=\overline{OB}=\overline{OC}$이므로

$\angle OAB=24°$,

$\angle OAC=36°$

즉, $\angle BAC=60°$이므로

$\angle x=2\angle BAC=120°$

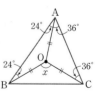

183-2 📋 60°

$\angle AOB : \angle BOC : \angle COA=2:3:4$이므로

$\angle BOC=360°\times\dfrac{3}{9}=120°$

$\therefore \angle BAC=\dfrac{1}{2}\angle BOC=\dfrac{1}{2}\times120°=60°$

184-1 답 (1) 35 (2) 3

(1) ∠IAC=∠IAB=25°이므로 △ICA에서
$$x°+120°+25°=180° \qquad ∴ x=35$$

184-2 답 125°

점 I는 △ABC의 내심이므로
$$∠IBC=∠IBA=32°, \ ∠ICB=∠ICA=23°$$
△IBC에서 ∠BIC=180°−(32°+23°)=125°이다.

185-1 답 (1) 31° (2) 30°

(1) ∠x+32°+27°=90° ∴ ∠x=31°

(2) 오른쪽 그림과 같이 $\overline{IC}$를 그으면
$$∠ICA=∠ICB=25°$$
$$35°+25°+∠x=90°이므로$$
$$∠x=30°$$

185-2 답 (1) 125° (2) 35°

(1) ∠IAB=∠IAC=35°이므로
$$∠BAC=70°$$
$$∴ \ ∠x=90°+\frac{1}{2}∠BAC=90°+35°=125°$$

(2) ∠BIC=90°+∠IAC이므로
$$125°=90°+∠x \qquad ∴ \ ∠x=35°$$

186-1 답 (1) 11 (2) 15 (3) 6 (4) 6

(1) $\overline{DI}=\overline{DB}=5$ cm, $\overline{EI}=\overline{EC}=6$ cm이므로
$$x=\overline{DI}+\overline{IE}=5+6=11$$
(2) $x=\overline{DI}+\overline{IE}=\overline{DB}+\overline{EC}=7+8=15$
(3) $\overline{EI}=\overline{EC}=7$ cm이므로
$$\overline{DI}=\overline{DE}-\overline{EI}=13-7=6(cm)$$
$$∴ \ \overline{DB}=\overline{DI}=6(cm)$$
(4) $\overline{DI}=\overline{DB}=8$ cm이므로
$$\overline{EI}=\overline{DE}-\overline{DI}=14-8=6(cm)$$
$$∴ \ \overline{EC}=\overline{EI}=6(cm) \qquad ∴ \ x=6$$

186-2 답 12 cm

오른쪽 그림과 같이 $\overline{IB}$, $\overline{IC}$를 그으면
∠DBI=∠DIB, ∠ECI=∠EIC이므로
$$\overline{DI}=\overline{DB}, \ \overline{EI}=\overline{EC}$$
△ADE의 둘레의 길이는

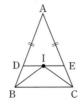

$$\overline{AD}+\overline{DE}+\overline{AE}$$
$$=\overline{AD}+(\overline{DI}+\overline{EI})+\overline{AE}$$
$$=(\overline{AD}+\overline{DB})+(\overline{EC}+\overline{AE})$$
$$=\overline{AB}+\overline{AC}=2\overline{AB}$$
이때 △ADE의 둘레의 길이가 24 cm이므로
$$2\overline{AB}=24 \qquad ∴ \ \overline{AB}=12(cm)$$

187-1 답 (1) 60 cm² (2) 3 cm

(1) $△ABC=\frac{1}{2}×\overline{AB}×\overline{BC}=\frac{1}{2}×8×15=60(cm^2)$

(2) 내접원의 반지름의 길이를 r cm라 하면
$$△ABC=\frac{1}{2}×r×(\overline{AB}+\overline{BC}+\overline{CA})에서$$
$$60=\frac{1}{2}×r×(8+15+17) \qquad ∴ \ r=3$$

187-2 답 (1) 8 (2) 5

(1) $\overline{AF}=\overline{AE}=4$이므로 $\overline{BD}=\overline{BF}=12-4=8$이다.
(2) $\overline{DC}=\overline{EC}=9-4=5$

탄탄한 중단원 문제 245쪽~246쪽

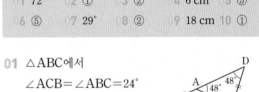

| 01 72° | 02 ① | 03 ② | 04 6 cm | 05 ⑤ |
| 06 ⑤ | 07 29° | 08 ② | 09 18 cm | 10 ① |

01 △ABC에서
$$∠ACB=∠ABC=24°$$
또, △ACD에서
$$∠CDA=∠CAD$$
$$=24°+24°=48°$$
△DBC에서 ∠x=24°+48°=72°이다.

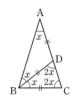

02 ∠A=∠x라 하면
△ABD에서 ∠ABD=∠x,
△BCD에서 ∠BCD=∠BDC=2∠x,
△ABC에서 ∠ABC=∠ACB=2∠x
이므로 ∠DBC=∠x이다.
즉, △ABC에서
$$∠x+(∠x+∠x)+2∠x=180°$$
$$5∠x=180° \qquad ∴ \ ∠x=36°$$

03 △ADE는 직각이등변삼각형이므로

$\angle DAE = \angle DEA = 45°$

△ABC에서 $\angle ABC = 90° - 45° = 45°$이다.

△BDE≡△BCE(RHS 합동)이므로

$\angle DBE = \angle CBE$

$\therefore \angle ABE = \dfrac{1}{2}\angle ABC = \dfrac{1}{2} \times 45° = 22.5°$

각의 이등분선의 성질에 의하여 $\overline{DE} = \overline{CE}$이면

$\angle DBE = \angle CBE$ $\therefore \angle ABE = 22.5°$

04 $\angle ECA + \angle CAE = 90°$,

$\angle CAE + \angle DAB = 90°$

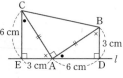

이므로 $\angle ECA = \angle DAB$

또, $\overline{CA} = \overline{AB}$이므로

△CEA≡△ADB(RHA 합동)

이때 $\overline{EA} = \overline{DB} = 3\,(\text{cm})$이므로

$\overline{CE} = \overline{AD} = 9 - 3 = 6\,(\text{cm})$

05 오른쪽 그림에서 외접원의 반

지름의 길이가 5 cm이므로 외접

원의 넓이는 25π cm²이다.

06 오른쪽 그림과 같이 $\overline{OC}$를 그으

면 △OAB, △OBC, △OCA는 이

등변삼각형이므로

$\angle OBC = \angle OCB$

$= 90° - (28° + 30°)$

$= 32°$

$\therefore \angle ACB = 30° + 32° = 62°$

07 $\angle BIC = 90° + \dfrac{1}{2} \times 68° = 124°$이므로 △IBC에서

$\angle ICB = 180° - (124° + 27°) = 29°$

$\therefore \angle x = \angle ICB = 29°$

08 점 O는 △ABC의 외심이므로

$\angle BOC = 2\angle A = 88°$이고, △OBC는 이등변삼각형이

므로

$\angle OBC = \dfrac{1}{2} \times (180° - 88°) = 46°$

또, △ABC는 이등변삼각형이므로

$\angle ABC = \dfrac{1}{2} \times (180° - 44°) = 68°$

한편, 점 I는 △ABC의 내심이므로

$\angle IBC = \angle IBA = \dfrac{1}{2} \times 68° = 34°$

$\therefore \angle OBI = \angle OBC - \angle IBC = 46° - 34° = 12°$

09 점 I가 △ABC의 내심이므로

$\angle IBD = \angle IBC$, $\angle ICE = \angle ICB$

또, $\overline{DE} /\!/ \overline{BC}$이므로

$\angle DIB = \angle IBC$(엇각), $\angle EIC = \angle ICB$(엇각)

즉, △DBI와 △EIC는 이등변삼각형이므로

$\overline{DB} = \overline{DI}$, $\overline{EI} = \overline{EC}$

$\therefore$ (△ADE의 둘레의 길이)

$= \overline{AD} + \overline{DI} + \overline{EI} + \overline{AE}$

$= (\overline{AD} + \overline{DB}) + (\overline{EC} + \overline{AE})$

$= \overline{AB} + \overline{AC} = 10 + 8 = 18\,(\text{cm})$

10 $\overline{AP} = \overline{AR} = 4\,(\text{cm})$이므로

$\overline{BP} = 12 - 4 = 8\,(\text{cm})$

$\overline{BQ} = \overline{BP} = 8\,(\text{cm})$이고 $\overline{QC} = \overline{RC} = 6\,(\text{cm})$이므로

$\overline{BC} = \overline{BQ} + \overline{CQ} = 8 + 6 = 14\,(\text{cm})$

$\therefore \triangle ABC = \dfrac{1}{2} \times 2 \times (12 + 14 + 10) = 36\,(\text{cm}^2)$

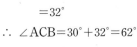 **사각형의 성질** 247쪽~256쪽

188-1 🖹 (1) $x = 3$, $y = 9$ (2) $x = 2$, $y = 2$

(1) $4x - 1 = 11$ $\therefore x = 3$

$y - 3 = 6$ $\therefore y = 9$

(2) $3 = x + 1$ $\therefore x = 2$

$2y = 3y - 2$ $\therefore y = 2$

188-2 🖹 (1) $\angle x = 80°$, $\angle y = 100°$

(2) $\angle x = 30°$, $\angle y = 40°$

(1) $\angle x = \angle B = 80°$, $\angle y = 180° - 80° = 100°$

(2) $\angle x = \angle ACB = 30°$(엇각)

$\angle B = 110°$이므로

$\angle y = 180° - (110° + 30°) = 40°$

188-3 답 $\overline{OA}=6\,cm$, $\overline{OD}=8\,cm$

$$\overline{OA}=\frac{1}{2}\overline{AC}=\frac{1}{2}\times 12=6\,(cm),\ \overline{OD}=\overline{OB}=8\,(cm)$$

189-1 답 (1) $x=3$, $y=5$　(2) $x=80$, $y=58$

(1) □ABCD가 평행사변형이 되려면

　　$2x+1=3x-2$이므로 $x=3$이다.

　　또, $y+8=3y-2$이므로 $y=5$이다.

(2) □ABCD가 평행사변형이 되려면 ∠A＝∠C이므로

　　$y°=58°$이다.

　　또, ∠D＝∠B이므로

　　　　$x°=180°-(42°+58°)=80°$

189-2 답 (1) $x=5$, $y=4$　(2) $x=110$, $y=4$

(2) ∠C＝$180°-70°=110°$　∴ $x=110$

　　$3+y=7$　∴ $y=4$

190-1 답 (1) $3\,cm^2$　(2) $3\,cm^2$　(3) $6\,cm^2$
　　　　　 (4) $12\,cm^2$

(1) △OBC＝△OAB＝$3\,(cm^2)$

(2) △OCD＝△OAB＝$3\,(cm^2)$

(3) △ABD＝2△OAB＝$2\times 3=6\,(cm^2)$

(4) □ABCD＝4△OAB＝$4\times 3=12\,(cm^2)$

190-2 답 $30\,cm^2$

$$\triangle PAB+\triangle PCD=\frac{1}{2}□ABCD=\frac{1}{2}\times 60=30\,(cm^2)$$

191-1 답 $x=60$, $y=6$

∠OAB＝$90°-30°=60°$　∴ $x=60$

$\overline{OD}=\overline{OA}=6\,(cm)$　∴ $y=6$

191-2 답 6

$\overline{BO}=\overline{DO}$이므로 $2x-3=3x-6$　∴ $x=3$

　　∴ $\overline{AC}=2\overline{BO}=6$

192-1 답 (1) $x=7$, $y=90$　(2) $x=9$, $y=30$

(1) $x=\frac{1}{2}\times 14=7$, $y=90$

(2) $\overline{BO}=\overline{DO}$이므로 $x=9$이다.

　　∠BAO＝∠DAO＝60°이므로

　　　　$y°=90°-60°=30°$　∴ $y=30$

192-2 답 $28\,cm$

△EOD와 △FOB에서

$\overline{DO}=\overline{BO}$, ∠EDO＝∠FBO(엇각),

∠EOD＝∠FOB＝90°이므로

　　　△EOD≡△FOB(ASA 합동)　∴ $\overline{EO}=\overline{FO}$

따라서 □EBFD의 두 대각선은 서로 다른 것을 수직이

등분하므로 마름모이다.

$\overline{DE}=10-3=7\,(cm)$이므로 □EBFD의 둘레의 길이는

　　　$7\times 4=28\,(cm)$

193-1 답 (1) $x=4$, $y=45$　(2) $x=10$, $y=90$

(1) $\overline{AD}=\overline{DC}$이므로 $x=4$이다.

　　∠BOC＝90°이고 $\overline{BO}=\overline{CO}$이므로

　　　　$y°=\frac{1}{2}\times 90°=45°$　∴ $y=45$

(2) $\overline{OA}=\overline{OC}$이므로

　　　　$x=2\overline{OA}=2\times 5=10$

　　∠BOC＝90°이므로 $y=90$이다.

193-2 답 ③, ⑤

194-1 답 (1) $x=105$, $y=3$　(2) $x=65$, $y=10$

(1) $x°=180°-75°=105°$　∴ $x=105$

(2) ∠DBC＝∠ADB＝35°이므로

　　　∠DCB＝∠ABC＝$30°+35°=65°$

　　　∴ $x=65$

194-2 답 $3\,cm$

오른쪽 그림과 같이 꼭짓점 D
에서 $\overline{BC}$에 내린 수선의 발을
F라 하면

△ABE≡△DCF(RHA 합동)

　　∴ $\overline{BE}=\overline{CF}$

$\overline{EF}=\overline{AD}=4\,(cm)$이므로

　　$\overline{BE}=\overline{CF}=3\,(cm)$

194-3 답 $15\,cm$

오른쪽 그림과 같이 △DEC는
한 변의 길이가 $10\,cm$인 정삼
각형이므로 $\overline{EC}=10\,(cm)$이
고 $\overline{BE}=5\,(cm)$이다.

　　∴ $\overline{BC}=\overline{BE}+\overline{EC}=5+10=15\,(cm)$

195-1 🖹 (1) 마름모 (2) 직사각형 (3) 정사각형

195-2 🖹 ③

① 직사각형 ⇨ 마름모   ② 마름모 ⇨ 직사각형
④ 평행사변형 ⇨ 평행사변형 ⑤ 등변사다리꼴 ⇨ 마름모

196-1 🖹 (1) △EBC (2) △ACD (3) △EBD

(1) $\overline{BC}$가 공통인 밑변이므로
$$\triangle ABC = \triangle EBC$$
(2) $\overline{CD}$가 공통인 밑변이므로
$$\triangle ECD = \triangle ACD$$
(3) $\overline{BD}$가 공통인 밑변이므로
$$\triangle ABD = \triangle EBD$$

196-2 🖹 $45\,cm^2$

$\overline{AC} /\!/ \overline{DE}$일 때, $\triangle ACD = \triangle ACE$이므로
$$\square ABCD = \triangle ABC + \triangle ACD$$
$$= \triangle ABC + \triangle ACE$$
$$= 45(cm^2)$$

197-1 🖹 (1) $12\,cm^2$ (2) $8\,cm^2$

(1) 평행사변형의 넓이는 한 대각선에 의하여 이등분되므로
$$\triangle ABC = \frac{1}{2}\square ABCD = \frac{1}{2} \times 24 = 12(cm^2)$$
(2) $\overline{BP} : \overline{PC} = 2 : 1$이므로 $\triangle ABP : \triangle APC = 2 : 1$
$$\therefore \triangle ABP = \frac{2}{3}\triangle ABC = \frac{2}{3} \times 12 = 8(cm^2)$$

197-2 🖹 (1) $6\,cm^2$ (2) $6\,cm^2$ (3) $18\,cm^2$ (4) $32\,cm^2$

(1) $\triangle OAB : \triangle OAD = \overline{OB} : \overline{OD} = 3 : 1$이므로
$$\triangle OAB = 6(cm^2)$$
(2) $\triangle OCD = \triangle OAB = 6(cm^2)$
(3) $\triangle OBC : \triangle OCD = \overline{OB} : \overline{OD} = 3 : 1$이므로
$$\triangle OBC = 18(cm^2)$$
(4) $\square ABCD = \triangle OAD + \triangle OAB + \triangle OCD + \triangle OBC$
$$= 2 + 6 + 6 + 18 = 32(cm^2)$$

197-3 🖹 $12\,cm^2$

$\overline{BD} : \overline{DC} = 3 : 1$이므로 $\triangle ABD : \triangle ADC = 3 : 1$
$$\therefore \triangle ADC = \frac{1}{4}\triangle ABC = \frac{1}{4} \times 48 = 12(cm^2)$$

01 12 cm	**02** ⑤	**03** $18\,cm^2$	**04** ③
05 24°	**06** ①	**07** 70°	**08** ㄷ, ㄹ, ㅁ
09 $40\,cm^2$		**10** $10\,cm^2$	

01 △ABE와 △FCE에서
$\overline{BE} = \overline{CE}$, $\angle AEB = \angle FEC$ (맞꼭지각),
$\angle ABE = \angle FCE$ (엇각)이므로
$$\triangle ABE \equiv \triangle FCE \,(ASA \text{ 합동})$$
$$\therefore \overline{CF} = \overline{BA} = 6(cm)$$
$$\therefore \overline{DF} = \overline{DC} + \overline{CF} = 6 + 6 = 12(cm)$$

02 ⑤ 한 쌍의 대변이 평행하고 그 길이가 같으므로
$\square ABCD$는 평행사변형이다.

03 $\triangle PAB + \triangle PCD = \triangle PBC + \triangle PDA$에서
$$14 + \triangle PCD = 20 + 12 \qquad \therefore \triangle PCD = 18(cm^2)$$

04 ③ 평행사변형이 마름모가 되는 조건이다.

05 $\overline{AD} /\!/ \overline{BC}$이므로
$$\angle ADO = \angle OBC = 24°$$
$$\therefore \angle AOD = 180° - (66° + 24°) = 90°$$
즉, 평행사변형 ABCD의 두 대각선이 서로 직교하므로
$\square ABCD$는 마름모이다.
$$\therefore \angle ABD = \angle CBD = 24°$$

06 △ABE와 △BCF에서
$\overline{AB} = \overline{BC}$, $\angle ABE = \angle BCF = 90°$, $\overline{BE} = \overline{CF}$이므로
$$\triangle ABE \equiv \triangle BCF \,(SAS \text{ 합동})$$
$\angle AEB = 180° - 110° = 70°$이므로
$$\angle CBF = \angle BAE = 180° - (70° + 90°) = 20°$$

07 $\angle OBC = \angle OCB = 35°$, $\angle DCB = 75°$이므로
△DBC에서
$$35° + 75° + \angle BDC = 180° \qquad \therefore \angle BDC = 70°$$

08 ㄱ. $\overline{AC} = \overline{BD}$이면 $\square ABCD$는 직사각형이다.
ㄴ. $\overline{AB} = \overline{BC}$이면 $\square ABCD$는 마름모이다.
따라서 옳은 것은 ㄷ, ㄹ, ㅁ이다.

09 $\square ABCD = \triangle ABC + \triangle ACD = \triangle ABC + \triangle ACE$
$$= 24 + 16 = 40(cm^2)$$

10 $\triangle ABE : \triangle AEC = \overline{BE} : \overline{EC} = 3 : 2$이므로

$\triangle ABE = \dfrac{3}{5}\triangle ABC = \dfrac{3}{5}\times 25 = 15\,(\text{cm}^2)$

또, $\triangle ABD : \triangle BDE = \overline{AD} : \overline{DE} = 2 : 1$이므로

$\triangle ABD = \dfrac{2}{3}\triangle ABE = \dfrac{2}{3}\times 15 = 10\,(\text{cm}^2)$

---

07 도형의 닮음
259쪽~270쪽

198-1 답 (1) $3 : 2$ (2) $9\,\text{cm}$ (3) $60°$

(1) $\overline{BC} : \overline{B'C'} = 6 : 4 = 3 : 2$

(2) $\overline{AB} : \overline{A'B'} = \overline{AB} : 6 = 3 : 2$ ∴ $\overline{AB} = 9\,(\text{cm})$

(3) $\angle D = \angle D' = 60°$

198-2 답 (1) $2 : 3$ (2) $x=15,\ y=9,\ z=18$

(1) $\overline{AB} : \overline{GH} = 8 : 12 = 2 : 3$

(2) $\overline{AC} : \overline{GI} = 2 : 3,\ 10 : x = 2 : 3$ ∴ $x=15$

$\overline{BC} : \overline{HI} = 2 : 3,\ 6 : y = 2 : 3$ ∴ $y=9$

$\overline{BE} : \overline{HK} = 2 : 3,\ 12 : z = 2 : 3$ ∴ $z=18$

199-1 답 $\triangle ABC \backsim \triangle MNO(\text{SAS 닮음})$,

$\triangle DEF \backsim \triangle IHG(\text{AA 닮음})$,

$\triangle JKL \backsim \triangle QRP(\text{SSS 닮음})$

199-2 답 (1) 6 (2) 8 (3) 5 (4) 12

(1) $\overline{AB} : \overline{DE} = \overline{BC} : \overline{EA} = 3 : 2,\ \angle ABC = \angle DEA$이 므로 $\triangle ABC \backsim \triangle DEA(\text{SAS 닮음})$

따라서 $\overline{AC} : \overline{DA} = 3 : 2$이므로

$(x+3) : x = 3 : 2,\ 3x = 2(x+3)$ ∴ $x=6$

(2) $\angle ABC = \angle BCD,\ \overline{AB} : \overline{BC} = \overline{BC} : \overline{CD} = 3 : 2$이 므로

$\triangle ABC \backsim \triangle BCD(\text{SAS 닮음})$

따라서 $\overline{AC} : \overline{BD} = 3 : 2$이므로

$12 : x = 3 : 2$ ∴ $x=8$

(3) $\angle ABC = \angle AED,\ \angle A$는 공통이므로

$\triangle ABC \backsim \triangle AED(\text{AA 닮음})$

$\overline{AB} : \overline{AE} = \overline{AC} : \overline{AD} = 6 : 3 = 2 : 1$이므로

$(3+x) : 4 = 2 : 1$ ∴ $x=5$

(4) $\angle BAC = \angle BED,\ \angle B$는 공통이므로

$\triangle ABC \backsim \triangle EBD(\text{AA 닮음})$

$\overline{BD} = \dfrac{1}{2}\overline{AB} = \dfrac{x}{2}\,\text{cm}$이고

$\overline{BC} : \overline{BD} = \overline{AC} : \overline{ED} = 6 : 4 = 3 : 2$이므로

$9 : \dfrac{x}{2} = 3 : 2$ ∴ $x=12$

200-1 답 (1) 12 (2) 6 (3) 12 (4) $\dfrac{60}{13}$

(1) $\overline{AC}^2 = \overline{AH}\times\overline{AB}$에서

$8^2 = 4(4+x)$ ∴ $x=12$

(2) $\overline{AB}^2 = \overline{BH}\times\overline{BC}$에서

$x^2 = 3\times(3+9)$ ∴ $x=6$

(3) $\overline{AH}^2 = \overline{HB}\times\overline{HC}$에서

$6^2 = x\times 3$ ∴ $x=12$

(4) $\overline{AB}\times\overline{AC} = \overline{AH}\times\overline{BC}$에서

$12\times 5 = x\times 13$ ∴ $x=\dfrac{60}{13}$

200-2 답 (1) $16\,\text{cm}$ (2) $9\,\text{cm}$ (3) $12\,\text{cm}$

(1) $\overline{AB}^2 = \overline{BH}\times\overline{BC}$에서

$20^2 = \overline{BH}\times 25$ ∴ $\overline{BH} = 16\,(\text{cm})$

(2) $\overline{AC}^2 = \overline{CH}\times\overline{CB}$에서

$15^2 = \overline{CH}\times 25$ ∴ $\overline{CH} = 9\,(\text{cm})$

(3) $\overline{AH}^2 = \overline{HB}\times\overline{HC}$에서

$\overline{AH}^2 = 16\times 9 = 144$ ∴ $\overline{AH} = 12\,(\text{cm})$

이렇게도 풀어요!

(2) $\overline{CH} = \overline{BC} - \overline{BH} = 25 - 16 = 9\,(\text{cm})$

(3) $\overline{AB}\times\overline{AC} = \overline{AH}\times\overline{BC}$에서

$20\times 15 = \overline{AH}\times 25$ ∴ $\overline{AH} = 12\,(\text{cm})$

201-1 답 (1) $x=18,\ y=18$ (2) $x=4,\ y=\dfrac{15}{2}$

(3) $x=1,\ y=6$ (4) $x=6,\ y=12$

(1) $12 : x = 14 : 21$ ∴ $x=18$

$12 : 18 = y : 27$ ∴ $y=18$

(2) $x : (x+6) = 4 : 10$에서

$10x = 4(x+6)$ ∴ $x=4$

$4 : 6 = 5 : y$ ∴ $y=\dfrac{15}{2}$

(3) $6 : 2 = (2+x) : x$에서

$6x = 2(2+x)$ ∴ $x=1$

$2 : 3 = 4 : y$ ∴ $y=6$

(4) $4 : x = 6 : 9$ ∴ $x=6$

$8 : y = 4 : 6$ ∴ $y=12$

92

정답 및 풀이

201-2 답 ㄴ

ㄱ. $4:5 \neq 3:7$ ㄴ. $2:8=3:12$
ㄷ. $5:15 \neq 3:10$ ㄹ. $12:9 \neq 9:6$
따라서 $\overline{DE} /\!/ \overline{BC}$인 것은 ㄴ이다.

202-1 답 (1) 3 (2) $\dfrac{32}{5}$

(1) $8:6=4:x$ ∴ $x=3$
(2) $8:12=x:(16-x)$, $12x=8(16-x)$
  $20x=128$ ∴ $x=\dfrac{32}{5}$

202-2 답 $6:5$

$\triangle ABD : \triangle ACD = \overline{BD} : \overline{CD}$
  $= \overline{AB} : \overline{AC}$
  $=18:15=6:5$

202-3 답 (1) 8 (2) $\dfrac{5}{3}$

(1) $6:4=12:x$ ∴ $x=8$

(2) $4:3=(x+5):5$, $3x=5$ ∴ $x=\dfrac{5}{3}$

203-1 답 (1) $\dfrac{10}{3}$ (2) $\dfrac{24}{5}$ (3) $\dfrac{20}{3}$ (4) $\dfrac{21}{2}$

(1) $3:5=2:x$ ∴ $x=\dfrac{10}{3}$

(2) $x:8=6:10$ ∴ $x=\dfrac{24}{5}$

(3) $8:(8+4)=x:10$, $12x=80$ ∴ $x=\dfrac{20}{3}$

(4) $6:x=4:(4+3)$, $4x=42$ ∴ $x=\dfrac{21}{2}$

203-2 답 (1) $x=3$, $y=\dfrac{32}{3}$ (2) $x=4$, $y=\dfrac{8}{3}$

(1) 평행선 k, l, m에서
  $8:4=6:x$ ∴ $x=3$
  또, 평행선 l, m, n에서
  $4:y=3:8$ ∴ $y=\dfrac{32}{3}$

(2) 평행선 k, l, m에서
  $3:9=x:12$ ∴ $x=4$
  또, 평행선 l, m, n에서
  $9:2=12:y$ ∴ $y=\dfrac{8}{3}$

204-1 답 (1) $\dfrac{18}{5}$ (2) 2

(1) $\overline{AD}=\overline{GF}=\overline{HC}=12(cm)$이므로
  $\overline{BH}=\overline{BC}-\overline{HC}=18-12=6(cm)$
  따라서 $\overline{AE}:\overline{AB}=\overline{EG}:\overline{BH}$에서
  $6:10=x:6$ ∴ $x=\dfrac{18}{5}$
(2) $\overline{EG} /\!/ \overline{BC}$이므로 $\overline{AG}:\overline{GC}=\overline{AE}:\overline{EB}=2:1$이다.
  따라서 $\overline{CG}:\overline{CA}=\overline{GF}:\overline{AD}$에서
  $1:3=x:6$ ∴ $x=2$

204-2 답 (1) $x=6$, $y=5$ (2) $x=8$, $y=4$

(1) $\triangle ABQ$에서 $\overline{AE}:\overline{AB}=\overline{EP}:\overline{BQ}$이므로
  $8:12=x:9$ ∴ $x=6$
  $\overline{PF}=\overline{AD}=\overline{QC}=5$ ∴ $y=5$
(2) $\overline{BQ}=\overline{AD}=\overline{EP}=8$ ∴ $x=8$
  $\triangle DQC$에서 $\overline{DF}:\overline{DC}=\overline{PF}:\overline{QC}$이므로
  $5:10=2:y$ ∴ $y=4$

205-1 답 (1) $\dfrac{18}{5}$ cm (2) $\dfrac{15}{2}$ cm

(1) $\overline{BE}:\overline{DE}=\overline{AB}:\overline{CD}=6:9=2:3$이므로
  $\overline{EF}:\overline{DC}=\overline{BE}:\overline{BD}=2:5$
  $\overline{EF}:9=2:5$ ∴ $\overline{EF}=\dfrac{18}{5}(cm)$
(2) $\overline{BE}:\overline{DE}=\overline{AB}:\overline{CD}=20:12=5:3$이므로
  $\overline{EF}:\overline{DC}=\overline{BE}:\overline{BD}=5:8$
  $\overline{EF}:12=5:8$ ∴ $\overline{EF}=\dfrac{15}{2}(cm)$

💬 이렇게도 풀어요!

(1) $\overline{EF}=\dfrac{6\times9}{6+9}=\dfrac{18}{5}(cm)$ (2) $\overline{EF}=\dfrac{20\times12}{20+12}=\dfrac{15}{2}(cm)$

205-2 답 (1) $2:5$ (2) $\dfrac{24}{5}$ cm

$\overline{AB}$, $\overline{EF}$, $\overline{DC}$가 모두 $\overline{BC}$에 수직이므로
  $\overline{AB} /\!/ \overline{EF} /\!/ \overline{DC}$
(1) $\triangle ABE \backsim \triangle CDE$(AA 닮음)이므로
  $\overline{BE}:\overline{DE}=\overline{AB}:\overline{CD}=2:3$
  ∴ $\overline{BF}:\overline{BC}=\overline{BE}:\overline{BD}=2:5$
(2) $\triangle BEF \backsim \triangle BDC$(AA 닮음)이므로
  $\overline{BF}:\overline{BC}=\overline{EF}:\overline{DC}$에서
  $2:5=\overline{EF}:12$ ∴ $\overline{EF}=\dfrac{24}{5}(cm)$

205-3 답 $\dfrac{15}{8}$ cm

$\triangle AFD \backsim \triangle CFB$ (AA 닮음)이므로
$\overline{AF} : \overline{CF} = \overline{AD} : \overline{CB} = 3 : 5$
$\triangle AEF \backsim \triangle ABC$ (AA 닮음)이므로
$\overline{AF} : \overline{AC} = \overline{EF} : \overline{BC}$ 에서

$3 : 8 = \overline{EF} : 5$ $\quad \therefore \overline{EF} = \dfrac{15}{8}$ (cm)

206-1 답 (1) $x=12$, $y=60$ (2) $x=16$, $y=5$

(1) $\overline{AM} = \overline{MB}$, $\overline{AN} = \overline{NC}$ 이므로 삼각형의 두 변의 중점을 연결한 선분의 성질에 의하여 $\overline{MN} /\!/ \overline{BC}$ 이고 $\overline{MN} = \dfrac{1}{2}\overline{BC}$ 이다.

$\therefore x=12$, $y° = \angle B = 60°$ (동위각)

(2) $\overline{AM} = \overline{MB} = 8$ 이므로
$\overline{AB} = 2\overline{AM} = 16$ $\quad \therefore x=16$

$\therefore y = \dfrac{1}{2}\overline{BC} = 5$

206-2 답 (1) $x=8$, $y=18$ (2) $x=13$, $y=7$

(1) $\overline{AM} = \overline{MB}$, $\overline{MN} /\!/ \overline{BC}$ 이므로 삼각형의 두 변의 중점을 연결한 선분의 성질에 의하여 $\overline{AN} = \overline{NC}$ 이고 $\overline{MN} = \dfrac{1}{2}\overline{BC}$ 이다.

$\therefore x=8$, $y=2\overline{MN}=18$

(2) $\overline{AN} = \overline{NC}$ 이므로
$\overline{AN} = \dfrac{1}{2}\overline{AC} = 13$ $\quad \therefore x=13$

$\therefore y = \dfrac{1}{2}\overline{BC} = 7$

207-1 답 (1) 25 (2) 7

(1) $\overline{MN} = \dfrac{1}{2}(\overline{AD} + \overline{BC})$ 에서
$x = \dfrac{1}{2} \times (21+29) = 25$

(2) $9 = \dfrac{1}{2} \times (11+x)$ 에서
$11+x=18$ $\quad \therefore x=7$

207-2 답 5

$\triangle ABC$ 에서 $\overline{MP} = \dfrac{1}{2}\overline{BC}$ 이므로 $x=14$ 이다.

또, $\triangle CDA$ 에서 $\overline{PN} = \dfrac{1}{2}\overline{AD}$ 이므로 $y=9$ 이다.
$\therefore x-y = 14-9 = 5$

207-3 답 3

$\triangle ABC$ 에서 $\overline{MQ} = \dfrac{1}{2}\overline{BC}$ 이므로 $\overline{MQ} = \dfrac{21}{2}$ 이다.

또, $\triangle ABD$ 에서 $\overline{MP} = \dfrac{1}{2}\overline{AD}$ 이므로 $\overline{MP} = \dfrac{15}{2}$ 이다.

$\therefore x = \overline{MQ} - \overline{MP} = \dfrac{21}{2} - \dfrac{15}{2} = 3$

208-1 답 (1) $x=3$, $y=7$ (2) $x=4$, $y=8$

(1) $\overline{AG} : \overline{GD} = 2 : 1$ 이므로
$6 : x = 2 : 1$ $\quad \therefore x=3$
$\overline{AD}$ 가 중선이므로
$\overline{BD} = \overline{DC}$ $\quad \therefore y=7$

(2) $\triangle ADF$ 에서 $\overline{AG} : \overline{AD} = 2 : 3$ 이므로
$2 : 3 = x : 6$ $\quad \therefore x=4$
$\overline{BG} : \overline{GE} = 2 : 1$ 이므로
$y : 4 = 2 : 1$ $\quad \therefore y=8$

208-2 답 (1) 6 cm (2) 6 cm (3) 18 cm (4) 9 cm

(1) 점 P는 $\triangle ABC$ 의 무게중심이므로
$\overline{BP} : \overline{PO} = 2 : 1$, $\overline{BP} : 3 = 2 : 1$
$\therefore \overline{BP} = 6$ (cm)

(2) 점 P, Q는 각각 $\triangle ABC$, $\triangle ACD$ 의 무게중심이므로
$\overline{BP} : \overline{PO} = 2 : 1$, $\overline{DQ} : \overline{QO} = 2 : 1$
또, $\overline{BO} = \overline{DO}$ 이므로
$\overline{BP} = \overline{PQ} = \overline{QD}$ $\quad \therefore \overline{PQ} = \overline{BP} = 6$ (cm)

(3) $\overline{BP} = \overline{PQ} = \overline{QD}$ 이므로
$\overline{BD} = 18$ (cm)

(4) $\triangle BCD$ 에서 삼각형의 두 변의 중점을 연결한 선분의 성질에 의하여
$\overline{MN} = \dfrac{1}{2}\overline{BD} = 9$ (cm)

209-1 답 (1) 6 cm² (2) 12 cm²

(1) 점 G가 $\triangle ABC$ 의 무게중심이므로
$\triangle BFG = \dfrac{1}{6}\triangle ABC = \dfrac{1}{6} \times 36 = 6$ (cm²)

(2) $\triangle ACG = \dfrac{1}{3}\triangle ABC = \dfrac{1}{3} \times 36 = 12$ (cm²)

209-2 답 $36\,\text{cm}^2$

$\triangle ADE = \triangle ACE = 12(\text{cm}^2)$이므로

$\quad \triangle ACD = 24(\text{cm}^2)$

또, $\triangle ABD = \triangle ACD = 24(\text{cm}^2)$이므로

$\quad \triangle ABE = \triangle ABD + \triangle ADE$

$\qquad\qquad = 24 + 12 = 36(\text{cm}^2)$

209-3 답 $9\,\text{cm}^2$

$\triangle ABD = \dfrac{1}{2}\triangle ABC = \dfrac{1}{2} \times 54 = 27(\text{cm}^2)$

$\overline{AG} : \overline{GD} = 2 : 1$이므로

$\quad \triangle ABG = \dfrac{2}{3}\triangle ABD = \dfrac{2}{3} \times 27 = 18(\text{cm}^2)$

$\quad \therefore \triangle ABE = \dfrac{1}{2}\triangle ABG = 9(\text{cm}^2)$

탄탄한 중단원 문제

271쪽~272쪽

01 ③	02 20 cm	03 ④	04 4 cm	05 ①
06 20	07 9 cm	08 ④	09 6 cm	10 ②

01 ① 직육면체의 닮음비는 $\overline{FG} : \overline{F'G'} = 6 : 8 = 3 : 4$

② $\overline{EF} = \overline{GH} = 4$이므로

$\quad \overline{EF} : \overline{E'F'} = 4 : \overline{E'F'} = 3 : 4 \quad \therefore \overline{E'F'} = \dfrac{16}{3}$

③ $\overline{DH} : \overline{D'H'} = \overline{DH} : 12 = 3 : 4 \quad \therefore \overline{DH} = 9$

④ $\square EFGH \backsim \square E'F'G'H'$

⑤ $\square ABFE \backsim \square A'B'F'E'$

02 $\triangle AEF \backsim \triangle DFC$(AA 닮음)이므로

$\overline{AF} : \overline{DC} = \overline{AE} : \overline{DF}$에서

$\quad 8 : 16 = 6 : \overline{DF} \quad \therefore \overline{DF} = 12(\text{cm})$

$\quad \therefore \overline{BC} = \overline{AD} = 8 + 12 = 20(\text{cm})$

03 $\overline{AH}^2 = \overline{HB} \times \overline{HC}$에서

$\quad \overline{AH}^2 = 4 \times 9 = 36 \quad \therefore \overline{AH} = 6(\text{cm})$

$\quad \therefore \triangle ABC = \dfrac{1}{2} \times (4+9) \times 6 = 39(\text{cm}^2)$

04 $\overline{AE} : \overline{EC} = \overline{AD} : \overline{DB} = 6 : 3 = 2 : 1$이므로

$\overline{AF} : \overline{FD} = \overline{AE} : \overline{EC} = 2 : 1$

$\quad \therefore \overline{AF} = \dfrac{2}{3}\overline{AD} = \dfrac{2}{3} \times 6 = 4(\text{cm})$

05 $5 : (20-5) = x : 18 \quad \therefore x = 6$

$\quad 18 : (6+18) = 12 : y \quad \therefore y = 16$

$\quad \therefore x + y = 6 + 16 = 22$

06 오른쪽 그림과 같이 $\overline{DC}$에 평행한 보조선 $\overline{AH}$를 그으면 $\overline{AG} = \overline{DF}$, $\overline{GH} = \overline{FC}$이므로

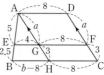

$\overline{AE} : \overline{EB} = \overline{AG} : \overline{GH} = \overline{DF} : \overline{FC}$에서

$\quad 5 : 2.5 = a : 3 \quad \therefore a = 6$

한편, $\overline{EG} = 12 - 8 = 4$, $\overline{BH} = b - 8$이므로

$\overline{AG} : \overline{AH} = \overline{EG} : \overline{BH}$에서

$\quad 6 : (6+3) = 4 : (b-8) \quad \therefore b = 14$

$\quad \therefore a + b = 6 + 14 = 20$

07 $\triangle ABE \backsim \triangle CDE$(AA 닮음)이므로

$\overline{BE} : \overline{DE} = \overline{AB} : \overline{FE} = 4 : 12 = 1 : 3$

$\overline{BE} : \overline{BD} = \overline{EF} : \overline{DC}$에서

$\quad 1 : 4 = \overline{EF} : 12 \quad \therefore \overline{EF} = 3(\text{cm})$

$\overline{BE} : \overline{BD} = \overline{BF} : \overline{BC}$에서

$\quad 1 : 4 = \overline{BF} : 24 \quad \therefore \overline{BF} = 6(\text{cm})$

$\quad \therefore \overline{EF} + \overline{BF} = 3 + 6 = 9(\text{cm})$

08 $\overline{EF} = \overline{HG} = \dfrac{1}{2}\overline{AC}$, $\overline{EH} = \overline{FG} = \dfrac{1}{2}\overline{BD}$

$\quad \therefore$ ($\square EFGH$의 둘레의 길이)

$\quad = \overline{EF} + \overline{FG} + \overline{HG} + \overline{EH}$

$\quad = (\overline{EF} + \overline{HG}) + (\overline{FG} + \overline{EH})$

$\quad = \overline{AC} + \overline{BD}$

$\quad = 18 + 22 = 40(\text{cm})$

09 $\overline{BP} = \overline{PQ} = \overline{QD}$이므로

$\quad \overline{BD} = 3\overline{QD} = 12(\text{cm})$

또, $\triangle BCD$에서 삼각형의 두 변의 중점을 연결한 선분의 성질에 의하여

$\quad \overline{MN} = \dfrac{1}{2}\overline{BD} = 6(\text{cm})$

10 $\triangle ABD = \dfrac{1}{2}\square ABCD = \dfrac{1}{2} \times 30 = 15(\text{cm}^2)$

$\quad \therefore \triangle APQ = \dfrac{1}{3}\triangle ABD = \dfrac{1}{3} \times 15 = 5(\text{cm}^2)$

08 | 피타고라스 정리

273쪽~276쪽

210-1 📋 5 cm

$\overline{AB}^2=3^2+4^2=25$　∴ $\overline{AB}=5(cm)$

210-2 📋 (1) 8　(2) 5

(1) $x^2=17^2-15^2=64$　∴ $x=8\ (\because\ x>0)$

(2) $x^2=13^2-12^2=25$　∴ $x=5\ (\because\ x>0)$

210-3 📋 27

$\overline{CD}=9-4=5(cm)$이므로

$\triangle ACD$에서 $x^2=13^2-5^2=144$

　　∴ $x=12\ (\because\ x>0)$

$\triangle ACB$에서 $x^2+9^2=y^2$이므로 $y^2=12^2+9^2=225$

　　∴ $y=15\ (\because\ y>0)$

　　∴ $x+y=12+5=27$

211-1 📋 (1) 36 cm² (2) $\overline{AC}=6$ cm, $\overline{AB}=8$ cm

　　　　(3) 24 cm²

(1) □ADEB+□CHIA=□BFGC이므로

　　□CHIA=100-64=36(cm²)

(2) □CHIA=$\overline{AC}^2=36$　∴ $\overline{AC}=6$(cm)

　또, □ADEB=$\overline{AB}^2=64$　∴ $\overline{AB}=8$(cm)

(3) $\triangle ABC=\dfrac{1}{2}\times6\times8=24$(cm²)

211-2 📋 (1) 16 cm² (2) 25 cm²

(1) □AFML=□ACDE=$4^2=16$(cm²)

(2) □AFGB=□ACDE+□BHIC

　　　　　$=4^2+3^2=25$(cm²)

212-1 📋 (1) 7　(2) 5　(3) 25

(1) $\triangle AEH\equiv\triangle BFE\equiv\triangle CGF\equiv\triangle DHG$이므로

　　$\overline{AD}=4+3=7$

(2) $\triangle AEH$에서

　　$\overline{EH}^2=4^2+3^2=25$

　　∴ $\overline{EH}=5\ (\because\ \overline{EH}>0)$

(3) □EFGH는 정사각형이므로

　　□EFGH=$5^2=25$

212-2 📋 (1) 12　(2) 7　(3) 49

(1) $\overline{AB}=\overline{AD}=13$이므로 $\triangle ABP$에서

　　$\overline{GB}^2=13^2-5^2=144$

　　∴ $\overline{GB}=12\ (\because\ \overline{GB}>0)$

(2) $\overline{GH}=\overline{GB}-\overline{BH}=12-5=7$

(3) $\triangle ABG\equiv\triangle BCH\equiv\triangle CDE\equiv\triangle DAF$(RHS 합동)

　　이므로

　　$\overline{GH}=\overline{HE}=\overline{EF}=\overline{FG}=7$

　　즉, □GHEF는 정사각형이므로 □GHEF=49이다.

213-1 📋 ㄷ, ㅂ

ㄱ. $8^2\neq3^2+6^2$이므로 직각삼각형이 아니다.

ㄴ. $11^2\neq6^2+7^2$이므로 직각삼각형이 아니다.

ㄷ. $20^2=12^2+16^2$이므로 직각삼각형이다.

ㄹ. $10^2\neq5^2+6^2$이므로 직각삼각형이 아니다.

ㅁ. $7^2\neq3^2+5^2$이므로 직각삼각형이 아니다.

ㅂ. $26^2=10^2+24^2$이므로 직각삼각형이다.

213-2 📋 15

변의 길이는 양수이므로

　$x-7>0$　∴ $x>7$

가장 긴 변의 길이가 $x+2$이므로

　$(x+2)^2=x^2+(x-7)^2$

　$x^2-18x+45=0$

　$(x-3)(x-15)=0$

　∴ $x=15\ (\because\ x>7)$

213-3 📋 2

가장 긴 변의 길이가 $x+3$이므로

　$(x+3)^2=(x+1)^2+(x+2)^2$

　$x^2-4=0,\ (x+2)(x-2)=0$

　∴ $x=2\ (\because\ x>0)$

탄탄한 중단원 문제

277쪽~278쪽

1 ①	2 ④	3 ④	4 $\dfrac{20}{3}$ cm
5 15 cm	6 ④	7 100 cm²	8 ②
9 ⑤	10 9		

01 ① $x^2=8^2+15^2=289$ $\therefore x=17 \ (\because x>0)$

② $x^2=6^2+8^2=100$ $\therefore x=10 \ (\because x>0)$

③ $x^2=13^2-12^2=25$ $\therefore x=5 \ (\because x>0)$

④ $x^2=5^2-3^2=16$ $\therefore x=4 \ (\because x>0)$

⑤ $x^2=9^2+12^2=225$ $\therefore x=15 \ (\because x>0)$

따라서 x의 값이 가장 큰 것은 ①이다.

02 $\overline{AC}^2=7^2+24^2=625$이므로

$\overline{AC}=25(cm) \ (\because \overline{AC}>0)$

이때 직각삼각형 ABC에서 점 O가 $\overline{AC}$의 중점이므로

$\overline{OA}=\overline{OB}=\overline{OC}$

$\therefore \overline{OB}=\dfrac{1}{2}\overline{AC}=\dfrac{25}{2}(cm)$

03 오른쪽 그림과 같이 점 A에서 $\overline{BC}$에 내린 수선의 발을 H라 하면 $\overline{CH}=5$이므로 $\overline{BH}=8-5=3$

$\overline{AH}^2=5^2-3^2=16$

$\therefore \overline{AH}=4 \ (\because \overline{AH}>0)$

따라서 △BCD의 넓이는

$\dfrac{1}{2}\times 8\times 4=16$

04 $\overline{BP}=\overline{BC}=20(cm)$이므로 △ABP에서

$\overline{AP}^2=20^2-12^2=256(cm)$

$\overline{AP}=16(cm) \ (\because \overline{AP}>0)$

$\therefore \overline{PD}=20-16=4(cm)$

$\overline{PQ}=\overline{CQ}=x(cm)$라 하면 $\overline{DQ}=(12-x) \ cm$이고,

△PQD는 ∠D=90°인 직각삼각형이므로

$x^2=(12-x)^2+4^2, \ 24x=160$

$\therefore x=\dfrac{20}{3}(cm)$

따라서 $\overline{PQ}$의 길이는 $\dfrac{20}{3} \ cm$이다.

05 □AFGB=□ACDE+□BHIC이므로

□AFGB=$144+81=225(cm^2)$

□AFGB=$\overline{AB}^2=225(cm^2)$이므로

$\overline{AB}=15(cm) \ (\because \overline{AB}>0)$

06 ③ △EBC와 △ABF에서

$\overline{EB}=\overline{AB}, \ \overline{BC}=\overline{BF}, \ \angle EBC=\angle ABF$

이므로 △EBC≡△ABF(SAS 합동)

④ □ACHI=□LMGC

⑤ △ADB≡△EBA≡△EBC≡△ABF

$=\triangle LBF=\dfrac{1}{2}□BFML$

07 △AEH≡△BFE≡△CGF≡△DHG이므로

△AEH에서 $\overline{AE}=14-8=6(cm)$

$\therefore \overline{EH}^2=6^2+8^2=100$

$\therefore \overline{EH}=10(cm) \ (\because \overline{EH}>0)$

따라서 □EFGH는 정사각형이므로

□EFGH=$10^2=100(cm^2)$

08 △GBC에서 $\overline{BG}^2=10^2-6^2=64$

$\overline{BG}=8 \ (\because \overline{BG}>0)$

$\therefore \overline{GF}=\overline{BG}-\overline{BF}=8-6=2$

따라서 □EFGH는 정사각형이므로

□EFGH=$2^2=4$

✅ 이렇게도 풀어요!

□ABCD=4△ABF+□EFGH이므로

$10^2=4\times\dfrac{1}{2}\times 6\times 8+$□EFGH $\therefore$ □EFGH=4

09 ① $4^2+5^2\neq 6^2$이므로 직각삼각형이 아니다.

② $3^2+5^2\neq 7^2$이므로 직각삼각형이 아니다.

③ $2^2+3^2\neq 4^2$이므로 직각삼각형이 아니다.

④ $5^2+12^2\neq 14^2$이므로 직각삼각형이 아니다.

⑤ $8^2+15^2=17^2$이므로 직각삼각형이다.

10 변의 길이는 양수이므로

$x-3>0$ $\therefore x>3$

가장 긴 변의 길이가 $x+1$이므로

$(x+1)^2=(x-3)^2+(x-1)^2$

$x^2-10x+9=0, \ (x-1)(x-9)=0$

$\therefore x=9 \ (\because x>3)$

09 삼각비

279쪽~287쪽

214-1 답 (1) 15   (2) 12   (3) $\dfrac{4}{5}$ (4) $\dfrac{3}{4}$

(1) $\sin A=\dfrac{\overline{BC}}{\overline{AC}}=\dfrac{9}{\overline{AC}}=\dfrac{3}{5}$

$\therefore \overline{AC}=15$

(2) △ABC에서 피타고라스 정리에 의해

$$\overline{AB}=\sqrt{15^2-9^2}=12$$

(3) $\cos A=\dfrac{\overline{AB}}{\overline{AC}}=\dfrac{12}{15}=\dfrac{4}{5}$

(4) $\tan A=\dfrac{\overline{BC}}{\overline{AB}}=\dfrac{9}{12}=\dfrac{3}{4}$

214-2 답 (1) $\dfrac{12}{13}$ (2) $\dfrac{5}{13}$ (3) $\dfrac{12}{5}$

(1) $\sin A=\dfrac{\overline{BC}}{\overline{AC}}=\dfrac{12}{13}$

(2) $\cos A=\dfrac{\overline{AB}}{\overline{AC}}=\dfrac{5}{13}$

(3) $\tan A=\dfrac{\overline{BC}}{\overline{AB}}=\dfrac{12}{5}$

215-1 답 (1) $\dfrac{1}{4}$ (2) $\dfrac{\sqrt{3}-1}{2}$ (3) $\dfrac{3}{2}$ (4) $\dfrac{3}{4}$

(1) $\sin 30°\times\cos 60°=\dfrac{1}{2}\times\dfrac{1}{2}=\dfrac{1}{4}$

(2) $\sin 60°-\cos 60°=\dfrac{\sqrt{3}}{2}-\dfrac{1}{2}=\dfrac{\sqrt{3}-1}{2}$

(3) $\tan 45°+\cos 45°\times\sin 45°=1+\dfrac{\sqrt{2}}{2}\times\dfrac{\sqrt{2}}{2}=\dfrac{3}{2}$

(4) $\sin^2 30°+\cos^2 45°=\left(\dfrac{1}{2}\right)^2+\left(\dfrac{\sqrt{2}}{2}\right)^2=\dfrac{3}{4}$

215-2 답 (1) $x=2,\ y=2\sqrt{3}$ (2) $x=2,\ y=2\sqrt{2}$
(3) $x=\sqrt{3},\ y=\sqrt{3}$ (4) $x=6,\ y=3\sqrt{3}$

(1) $\sin 30°=\dfrac{x}{4}=\dfrac{1}{2}$ $\therefore x=2$

$\cos 30°=\dfrac{y}{4}=\dfrac{\sqrt{3}}{2}$ $\therefore y=2\sqrt{3}$

(2) $\tan 45°=\dfrac{x}{2}=1$ $\therefore x=2$

$\sin 45°=\dfrac{2}{y}=\dfrac{\sqrt{2}}{2}$ $\therefore y=2\sqrt{2}$

(3) $\cos 45°=\dfrac{x}{\sqrt{6}}=\dfrac{\sqrt{2}}{2}$ $\therefore x=\sqrt{3}$

$\sin 45°=\dfrac{y}{\sqrt{6}}=\dfrac{\sqrt{2}}{2}$ $\therefore y=\sqrt{3}$

(4) $\cos 60°=\dfrac{3}{x}=\dfrac{1}{2}$ $\therefore x=6$

$\tan 60°=\dfrac{y}{3}=\sqrt{3}$ $\therefore y=3\sqrt{3}$

216-1 답 (1) $\overline{BD}$ (2) $\overline{AD}$ (3) $\overline{CE}$

(1) $\sin x=\dfrac{\overline{BD}}{\overline{AB}}=\dfrac{\overline{BD}}{1}=\overline{BD}$

(2) $\cos x=\dfrac{\overline{AD}}{\overline{AB}}=\dfrac{\overline{AD}}{1}=\overline{AD}$

(3) $\tan x=\dfrac{\overline{CE}}{\overline{AE}}=\dfrac{\overline{CE}}{1}=\overline{CE}$

216-2 답 (1) 0.77 (2) 0.64 (3) 1.19

(1) $\sin 50°=\dfrac{\overline{AB}}{\overline{OA}}=\dfrac{0.77}{1}=0.77$

(2) $\cos 50°=\dfrac{\overline{OB}}{\overline{OA}}=\dfrac{0.64}{1}=0.64$

(3) $\tan 50°=\dfrac{\overline{CD}}{\overline{OD}}=\dfrac{1.19}{1}=1.19$

216-3 답 (1) 0 (2) 1

(1) $\sin 0°+\tan 0°\times\cos 90°=0+0\times 0=0$

(2) $\cos 0°\times\sin 90°+\cos 90°=1\times 1+0=1$

217-1 답 (1) 0.3907 (2) 0.9063 (3) 0.4877

217-2 답 (1) 18° (2) 17° (3) 15°

217-3 답 (1) <, < (2) >, > (3) <, <

(1) $0.5736<0.5878<0.6018$이므로
$\sin 35°\boxed{<}\sin 36°\boxed{<}\sin 37°$

(2) $0.8192>0.8090>0.7986$이므로
$\cos 35°\boxed{>}\cos 36°\boxed{>}\cos 37°$

(3) $0.7002<0.7265<0.7536$이므로
$\tan 35°\boxed{<}\tan 36°\boxed{<}\tan 37°$

218-1 답 (1) 3.9 (2) 9.2

(1) $\sin 23°=\dfrac{\overline{AC}}{10}$이므로

$\overline{AC}=10\sin 23°$
$=10\times 0.39=3.9$

(2) $\cos 23°=\dfrac{\overline{BC}}{10}$이므로

$\overline{BC}=10\cos 23°$
$=10\times 0.92=9.2$

218-2 🗒 3.1

$\tan 32° = \dfrac{\overline{AC}}{5}$ 이므로

$\overline{AC} = 5 \times \tan 32° = 5 \times 0.62 = 3.1$

218-3 🗒 $x = 5.7$, $y = 8.2$

$\cos 55° = \dfrac{x}{10}$ 이므로

$x = 10 \cos 55° = 10 \times 0.57 = 5.7$

또, $\sin 55° = \dfrac{y}{10}$ 이므로

$y = 10 \sin 55° = 10 \times 0.82 = 8.2$

219-1 🗒 (1) 2   (2) $2\sqrt{3}$ (3) $\sqrt{3}$ (4) $\sqrt{7}$

(1) $\overline{AH} = \overline{AB} \sin 30° = 4 \times \dfrac{1}{2} = 2$

(2) $\overline{BH} = \overline{AB} \cos 30° = 4 \times \dfrac{\sqrt{3}}{2} = 2\sqrt{3}$

(3) $\overline{CH} = \overline{BC} - \overline{BH} = 3\sqrt{3} - 2\sqrt{3} = \sqrt{3}$

(4) $\overline{AC} = \sqrt{\overline{AH}^2 + \overline{CH}^2} = \sqrt{2^2 + (\sqrt{3})^2} = \sqrt{7}$

219-2 🗒 (1) $15\sqrt{2}$ cm   (2) $60°$ (3) $10\sqrt{6}$ cm

(1) △ABH에서

$\overline{AH} = 30 \sin 45° = 30 \times \dfrac{\sqrt{2}}{2} = 15\sqrt{2}$(cm)

(2) △ABC에서

$\angle C = 180° - (75° + 45°) = 60°$

(3) △ACH에서 $\sin 60° = \dfrac{15\sqrt{2}}{\overline{AC}}$ 이므로

$\overline{AC} = \dfrac{15\sqrt{2}}{\sin 60°} = 15\sqrt{2} \times \dfrac{2}{\sqrt{3}} = 10\sqrt{6}$(cm)

220-1 🗒 (1) h (2) $\dfrac{\sqrt{3}}{3}h$ (3) $5(3-\sqrt{3})$

(1) $\angle BAH = 45°$ 이므로 $\overline{BH} = h \tan 45° = h$

(2) $\angle CAH = 30°$ 이므로

$\overline{CH} = h \tan 30° = \dfrac{\sqrt{3}}{3}h$

(3) $\overline{BH} + \overline{CH} = \overline{BC}$ 이므로

$h + \dfrac{\sqrt{3}}{3}h = 10$, $\dfrac{3+\sqrt{3}}{3}h = 10$

$\therefore h = 10 \times \dfrac{3}{3+\sqrt{3}} = 5(3-\sqrt{3})$

220-2 🗒 (1) $\sqrt{3}h$ (2) $\dfrac{\sqrt{3}}{3}h$ (3) $4\sqrt{3}$

(1) $\angle BAH = 60°$ 이므로

$\overline{BH} = h \tan 60° = \sqrt{3}h$

(2) $\angle CAH = 30°$ 이므로

$\overline{CH} = h \tan 30° = \dfrac{\sqrt{3}}{3}h$

(3) $\overline{BH} - \overline{CH} = \overline{BC}$ 이므로

$\sqrt{3}h - \dfrac{\sqrt{3}}{3}h = 8$, $\dfrac{2\sqrt{3}}{3}h = 8$ $\therefore h = 4\sqrt{3}$

221-1 🗒 (1) $3\sqrt{3}$ (2) 6   (3) $24\sqrt{3}$ (4) $15\sqrt{2}$

(1) $\triangle ABC = \dfrac{1}{2} \times \overline{AB} \times \overline{BC} \times \sin 60°$

$= \dfrac{1}{2} \times 3 \times 4 \times \dfrac{\sqrt{3}}{2} = 3\sqrt{3}$

(2) $\triangle ABC = \dfrac{1}{2} \times \overline{AB} \times \overline{BC} \times \sin 30°$

$= \dfrac{1}{2} \times 4 \times 6 \times \dfrac{1}{2} = 6$

(3) $\triangle ABC = \dfrac{1}{2} \times \overline{AB} \times \overline{AC} \times \sin(180° - 120°)$

$= \dfrac{1}{2} \times 8 \times 12 \times \dfrac{\sqrt{3}}{2} = 24\sqrt{3}$

(4) $\triangle ABC = \dfrac{1}{2} \times \overline{BC} \times \overline{AC} \times \sin(180° - 135°)$

$= \dfrac{1}{2} \times 6 \times 10 \times \dfrac{\sqrt{2}}{2} = 15\sqrt{2}$

221-2 🗒 $60°$

$\triangle ABC = \dfrac{1}{2} \times \overline{AB} \times \overline{BC} \times \sin B$ 이므로

$\dfrac{1}{2} \times 5 \times 12 \times \sin B = 15\sqrt{3}$, $30 \sin B = 15\sqrt{3}$

$\sin B = \dfrac{\sqrt{3}}{2}$ $\therefore \angle B = 60°$

222-1 🗒 (1) $24\sqrt{3}$ (2) $54\sqrt{2}$

(1) $\square ABCD = \overline{AB} \times \overline{BC} \times \sin 60°$

$= 6 \times 8 \times \dfrac{\sqrt{3}}{2} = 24\sqrt{3}$

(2) $\square ABCD = \overline{AB} \times \overline{BC} \times \sin(180° - 135°)$

$= 9 \times 12 \times \sin 45°$

$= 9 \times 12 \times \dfrac{\sqrt{2}}{2} = 54\sqrt{2}$

222-2 달 (1) 10 (2) $18\sqrt{3}$

(1) $\square ABCD = \dfrac{1}{2} \times \overline{AC} \times \overline{BD} \times \sin 90°$

$\qquad = \dfrac{1}{2} \times 5 \times 4 \times 1 = 10$

(2) $\square ABCD = \dfrac{1}{2} \times \overline{AC} \times \overline{BD} \times \sin 60°$

$\qquad = \dfrac{1}{2} \times 8 \times 9 \times \dfrac{\sqrt{3}}{2} = 18\sqrt{3}$

222-3 달 6

$\square ABCD = \overline{AB} \times \overline{BC} \times \sin 45°$이므로

$4 \times \overline{BC} \times \dfrac{\sqrt{2}}{2} = 12\sqrt{2}$

$2\sqrt{2} \times \overline{BC} = 12\sqrt{2}$ $\therefore \overline{BC} = 6$

탄탄한 중단원 문제
288쪽~289쪽

01 ③   02 $2\sqrt{2}$ 03 ⑤   04 0.58   05 5.7 m
06 ②   07 ⑤   08 $3+\sqrt{3}$ 09 ⑤   10 8

01 $\sin B = \dfrac{6}{\overline{AB}} = \dfrac{2}{5}$이므로 $\overline{AB} = 15$이다.

$\therefore \overline{BC} = \sqrt{15^2 - 6^2} = \sqrt{189} = 3\sqrt{21}$

02 $\triangle ABD$에서

$\sin 30° = \dfrac{\overline{AD}}{4} = \dfrac{1}{2}$ $\therefore \overline{AD} = 2$

또, $\triangle ADC$에서

$\sin 45° = \dfrac{2}{\overline{AC}} = \dfrac{\sqrt{2}}{2}$ $\therefore \overline{AC} = 2\sqrt{2}$

03 ⑤ $\cos y = \dfrac{\overline{BC}}{\overline{AC}} = \dfrac{\overline{BC}}{1} = \overline{BC}$

04 $\sin 38° = 0.62$, $\cos 40° = 0.77$, $\tan 39° = 0.81$이므로

$\sin 38° + \cos 40° - \tan 39° = 0.62 + 0.77 - 0.81$

$\qquad = 0.58$

05 오른쪽 그림과 같은 $\triangle ABC$

에서 $\tan 40° = \dfrac{\overline{BC}}{\overline{AB}}$이므로

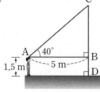

$\overline{BC} = \overline{AB} \tan 40°$

$\qquad = 5 \times 0.84$

$\qquad = 4.2 \,(\text{m})$

$\overline{CD} = \overline{BC} + \overline{BD}$이므로

(나무의 높이)$= 4.2 + 1.5$

$\qquad = 5.7 \,(\text{m})$

06 오른쪽 그림과 같이 꼭짓점 A에서 $\overline{BC}$에 내린 수선의 발을 H라 하면

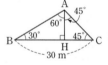

$\overline{AH} = \overline{AB} \sin 45°$

$\qquad = 4\sqrt{2} \times \dfrac{\sqrt{2}}{2} = 4$

$\overline{BH} = \overline{AB} \cos 45°$

$\qquad = 4\sqrt{2} \times \dfrac{\sqrt{2}}{2} = 4$

따라서 $\overline{CH} = 6 - 4 = 2$이므로

$\overline{AC} = \sqrt{4^2 + 2^2} = 2\sqrt{5}$

07 오른쪽 그림과 같이 꼭짓점 A에서 $\overline{BC}$에 내린 수선의 발을 H라 하고 $\overline{AH} = h$ m라 하면

$\angle BAH = 60°$이므로

$\overline{BH} = h \tan 60° = \sqrt{3}h \,(\text{m})$

$\angle CAH = 45°$이므로

$\overline{CH} = h \tan 45° = h \,(\text{m})$

$\overline{BH} + \overline{CH} = \overline{BC}$이므로

$\sqrt{3}h + h = 30$, $(\sqrt{3}+1)h = 30$

$\therefore h = \dfrac{30}{\sqrt{3}+1} = 15(\sqrt{3}-1)$

따라서 기구까지의 높이는 $15(\sqrt{3}-1)$ m이다.

08 $\angle BAH = 45°$이므로

$\overline{BH} = h \tan 45° = h$

$\angle CAH = 30°$이므로

$\overline{CH} = h \tan 30° = \dfrac{\sqrt{3}}{3}h$

$\overline{BH} - \overline{CH} = \overline{BC}$이므로

$h - \dfrac{\sqrt{3}}{3}h = 2$, $\dfrac{3-\sqrt{3}}{3}h = 2$

$\therefore h = 2 \times \dfrac{3}{3-\sqrt{3}} = 3+\sqrt{3}$

09 $\triangle ABC$에서 $\overline{AC}=\sqrt{20^2-10^2}=10\sqrt{3}$이므로

$$\triangle ABC=\frac{1}{2}\times\overline{AB}\times\overline{AC}$$

$$=\frac{1}{2}\times10\times10\sqrt{3}=50\sqrt{3}$$

$$\triangle ACD=\frac{1}{2}\times\overline{AC}\times\overline{CD}\times\sin30°$$

$$=\frac{1}{2}\times10\sqrt{3}\times14\times\frac{1}{2}=35\sqrt{3}$$

이때 $\square ABCD=\triangle ABC+\triangle ACD$이므로

$$\square ABCD=50\sqrt{3}+35\sqrt{3}=85\sqrt{3}$$

10 등변사다리꼴의 두 대각선의 길이는 같으므로
$\overline{AC}=\overline{BD}=x$라 하면

$$\square ABCD=\frac{1}{2}\times x\times x\times\sin(180°-135°)$$이므로

$$\frac{1}{2}\times x\times x\times\frac{\sqrt{2}}{2}=16\sqrt{2},\ \frac{\sqrt{2}}{4}x^2=16\sqrt{2}$$

$$x^2=64\qquad\therefore x=8\ (\because x>0)$$

10 원의 성질

290쪽~301쪽

223-1 📋 (1) 4 (2) 30

(2) $3:12=x°:120°$ $\therefore x=30$

223-2 📋 (1) 3 (2) $4\sqrt{3}$

(1) $\overline{AH}=\frac{1}{2}\overline{AB}=\frac{1}{2}\times8=4$이므로 $\triangle OAH$에서

$$x=\sqrt{5^2-4^2}=3$$

(2) $\overline{AH}=\sqrt{4^2-2^2}=2\sqrt{3}$

$$\therefore x=2\overline{AH}=2\times2\sqrt{3}=4\sqrt{3}$$

224-1 📋 (1) 5 (2) 3

224-2 📋 5

$\overline{OM}=\overline{ON}$이므로

$$\overline{CD}=\overline{AB}=8$$

$$\therefore \overline{CN}=\frac{1}{2}\overline{CD}=4$$

$\triangle OCN$에서

$$\overline{OC}=\sqrt{3^2+4^2}=5$$

224-3 📋 65°

$\overline{OD}=\overline{OE}$이므로 $\overline{AB}=\overline{AC}$

즉, $\triangle ABC$는 이등변삼각형이므로 $\angle ABC=\angle ACB$

$$\therefore \angle ABC=\frac{1}{2}\times(180°-50°)=65°$$

225-1 📋 (1) 16 (2) $2\sqrt{65}$

(1) $\triangle APO$는 $\angle PAO=90°$인 직각삼각형이므로

$$\overline{PA}=\sqrt{10^2-6^2}=8$$

$\overline{PA}=\overline{PB}$이므로 $\overline{PA}+\overline{PB}=2\overline{PA}=16$

(2) $\overline{OQ}=\overline{OA}=4$이고 $\triangle AOP$는 $\angle OAP=90°$인 직각삼각형이므로

$$\overline{PA}=\sqrt{(4+5)^2-4^2}=\sqrt{65}$$

$\overline{PA}=\overline{PB}$이므로 $\overline{PA}+\overline{PB}=2\overline{PA}=2\sqrt{65}$

225-2 📋 $12\pi\ cm^2$

$\angle PAO=\angle PBO=90°$이므로

$$\angle AOB=180°-60°=120°$$

$$\therefore (부채꼴\ OAB의\ 넓이)=\pi\times6^2\times\frac{120}{360}$$

$$=12\pi(cm^2)$$

226-1 📋 (1) 15 cm (2) 7 cm

(1) $\overline{AP}=\overline{AR}$, $\overline{BQ}=\overline{BP}$, $\overline{CQ}=\overline{CR}$이므로

$$\overline{AP}+\overline{BQ}+\overline{CR}=\frac{1}{2}(\overline{AB}+\overline{BC}+\overline{CA})$$

$$=\frac{1}{2}(10+12+8)=15(cm)$$

(2) $\overline{BQ}=\overline{BP}=x$ cm라 하면

$\overline{CR}=\overline{CQ}=(12-x)$ cm, $\overline{AR}=\overline{AP}=(10-x)$ cm

이때 $\overline{AC}=\overline{AR}+\overline{CR}$이므로

$$8=(10-x)+(12-x),\ 2x=14\qquad\therefore x=7$$

✅ 이렇게도 풀어요!

(2) $\overline{BQ}=\frac{1}{2}(\overline{BC}+\overline{AB}-\overline{AC})=\frac{1}{2}(12+10-8)=7(cm)$

226-2 📋 3 cm

$\overline{BC}=\sqrt{17^2-15^2}=8(cm)$이고 원 O의 반지름의 길이를 r cm라 하면 $\overline{CE}=\overline{CF}=r(cm)$이므로

$$\overline{AD}=\overline{AF}=15-r(cm),\ \overline{BD}=\overline{BE}=8-r(cm)$$

$$\overline{AB}=\overline{AD}+\overline{BD}=(15-r)+(8-r)=17$$

$$\therefore r=3$$

227-1 🄔 (1) 7 (2) 8

(1) $\overline{AB}+\overline{CD}=\overline{AD}+\overline{BC}$에서

  $15+x=8+14$ ∴ $x=7$

(2) $\overline{AB}+\overline{CD}=\overline{AD}+\overline{BC}$에서

  $5+6=3+x$ ∴ $x=8$

227-2 🄔 (1) 6 cm (2) 30 cm

(1) $\overline{DG}=\overline{DH}=2(cm)$이므로

  $\overline{CD}=4+2=6(cm)$

(2) □ABCD가 원 O에 외접하므로

  $\overline{AB}+\overline{CD}=\overline{AD}+\overline{BC}$

  □ABCD의 둘레의 길이는

  $\overline{AB}+\overline{BC}+\overline{CD}+\overline{DA}=2(\overline{AB}+\overline{CD})$

    $=2\times(9+6)=30(cm)$

227-3 🄔 2 cm

$\overline{AB}+\overline{CD}=\overline{AD}+\overline{BC}$이므로

  $\overline{AB}+5=6+3$ ∴ $\overline{AB}=4(cm)$

이때 $\overline{AB}$는 원 O의 지름이므로 반지름의 길이는 2 cm
이다.

228-1 🄔 (1) 80° (2) 48°

(1) $\angle x=2\angle APB=2\times40°=80°$

(2) $\angle x=\dfrac{1}{2}\angle AOB=\dfrac{1}{2}\times96°=48°$

228-2 🄔 (1) $\angle x=30°$, $\angle y=50°$
   (2) $\angle x=50°$, $\angle y=55°$
   (3) $\angle x=52°$, $\angle y=52°$
   (4) $\angle x=90°$, $\angle y=65°$

(1) $\angle x$는 $\overset{\frown}{BC}$에 대한 원주각이므로

  $\angle x=\angle BAC=30°$

  또, $\angle y$는 $\overset{\frown}{AD}$에 대한 원주각이므로

  $\angle y=\angle ACD=50°$

(2) $\angle x$는 $\overset{\frown}{BC}$에 대한 원주각이므로

  $\angle x=\angle BDC=50°$

  $50°+\angle y=105°$ ∴ $\angle y=55°$

(3) $\angle BAD$는 반원에 대한 원주각이므로

  $\angle BAD=90°$ ∴ $\angle x=90°-38°=52°$

  $\angle y$는 $\overset{\frown}{BC}$에 대한 원주각이므로

  $\angle y=\angle x=52°$

(4) $\angle x$는 반원에 대한 원주각이므로 $\angle x=90°$이다.

  또, $\angle BDC=90°$이므로

  $\angle y=180°-(90°+25°)=65°$

229-1 🄔 (1) 40 (2) 7 (3) 25 (4) 6

(3) $\overset{\frown}{AB}:\overset{\frown}{BC}=2:1$이므로

  $\angle APB:\angle BPC=2:1$에서

  $50:x=2:1$ ∴ $x=25$

(4) $\angle AQB:\angle CPD=1:2$이므로

  $\overset{\frown}{AB}:\overset{\frown}{CD}=1:2$에서

  $3:x=1:2$ ∴ $x=6$

229-2 🄔 (1) 45° (2) 60° (3) 75°

$\overset{\frown}{AB}:\overset{\frown}{BC}:\overset{\frown}{CA}=\angle ACB:\angle BAC:\angle CBA$

    $=3:4:5$

(1) $\angle ACB=180°\times\dfrac{3}{3+4+5}=45°$

(2) $\angle BAC=180°\times\dfrac{4}{3+4+5}=60°$

(3) $\angle CBA=180°\times\dfrac{5}{3+4+5}=75°$

230-1 🄔 ㄴ, ㄷ, ㅂ

ㄱ. $\angle BAC\neq\angle BDC$이므로 네 점 A, B, C, D는 한
  원 위에 있지 않다.

ㄴ. $\angle ADB=\angle ACB$이므로 네 점 A, B, C, D는 한
  원 위에 있다.

ㄷ. $\angle BAC=\angle BDC$이므로 네 점 A, B, C, D는 한
  원 위에 있다.

ㄹ. $\angle BAC=\angle ACD$이지만 $\overline{BD}$에 대하여 서로 반대
  방향에 있으므로 네 점 A, B, C, D는 한 원 위에
  있지 않다.

ㅁ. $\angle DAC\neq\angle DBC$이므로 네 점 A, B, C, D는 한
  원 위에 있지 않다.

ㅂ. $\angle DAC=\angle DBC$이므로 네 점 A, B, C, D는 한
  원 위에 있다.

230-2 🄔 (1) 30° (2) 40°

(1) △PCD에서 삼각형의 외각의 성질에 의하여

  $\angle PDC+80°=110°$

  ∴ $\angle PDC=110°-80°=30°$

네 점 A, B, C, D가 한 원 위에 있으려면

$\angle BAC = \angle BDC$이어야 하므로

$\qquad \angle x = 30°$

(2) 네 점 A, B, C, D가 한 원 위에 있으려면

$\angle DAC = \angle DBC$이어야 하므로

$\qquad \angle DBC = 70°$

△DPB에서 삼각형의 외각의 성질에 의하여

$\qquad \angle x + 30° = 70° \qquad \therefore \angle x = 40°$

231-1 📖 (1) $\angle x = 110°$, $\angle y = 80°$

(2) $\angle x = 70°$, $\angle y = 140°$

(3) $\angle x = 100°$, $\angle y = 135°$

(4) $\angle x = 70°$, $\angle y = 105°$

(1) □ABCD가 원에 내접하므로

$\angle ABC + \angle x = 180°$에서

$\qquad 70° + \angle x = 180° \qquad \therefore \angle x = 110°$

$\angle BAD + \angle y = 180°$에서

$\qquad 100° + \angle y = 180° \qquad \therefore \angle y = 80°$

(2) □ABCD가 원에 내접하므로 $\angle x + \angle ADC = 180°$

$\qquad \therefore \angle x = 180° - 110° = 70°$

$\angle y = 2\angle x$이므로 $\angle y = 2 \times 70° = 140°$

(3) □ABCD가 원에 내접하므로 $\angle x + \angle BCD = 180°$

$\qquad \therefore \angle x = 180° - 80° = 100°$

$\angle ADC = \angle y$이므로 $\angle y = 135°$

(4) □ABCD가 원에 내접하므로 $\angle x + 110° = 180°$

$\qquad \therefore \angle x = 70°$

$\angle y = \angle ABE$이므로 $\angle y = 105°$

231-2 📖 80°

$\angle x = 60° - 25° = 35°$

$\angle ADC = 180° - (25° + 90°) = 65°$

즉, □ABCD가 원에 내접하므로

$\qquad \angle y = 180° - 65° = 115°$

$\qquad \therefore \angle y - \angle x = 115° - 35° = 80°$

232-1 📖 (1) $\angle x = 110°$, $\angle y = 115°$

(2) $\angle x = 80°$, $\angle y = 60°$

(3) $\angle x = 50°$, $\angle y = 55°$

(4) $\angle x = 40°$, $\angle y = 130°$

(1) □ABCD가 원에 내접하므로

$\qquad \angle x + 70° = 180° \qquad \therefore \angle x = 110°$

$\qquad \angle y + 65° = 180° \qquad \therefore \angle y = 115°$

(2) □ABCD가 원에 내접하므로

$\qquad \angle x + 100° = 180° \qquad \therefore \angle x = 80°$

$\angle ADC = \angle y$이므로 $\angle y = 60°$

(3) □ABCD가 원에 내접하므로

$\qquad 100° + (\angle x + 30°) = 180° \qquad \therefore \angle x = 50°$

△ACD에서

$\qquad \angle y = 180° - (30° + 50° + 45°) = 55°$

(4) $\angle DCE = \angle BAD$이므로

$\qquad \angle x + 30° = 70° \qquad \therefore \angle x = 40°$

△ABC에서

$\qquad \angle B = 180° - (90° + 40°) = 50°$

□ABCD가 원에 내접하므로 $\angle B + \angle y = 180°$

$\qquad \therefore \angle y = 180° - 50° = 130°$

232-2 📖 ㄷ, ㄹ

ㄱ. $\angle ABC + \angle ADC \neq 180°$이므로 사각형 ABCD는
원에 내접하지 않는다.

ㄴ. $\angle ABE \neq \angle ADC$이므로 사각형 ABCD는 원에 내
접하지 않는다.

ㄷ. $\angle DAB = 180° - (30° + 30°) = 120°$이므로

$\qquad \angle BAD + \angle BCD = 180°$

따라서 사각형 ABCD는 원에 내접한다.

ㄹ. $\angle ABC = 180° - (20° + 30°) = 130°$이므로

$\qquad \angle ABC = \angle ADE$

따라서 사각형 ABCD는 원에 내접한다.

233-1 📖 (1) 50° (2) 120° (3) 43° (4) 110°

(1) $\angle BAT = \angle BCA = 90°$이므로 △BCA에서

$\qquad \angle x = 180° - (90° + 40°) = 50°$

(2) △BCA에서

$\qquad \angle BCA = 180° - (35° + 25°) = 120°$

$\qquad \therefore \angle x = \angle BCA = 120°$

(3) 접선과 현이 이루는 각의 성질에 의하여

$\angle CAT = \angle ABC = 64°$이므로 △ABC에서

$\qquad \angle x = 180° - (73° + 64°) = 43°$

(4) 접선과 현이 이루는 각의 성질에 의하여

$\angle CAT = \angle CBA = 50°$이므로 △ABC에서

$\qquad \angle x = 180° - (50° + 20°) = 110°$

233-2 답 $\angle x=64°$, $\angle y=36°$

$\angle x=\angle BAT=64°$, $\angle y=\angle CBA=36°$

234-1 답 (1) $60°$ (2) $55°$

(1) $\angle CDT=\angle CTP=\angle BTQ=\angle TAB=60°$

(2) $\angle ABT=\angle ATP=\angle QTD=\angle TCD=55°$

234-2 답 (1) $70°$ (2) $60°$

(1) $\angle TDC=\angle CTQ=70°$

(2) $\angle ABT=\angle DCT=60°$

탄탄한 중단원 문제

302쪽~303쪽

01 $\dfrac{13}{2}$ cm 02 ③ 03 6 cm 04 ③

05 ⑤ 06 ③ 07 $100°$ 08 ③ 09 ②

01 $\overline{AM}=\overline{BM}$이므로

$$\overline{BM}=\frac{1}{2}\times 12=6\text{(cm)}$$

원의 반지름의 길이를 r cm라 하면 $\overline{OB}=\overline{OC}=r$ cm이므로

$$\overline{OM}=(r-4)\text{ cm}$$

△OMB에서

$$r^2=(r-4)^2+6^2,\ 8r=52 \qquad \therefore r=\frac{13}{2}$$

02 $\overline{PA}=\overline{PB}=3\text{(cm)}$, $\angle APB=60°$이므로 △APB는 한 변의 길이가 3 cm인 정삼각형이다.

$$\therefore \overline{AB}=3\text{(cm)}$$

03 △CDE에서 $\overline{DE}=\sqrt{10^2-8^2}=6\text{(cm)}$

$\overline{AE}=x$ cm라 하면

$$\overline{BC}=\overline{AD}=(x+6)\text{cm}$$

이때 □ABCE가 원 O에 외접하므로

$\overline{AB}+\overline{CE}=\overline{AE}+\overline{BC}$에서

$$8+10=x+(x+6),\ 2x=12 \qquad \therefore x=6$$

04 $\angle ADB=\angle ACB=\angle x$이고 △QBC에서

$\angle QBC=40°+\angle x$이므로

$$(40°+\angle x)+\angle x=110°$$
$$2\angle x=70° \qquad \therefore \angle x=35°$$

05 $\overline{BO}=\overline{CO}$이므로

$$\angle OBC=\angle OCB=40°$$
$$\therefore \angle BOC=180°-(40°+40°)=100°$$
$$\therefore \angle BDC=\frac{1}{2}\angle BOC=50°$$

한편, □ABCD는 원에 내접하므로 $\angle x$의 내대각은 $\angle ADC$이다.

$$\therefore \angle x=\angle ADC=20°+50°=70°$$

06 ① $\angle ACB\neq\angle ADB$

② $\angle ACB\neq\angle ADB$

③ $\angle BDC=85°-45°=40°$이므로

$$\angle BAC=\angle BDC$$

④ $\angle BDA+30°=110°$이므로 $\angle BDA=80°$

$$\therefore \angle ADB\neq\angle ACB$$

⑤ $\angle BAC\neq\angle BDC$

07 □ABQP가 원 O에 내접하므로

$$\angle PQC=\angle PAB=80°$$

또, □PQCD가 원 O'에 내접하므로

$$\angle PQC+\angle x=180° \qquad \therefore \angle x=180°-80°=100°$$

08 △APT가 이등변삼각형이므로

$$\angle ATP=\angle APT=35°$$

접선과 현이 이루는 각의 성질에 의하여

$$\angle ATP=\angle ABT=35°$$

△APT에서 $\angle BAT=35°+35°=70°$이므로 △ATB에서

$$\angle ATB=180°-(35°+70°)=75°$$

09 큰 원에서 접선과 현이 이루는 각의 성질에 의하여

$$\angle x=\angle CDT=60°$$

또, 작은 원에서 접선과 현이 이루는 각의 성질에 의하여

$$\angle ABT=\angle ATP=60°$$

△ABT에서

$$\angle y=180°-(50°+60°)=70°$$
$$\therefore \angle y-\angle x=70°-60°=10°$$

중등수학 전과정
절대개념
234

영역별 개념 총정리

흥미로운 영어 책으로 독해 공부 제대로 하자!

중학 영어
독해 + 내신

READING
적중! 영어독해

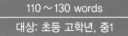

110 ~ 130 words

대상: 초등 고학년, 중1

120 ~ 140 words

대상: 중1, 중2

130 ~ 150 words

대상: 중2, 중3

적중! 영어독해 특징

- 다양하고 재미있는 소재의 지문
- 다양한 어휘 테스트(사진, 뜻 찾기, 문장 완성하기, 영영풀이)
- 풍부한 독해 문제(다양한 유형, 영어 지시문, 서술형, 내신형)
- 전 지문 구문 분석 제공
- 꼭 필요한 학습 부가 자료(QR코드, MP3파일, WORKBOOK)